KRISTIN HANNAH

最好的妳

A NOVEL

FIREFLY LANE

塔莉和凱蒂不是世上最完美的姐妹淘，
會吵架、嫉妒、背叛、互相傷害，但又重歸於好。
她們發誓要當永遠的好朋友，誰都不能將她們分開。
原以為她們的友誼無堅不摧，可一次誤會卻使兩人從此決裂……

《紐約時報》暢銷作家

克莉絲汀・漢娜——著

康學慧——譯

獻詞

本書獻給「我們」。姐妹淘，互相扶持度過種種難關考驗，無論大小，年復一年。妳們知道我說的就是妳們。謝謝。

獻給為我製造無數回憶的家人，父親羅倫斯、手足肯特與蘿拉，我的先生班傑明和兒子塔克。無論各自身在何方，你們永遠常駐我心。

也獻給我的母親，她啓發了我許多本小說的靈感，這本更是如此。

致謝

謹此感謝——

瑪莉安・麥克雷利，感謝妳幫忙諮詢關於電視及傳播方面的知識。妳的專業令我獲益良多，謝謝。

珍妮佛・安德林、吉兒・瑪莉・藍狄斯、金・費司克、安潔雅・西瑞羅，以及梅根・錢斯，這個故事的寫作過程中妳們分別給了我許多幫助，謝謝。

聖馬丁出版公司的傑出團隊，謝謝你們給我這個機會。

老友爲最佳明鑑。

——喬治·賀伯特，十五世紀英國詩人

1

她們曾經被稱爲螢火蟲巷姐妹花。那是很久以前的往事了，超過三十年，然而，此刻她躺在床上聆聽窗外的冬季暴風雨，感覺彷彿只是昨天。

過去一週（絕對是她這輩子最慘的七天），她越來越無法不觸及回憶。最近她總是在夢中重回一九七四年，她變回當年的少女，在戰敗的陰影中成長，與好友並肩騎著腳踏車，夜色一片漆黑，人似乎隱形了。地點其實不重要，只是做爲回憶的基準，但她清楚記得所有細節：一條蜿蜒的柏油路，兩旁的溝渠中流著污水，山丘長滿亂草。認識她之前，這條路感覺哪兒都去不了，只是一條鄉間巷道，隱身於世上一個有著青山碧海的偏僻角落中，從來沒有半隻螢火蟲出沒。

直到她們在彼此的眼中看見。當她們一起站在山丘上，眼中所見不再是泥濘坑洞與遠處的積雪山頭，而是未來將前往的所有地點。她們趁著夜色各自偷溜出隔街相望的家，在那條路上會合。在皮查克河岸上，她們抽著偷來的香菸，爲〈比利，別逞英雄〉①的歌詞感動哭泣，互相訴說每件大小事，兩人的生命緊密交織，那年夏天結束時，她們再也難分彼此。所有認識的人都稱呼她們爲「塔莉與凱蒂」，三十多年來，這份友誼有如人生中的擋土牆，紮實、牢靠且穩固，幾十年來音樂隨潮流更迭，但螢火蟲巷的承諾屹立不搖。

永遠的好朋友。

---

①比利，別逞英雄（Billy, Don't Be a Hero）：一九七四年的反戰歌曲，先由英國樂團紙蕾絲（Paper Lace）演唱，後由美國樂團布唐納森與黑伍德樂團（Bo Donaldson & The Heywoods）翻唱。

她們相信這份誓言能堅守到永遠，她們會一起變老，坐在老舊露臺的兩張搖椅上，回顧往事一起歡笑。

當然，現在她知道不可能成眞了。一年多來她一直告訴自己沒關係，少了好朋友她也能活得很好——有時她甚至眞的相信。

但每當她以爲已經釋懷時，就會聽見當年的音樂——她們的音樂。艾爾頓．強的〈再見黃磚路〉、瑪丹娜的〈拜金女孩〉、皇后樂團的〈波西米亞狂想曲〉、王子唱的〈紫雨〉。昨天她買東西的時候，賣場播放卡蘿．金的〈你有個好朋友〉，雖然是難聽的翻唱版本，依然惹得她當場在蘿蔔旁邊哭了出來。

她輕輕掀開被單下床，小心避免吵醒身邊熟睡的男人。她站在幽暗的夜色中凝望他許久，即使在睡夢中，他依然顯得憂心忡忡。

她由底座上拿起電話離開臥房，經過寂靜的走廊，下樓前往露臺。她在露臺上望著暴風雨凝聚勇氣，按下熟悉的號碼時，她思索著該向過去的好朋友說什麼。她們好幾個月沒聯絡了，她第一句話該怎麼說？*我這個星期過得很苦……我的人生眼看就要分崩離析……*或者只是簡單的一句：*我需要妳。*

漆黑澎湃的海灣另一頭，電話鈴聲響起。

第一部　七〇年代〈舞后〉

～年輕可人，年方十七～①

2

對於國內大部分的地方，一九七〇是動盪不安、變化莫測的一年，但「木蘭道」上的這個家一切井然有序、平靜無波。十歲的塔莉．哈特在屋裡玩遊戲，她坐在涼涼的木地板上用林肯積木幫麗多迷你娃娃②蓋房子，娃娃們躺在粉紅面紙上睡覺。如果是在她的房間，她一定會用玩具唱片機播放傑克森兄弟合唱團的四十五轉唱片，但是客廳裡連收音機都沒有。

外婆不太喜歡音樂，也不喜歡電視或桌上遊戲，大部分的時間外婆都像現在這樣坐在搖椅上忙針線活。她做了好幾百幅小型刺繡，內容大多是《聖經》中的句子，聖誕節時將全部捐獻給教堂義賣籌募基金。

至於外公……唉，他不想安靜都不行。中風之後他只能躺在床上，偶爾會搖鈴叫人，只有這種時候塔莉才會看到外婆匆忙的模樣——鈴聲一響起，她會微笑說聲「噢，老天」，然後踩著睡鞋盡可能以最快的速度趕往走廊。

塔莉聲音很輕地哼著猴子合唱團的〈白日夢信徒〉，拿起黃色頭髮的巨魔娃娃和卡拉密緹娃娃隨著旋律共舞，歌唱到一半，外面傳來三下敲門聲。

因爲太過意想不到，塔莉停止遊戲，抬頭張望。這個家從來沒有訪客，只有星期日畢多先生和畢多太太會來帶她們上教堂。

外婆將針線放進椅子旁的粉紅塑膠袋，站起身，慢吞吞拖著腳步去應門，最近幾年她幾乎都是這樣走路。外婆打開門，沉默許久之後才聽到她說：「噢，老天。」

塔莉覺得外婆的語氣不大對勁，於是她歪頭看向門邊，外面站著一位高個子女士，她留著一頭散亂的長髮，臉上的笑容撐起來又垮下。她是塔莉看過最漂亮的女人，膚色有如牛奶，鼻子又挺又翹，高聳顴骨下方有著小巧的下巴，水汪汪的棕眸開和闔都很慢。

「女兒離家這麼久，這樣的歡迎不太夠吧？」那位女士由外婆身邊擠進門，直直走向塔莉，她彎下腰問：「這是我的小塔露拉．蘿絲嗎？」

女兒？也就是說——

「媽咪？」她又驚又喜地低聲喚，不敢相信是眞的，這一刻她等待了好久、夢想了好久。媽咪回來了。

「妳想我嗎？」

「噢，想死了。」塔莉努力不笑出聲，但她眞的好開心。

外婆關上門。「去廚房喝杯咖啡吧？」

「我回來不是爲了喝咖啡。我要帶走我的女兒。」

「妳破產了。」外婆的語氣很疲憊。

媽咪一臉暴躁。「那又怎樣？」

「塔莉需要——」

「她是我的女兒，我知道她需要什麼。」媽咪好像很努力想站穩，卻總是辦不到，她有點搖搖晃晃，眼神也怪怪的。她用一隻手指纏繞著一束波浪長髮。

外婆走過來。「養孩子是很重的責任，桃樂西。妳應該先搬回來住一陣子多瞭解塔莉一

---

①舞后（Dancing Queen）：瑞典演唱團體阿巴（ABBA）於一九七六年推出之歌曲，收錄於「Arrival」專輯，「年輕可人，年方十七」為其中歌詞。

②麗多迷你娃娃（Liddle Kiddles）：一九六五年由美泰（Mattel）公司原創生產，高度為十公分左右，有許多不同的系列。每個娃娃有各自的角色和名字，如下段提到的卡拉密緹娃娃（Calamity Jiddle Doll）即為女牛仔。

點，準備好之後——」她停住，接著蹙眉低聲說：「妳喝醉了。」

媽咪吃吃笑著對塔莉眨一下眼睛。

塔莉也對她眨一下。喝醉不是壞事，外公病倒之前很愛喝酒，就連外婆偶爾也會來杯葡萄酒。

「媽，今天是我的生日，妳忘記了？」

「妳的生日？」塔莉飛快跳起來。「等我一下。」說完，她便跑回房間。她的心跳得好快，翻著寶物抽屜，將東西隨手亂丟，尋找去年在聖經班用通心粉和珠子串成的項鍊，那是要送給媽媽的禮物。外婆看到項鍊時皺著眉頭叫她別抱太大的希望，但塔莉做不到，她懷抱希望好多年了。她將項鍊塞進口袋衝出去，正好聽見媽咪說——

「親愛的老媽，我沒醉。三年來我第一次和女兒重逢，愛是最強的興奮劑。」

「六年。上次妳把她扔在這裡時她才四歲。」

「那麼久了？」媽咪的表情很困惑。

「搬回來吧，桃樂西，我可以幫妳。」

「像上次那樣？不，謝了。」

上次？媽咪以前回來過？

外婆嘆口氣，重新強硬起來。「那件事妳要記恨多久？」

「那種事沒有保存期限，對吧？來吧，塔露拉。」媽媽已經踏著踉蹌的腳步往門口走去。

塔莉皺起眉頭。不對，不應該是這樣。媽咪沒有抱她、吻她，也沒有問她過得好不好，而且大家都知道出遠門要準備行李。她指著臥房門。「我的東西——」

「塔莉拉，妳不需要那些物質主義的狗屁東西。」

塔莉不懂媽媽在說什麼。「啥？」

外婆過來抱住塔莉，她聞到爽身粉和髮膠甜美熟悉的氣味。外婆是唯一擁抱過她的人，只有外婆能讓她覺得安心，忽然，她害怕起來。「外婆？」她說著退開身，「發生什麼事了？」

「妳要跟我走。」媽咪伸手扶著門框站穩。

外婆緊抓著她的肩膀輕輕搖了一下。「妳知道我們的電話號碼吧？萬一妳覺得害怕或發生什麼不好的事，打電話我們。」她在哭，看到堅強平靜的外婆哭泣讓塔莉好害怕。怎麼回事？她做錯什麼事了嗎？

「外婆，對不起，我——」

媽咪衝過來一把抓住她的肩膀用力搖。「永遠不要說對不起，道歉只會讓妳顯得很可悲。快走吧。」她牽起塔莉的手拽著她往門口走。

塔莉跌跌撞撞跟在母親身後，走出家門，下了階梯，穿越馬路，那裡停著一輛生鏽的福斯麵包車，車身滿是塑膠貼花，側邊畫著大大的和平符號。

車門開了，飄出一陣滾滾灰煙，隔著迷濛濃霧，她看到車上有三個人。駕駛座上坐著一個黑人，巨大爆炸頭上繫著紅髮帶；後座有一男一女，女的穿著流蘇背心配條紋長褲，金髮上包著棕色頭巾，旁邊那個男人穿著大喇叭褲和破舊T恤。車底鋪著棕色地毯，幾支菸斗隨意亂放，到處是空啤酒瓶、食物包裝袋和錄音帶。

「這是我女兒塔露拉。」媽媽說。

塔莉討厭塔露拉這個名字，但她沒有開口。等和媽媽單獨在一起時再說吧。

「酷斃了。」其中一個人說。

「點點，她長得和妳一模一樣，我快感動死了。」

「快上車，」駕駛粗聲說。「要遲到了。」

穿著髒T恤的男人伸手握住塔莉的腰，一把將她抱上車，她戒慎地跪坐著。

媽媽接著上車，用力關上車門。車廂內播放著節奏強烈的怪音樂，她只能約略聽懂幾個字：在這裡發生……煙霧讓所有東西變得柔和又有些模糊。

塔莉往內移動靠向金屬車身，空出位子給媽媽，但她坐在包頭巾的女人旁邊。她們立刻聊起豬、遊行和一個叫肯特①的人，塔莉一句都聽不懂，繚繞的煙霧使她頭暈，旁邊的男人點起菸管，她忍不住發出失望的低聲嘆息。

那個人聽見了，轉過頭對著她的臉呼了口灰煙，微笑著說：「跟著感覺走，小ㄚ頭。」

「看看我媽把她打扮成什麼樣子。」媽咪酸溜溜地說，「簡直像個洋娃娃。如果連衣服都不能弄髒，她又怎麼可能擁有眞正的自我？」

「對極了，點點。」那個男的說，邊呼出煙邊往後靠。

媽咪第一次看著塔莉，認眞地注視她。「記住了，孩子，人生並非洗衣、煮飯、生小孩，而是要追尋自由，做自己想做的事。如果妳想，妳甚至可以當上他媽的美國總統。」

「我們的確需要換個總統。」駕駛說。

綁頭巾的女人拍拍媽媽的大腿。「眞是有道理。湯姆，菸斗傳這裡。」她傻笑。「嘿，好像有押韻欸。」

塔莉皺起眉頭，心中感覺到一種以前沒有過的羞恥。她覺得這件洋裝很漂亮，也從來沒想過要當總統，她想當芭蕾舞者。

其實她最想要媽媽愛她。她側身移動到能碰到媽媽的地方。「生日快樂。」她輕聲說，由口袋中拿出那條項鍊，她非常認眞、花了好多心思做的，其他小朋友都出去玩了她還在黏亮片。「這是我做的，送給妳。」

媽媽一把抓過去捏在手裡。塔莉等著媽媽說謝謝然後戴上，但她沒有反應，只是坐在那裡隨音樂搖擺、跟朋友聊天。

最後，塔莉閉上了眼睛，煙霧熏得她昏昏欲睡。她從小就一直想念媽媽，不是找不到玩具那種想的感覺，也不是朋友嫌她霸佔玩具所以不來找她玩的那種。她想念媽咪，這種思念一直在她心中，白天時感覺像個隱隱作痛的空洞，到了夜裡變成強烈的劇痛。她暗自發過誓，只要媽媽回來，她一定會很乖，做個完美的女兒，無論說錯或做錯什麼，她一定會彌補、改正。她想讓媽媽以她為榮，這個心願勝於一切。

然而現在，她不知道該怎麼辦。在夢中，她們總是手牽著手一起走，只有她們兩個。夢境中，媽咪帶她爬上山丘去到她們的家，然後說：「我們到了，美麗的家園。」她親吻塔莉的臉頰，低聲說：「我非常想妳。我離開是因為——」

「塔露拉，快醒醒。」

塔莉驚醒，她的頭很疼、喉嚨很痛，她想問這是哪裡，卻乾啞不成聲。所有人都笑她，急忙下車時還笑個不停。

繁忙的西雅圖市中心街道上擠滿了人，呼口號，大聲叫，高舉著標語：做愛不作戰、堅守立場不上戰場。塔莉第一次看到這麼多人擠在同一個地方。

媽咪牽起她的手，拉著她走過去。

這一天接下來時間她過得很迷糊，只知道大家在呼口號與唱歌。塔莉無時無刻都在害怕，怕萬一鬆開媽媽的手，她們會被人潮衝散。警察來了，但她沒有因此放心，因為他們的腰帶上插著槍，手中握著警棍，戴著塑膠頭罩保護臉部。

群眾不顧警察繼續遊行，而警察只是站在一旁監視。

天黑時，她又累又餓，頭也疼，但他們繼續走過一條條街道，不過現在人群發生了變化——他們放下標語開始喝酒。有時她聽見完整的句子或對話，但完全不懂意思。

「看到那些豬頭了嗎？他們等不及想痛扁我們，但我們是和平示威，他們沒辦法動我們。

---

①此處所提及的豬，應是指一九六一年發生之豬灣（Bay of Pigs）事件，美國入侵古巴失敗。而肯特則應是指肯特州立大學（Kent State）反戰抗議事件，發生於一九七〇五月四日，俄亥俄州國民警衛隊對抗議學生開槍，造成四人死亡，九人受傷。

嘿，點點，草都被妳一個人哈光了。」

旁邊所有人都大笑，媽咪笑得最大聲，塔莉不懂是怎麼回事，她的頭快痛死了。四周擠滿了跳舞、笑鬧的人，不知道哪裡在播放音樂，聲音傳遍整條街。

就在這時候，她的手忽然空了。

「媽咪！」她尖喊。

雖然到處都是人，但沒有人回答也沒有人轉身。她在人群間推擠，尖叫著找媽媽，直到再也發不出聲音。她回到最後看見媽媽的地方，站在路旁等待。

她一定會回來。

眼淚刺痛雙眼，湧出眼眶，滑落臉頰，她站在那裡癡癡等候，努力鼓起勇氣。

可是媽咪沒有回來。

多年後，她試著回想後來發生的事、她做了什麼，但人群有如烏雲籠罩她的記憶。她只記得她走上街邊一道髒兮兮的水泥階梯，周遭完全沒有人，然後看到一個騎著馬的警察。

他坐在高高的馬背上，皺眉低頭看著她問：「嘿，小朋友，只有妳一個人嗎？」

「對。」她只能說出這個字，再說下去就要哭了。

他帶她回到位在「安妮女王丘」的那個家，外婆緊抱著她，親吻她的臉頰，跟她說不是她的錯。

可是塔莉知道一定是，今天她絕對犯了錯或不乖。下次媽咪回來，她要表現得更好。她發誓要當上總統，而且永遠永遠不說對不起。

塔莉找來美國總統列表，按年代一一背熟。接下來幾個月，每當有人問她長大後想做什麼，她一定會回答要當第一個女總統，甚至連芭蕾舞課都停掉了。十一歲生日那天，外婆點起蠟燭，用單薄含糊的調子唱著生日快樂歌，塔莉不斷向門口張望，想著就是現在，但沒有人敲門，電話也沒響。拆完禮物後，她努力保持笑容，她面前的茶几上擺著全新的剪貼簿，這份禮物實在很遜，但外婆送的禮物總是這種能讓她安安靜靜自己去忙的東西。

「她連通電話也沒打。」塔莉抬起視線。

外婆疲憊嘆息。「塔莉，妳媽……有點問題。她軟弱又迷惘，妳要認清現實，自己堅強起來才行。」

這些話外婆說過幾億次了。「我曉得。」

外婆來到老舊的印花沙發旁，坐在塔莉身邊，將她拉到腿上。

塔莉很喜歡外婆抱她。她貼近，臉頰靠在外婆柔軟的胸前。

「塔莉，我也希望妳媽不是這樣，絕對是真的，我敢對天發誓，但她的靈魂已經迷失了。」

「所以她才不愛我？」

外婆低頭看她，黑色角框眼鏡放大了淺灰眼眸。「她以自己的方式愛妳，所以才會一再回來。」

「感覺不像愛。」

「我知道。」

「我覺得她根本就討厭我。」

「她討厭的人是我。很久以前發生了一件事，當時我沒有……唉，現在說這些也沒用了。」外婆抱緊塔莉。「我相信遲早有一天她會後悔錯過妳的童年。」

「我可以給她看剪貼簿。」

外婆沒有看她。「她一定會很高興。」外婆沉默很久之後道，「生日快樂，塔莉。」然後親吻她的前額。「我得去陪妳外公了，他今天不太舒服。」

外婆離開客廳，塔莉坐在原處，望著剪貼簿空白的第一頁。有一天她會送給媽媽，這是最完美的禮物，能填補她錯過的時光。可是要貼什麼呢？她有幾張照片，大多是派對或郊遊時朋友的媽媽幫忙拍的，但數量不多。外婆的視力不好，看不清相機小小的取景窗，而且她只有一張媽媽的照片。

她拿起筆，萬分慎重地在右上角寫下日期，接著皺起眉。還能寫什麼呢？親愛的媽咪，今天是我十一歲生日……

從那之後，她便勤於蒐集生活中的種種紀念品：學校的照片、運動的照片、電影票。接下來好幾年的時間，每當遇上開心的日子，她總會急忙跑回家寫下她去了哪裡、做了什麼，並貼上收據或門票作爲證明。漸漸地，她開始小小加油添醋，讓自己顯得更風光，嚴格說來不算撒謊，只是稍微誇張一點罷了，只要有一天能讓媽媽覺得光榮就好。她用完了一本又一本，每年生日外婆都會送一本新的，直到她進入青少年期。

那時候發生了一些變化。她也說不清究竟是怎麼回事，或許是因爲胸部發育得比別人快，也可能只是厭倦了記錄生活點滴卻沒人看，總之，十四歲那年她終於放棄了，將所有孩子氣的剪貼簿收進一個大紙箱，塞進衣櫥深處，然後請外婆不要再買了。

「眞的嗎，親愛的？」

「嗯。」她只簡單應了一聲。她再也不在乎媽媽了，也努力不去想她，事實上，在學校，她告訴大家她媽媽駕船出意外過世了。

這個謊讓她得到自由。她停止買童裝，開始逛少女專櫃，她買露出肚子的緊身上衣大秀剛發育的胸部，而低腰牛仔喇叭褲則使臀部顯得更加誘人。她不能讓外婆發現她穿這些衣服，但要隱瞞並不難——她穿著厚厚的羽絨背心，出門道別時總是匆匆揮手，靠這兩招她想穿什麼都沒問題。

她發現只要注意打扮加上特定的態度，學校最酷的那群人就會願意和她一起混。星期五和星期六晚上她告訴外婆要去朋友家過夜，其實是跑去「湖丘」溜冰，在那裡沒有人會問起她家的狀況，也不會用憐憫的眼神看她，當她是「可憐的塔莉」。她學會抽菸不被嗆到，嚼口香糖來掩飾菸味。

國二時，她成爲國中部人氣最高的女生，有一大堆朋友很有幫助，因爲只要生活夠緊湊，她就不會去想那個不要她的女人。

然而偶爾她依舊感到……不能說是寂寞……總之怪怪的，或許可以說沒有根，彷彿和她一起混的那些人都只是過客。

今天就是那種日子。她坐在校車上的固定位置，聽著四周熱鬧的八卦，所有人好像都在聊家裡的事，而她插不上話。他們說著和弟弟吵架，因爲對爸媽頂嘴而被禁足，這些她都不懂，幸好她下車的站到了，她急忙下車，以誇張的姿態和朋友道別，高聲笑著猛揮手。假裝，最近她經常這樣。

校車開走之後，她背起書包踏上回家的長路，一轉過街角她就看到它了。

一輛破舊的福斯麵包車停在外婆家對面，車身上依然貼著花朵。

3

凱蒂・穆勒齊的鬧鐘響起時天還沒亮，她咕噥一聲躺著不動，望著三角形的天花板。想到要上學她就渾身不舒服。

對她而言國二慘透了。一九七四年完全爛到家，根本是社交沙漠。感謝老天，再過一個月學期就結束了，不過暑假也好不到哪裡去。

六年級時她有兩個好朋友，她們做什麼都在一起，一起參加青年會的馬術比賽、一起加入少年團契、騎著腳踏車互相串門子，但十二歲那年夏天，這段友誼畫下了句點。那兩個女生變得很野，沒有其他方式可以形容。她們在上學前抽大麻，經常蹺課，到處參加派對，她不肯加入，於是她們絕交了，就這樣。因爲她曾經和嗑藥的人來往，所以學校裡的「好」孩子排斥她，現在她的朋友只剩書本，她反覆讀了《魔戒》好幾遍，甚至能背出整段場景。

就算擁有這種特技也不會受人歡迎。

她嘆著氣下床。樓上的小儲藏室不久前改裝成浴室，她迅速洗了澡，將直金髮編成辮子，戴上蠢到家的角框眼鏡。這副眼鏡老土斃了，圓形無框眼鏡才夠酷，可是爸爸說現在沒錢給她配新眼鏡。

她下樓到後門，將喇叭褲的褲管貼腿摺好，穿上放在水泥階梯上的超大黑色雨靴。她以月球漫步般的動作踏過深深泥濘到後面的馬棚，他們的老母馬一拐一拐地來到圍欄前，嘶鳴著打招呼。

「嗨，甜豆。」凱蒂灑下一把秣料，搔搔馬兒細柔的耳朵。

「我也很想妳。」她是眞心的。兩年前她們形影不離，那年夏天凱蒂每天都騎馬，在斯諾霍米什郡園遊會上贏了很多獎。

可惜世上的一切都變得太快，現在她懂了。馬兒會在一夜之間衰老跛腳，朋友會在一夜之間變成陌生人。

「拜。」她踩著沉重的腳步在黑暗中一步步走過泥濘的車道，在門廊上脫掉雨靴。一打開後門，便可見屋裡亂得天翻地覆。媽媽一身褪色印花家居服，腳踩粉紅毛拖鞋，叼著夏娃涼菸站在爐子前，將麵糊倒進長方形煎盤。她將長度及肩的棕髮綁成單薄雙馬尾，以桃紅色緞帶固定。「凱蒂，準備餐具。」她頭也沒抬，「尚恩！快下來！」

凱蒂乖乖聽話。餐具剛擺好，媽媽就出現在她身後忙著倒牛奶。

「尚恩——快來吃早餐。」媽媽再度對著樓上大喊，這次加上神奇咒語：「牛奶倒好嘍。」

不到幾秒鐘，八歲大的尚恩跑下樓，衝向米色塑膠貼面餐桌，路上絆到他們不久前養的拉不拉多幼犬，他開心地格格笑著。

凱蒂正準備在固定位子坐下，視線正好由廚房門口看到客廳，沙發上方的大窗戶外出現了令她驚訝的景象：一輛搬家卡車停在對面路旁。

「哇。」她端著盤子走到客廳，站在窗前，隔著小農場觀察對面那棟房子。那棟房子很久沒人住了，在所有人的印象中都是空屋。

她聽到媽媽的腳步聲由後面接近，踩在廚房的假紅磚合成地板上很響亮，到了客廳的深綠色地毯上就變得很小聲。

「有人搬進對面的房子了。」凱蒂說。

「眞的？」

假的。

「說不定他們剛好有個跟妳一樣大的女兒，如果妳能交到朋友就好了。」

凱蒂忍住不回嘴。只有媽媽會以爲國中生很容易交朋友。「隨便啦。」她沒好氣地轉身，端著盤子到走廊，站在耶穌像下面安靜地吃完早餐。

媽媽果然跟來了。她一言不發，就這麼站在最後的晚餐掛毯旁。

凱蒂終於受不了，凶巴巴地說：「幹嘛？」

媽媽嘆了口氣，輕到幾乎聽不見。「爲什麼最近我們動不動就吵架？」

「是妳先開始的。」

「妳應該知道不是我的錯吧？」

「什麼不是妳的錯？」

「妳交不到朋友這件事。如果妳——」

凱蒂轉身走開。媽老愛說她再努力一點就能交到朋友，老天爺啊，再聽一次她肯定會吐。

幸好這次媽媽沒追上來，而是回到廚房大聲說：「動作快，尙恩，穆勒齊校車再過十分鐘就要出發嘍。」

弟弟開心地笑著，凱蒂翻個白眼上樓。遜斃了，老媽每天都說一樣的蠢笑話，眞不懂弟弟怎麼笑得出來。

答案立刻出現：因爲他有朋友，朋友讓生活變得輕鬆。

她躲在房間裡等候老舊福特旅行車離開的聲音。她說什麼也不讓老媽載她去學校，每次凱蒂一下車，媽媽都用超大音量說再見還猛揮手，簡直像參加「價格猜猜猜」節目的蠢蛋。大家都知道，被爸媽接送的人會被同學笑死。她聽見輪胎慢慢開過礫石路的聲音，這才終於下樓，洗好碗盤，收拾書包出門。天氣很晴朗，但昨晚下過大雨，車道上到處是內胎大小的洞，五金行的那些老傢伙八成開始叨唸要淹水了。她穿著仿冒地球鞋①，鞋底被爛泥吸住所以走不快。她專心致志地保護她僅有的一雙彩虹襪，到了車道盡頭才發現對面路上站著一個女生。

她美呆了。高個子，海咪咪，一頭赭紅長鬈髮，臉蛋長得像摩納哥公主卡洛琳：肌膚雪白，豐唇飽滿，濃睫纖長。她的打扮更是沒話說，穿著三顆鈕釦的低腰牛仔褲，縫線處接上綁染布做成闊腿大喇叭款式，腳上是四吋高軟木厚底鞋，身穿粉紅色鄉村風飄飄袖罩衫，至少露出五公分的肚子。

凱蒂將書本抱在胸前，懊惱昨晚不該擠痘痘，也懊惱自己穿的是廉價老土牛仔褲。

「呃……嗨。」她停在路旁。「校車停在這一邊。」

濃濃黑色睫毛膏與亮粉藍眼影下，那雙巧克力色眼眸望著她，眼神讓人猜不透。

就在這時，校車來了，停在路邊時伴隨著一陣呼咻嘰喀聲，車身抖個不停。她曾經暗戀的男生自車窗探出頭大喊：「嘿，矬蒂，濕了沒？」接著放聲大笑。

凱蒂低著頭上車，頹沉地坐在最前排，她向來獨自坐這個位子。她繼續低著頭，等候新來的女生從旁邊走過，但沒有人上車，門砰一聲關上，校車慢吞吞地啓動，她放膽抬頭往路上看。

天下最酷的女生不見了。

塔莉還沒出門就開始覺得不適應。今天早上她花了兩個鐘頭挑衣服，好不容易打扮得像《十七》雜誌上的模特兒，但又覺得全身上下不對勁。

校車抵達時，她瞬間下定決心：她不要在這個偏僻的鬼地方上學。雖然斯諾霍米什距離西雅圖市中心車程才短短一個小時，但她感覺彷彿來到月球，這個地方在她眼中就是這麼陌生。

不要。

說什麼都不要。

---

①地球鞋（Earth Shose）：美國地球鞋公司（Earth Inc.）於一九七〇年代開發的鞋款，特色是前高後低，也稱作負跟鞋。

她大步走上礫石車道，猛地推開前門，門板重重打在牆上。

她學到一個道理：誇張可以強調意見，就像標點符號一樣。

「妳八成嗑太多藥了。」她大聲說完後才驚覺媽媽不在客廳，只有搬家工人在。其中一個停下來不耐煩地看她一眼。「啥？」

她毫不客氣地從他們中間擠過去，差點撞倒他們正在搬的衣櫃，工人低聲罵了一句，但她不在乎。她討厭這種感覺，怒氣騰騰卻無處可發的感覺。

她絕不會讓所謂的媽媽害她心裡糾結。這個女人一再遺棄她，沒資格影響她的心情。

她找到主臥室，媽媽坐在地板上剪《柯夢波丹》雜誌裡的圖片。她像平時一樣，波浪長髮雜亂毛躁，用一條噁心又過時的串珠皮髮帶綁住。她沒有抬起頭，只是翻了一頁，那是演員畢．雷諾斯的裸照，他滿臉笑容，只用一隻手遮住重要部位。

「我不要念這所鄉下學校，這裡的學生土斃了。」

「哦。」媽媽翻到下一頁，拿起剪刀準備剪洗髮精廣告上的一片花朵。「好。」

塔莉好想尖叫。「好？好？我才十四歲耶。」

「寶貝，我的工作是愛妳、支持妳，而不是干預妳。」

塔莉閉上雙眼，默數到十之後才再次開口：「我在這裡沒有朋友。」

「交新的就好啦。聽說妳在以前的學校是人氣女王。」

「拜託，媽，我——」

「白雲。」

「我才不要叫妳白雲。」

「好吧，塔露拉。」媽媽抬起頭確認效果。她成功了。

「我不屬於這個地方。」

「塔莉，別說這種話。妳是大地與天空的孩子，無處不是妳的歸宿，薄伽梵歌說……」

「夠了。」塔莉轉身走出去，媽媽還兀自說個不停。她不想聽毒蟲的勸告，反正她講的那些都是印在夜光海報上的老套屁話。她順手從媽媽的皮包裡拿了一包維珍妮涼菸，出門往街上走去。

接下來幾個星期，凱蒂由遠處觀察新來的女生。

塔莉・哈特與眾不同，又酷又大膽，在灰暗的綠色走廊上比所有人都亮眼。她沒有門禁，在學校後面的樹林抽菸也不怕被抓。大家都在說她的事，凱蒂聽得出來，他們低聲議論的語氣中帶著崇拜。這裡的學生大多在斯諾霍米什土生土長，父母不是酪農就是紙廠工人，在他們眼中的塔莉・哈特新奇無比，每個人都想和她作朋友。

鄰居立刻成爲矚目焦點，使得凱蒂更難承受排擠。她不曉得爲什麼覺得這麼受傷，她只知道雖然每天早上她們一起等校車，但感覺像隔著整個世界，中間橫亙著惱人的沉默，凱蒂極度盼望塔莉跟她說話。

但她知道永遠不會發生。

「……趁凱蘿・邦尼秀①開始之前送過去，已經準備好了。凱蒂？凱蒂？」

凱蒂從桌上抬起頭，她原本在廚房餐桌上寫社會科作業，結果趴在書上睡著了。「啥？妳說什麼？」她將沉重的眼鏡往上推。

「給新鄰居的見面禮。我做了漢堡幫手②，妳幫忙送過去。」

---

①凱蘿・邦尼秀（Carol Burnett Show）：於一九六七～一九七八年播出的綜藝與短劇節目。

②漢堡幫手（Hamburger Helper）：一九七一年通用磨坊（General Mills）公司推出之盒裝即食義大利麵。

「可是……」凱蒂拚命想藉口，只要能脫身什麼都好。「人家都搬來一個星期了。」

「的確有點遲，可是最近我忙翻了。」

「我有很多作業，叫尙恩去。」

「尙恩不可能和對面的女生做朋友吧？」

「我也一樣。」凱蒂悲哀地說。

媽轉身看著她。早上她花了好大的工夫上捲子、做造型，經過一天的時間已經全塌了，臉上的妝也掉得差不多，圓潤的蘋果臉顯得蒼白疲憊；她穿著去年聖誕節收到的黃紫相間鉤花背心，鈕釦扣錯了。她看著凱蒂，走到餐桌邊坐下。「我想說句話，妳可以答應我不會發脾氣嗎？」

「恐怕很難。」

「我很遺憾瓊妮跟妳絕交了。」

凱蒂怎麼也想不到媽媽會冒出這句話。「無所謂。」

「當然有所謂。我聽說她最近都跟一些不三不四的人在一起。」

凱蒂想說她不在乎，卻驚覺淚水刺痛雙眼，記憶如潮浪撲來——在園遊會上她和瓊妮一起坐飛天鞦韆，坐在農場馬廄外面聊著中學將會有多好玩。她聳了聳肩。「嗯。」

「人生有時候很艱難，尤其是十四歲這年紀。」

凱蒂翻個白眼。她至少知道老媽不可能明白少女的人生有多艱難。「媽的，對極了。」

「我會假裝沒聽見妳說那個詞。應該不難，因爲我以後不會再聽到了，對吧？」

凱蒂忍不住希望自己能像塔莉，她絕不會這麼輕易讓步，她很可能會點起一支菸，看媽媽敢有什麼意見。

媽媽由裙子的大口袋裡摸出香菸，點燃之後端詳著凱蒂。「妳知道我愛妳、挺妳，絕不會讓任何人傷害妳，可是凱蒂，我想問妳到底在等什麼？」

「什麼意思?」

「妳整天都在看書、寫作業，這樣別人怎麼有辦法認識妳?」

「才沒有人想認識我咧。」

媽媽溫柔地摸摸她的手。「被動等待別人幫妳改變人生是行不通的，所以葛洛莉雅・史坦能①率領的那些婦女才會燒掉胸罩，在華盛頓遊行。」

「為了讓我交到朋友?」

「為了讓妳知道妳有無限可能。妳這一代非常幸運，想成為什麼樣的人都沒問題，但是妳必須勇於嘗試、主動出擊，有個道理絕不會錯：人生中只有沒做過的事會讓我們遺憾。」

凱蒂聽出媽媽的語氣有些怪，說到遺憾這個詞的時候略帶感傷。可是，老媽怎麼可能明白中學的人氣戰場有多慘烈?她脫離少女時期已經幾十年了。「好啦、好啦。」

「凱絲琳，我說的絕對沒錯，有一天妳會領悟我是多麼有智慧。」媽媽笑著拍拍她的手。「等妳像我們一樣，那妳第一次求我幫忙顧小孩的時候就會懂了。」

「妳在說什麼?」

媽大笑起來，凱蒂根本聽不出來哪裡好笑。「我很高興有機會跟妳聊這些。快去吧，去跟對面的女生做朋友。」

是喔，有這麼簡單就好了。

「還很燙，戴上隔熱手套。」媽媽說。

這下可好，戴著隔熱手套加倍丟人。

①葛洛莉雅・史坦能（Gloria Steinem）：美國女權先鋒，一九六〇、七〇年代婦女解放運動的領袖及發言人。

凱蒂走到流理檯前，看著那盤紅棕相間的黏呼呼玩意。她認命地拿起鋁箔紙蓋住烤盤後將邊緣捏緊，接著戴上車成一格格、喬治雅阿姨做的厚手套。她走到後門，穿著襪子的腳套進門廊上的仿冒地球鞋，邁步走下泥濘的車道。

對面的房子是農莊風格，屋底離地面很近，形狀是長條L形，正門在不靠馬路的側邊。屋瓦上滿是青苔，象牙白的外牆亟需重漆，水溝塞滿落葉樹枝，造成污水溢流；茂盛的杜鵑花叢遮住了大部分的窗戶，刺柏沿著房屋蔓生，形成一片綠色刺網。庭院很多年沒人整理了。

凱蒂停在正門前，深吸一口氣。

她一手小心端著烤盤，脫下一隻手套敲門。

拜託，千萬不要有人在家。

屋內幾乎立刻傳來腳步聲。

門開了，來應門的是個高䠷的女人，穿著飄逸長袍，前額綁著印度珠串，戴著兩只不同樣式的耳環。她的眼神很奇怪，感覺茫茫然，像是嚴重近視又沒戴眼鏡，儘管如此她依然很美，有種敏感尖銳的特質。「什麼事？」

幾個不同的地方同時傳出節奏深沉的奇怪音樂，屋裡一片黑，幾座融岩燈翻滾冒泡，發出詭異的紅綠光芒。

「妳、妳好。」凱蒂結結巴巴。「我媽要我送這盤菜過來。」

「來得正好。」那位女士後退時腳步一顛險些摔倒。

塔莉忽然由走廊出現，姿態瀟灑，優美自信的動作可比電影明星，完全不像國中生。她穿著亮藍色小洋裝搭配白色長靴，感覺很成熟，像是可以開車的年紀。她沒有說話，抓住凱蒂的手臂拉著她穿過客廳進入廚房，廚房裡所有的東西都是粉紅色，包括牆壁、櫥櫃、窗簾、流理檯和餐桌。塔莉看著她，凱蒂在那雙深色眼眸中捕捉到一絲類似難爲情的神色。

凱蒂不確定該說什麼，於是問：「剛才那個是妳媽媽？」

「她得了癌症。」

「噢。」凱蒂不曉得該怎麼反應，只好說：「很遺憾。」寂靜沉沉籠罩，凱蒂不敢看塔莉的眼睛，便轉頭看著餐桌。她這輩子第一次在一張桌子上看到這麼多垃圾食物，有爆爆夾心塔、老船長格格脆、外星小子玉米片、玉米脆片、零食洋蔥圈、兩種不同品牌的奶油夾心小蛋糕，以及尖叫黃色爆米花。「哇塞，眞希望我媽也讓我吃這些。」一說完凱蒂立刻後悔了，這下她顯得矬到極點。爲了找點事情做，也爲了不看塔莉無法解讀的表情，她急忙將烤盤放在流理檯上。

「還很燙。」她覺得這句話蠢透了，而她手上還戴著活像殺人鯨的隔熱手套。

塔莉點了一支菸，靠在粉紅色牆壁上打量她。

凱蒂回頭望著通往客廳的門。「妳抽菸不會被罵？」

「我媽病得很重，沒力氣管我。」

「哦。」

「要抽一口嗎？」

「呃……不了，謝謝。」

「嗯，我想也是。」

牆上的卡通黑貓時鐘搖著尾巴。

「妳差不多得回家吃飯了吧？」塔莉說。

「哦，」凱蒂這次的回答比之前更像書呆子。「對。」

塔莉帶路回到客廳，她媽媽整個人癱在沙發上。「拜啦，送超酷見面禮來的對面鄰居。」

塔莉打開門，門外低垂的夜色映出一方朦朧深紫，鮮豔得很不眞實。「謝謝妳們送的菜，我不會煮飯，白雲則是被草熏爛了，妳懂我的意思。」

「白雲？」

「我媽目前的名字。」

塔莉看著她。「如果我會煮飯就太酷了，不然請個廚師也行，我媽得了癌症沒力氣。」

快說妳可以教她。

勇於嘗試。

可是她開不了口，丟人的可能性實在太高。「呃……拜。」

「再見。」

凱蒂從她身邊走過，進入夜色中。

她走到半路時，塔莉出聲叫她：「嘿，等一下。」

凱蒂緩緩轉過身。

「妳叫什麼名字？」

她感覺到一絲希望閃過。「凱蒂。凱蒂·穆勒齊。」

塔莉大笑。「穆勒齊？屁話的意思①？」

老是有人拿她的姓開玩笑，她已經厭煩透了，她嘆口氣轉過身。

「我不是故意要笑妳。」塔莉說，但她沒有停下腳步。

「是喔，隨便啦。」

「好，儘管耍賤吧。」

凱蒂頭也不回地繼續走。

4

塔莉看著那個女生走遠。

「我不該說那種話。」在廣大的星空下，她的聲音顯得好微小。

她不懂自己爲什麼要說那句話、爲什麼忽然想嘲弄鄰居。她嘆口氣回到屋裡，一進門，大麻的氣味撲面而來，刺痛她的眼睛；沙發上，媽媽躺成大字形，一腳放在茶几上，另一腳放在椅背上，嘴巴開開，嘴角掛著口水。

對面家的女生全看見了，塔莉感覺到熱辣辣的羞恥。星期一鐵定會傳遍整個學校：塔莉・哈特的媽媽是毒蟲。

她就是怕會這樣，所以從來不帶朋友回家。只有孤獨躲在暗處才能守住祕密。

她也想有個會做菜送給陌生人的媽媽，她願意用一切交換，或許是因爲這樣她才嘲笑那個女生的姓。想到這裡她火大起來，用力甩上門。「白雲，醒醒。」

媽媽猛吸一口氣，發出一聲鼻哼，接著坐了起來。「什麼事？」

「吃飯了。」

一束糾結的長髮垂落眼前，媽媽隨手撥開，集中焦距看時間。「這個家是——老人院嗎？現在還不到五點。」

塔莉很驚訝，媽媽竟然還能分辨時間。她走進廚房，拿了兩個康寧餐盤各盛一份義大利

---

①穆勒齊（Mularkey）的發音近似malarkey，此字為胡言亂語、亂說話之意。

麵，端著它們回到客廳。「喏。」她將其中一盤和叉子遞給媽媽。

「哪來的？妳煮的？」

「怎麼可能？鄰居送的。」

白雲茫然四顧。「我們有鄰居？」

塔莉懶得理她，反正媽媽轉頭就會忘記她們在說什麼，所以她們根本無法好好說話，通常塔莉不在乎，她不想跟白雲說話，就像不想看黑白老電影一樣，可是因爲對面的女生，她強烈感受到這樣有多不正常。如果她擁有眞正的家庭，擁有一個會做焗烤料理送給新鄰居的媽媽，或許不會覺得這麼孤單。她坐在沙發旁邊的芥末黃懶骨頭上。「不曉得外婆在做什麼。」

「八成在弄那些醜不拉嘰的讚美上帝繡花，眞以爲那玩意能拯救她的靈魂咧，哈。學校還好嗎？」

塔莉倏地抬起頭，不敢相信媽媽竟然會關心她。「很多同學圍著我，可是……」她皺起眉頭。要如何將內心的空虛化爲言語？她只知道她在這裡覺得很孤單，就算交了很多新朋友也一樣。「我一直在等……」

「有蕃茄醬嗎？」媽媽蹙眉看著盤子裡的義大利麵，用叉子亂戳，身體隨音樂搖擺。

塔莉討厭內心的失望感，她應該知道不能對媽媽有任何期望。「我回房間去了。」她由懶骨頭上站起來。

她甩上房門前，聽到媽媽說：「應該加點起司。」

那天晚上，全家人都上床之後，凱蒂偷偷下樓穿上爸爸的超大雨靴出去。這是她的新習慣，睡不著就出去外面。頭頂上，無垠夜空灑滿星星，讓她覺得自己渺小而無足輕重。一個女生孤單地望著一條哪兒都去不了的空空街道。

甜豆嘶鳴著踱步走向她。

她爬到最上層的欄杆上。「嘿，來啊，甜豆。」她從外套口袋中拿出一根胡蘿蔔。

她瞥一眼對面的房子，已經半夜了燈還亮著，塔莉大概請了那些酷同學來開派對，他們八成在笑鬧、跳舞，吹噓自己有多酷。

只要能參加這種派對一次就好，凱蒂願意用一切交換。

甜豆推推她的膝蓋，噴了一下鼻息。

「我知道，我只是在作夢。」她嘆著氣跳下欄杆，拍拍甜豆，轉身回到屋裡。

幾天之後，塔莉吃了夾心派和卡通玉米片當晚餐，接著洗了個長長的熱水澡，仔細刮除腿毛和腋毛，將頭髮吹整妥當，長直髮由中分線垂落，沒有任何亂翹亂鬈的地方，再走到衣櫥前，研究了半天該穿什麼衣服。這是她第一次參加高中生派對，一定得打扮得漂漂亮亮。國中部只有她一個女生得到邀請，獨一無二，足球隊最帥的男生派特・芮其蒙選她當他的女伴。上個星期三晚上，他們兩個各自和一群朋友在漢堡店鬼混，他們只是對看了一眼，派特立刻拋下那群大塊頭男生直直朝塔莉走來。

看到他走過來，塔莉差點昏倒。點唱機正播放著齊柏林飛船的〈通往天堂的階梯〉，這才叫浪漫啊。

「光是跟妳說話我就可能惹上一堆麻煩。」他說。

她裝出成熟世故的模樣說：「我喜歡麻煩。」

他笑了，她從沒看過這麼有魅力的笑容。雖然大家都說她很美，但人生中第一次，她眞的覺得自己很美。

「星期五有場派對，妳要不要跟我一起去？」

「可以安排。」她說。這是女明星愛麗卡．肯恩在ABC（美國廣播公司）播放的肥皂劇「我家兒女」中的臺詞。

「我十點去接妳。」他彎腰靠近。「還是說那個時間超過門禁了，小妹妹？」

「螢火蟲巷十七號。我沒有門禁時間。」

他再次微笑。「對了，我是派特。」

「我是塔莉。」

「好，塔莉，十點見。」

到現在塔莉還是不敢相信。這是她第一次眞正的約會，整整兩天來她滿腦子只想著這件事。以前她跟男生出去都是一大群人一起行動，不然就是參加學校的舞會，這次完全不一樣，派特可以說已經是成人了。

她知道他們可能會談戀愛，到時只要有他牽著她的手，她就不會感到孤單。

她終於選好了衣服。

三顆鈕釦的低腰大喇叭牛仔褲，大秀乳溝的挖領粉紅針織上衣，加上她最愛的軟木厚底鞋。她花了將近一個小時化妝，抹上一層又一層化妝品，營造出妖豔嫵媚的效果。她等不及想讓派特看看她有多漂亮。

她拿了媽媽的一包菸後走出臥房。

媽媽在客廳看雜誌，抬起眼神渙散的雙眼看著塔莉。「嘿，已經快十點了，妳要去哪裡？」

「有個男生邀請我參加派對。」

「他來了嗎？」

別鬧了，她才不會讓人進來家裡呢。「我去路上等他。」

「噢，酷。回家的時候別吵醒我。」

「知道了。」

外面很暗也很涼，銀河橫過星空。

她站在信箱邊等候，不斷左右移動保暖。她裸露的手臂冒出雞皮疙瘩，中指上的情緒戒指由藍色轉爲紫色，她努力回想這代表什麼意思。

對街的山丘上，那棟漂亮的小農舍在夜色中發光，每扇窗戶都像融化的熱奶油，他們八成全家歡聚，圍著大餐桌玩遊戲。她想像著如果哪天她跑去拜訪，站在門廊上打招呼，不曉得他們會有什麼反應。

派特的車來了，她先聽見聲音才看到車燈，一聽到引擎呼嘯聲，她立刻忘記對面那家人，走到馬路上揮手。

他的綠色道奇雙門車停在她身邊，整輛車彷彿隨著引擎聲悸動顫抖。她坐進前座，音樂非常大聲，她聽不見他說話。

派特對她燦爛一笑，踩下油門，車子像火箭般衝出，喧囂飆過寂靜的鄉間道路。

車子轉上一條礫石路，她看到派對場地就在下方，幾十輛車圍成一圈停在一片大草坪上，車頭燈亮著，其中一輛車的收音機大聲播放著巴克曼透納超速檔樂團的熱門歌曲〈喬一下事情〉①。派特將車停在籬笆邊的樹下。

到處都是年輕人，有些聚集在篝火旁，有些站在草地上的啤酒桶邊，地上滿是透明塑膠杯。穀倉旁邊有一群男生在玩簡式足球。現在才五月底，距離夏天還有很長一段距離，大部分的人都穿著厚外套，她多麼希望自己也記得帶外套。

派特緊緊牽著她的手，帶她穿過成雙成對的人群到酒桶旁，他倒了滿滿兩杯酒。

①巴克曼透納超速檔樂團（Bachman-Turner Overdrive）：七〇年代加拿大搖滾團體，曾四度奪得朱諾獎（加拿大的葛萊美獎）。〈喬一下事情〉（Taking Care of Business）為其一九七四年單曲作品。

她端著她那杯，跟著他走向汽車圈外一處安靜的地方。他將校隊夾克鋪在地上，打手勢要她坐下。

「第一眼看到妳的時候，我簡直不敢相信自己的眼睛。」派特在她身邊坐下，喝了一口啤酒。「妳是這個小鎮有史以來最漂亮的女生，每個男生都想追妳。」

「你追到了。」她對他微笑，感覺彷彿跌入他的深色眼眸。

他喝了一大口啤酒，杯中幾乎見底，接著放下杯子親吻她。

她和其他男生接吻過，大多是在跳慢舞時，男生往往還在摸索階段，動作緊張又笨拙。這次不一樣，派特的吻功超神奇，她愉悅嘆息，低語他的名字。他退開看著她，眼中滿是純粹絢麗的愛。「眞高興妳來了。」

「我也是。」

他喝乾啤酒站起來。「我要再來一杯。」

排隊倒酒時他蹙眉看她。「嘿，妳都沒喝，我以爲妳夠酷才會出來玩。」

「當然。」她緊張地微笑。她沒喝過酒，但表現得像個書呆子會惹他討厭，只要能討他歡心，她決定豁出去了。「乾了。」她舉起塑膠杯，沒有換氣地一口喝乾，喝完之後她無法控制地打嗝、傻笑。

「夠酷。」他點著頭又倒了兩杯。

第二杯沒那麼難喝了，到第三杯時塔莉完全失去了味覺。派特拿出一瓶廉價紅酒，她也灌了好幾杯。他們坐在他的夾克上，親密依偎著喝酒聊天，就這樣過了將近一個小時。他聊的那些人她都不認識，但她不在乎，重點是他看她的眼神、牽手的動作。

「來，」他低聲說，「我們去跳舞。」

她站起身時感覺一陣暈眩，她無法保持平衡，跳舞時不斷跌跌撞撞，最後整個人摔倒，派特大笑，牽著她的手拉她站起來，帶她走到陰暗浪漫的樹蔭下。她傻笑著搖搖晃晃跟他走，當他一把抱住她熱吻時，她驚喘出聲。

感覺好美妙，她覺得血液歡騰滾燙。她像貓一樣貼著他，愛死了他帶來的感覺。他隨時可能後退凝視她的雙眼，說出*我愛妳*，就像雷恩・歐尼爾在電影「愛的故事」裡所演的那樣。塔莉可能會回答：「我也愛你，學院生。」①他們的主題曲則是〈通往天堂的階梯〉，他們會告訴大家他們邂逅的地點是——

他的舌頭溜進她口中，用力攪動，四處亂舔，像外星人在研究人體般，感覺忽然變得不愉快又不舒服，她想叫他停卻發不出聲音，他吸光了她的空氣。

他的雙手到處摸，後背、側腰都不放過，扯著她的胸罩努力想解開，啪的一聲，胸罩鬆開了，她感到一陣反胃。然後，他的手摸上她的胸部。

「不要……」她一邊嗚咽一邊推開他的手。她要的不是這個，而是愛情、浪漫、神奇，她要的是一個愛她的人，不是……這個。「不要，派特，住手——」

「別假了，塔莉，妳明明想要。」他推她一把，她失去平衡重重倒下，頭撞到地面，一時間她眼前一片模糊，視力恢復時，她發現他跪在她腿間，一手扣住她的雙手將她固定在地上。

「我喜歡這樣。」他硬是分開她的雙腿。

他拉起她的上衣，俯看她裸露的胸部。「噢，讚啦……」他抓住一邊，用力擰著她的乳頭，另一手則鑽進她的褲腰，溜進內褲裡。

「住手，拜託……」塔莉拚命想掙脫，但扭動掙扎反而使他更亢奮。

他的手指在她腿間猛戳，最後進入她體內。「別抗拒，寶貝，妳知道妳喜歡。」

---

①愛的故事（Love Story）：一九七〇年推出之愛情小品，由雷恩・歐尼爾（Ryan O'neal）和愛莉・麥葛羅（Aly McGraw）主演。男主角是哈佛法學院富家男，女主角是麵包店的女兒，兩人克服萬難相愛，最後女主角卻病逝。隨此片熱賣，學院風（Preppie）一詞也成為大眾語彙。

她感覺眼淚流了下來。「不要——」

「噢，讚……」他整個人覆上來，她被壓進潮濕的草地。

她哭得很厲害，眼淚流進了嘴裡，但他完全不在乎。他的吻變了調，滿是口水地又吸又咬，弄得她很痛，但接下更痛，他抽出皮帶時打到她的肚子，他的老二硬塞進——

撕裂劇痛從她腿間傳來，擦刮過她體內，她緊緊閉著眼睛。

忽然結束了。他翻身離開，躺在她身邊，將她抱在懷中親吻她的臉頰，表現得好像剛才的行爲是出於愛。

「嘿，妳哭了。」他輕柔撥開落在她臉上的頭髮。「怎麼了？我以爲妳想要。」

她不曉得該說什麼。所有女孩對第一次都抱有幻想，她也不例外，而剛才發生的事情與想像完全不同，她難以置信地瞪著他。「想要那樣？」

他暴躁地皺起前額。「別這樣，塔莉，我們去跳舞。」

他的語氣如此輕鬆，好像眞的不懂她爲什麼生氣。顯然她做錯了什麼，無意間挑起他的衝動，這就是太愛玩的下場。

他盯著她看了一會兒，接著站起來穿好褲子。「算了。我要再來一杯，走吧。」

她翻身側躺。「滾開。」

她感覺他來到身邊，知道他低頭看著她。「可惡，妳表現得一副想要的樣子，妳不能挑逗男人之後又打退堂鼓。小鬼就是小鬼，都是妳的錯。」

她閉上眼睛不理他，他終於走開之後她鬆了口氣。難得一次，她很高興能獨處。

她躺在那兒，感覺破碎又疼痛，更慘的是她覺得自己很蠢。過了一個小時左右，她聽見派對開始散場，汽車引擎發動，離去時輪胎壓過鬆散的礫石。

她依舊躺在那兒，無法強迫自己移動。都是她的錯，他說得很對。她愚蠢而幼稚，一心想要別人愛她。

「蠢透了。」她斷聲罵著，終於坐了起來。

她放慢動作整理好衣服，試著站起來，沒想到立刻反胃，嘔吐物弄髒了心愛的鞋子。吐完之後，她彎腰撿起皮包緊抓在胸前，強忍著痛往上走，走了很長一段路才回到馬路上。

時間很晚了，路上沒有車，她十分慶幸。她不想解釋爲何頭髮卡著松針、鞋子滿是嘔吐物。回家的路上，她回顧一切經過。派特邀請她參加派對時的笑容，第一次溫柔的親吻，對她說話時專注的態度，然後是派特的另一個面目：粗魯的雙手，舌頭與手指的戳弄，硬梆梆的老二硬塞進她體內。

她越是回想，越覺得孤獨淒涼。

要是有能夠信任的對象可以傾訴就好了，或許可以稍減痛苦。不過當然沒有這種人。這件事將成爲她必須保守的另一個祕密，就像怪胎媽媽和父不詳的身世一樣。大家一定會說是她自找的，因爲國中生竟然跑去參加高中生的舞會。

接近家門前的車道時，她放慢腳步。家原本應該是避難所，在這裡她卻感覺更孤獨，還要面對那個理應愛她的女人。回家忽然變成一件難以忍受的事。

對面鄰居養的灰色老馬踱步到欄杆旁，對著她叫了幾聲。

塔莉穿過街道，走上山丘，在欄杆前拔了一把草舉起來。「快來吃啊，乖馬兒。」

馬嗅嗅那把草，噴了個濕濕的鼻息，轉頭踱步走開。

「牠喜歡胡蘿蔔。」

塔莉猛地抬起頭，發現對面的女生坐在最頂端的欄杆上。

她們默默對看了幾分鐘，只聽到馬兒低聲嘶鳴。

「時間很晚了。」鄰居女生說。

「嗯。」

「我喜歡在晚上來這裡，星星很亮。有時候如果一直看著天空，會覺得星星像螢火蟲一樣在四周飛落，也許這條街的名字就是這麼來的。跟妳說這些，妳八成覺得我是書呆子吧。」

塔莉很想回答，但她發不出聲音。她體內最深最深的地方開始顫抖，她必須集中精神才能站穩。

那個女生跳下來，塔莉想起來她叫作凱蒂。她穿著一件超大T恤，上面印著影集「歡樂滿人間」①的圖案，因老舊而斑駁剝落。她走過來，靴子踩在泥裡發出啾啾聲響。「嘿，妳臉色不太好。」她因爲戴著牙齒維持器所以發音不清。「而且身上有嘔吐的臭味。」

「我沒事。」她說，凱蒂接近時她全身僵住。

「眞的沒事？」

塔莉驚恐地發現自己竟然哭了。

凱蒂站在原處許久，隔著那副老土眼鏡看著她，接著她默默抱住塔莉。

被擁抱的感覺陌生而出乎意料，塔莉瞬間瑟縮了一下，她想掙脫卻發現自己動不了。她想不起最後一次有人這樣擁抱她是什麼時候，忽然間，她緊緊攀附著這個怪女生不敢放手，生怕一放開自己就會漂走，如同迷航的明諾號②。

塔莉收起眼淚後，凱蒂說：「她一定會好起來的。」

塔莉皺著眉頭退開身，過了一會兒才恍然大悟。

癌症。凱蒂以爲她是因爲擔心媽媽的病情所以哭泣。

「妳想聊聊嗎？」凱蒂拔下牙齒維持器，放在長滿青苔的欄杆上。

塔莉望著她，在滿月的銀白光芒下，凱蒂那雙被鏡片放大的綠眸中只有同情。她很想聊，渴望傾吐的心情太過強烈，甚至讓她有些暈眩，然而她不知道從何說起。

凱蒂說：「跟我來。」然後帶著她爬上小丘，來到農舍門前斜斜的門廊上。她坐下，拉起破舊的T恤包住膝蓋。「我阿姨也得過癌症。」她說，「很可怕，她的頭髮全掉光，可是現在已經好了。」

塔莉坐在她身邊，皮包放在地上。嘔吐物的味道很重，她拿出一支菸點燃，藉此掩飾臭味。她不知不覺說了出來：「今天晚上河邊有場派對，我去參加了。」

「高中生的派對？」凱蒂似乎覺得很了不起。

「派特・芮其蒙邀我一起去。」

「那個四分衛？哇。我媽甚至不准我和高三學生排同一個結帳隊伍，她遜斃了。」

「才不呢。」

「她覺得所有十八歲的男生都很危險，還說他們是長了手腳的老二，這還不叫遜？」

塔莉望著農場，深深吸一口氣穩定心情。她不敢相信自己竟然打算告訴這個女生今晚的遭遇，但那些話好比心中的一把火，如果不說出來，她會被燒成灰。「我被他強暴了。」

凱蒂轉頭看著她，塔莉感覺到那雙綠眼睛盯著她的側臉，但她沒有動也沒有轉頭。她的羞恥如此沉重，而她受不了在凱蒂的眼中看到它。她等著凱蒂開口，等著她罵她白癡，但她始終沒有出聲，終於塔莉無法忍受了，視線往旁邊瞥開。

「妳沒事吧？」凱蒂輕聲問。

短短幾個字讓塔莉重溫傷痛，淚水刺痛眼睛、模糊了視線。

凱蒂再次擁抱她，長大之後，塔莉第一次接受別人的安慰。鬆開擁抱時，她擠出微笑說：

「我的眼淚快把妳淹死了。」

「我們應該告訴大人。」

---

①歡樂滿人間（The Partridge Family）：美國音樂喜劇影集，一九七〇年播至一九七四年，劇情描述單親媽媽為維持家計加入兒子的樂團，一路走唱到拉斯維加斯。

②明諾號（S.S. Minnow）：一九六〇年代情境喜劇「夢幻島」（Gilligan's Island）中虛構的船隻，發生船難漂流至荒島。

「不行，他們會怪我。這是我們的祕密，好不好？」

「好吧。」凱蒂皺著眉頭說。

塔莉抹抹眼淚，再次吸了口菸。「妳爲什麼對我這麼好？」

「妳好像很寂寞。相信我，我明白那種感覺。」

「是嗎？可是妳有家人。」

「他們不得不喜歡我。」凱蒂嘆息。「同學都排擠我，好像我有傳染病一樣。我以前有兩個好朋友，可是……妳大概很難體會吧？妳那麼有人氣。」

「有人氣只代表一堆人自以爲瞭解我。」

「我寧願那樣。」

沉默再次降臨。塔莉將煙蒂捻熄，她和凱蒂的差別非常大，就像月光下的黑暗農場一樣對比分明，但是和她聊天感覺很自在。這明明是她這輩子最慘的一夜，但塔莉卻覺得想微笑，這種感覺很特別。

接下來一個鐘頭，她們坐在那裡隨意閒聊，偶爾只是靜靜坐著。她們沒有說什麼眞的很重要的事情，也沒有吐露其他祕密，只是東拉西扯地聊著。

最後，凱蒂打起了呵欠，塔莉站起來。「我該回家了。」

她們一起走到路邊，凱蒂停在信箱旁。「嗯，拜。」

「拜。」塔莉躊躇了一下，感覺很彆扭。她想擁抱凱蒂，甚至想黏著她、跟她說她今晚帶給自己很大的幫助，但她不敢開口。媽媽讓她明白暴露軟弱有多危險，現在她的心情太脆弱，承受不住羞辱打擊。她轉身朝自己家走去，一進門立刻衝進淋浴間，在熱水的沖刷下，她想著今晚的遭遇，想著因爲裝酷而害自己受到傷害，她哭了出來。澡洗完了，眼淚也乾了，只剩哽在喉嚨裡的一個小硬塊，她將今晚的記憶塞進箱子裡，藏在內心最深處的架子上，那裡也藏著她被白雲遺棄的回憶，接著立刻開始努力遺忘。

5

塔莉回家之後，凱蒂躺在床上怎樣也睡不著，最後她掀開被單下床。

她下樓找到需要的東西：一個小小的聖母像、裝在紅色玻璃杯裡的許願蠟燭、一盒火柴，以及外婆的舊念珠。她拿著這些東西回房間，在五斗櫃上布置了一個小祭壇，接著點燃蠟燭。

她雙手合十，低著頭開始祈禱：「天上的父啊，請眷顧塔莉．哈特，幫助她度過這次難關，也求祢治癒她母親的癌症。我知道祢一定能幫助她們，阿們。」她唸了幾次《聖母經》禱文後才回到床上。

她整夜翻來覆去，回想著遇見塔莉的經過，納悶明天早上會怎樣。在學校裡她該和塔莉說話嗎？該對她笑嗎？還是應該假裝今晚的事情沒發生過？人際關係有規則，用隱形墨水寫下祕密規範，只有塔莉那樣的女生才看得見。她知道一些人氣很高的女生偷偷和書呆子做朋友，在學校之外的地方會微笑打招呼，或雙方的父母是朋友，她和塔莉以後也許就像那樣。

既然無法入睡，她決定乾脆起床。她穿上睡袍下樓，爸爸在客廳看報紙，聽到她下樓的聲音，他抬起頭微笑。「凱蒂．思嘉，妳今天起得眞早。快來給老爸抱一下。」

她撲進他懷中，臉頰貼著粗粗的羊毛上衣。

他將一綹髮絲塞到她耳後。她看得出來爸爸有多累，他工作非常辛苦，在波音工廠上兩輪班，這樣才負擔得起每年全家一起露營的費用。「妳在學校過得好嗎？」

他每次都問同樣的問題，很久以前有一次她老實說：「不好，爸爸。」然後等他給予勸告或安慰，什麼都好，但他沒有反應。他只聽到他想聽的回答，而不是她眞正說的話，媽媽說是因爲他在工廠待太久了。

爸爸沒有專心聽她說話，她或許應該生氣才對，但她反而因此更愛他。他從來不會吼她，也不會叫她要專心，更不會叨唸著幸福要靠她自己去尋找，這些是媽媽會說的話，爸爸只是靜靜地愛著她，無論如何都不會改變。

「很好。」她回答，以微笑增加說服力。

「怎麼可能不好？」他親吻她的太陽穴。「妳是整個鎮上最漂亮的女生，對吧？而且妳媽媽幫妳取了思嘉這個名字，那可是文學史上最偉大的女主角喔。」

「可不是，我和《飄》的郝思嘉是一個模子刻出來的。」

他笑著說：「妳以後就會明白了，小丫頭，妳的人生還長得很呢。」

她看著爸爸。「你覺得我長大以後會變漂亮嗎？」

「啊，凱蒂，妳現在已經是難得一見的大美女了。」

她將爸爸的這句話當成護身符小心收藏，偶爾會在準備上學時暗中撫摸把玩。

她換好衣服出門時，家裡已經沒人在了。穆勒齊校車出發了。

她因為太緊張所以提早到公車站。時間過得很慢，每分鐘都彷彿永無止盡，校車出現在路上，顫巍巍停下，塔莉始終沒有出現。

凱蒂垂著頭上車，坐在第一排。

整個早上她一直在課堂上尋找塔莉，但怎樣都找不到。午休時間到了，一群人氣高的學生任意插隊，凱蒂快步由他們旁邊經過，走到最後面的長桌邊坐下。餐廳另一頭，同學嬉鬧聊天、互相推打，而這邊的座位卻形同社交西伯利亞，完全一片死寂。像同桌的其他人一樣，凱蒂很少抬起頭。

沒人氣的學生很快就學會這種求生技巧：國中宛如越南叢林，最好保持低姿態，不要隨便出聲。她專心注視著午餐，以至於有人來到她旁邊說「嗨」的時候，她嚇得由座位上跳起來。

塔莉。

即使五月還很冷，她已經穿上了短到不能再短的迷你裙，搭配白色長靴、黑色亮面絲襪與平口小可愛，項鍊上的許多和平符號在乳溝上彈跳，挑染成古銅色的頭髮在燈光下更顯耀眼，她背著繩編大包包，長度垂到大腿。「昨天晚上的事妳有沒有說出去？」

「沒有，當然沒有。」

「那麼，我們是朋友吧？」

凱蒂非常驚訝，但不確定是因為這個問題，還是因為塔莉眼中的忐忑。「我們是朋友。」

「好極了。」塔莉從包包中拿出一包奶油小蛋糕，在凱蒂旁邊坐下。「先來研究一下化妝。妳很需要幫忙，我不是虧妳，我是說真的。我對時尚很敏銳，這是一種天賦。我可以喝妳的牛奶嗎？太好了，謝謝。那根香蕉妳要吃嗎？放學以後我可以去妳家……」

凱蒂站在藥房門外左右察看街道，生怕遇上認識媽媽的人。「妳確定？」

「百分之百。」

老實說，這個回答沒帶來半點安慰。雖然正式成為朋友才短短一天，凱蒂已經發現塔莉一個特點：她很熱中於做計畫。

今天的計畫是讓凱蒂變漂亮。

「妳不信任我嗎？」

塔莉使出了殺手鐧，就像玩雅其骰子遊戲說「壓死」①一樣——只要塔莉說出這句話，凱蒂就輸了。她不能不信任新朋友。「我當然信任妳，只是爸媽不准我化妝。」

① 雅其骰子遊戲（Yahtzee）：一種以五顆骰子進行的計分遊戲。若某次擲出的骰子都是相同的數字朝上，就是「壓死」（Yahtzee），得分最高。

「相信我，我非常專業，妳媽絕不會發現。來吧。」

塔莉堂而皇之走進藥房，選了顏色和凱蒂「很搭」的眼影和腮紅，最不可思議的是她還付了錢。凱蒂說要還她，塔莉只是輕描淡寫地說：「朋友之間這點小錢算什麼？」

離開藥房的時候，塔莉撞了一下她的肩膀。

凱蒂格格笑著撞回去。她們穿過小鎮，沿著河流回家，一路上她們聊著衣服、音樂和學校。終於，她們到了螢火蟲巷，走上塔莉家的車道。

「看到這裡變成這樣，我外婆一定會瘋掉。」塔莉一臉難爲情地說。大小可比熱氣球的杜鵑花叢遮蓋住房屋外側。「這棟房子是她的，妳瞭。」

「她會來看妳嗎？」

「不會。反正只要等就好了。」

「等什麼？」

「等我媽再次忘記我。」塔莉跨過一堆報紙、繞過三個垃圾桶，終於打開門，而屋裡煙霧瀰漫。

塔莉的媽媽躺在客廳的沙發上，眼睛半閉。

「妳、妳好，伯母。」凱蒂說，「我是對面的凱蒂。」

哈特太太努力想坐起來，但顯然體力無法支撐。「妳好，對面的女生。」

塔莉拉起凱蒂的手，帶著她離開客廳去她的房間，然後用力甩上門。她直接走向一疊唱片，抽出〈再見黃磚路〉放上唱盤，音樂開始播放，她拋給凱蒂一本《老虎月刊》①，將一張椅子拉到梳妝檯前。「準備好了嗎？」

凱蒂又開始覺得緊張。她知道這樣做一定會挨罵，但是如果不勇於嘗試，她永遠交不到朋友也無法提高人氣，不是嗎？「準備好了。」

「好，坐下。先從頭髮開始，妳需要挑染，莫琳・麥考米克②也用這一牌的染髮劑。」

凱蒂從鏡子裡看著塔莉。「妳怎麼知道?」

「上一期的《青春月刊》有報導。」

「我還以為是專業美髮師幫她染的。」凱蒂翻開《老虎月刊》，盡可能專心地看其中一篇文章：傑克・懷德③的夢中情人——可能就是妳!

「把那句話收回去。我可是看了兩遍使用說明呢。」

「我會不會變禿頭?」

「機率很低。別吵，我要再看一次使用說明。」

塔莉將凱蒂的頭髮分成一束束，開始噴上染劑，花了將近一個小時才達到令她滿意的狀態。

「染好之後妳的頭髮會和電視的莫琳一模一樣。」

「有人緣是什麼感覺?」凱蒂並非故意這麼問，只是一時脫口而出。

「妳很快就會知道了。妳變成人氣女王之後還會跟我做朋友吧?」

凱蒂大笑。「別鬧了。嘿，有點燙耶。」

「眞的?好像不太妙，有些頭髮脫落了。」

凱蒂強忍驚恐。假使和塔莉作朋友的代價是變禿頭，那麼她願意接受。

塔莉拿起吹風機，啓動開關，熱風呼呼地吹著凱蒂的頭髮。

「我的月經來了。」塔莉高聲說，「至少那個混蛋沒有搞大我的肚子。」

---

①老虎月刊（Tiger Beat）：美國少年娛樂流行雜誌，自一九六五年發行至今。

②莫琳・麥考米克（Maureen McCormick）：美國一九七〇年代知名童星，曾演出熱門影集「妙家庭」（The Brady Bunch）。

③傑克・懷德（Jack Wild）：一九五二～二〇〇六年，英國演員，最知名作品為「孤雛淚」。

凱蒂聽出好友只是在逞強，從她的眼神也看得出來。「我有幫妳祈禱。」

「眞的？」塔莉問。「哇，謝啦。」

凱蒂不曉得該說什麼。對她而言，祈禱就像睡前刷牙一樣，只是日常小事。

塔莉滿臉笑容地關掉吹風機，但表情再次顯得不安，或許是因爲頭髮燒焦的臭味。「好啦，去洗個澡沖掉染劑。」

凱蒂照她的話做。幾分鐘後，她洗完澡，擦乾，穿好衣服。

塔莉立刻拉著她的手回到椅子上。「有沒有掉頭髮？」

「一點。」她承認。

「如果妳禿了，我也會剃光頭，我發誓。」塔莉梳理並吹乾凱蒂的頭髮。

凱蒂不敢看，她閉上雙眼，讓塔莉的聲音融入吹風機的嗡嗡聲響中。

「睜開眼睛。」

凱蒂緩緩抬起視線。這樣的距離她不戴眼鏡也看得見，但還是出於習慣往前靠。鏡中的女生有一頭挑染直金髮，分線整整齊齊，吹整得恰到好處。她的頭髮終於不再稀疏扁塌，變得柔順亮眼。「哇。」她因爲太過感激而說不出話來。

「等著瞧，睫毛膏和腮紅的效果更驚人。」塔莉說，「而遮瑕膏能蓋住妳額頭上的痘痘。」

「我會永遠做妳的朋友。」凱蒂以爲自己說得很小聲，但塔莉露出燦爛笑容，顯然是聽見了。

「好。我們來化妝吧，妳有看到我的刮鬍刀片嗎？」

「妳要刀片做什麼？」

「傻瓜，修眉毛啊。噢，找到了，閉上眼睛。」

凱蒂毫不遲疑。「好。」

凱蒂回到家時根本不想躲藏，因爲她有滿腔自信。有生以來第一次，她知道自己很漂亮。

老爸坐在客廳的安樂椅上，凱蒂一進門，他立刻抬起頭。「老天爺。」他將杯子往法國鄉村風小茶几上重重一放。「瑪姬！」

媽媽由廚房出來，用圍裙擦乾雙手。要接送小孩上學的日子，她都穿同樣的衣服，像制服一樣：深紅綠條紋上衣、棕色燈心絨喇叭褲，皺皺的圍裙上印著「女人屬於家庭……也屬於參議院」。一看到凱蒂，她驟然停下腳步，接著緩緩解開圍裙扔在餐桌上。

因爲突然變得太安靜，尙恩和小狗一起跑來，互相絆來絆去。「凱蒂的頭髮像臭鼬，嗯。」

「去洗手準備吃飯。」媽媽厲聲說，尙恩沒有反應，於是她加上一句：「快去！」

尙恩嘀咕著上樓。

「瑪姬，是妳准許她把頭髮弄成那樣的嗎？」老爸在客廳問。

「巴德，這件事交給我處理。」媽媽走進客廳，皺眉看著凱蒂。「對面的女生幫妳弄的？」

凱蒂點頭，盡力不忘記自己很漂亮。

「妳喜歡嗎？」

「嗯。」

「好吧，那我也喜歡。以前喬治雅阿姨也幫我染過頭髮，妳外婆氣炸了。」她微笑。「不過妳應該先徵求同意。凱絲琳，我知道妳們以爲自己長大了，但事實上年紀還很小。說吧，妳的眉毛怎麼了？」

「塔莉修了一點，只是修出眉型。」

媽媽忍住笑。「這樣啊。好吧，其實用拔的比較好，我早該教妳這些了，但我一直覺得妳還小。」她左右張望找菸，發現桌上有一包，便拿出一根點燃。「吃完飯我來教妳。搽一點唇蜜和睫毛膏去上學應該無傷大雅，我教妳怎麼搽比較自然。」

凱蒂抱住媽媽。「我愛妳。」

「我也愛妳。去幫忙做玉米麵包吧。還有，凱蒂，我很高興妳交到了朋友，可是以後不准再違反規定，明白嗎？十幾歲的小女生不聽話最後會倒大楣。」

凱蒂忍不住想起塔莉參加高中生派對的遭遇。「好的，媽。」

不到一個星期，凱蒂便因爲和塔莉的交情而變成酷女生。同學爭相稱讚她的新造型，在走廊上也不會故意避開她，能和塔莉．哈特做朋友意味著她很上道。

就連她爸媽也察覺到不同。凱蒂以前只會靜靜吃飯，現在卻一上餐桌就關不住話匣子，有說不完的新鮮事：哪兩個人在交往、誰贏了繩球比賽①、有人因爲穿做愛不作戰的標語T恤去學校而被罰留校、塔莉去哪裡剪頭髮（西雅圖一個叫作吉恩．華雷茲②的人，酷斃了吧？）、汽車電影院週末播映的影片。吃完晚餐幫媽媽洗碗時，她還是不停說塔莉的事。

「我等不及要帶她來給妳看。她超酷，所有人都喜歡她，連毒蟲也不例外。」

「毒蟲？」

「癮君子，吸毒的人。」

「哦。」媽接過裝肉餅的玻璃盤擦乾。「我……打聽了一下這個女生的事，凱蒂，有一次她跑去藥房想買菸。」

「大概是幫她媽媽跑腿吧。」

媽媽將盤子放在剝落的塑膠桌面上。「凱蒂，幫我一個忙。和塔莉．哈特在一起的時候，妳自己要凡事多想想，我不希望妳跟著她到處跑，最後惹上麻煩。」

凱蒂將抹布扔進肥皂水裡。「眞不敢相信。妳不是叫我勇於嘗試？這些年妳嘮叨著要我多交朋友，現在我好不容易有了朋友，妳卻嫌她壞。」

「我沒有嫌她壞——」

凱蒂衝出廚房，每走一步她都以爲媽媽會叫住她罰她禁足，這樣跑掉很叛逆，媽媽卻始終沒出聲。

她上樓回房間，用力甩上門以示抗議。她坐在床上等，媽媽一定會進來道歉，凱蒂難得一次扮演強勢的角色。

可是媽媽沒有來，十點時，凱蒂開始覺得有些內疚。她害媽媽傷心了嗎？她站起來在小房間來回踱步。

有人敲門。

她急忙跑回床上鑽進被窩裡，努力裝出不耐煩的表情。「幹嘛？」

門慢慢打開，媽媽站在門口，穿著去年聖誕節全家送她的紅色天鵝絨曳地睡袍。「我可以進去嗎？」

「我能不讓妳進來嗎？」

「當然能。」媽媽輕聲說。「我可以進去嗎？」

凱蒂聳肩，但還是讓出空間給媽媽坐。

---

①繩球（tetherball）：一種風行於北美的遊戲，於固定金屬桿上以繩索綁上排球，參賽者分為兩隊，分別以順時針與逆時針方向擊球，先將繩索完全纏繞金屬桿者獲勝。

②吉恩・華雷茲（Gene Juarez）：西雅圖知名髮廊與SPA連鎖品牌，一九七一年開設第一家沙龍。

「妳知道，凱蒂，人生——」

凱蒂忍不住大聲嘆氣。又要說人生大道裡了。

沒想到媽媽竟然大笑起來。「好吧，不說教了。也許妳已經夠大了，不需要再聽這些。」她看到五斗櫃上的祭壇，表情怔了一下。「妳很久沒有布置祭壇了，最後一次是因爲喬治雅要化療。有人需要我們幫忙祈禱嗎？」

「塔莉的媽媽得了癌症，而且她被強——」她連忙閉上嘴，因爲差點說溜嘴而大爲緊張。從小她什麼事都會告訴媽媽，現在她有了姐妹淘，所以說話得當心。

媽媽坐在凱蒂旁邊，每次吵完架之後她都會這樣。「癌症？妳們這種年紀的孩子應該很難承受吧？」

「塔莉好像不害怕。」

「是嗎？」

「不管發生什麼事她都很酷。」凱蒂藏不住誇耀的語氣。

「怎麼說？」

「妳不懂啦。」

「因爲我太老了？」

「我沒有那麼說。」

媽媽將凱蒂前額的頭髮往後撥，這個動作如呼吸般熟悉，每次媽媽這樣做，凱蒂都覺得自己回到五歲。「對不起，我不該讓妳覺得我在批評妳的朋友。」

「妳的確應該覺得對不起。」

「妳也覺得不該對我那麼凶吧？」

凱蒂忍不住微笑。「嗯。」

「這樣好了，邀請塔莉星期五晚上來家裡吃飯吧。」

「妳一定會愛死她，我敢打包票。」

「絕對會。」媽媽親吻她的前額。「晚安。」

「媽晚安。」

媽媽離開後過了很久，家裡完全安靜下來準備睡覺，凱蒂卻躺在床上因爲太興奮而睡不著。她等不及要邀請塔莉來吃飯，然後她們可以一起看「太空仙女戀」①或是玩動手術遊戲②，也可以練習化妝，說不定塔莉能留下來過夜，她們可以——

噠。

討論男孩、親吻和——

噠。

凱蒂坐起來。那不是鳥落在屋頂上或老鼠鑽牆的聲音。

噠。

那是小石頭擊中玻璃的聲音！

她掀起被單，急忙過去打開窗戶。

塔莉站在後院，扶著腳踏車。「快下來。」她的音量有點太大，同時打手勢催促。

「妳要我偷溜出去？」

---

①太空仙女戀（I Dream of Jeannie）：科幻情境喜劇，一九六五年播出至一九七一年，故事敘述一名太空人無意間從一個瓶中救出一名女精靈，帶回家一同生活後，從此生活就被這名奉他為主人的金髮仙女整個打亂。

②動手術遊戲（Operation）：一種在人體模型上以通電鑷子夾起塑膠製器官的遊戲，若在夾取過程中碰到邊緣則會響鈴亮燈表示失敗。

「還用說嗎？」

凱蒂不曾做過這種事，但她不能表現得像個書呆子。大家都知道要酷就要違反規定、偷溜出門，大家也都知道這樣做可能惹上麻煩，媽媽之前說的就是這個意思。

和塔莉．哈特在一起的時候，妳自己要凡事多想想。

凱蒂不在乎，只要能和塔莉在一起就好。

「馬上到。」她關上窗戶，忙著找衣服。幸好她的吊帶褲就在角落，折得整整齊齊，壓在一件黑色運動衫下面。她脫掉叔比狗圖案的舊睡衣，迅速換好衣服，躡手躡腳穿過走廊，經過爸媽房間時她的心臟跳得好快，頭都有點昏。下樓時，每一階都發出陰森的聲響，但她順利到了樓下。

她站在後門前猶豫了一下，心裡想著偷溜出去可能會惹上大麻煩，但她隨即打開門。

塔莉在外面等，身邊停著凱蒂見過最帥氣的腳踏車，弧形握把，前窄後寬的小型座墊，還有一堆鍊子和金屬線。「哇。」她說。她得在莓果園打工多久才買得起這種腳踏車？

「這輛是十段變速車，」塔莉說，「去年聖誕節外婆送我的。想騎騎看嗎？」

「太棒了。」凱蒂輕聲關上門。她從車庫牽出老舊腳踏車，U型握把，香蕉型印花坐墊，前面還裝著白色籐籃，一點也不酷，根本是小女孩的腳踏車。

塔莉似乎沒注意。她們上車，經過凹凸不平的潮濕車道，騎上柏油路面，接著往左轉繼續前進。到了夏季丘時，塔莉說：「看好嘍，跟我一起做。」

她們由頂端快速騎下坡，感覺像在飛，凱蒂的頭髮被風吹向後，淚水刺痛眼睛。四周的樹木在風中喃喃私語，星星在黑絲絨般的天空中閃耀。

塔莉張開手臂，身體往後仰，大笑著轉頭看凱蒂。「試試看。」

「不行，速度太快了。」

「就是要快才刺激。」

「這樣很危險。」

「別這樣，凱蒂，快放手。上帝討厭膽小鬼。」接著她輕聲補上一句：「相信我。」

這下凱蒂沒有選擇了。信任是友誼的一部分，塔莉肯定不想和膽小鬼一起玩。「快放手。」她對自己說，努力鼓起勇氣。

她做個深呼吸，祈禱一番之後慢慢伸出雙手。

她在飛，穿過黑夜往山丘下飛去。附近有馬廄，空氣中滿是馬匹與乾草的氣味，她聽見塔莉在旁邊大笑，但她還來不及露出笑容就出事了——她的前輪撞上石頭，腳踏車像牛一樣往上彈起扭向旁邊，落下時撞上塔莉的車輪。

她尖叫著想抓住握把，但已經來不及了。她身在半空中，這下真的飛起來了，柏油路面急速接近，重重撞上來，她彈出去，整個人栽進泥濘的溝渠中。

塔莉滾過柏油路面撞進她懷中，兩輛腳踏車摔在地上發出巨響。

凱蒂茫然望著夜空，全身無一處不痛。她的左腳踝好像骨折了，腫脹刺痛，也能清楚感覺到被路面磨破皮的地方。

「太神了。」塔莉笑著說。

「開什麼玩笑？我們搞不好會死掉欸。」

「就是這樣才精彩。」

凱蒂掙扎著站起來，痛得臉一抽。「快點從水溝出去，萬一有車——」

「剛才實在太酷了，同學聽了一定會羨慕死。」

學校的同學。這件事將成爲流傳的故事，而凱蒂是主角，大家會聽得入迷，發出讚嘆聲，還會說：「妳們半夜偷溜出去？在夏季丘上放開雙手？我才不信呢……」

忽地，凱蒂也笑了起來。

她們互相攙扶著站起來去找腳踏車。到了過馬路的時候，凱蒂幾乎已經不覺得痛了。她覺得自己變成了另一個人，更大膽、更勇敢，願意嘗試任何挑戰。這麼刺激的一夜，就算惹上麻煩又怎樣？比起冒險的快感，扭到腳或膝蓋流血又算什麼？過去兩年來，她一直循規蹈矩，連週末晚上也乖乖待在家，以後她再也不會那樣了。

她們將腳踏車停在路旁，一拐一拐地走向河邊。銀白的波浪，岸邊嶙峋的岩石，月光下，萬物有種朦朧美。

一節長滿青苔的朽木滋養大地，周圍的雜草特別茂盛，塔莉坐在厚軟如地毯的草地上。

凱蒂坐在她身邊，兩個人的膝蓋幾乎碰在一起，一同望著綴滿繁星的夜空。河水朝她們的方向流淌而來，聲音彷彿少女的歡笑。天地間，萬籟俱寂，彷彿微風吸了一口清涼氣息之後默默離去，留下她們坐在這兒。這片河岸原本只是每年秋季都會被淹沒的平凡河段，現在卻有了不同的意義。

「我眞想知道我們那條街的名字是誰取的，」塔莉說，「我連一隻螢火蟲都沒看過。」

凱蒂聳肩。「舊橋過去那邊叫作密蘇里街，大概是來自密蘇里州的拓荒者想家或迷路了。」

「說不定是魔法，這條街說不定有魔力。」塔莉轉向她。「說不定這個街名代表我們注定要成爲好朋友。」

凱蒂感動得一陣哆嗦。「妳搬來之前，我覺得那只是一條哪兒都去不了的路。」

「現在是我們的路了。」

「長大以後我們可以去很多地方。」

「去哪裡都一樣。」塔莉說。

凱蒂聽出好友的語氣有些異樣，藏著她無法理解的哀傷，她轉過頭，看到塔莉仰望天空。

「妳在想妳媽媽的事嗎？」凱蒂試探地詢問。

「我盡量不想她的事。」她沉默許久，接著由口袋拿出維珍妮細菸點上。

凱蒂小心不表現出反感。

「要來一口嗎？」

凱蒂知道她沒有選擇。「呃，好。」

「如果我媽是正常人——假使她沒有生病，我就可以告訴她派對上發生的事情。」

凱蒂吸了一小口菸，猛咳了一陣，接著說：「妳經常想起那件事？」

塔莉往後靠在樹幹上，從凱蒂手中拿回菸，沉默片刻之後說：「我會做惡夢。」

凱蒂多麼希望知道該說什麼。「妳爸爸呢？可以跟他說嗎？」

塔莉沒有看她。「大概連我媽也不知道我爸是誰。」她的語氣接著一沉，「也可能是他一聽說有我就落跑了。」

「眞慘。」

「人生就是這麼慘。更何況，我不需要他們，我有妳，凱蒂，是妳幫我挺過來。」

凱蒂微笑。辛辣的菸味瀰漫在兩人之間，她的眼睛刺痛，但她不在乎，最要緊的是此刻她在這裡，和新交的好朋友在一起。「朋友不就是這樣嗎？」

第二天晚上，塔莉正在看《小教父》①的最後一章，忽然聽到媽媽在房子的另一頭大喊：「塔莉！快去開門。」

她重重放下書走進客廳，媽媽癱在沙發上，抽著大麻收看喜劇影集「幸福時光」。

①小教父（The Outsiders）：美國作家蘇珊・艾洛絲・辛登（S.E.Hinton）於一九六七年出版之作品，描述邊緣少年的成長故事。

「妳就在門旁邊。」

媽媽聳肩。「那又怎樣？」

「把大麻藏好。」

白雲發出誇張的嘆息，彎腰將大麻菸捲藏在沙發邊的小茶几下，只有瞎子才看不見，但白雲頂多只能做到這種程度。

塔莉將頭髮往後撥好，走過去開門。

外面站著一個黑髮的嬌小女人，端著一個用鋁箔紙蓋住的烤盤。亮藍色眼影突顯出棕色眼眸，玫瑰色腮紅在圓臉上製造出顴骨高聳的錯覺，只是她搽得太濃了一點。「妳應該是塔莉吧？」那個女人的音調意外高昂，像個小女孩，充滿著活力，十分搭配她眼眸中的光彩。「我是凱蒂的媽媽，抱歉沒有先聯絡就上門來拜訪，但妳們家的電話一直忙線中。」

塔莉猜想八成是媽媽床邊的電話沒掛好。「噢。」

「我帶了一些焗烤鮪魚麵過來給妳和媽媽晚上吃。妳媽媽身體不舒服，應該不方便煮飯吧？我姐姐幾年前也得過癌症，所以我大概知道狀況。」她微笑站在門口，但笑容漸漸消失。「妳不請我進去嗎？」

塔莉僵住。這下不妙，她想。「呃……當然。」

「謝謝。」穆勒齊伯母從她身邊經過進入屋內。

白雲躺在沙發上，基本上呈大字型，肚子上放著一堆大麻，她神情恍惚地微笑著，想坐起來卻怎樣也辦不到，她罵了幾句髒話又大笑。屋內瀰漫大麻的臭味。

穆勒齊伯母停下腳步，因爲困惑而皺起額頭，她說：「我是對面的鄰居，我叫瑪姬。」

「我是白雲。」塔莉的媽媽再次努力坐起來。「很高興認識妳，酷斃了。」

「幸會。」

一時間她們彼此對看，氣氛尷尬無比。塔莉確信穆勒齊伯母銳利的目光看穿了一切：小茶几下的大麻菸、地上那包毛伊大麻、翻倒的空酒杯和餐桌上的披薩盒。「我想順便告訴妳，我大致上整天在家，所以很樂意載妳去看醫生或幫忙處理雜務。我知道化療有多難受。」

白雲茫然蹙眉。「誰得癌症了？」

穆勒齊伯母轉身看著塔莉，她好想縮成一團立刻死掉。

「塔莉，帶送食物來的超酷鄰居去廚房。」

塔莉幾乎是用跑的。在那個粉紅地獄中，桌上全是垃圾食物的包裝袋，洗碗槽中髒碗盤堆積如山，隨處可見滿出來的菸灰缸，這些全都是她過著可悲生活的證據，而她好朋友的媽媽全看見了。

穆勒齊伯母從她身邊走過，彎腰打開烤箱將烤盤放進去，用臀側一頂關上門，接著轉身打量塔莉。「我家凱蒂是個好孩子。」她終於說道。

開始了。「是，伯母。」

「她一直幫妳媽媽祈禱，希望她的癌症早日痊癒，甚至在房間裡布置了一個小祭壇。」

塔莉看著地板，因為太過羞恥而無法回答。她要怎麼解釋說謊的原因？任何答案都不夠好，因為穆勒齊伯母深愛她的孩子——想到這裡，她心中除了羞恥也感到嫉妒。假使她有個愛她的媽媽，或許一開始就不會輕易說謊，也不會覺得有必要說謊。這下她失去了唯一重視的人：凱蒂。

「妳覺得可以對朋友撒謊嗎？」

「不，伯母。」她太專注於死命望著地板，當下巴被輕柔地抬起時她嚇了一跳。

「妳會做凱蒂的好朋友嗎？還是做會害她惹上麻煩的那種朋友？」

「我絕不會傷害凱蒂。」塔莉想說更多，甚至想跪地發誓保證會做個好人，但她快哭出來了，所以不敢動。她望著穆勒齊伯母的深色眼眸，看到了出乎意料的眼神：理解。

客廳裡，白雲跌跌撞撞走到電視機前轉臺，塔莉隔著亂七八糟的廚房看到螢幕，珍恩・艾諾森①正在播報今日頭條。

「妳負責打理一切，對吧？」穆勒齊伯母低聲說，似乎怕白雲偷聽。「付帳單、買東西、打掃。妳們的生活費是誰給的？」

塔莉用力吞嚥了一下，這是第一次有人如此透徹看穿她的生活。「外婆固定每星期寄支票來。」

「我爸爸是個無藥可救的酒鬼，鎮上每個人都知道。」穆勒齊伯母的語氣像眼神一樣溫柔。「而且他很凶。每週五、六晚上我姐姐喬治雅都得去酒館拖他回家，一出酒館他就開始對她又打又罵。她就像牛仔競技賽的小丑一樣，總是跳出來擋在蠻牛和牛仔之間。我上國中的時候，終於明白為什麼她會和不良少年混在一起，還酗酒。」

「她不希望別人可憐她。」

穆勒齊伯母點頭。「她最討厭那種眼神。不過，別人的想法並不重要，這是我學會的道理。妳媽媽是怎樣的人、過怎樣的生活，並不代表妳也一樣，妳可以自己選擇，而且不必覺得可恥。可是，塔莉，妳必須擁有遠大的夢想。」她由敞開的廚房門望向客廳。「就像電視上的珍恩・艾諾森那樣，能在人生中得到那種地位的女人，一定懂得追逐她想要的一切。」

「我怎麼知道自己想要什麼？」

「只要睜大眼睛做正確的事，上大學，信任妳的朋友。」

「我信任凱蒂。」

「那麼妳會告訴她實情？」

「假使我保證——」

「塔莉，妳不說我也會說，但我覺得應該由妳說。」

塔莉深吸一口氣後吁出。雖然說實話違背了她的一切本能，但她沒有選擇，她希望能讓穆勒齊伯母以她為傲。「嗯。」

「很好。明天晚上五點來我家吃飯，這是妳從頭來過的好機會。」

第二天晚上，塔莉換了四套衣服，盡力找出最合適的打扮。好不容易準備妥當時，她已經完全遲到了，不得不一路用跑的衝過馬路，奔上山坡。

凱蒂的媽媽來開門，她穿著斜紋喇叭褲和條紋V領寬口袖上衣。她微笑著說：「先警告妳，裡面又吵又亂。」

「我喜歡又吵又亂。」塔莉說。

「那妳一定能和我們打成一片。」穆勒齊伯母搭著塔莉的肩膀帶她走進客廳，米白牆壁搭配深綠色地毯、亮紅色沙發與一張黑色安樂椅。牆上只掛著兩個有著金色框的畫，一張是耶穌，另一張是貓王，但電視上擠了幾十張家庭照。塔莉不禁想起自己家的電視，上面總是堆著滿出來的菸灰缸與空菸盒，一張家庭照也沒有。

一個大塊頭的黑髮男子坐在安樂椅上，穆勒齊伯母說：「巴德，這是對面家的塔莉‧哈特。」

穆勒齊伯父放下酒杯對她微笑。「哎呀哎呀，妳就是大名鼎鼎的塔莉啊，非常歡迎妳。」

「我很高興能來拜訪。」

穆勒齊伯母拍拍她的肩膀。「六點才開始吃飯，凱蒂在樓上房間，由樓梯上去最高那一層就是了。妳們兩個應該有很多話可聊。」

①珍恩‧艾諾森（Jean Enersen）：西雅圖知名女主播，美國女性主播先鋒，自一九六八年從事新聞工作至今。

塔莉明白她的言外之意，但她發不出聲音，只好點點頭。現在她身在這個溫暖的家中，聞著家常菜的香氣，與天下最完美的媽媽並肩站在一起，她無法想像成爲拒絕往來戶並失去這一切。「我永遠不會再騙她了。」她保證。

「很好，快去吧。」穆勒齊伯母最後笑了一下，往客廳裡走去。

伯父摟住伯母將她拉到安樂椅上，兩人立刻靠著頭依偎著。

塔莉忽然感覺到強烈的莫名惆悵，一時間動彈不得。如果她有這樣的家庭，一切都會不一樣，她捨不得轉身離開。「你們在看新聞嗎？」

穆勒齊伯父抬起頭。「我們每天準時收看。」

穆勒齊伯母微笑。「珍恩・艾諾森改變了世界，她是最早登上晚間新聞時段的女主播。」

「我長大以後要當記者。」塔莉沒來由地說。

「太好了。」穆勒齊伯父說。

「終於找到妳了。」凱蒂忽然出現在她旁邊。「我家的人眞貼心，搶著告訴我妳在這裡。」凱蒂帶刺地說。

「我正在和妳爸媽說，我以後要當新聞記者。」塔莉說。

穆勒齊伯母燦爛微笑，看到這個笑容，塔莉這輩子的遺憾都得到了滿足。「凱蒂，這個夢想很了不起吧？」

凱蒂困惑地呆站了一下，接著勾起塔莉的手臂，帶她離開客廳往樓上走去。到了閣樓的小房間，凱蒂走向唱機，翻著一小疊唱片，最後選定卡蘿・金的「錦繡」①專輯播放，塔莉站在窗前望著深紫色的暮光。

剛才宣布志向時腎上腺素暴衝，現在退去後留下一種靜靜的哀傷。她知道該做什麼，但想到就覺得渾身不舒服。

告訴她眞相。

就算妳不說，穆勒齊伯母也會說。

「我有最新一期的《十七》和《老虎月刊》雜誌。」凱蒂躺在藍色地毯上伸長雙腿。「要看嗎？這一期的小測驗是『妳能成爲東尼・德弗朗哥②的女朋友嗎？』我們可以一起做。」

塔莉在她旁邊躺下。「好啊。」

「詹麥克・文森③迷死人了。」凱蒂翻到他的一張照片。

「我聽說他會對女朋友撒謊。」塔莉放膽偷瞄她一眼。

「我最討厭撒謊的人。」凱蒂翻頁。「妳眞的想當記者？我怎麼沒聽妳說過？」

「嗯。」塔莉這才開始眞正想像，說不定她能成爲名人，受到眾人仰慕。「妳一定也要當記者，因爲我們做什麼都在一起。」

「我？」

「我們可以搭檔，就像沃伍德與伯斯坦④一樣。」

「不曉得欸——」

塔莉撞她一下。「當然沒問題。老師在全班面前誇獎妳文筆很好。」

凱蒂大笑。「這倒是眞的。好吧，我也當記者好了。」

---

①卡蘿・金（Carole King）：美國知名女歌手及詞曲創作者，「錦繡」（Tapestry）專輯於一九七一年連續十五週蟬聯美國音樂榜榜首，直至今日，它仍是美國百大暢銷唱片之一。

②東尼・德弗朗哥（Tony DeFranco）：加拿大德弗朗哥家族樂團（The DeFranco Family）的主唱，一九七三至一九七七年為其全盛時期，之後便逐漸由樂壇淡出。

③詹麥克・文森（Jan-Michael Vincent）：美國演員，最知名的作品為影集「飛狼」。

④沃伍德（Bob Woodward）與伯斯坦（Carl Bernstein）：《華盛頓郵報》調查記者，聯手揭發水門事件。

「等出名以後，麥克・華萊士①一定會訪問我們，到時候就可以說我們是因爲彼此互相幫助才能成功。」

接下來她們靜靜翻閱雜誌。塔莉兩次試著說出眞相，但兩次都被凱蒂打斷，後來樓下傳來一聲大喊：「吃飯了。」自白的機會一去不回。

雖然這是她這輩子吃過最棒的一餐，但謊言的重擔始終壓在心頭。清完餐桌、洗好碗盤擦乾之後，她的壓力已經撐到快爆炸了，就連幻想上電視成名都無法緩解緊張。

「嘿，媽，」凱蒂放下最後一個康寧瓷盤，「我想騎腳踏車去公園，跟塔莉一起，可以嗎？」

「該說我想和塔莉一起騎腳踏車去公園才對。」媽媽由安樂椅扶手旁的雜誌袋中拿出電視指南。「八點以前要回來。」

「噢，媽——」

「八點。」客廳裡的爸爸附和。

凱蒂看著塔莉。「他們當我是小寶寶。」

「妳不曉得自己多好命。來吧，我們去牽腳踏車。」

她們在崎嶇的鄉間道路上以不要命的速度騎著，一路笑個不停。到了夏季丘，塔莉張開雙手，凱蒂也跟著做。

她們來到河岸邊，將腳踏車停在樹下，兩人並肩躺在草地上看天空，聽著河水拍打岩石的聲響。

「我有件事要告訴妳。」塔莉一鼓作氣地說。

「什麼事？」

「我媽其實沒得癌症，她是對大麻上癮。」

「妳媽抽大麻？少來了。」

「是眞的，她總是茫茫然。」

凱蒂轉向她。「眞的？」

「眞的。」

「妳騙我？」

塔莉幾乎無法看著凱蒂的眼睛，她感到羞慚至極。「我不是故意的。」

「沒有人會不小心說謊，又不是在路上踩空摔倒。」

「有那種丟臉的媽媽是什麼感覺妳不會懂。」

「妳在開玩笑吧？我們昨天晚上出去吃飯，妳眞該看看我媽的打扮——」

「不，」塔莉說，「妳不懂。」

「說給我聽。」

塔莉知道凱蒂的意思，她想知道導致她說謊的眞相，但塔莉不確定是否能將所有痛苦轉化成言語，像發牌一樣傳遞出去。她小心隱瞞這些祕密一輩子了，假使說出實情後是失去凱蒂這個朋友，她絕對無法承受。

話說回來，不講出眞相她鐵定會失去這個朋友。

「兩歲那年，」她終於開口，「我媽第一次把我扔在外婆家。她去鎮上買牛奶，結果到我四歲那年才回來；我十歲的時候她再次出現，我以爲那表示她愛我，那次她在人群中放開我的手，我再次見到她時已經十四歲了。外婆讓我們住這棟房子，每個星期寄錢來，等我媽跑掉我就得離開，而她絕對會跑掉。」

---

①麥克．華萊士（Mike Wallace）：一九一八～二〇一二年，美國知名主播、主持人，曾主持CBS（哥倫比亞廣播公司）著名新聞節目「六十分鐘」（60 Minites）。

「我不懂。」

「妳當然不懂，我媽跟妳媽不一樣。這是我和她相處最久的一段時間，遲早她會嫌悶，然後拋下我自己跑掉。」

「怎麼會有媽媽做得出那種事？」塔莉聳肩。「我認爲是我有問題。」

「妳沒有問題，有毛病的人是她。不過我還是不懂爲什麼妳要騙我。」塔莉終於直視她。「我希望妳喜歡我。」

「妳擔心我會不喜歡妳？」凱蒂放聲大笑，塔莉正想問她有什麼好笑，她恢復正經說：「妳以後不會再說謊了，對吧？」

「絕對不會了。」

「我們永遠是好朋友。」凱蒂誠摯地說，「好嗎？」

「妳是說，妳永遠會陪伴我？」

「永遠，」凱蒂回答，「無論發生什麼事。」

有種情感在塔莉心中綻放，有如異國奇花，她幾乎能夠嗅到甜蜜芬芳。有生以來第一次，她與人相處時感到全然安心。「永遠，」她保證，「無論發生什麼事。」

凱蒂永遠記得國二的暑假，那是她一生中最美好的時光。週一到週五，她一早便迅速確實完成家務，一句怨言也沒有，媽媽出門辦事或去青年會當義工，她乖乖照顧弟弟到三點媽媽回家，之後凱蒂就自由了。週末大致上是她自己的時間。

她和塔莉騎腳踏車跑遍了山谷，用汽車內胎在皮查克河泛舟，一下水就是好幾個小時。傍晚時，她們用小毛巾鋪在地上躺著，穿著螢光色的編織比基尼，身上塗滿嬰兒與碘作爲助曬劑，收聽金曲四十排行榜——她們出門絕不會忘記帶收音機。她們聊遍各種話題：時尚、音樂、男生、越戰、越南的情勢、搭檔報新聞的夢想和電影，她們無話不說，沒有任何問題是禁忌。時間來到八月底，她們在凱蒂的房間裡收拾化妝品，準備出門參加園遊會。凱蒂每次都得出門後才能換衣服、化妝，打扮成夠酷的模樣——她媽媽依然認爲她年紀太小，什麼都不准。「妳拿平口小可愛了嗎？」塔莉問。

「拿了。」

她們自認計畫得非常周詳，帶著得意的笑容下樓，爸爸坐在沙發上看電視。

「我們要去園遊會了。」凱蒂很慶幸媽媽不在，媽媽一定會發現她帶的包包太大，不像要去參加園遊會，那雙透視眼很可能會看穿包包外層，發現裡面的衣物、鞋子與化妝品。

「妳們兩個自己多當心。」他連頭都沒抬。

西雅圖發生了數起年輕女性失蹤案，所以他每次都會這麼叮嚀。最近新聞稱殺人凶手爲「泰德」①，因爲一個在史曼米須湖國家公園被綁的女生幸運逃脫，向警方描述他的長相及名字。全州的年輕女性人人自危，每當看到黃色福斯金龜車便擔心是不是泰德來了。

「我們會超級小心。」塔莉微笑著說。她最喜歡凱蒂的爸媽爲她們操心。

凱蒂走過去跟爸爸吻別，他摟住她，給她一張十元鈔票。「玩得開心點。」

「謝謝爸爸。」

她和塔莉走下車道，包包在身邊甩啊甩。

「妳覺得肯尼・馬克森會去園遊會嗎？」凱蒂問。

「妳滿腦子都是男生。」

---

①連續殺人魔泰德・邦迪（Ted Bundy）於一九七四年間在西雅圖與周邊地區犯案，殺害將近十名年輕女性，之後轉往其他地點，受害者總共超過三十人。

凱蒂撞了一下好友的屁股。「他暗戀妳。」

「那又怎樣？我比他高。」

塔莉突然停下腳步。

「眞是的，塔莉，妳在幹嘛？我差點摔倒——」

「噢，不。」塔莉低聲說。

「怎麼了？」

她這才發現塔莉家的車道上停著一輛警車。

塔莉抓起凱蒂的手，硬拖著她跑下車道、穿越馬路，衝到敞開的家門前。

一位警員在客廳裡等她們。

一看到她們，他胖呼呼的臉立刻皺在一起，擠出小丑般的表情。「嗨，妳們好，我是丹恩・邁爾斯警員。」

「這次她做了什麼？」塔莉問。

「昨天在奎諾特湖邊有一場保護西點林鴞的抗議活動，場面失控。妳媽媽和幾個人發動一場靜坐抗議，導致威爾豪瑟造紙公司整天無法運作，不只如此，其中有人在樹林裡亂丟菸蒂。」他停頓一下。「火勢已經控制住了。」

「我來猜猜，她得去坐牢了。」

「她的律師正在設法爭取改爲自願接受勒戒。假使她運氣不錯，或許只需要在醫院呆一陣子，不然就……」他沒有把話說完。

「有人聯絡我外婆了嗎？」

警員點頭。「她在等妳。需要幫忙打包嗎？」

凱蒂不懂發生了什麼事，於是轉向好友。「塔莉？」

塔莉的棕眸空洞得可怕，凱蒂雖然不明白，但她知道出大事了。「我得回外婆家了。」塔莉說完，便掠過凱蒂身邊往臥房走去。

凱蒂追上去。「妳不能走！」

塔莉從衣櫥搬出一個行李箱打開。「我沒有選擇。」

「我會讓妳媽媽回來，我會告訴她——」

塔莉暫停收拾的動作，看著凱蒂。「這件事妳解決不了。」她的語氣像大人，疲憊而破碎。塔莉說過許多關於敗類媽媽的故事，但凱蒂現在才真正明白。她們經常取笑白雲，嘲弄她的毒癮、怪異打扮，以及無數荒唐言行，但這些事情其實並不好笑，塔莉一直很清楚，這一天終將到來。

「答應我，」塔莉哽咽道，「我們永遠是好朋友。」

「永遠。」凱蒂只說得出這兩個字。

塔莉打包完畢，鎖上行李箱，默默回到客廳。收音機正在播放〈美國派〉，凱蒂知道以後聽到這首歌就會憶起這一刻。那一天音樂死去①。她跟著塔莉出門，她們在車道上依依不捨地擁抱，最後警員輕輕將塔莉拉走。

凱蒂甚至沒有揮手道別，她只是呆站在車道上，淚水潸潸流下臉頰，目送最好的朋友離開。

---

①此為歌曲〈美國派〉（American Pie）中的一句歌詞。此為美國鄉村歌手唐・麥克林（Don McLean）一九七一年作品，歌詞裡寫到他喜愛的歌手巴第・何利（Buddy Holly）因飛機失事過世，他覺得音樂也在他死的那天死去。

6

接下來三年，她們不間斷地魚雁往返。寫信不再只是例行公事，而是維繫生命的繩索。每個星期日傍晚，塔莉固定回到粉紅與紫色裝潢的兒童房，坐在白色書桌前，在筆記本活頁上洋洋灑灑寫下思緒、夢想、憂慮與挫折。有時她也寫些無關緊要的事情，例如法拉頭的新造型讓她顯得多嫵媚，或是她在國中畢業舞會穿的名牌少女禮服Gunny Sax，但她有時會寫下深沉的心事，告訴凱蒂她在夜裡失眠，或夢見媽媽回來了，說塔莉是她的榮耀。外公過世時，塔莉向凱蒂尋求安慰，她一直強忍淚水，直到聽見好友在電話中說：「噢，塔莉，妳一定很難過。」這才終於哭了出來。人生中第一次，塔莉沒有說謊也沒有加油添醋（呃，至少不太多），只是單純呈現出自己，對凱蒂而言這樣就足夠了。

時間來到一九七七年夏季，再過短短幾個月，她們就要升上高三，各自成爲學校的老大姐。

今天是塔莉期待好幾個月的日子，她終於能眞正踏上三年前穆勒齊伯母指引的那條路。成爲下一個珍恩・艾諾森。

這句話成爲她的信念，有如神奇的密碼，裝載著她的雄心壯志，讓夢想不再虛幻。當年在斯諾霍米什那個廚房中埋下的種子瘋狂發芽，深深根植在她心中。以前她沒察覺自己多麼需要夢想，但現在夢想改變了她，讓她由被媽媽遺棄的可憐塔莉，蛻變爲準備贏得全世界的女孩。這個目標讓她的身世顯得無足輕重，給予她挑戰的方向、生活的支柱。她由信中得知她的努力讓伯母很欣慰，也知道凱蒂與她有志一同，她們將一起當上記者，追查新聞，撰寫報導。一對好搭檔。

她站在人行道上，仰望眼前的建築，感覺有如銀行大盜望著諾克斯堡國家金庫。

這家ABC的加盟公司影響力極廣、備受尊崇，沒想到竟藏身在丹尼重劃區的小建築裡，根本毫無景觀可言，沒有令人肅然起敬的落地窗，大廳沒有半件藝術品，只有一座L型櫃臺，一個還算漂亮的接待小姐，三張芥末黃的一體成形塑膠椅。

塔莉深吸一口氣，挺直背走進去。她在櫃臺報上姓名，接著在牆邊的一張椅子坐下。等了很久才輪到她面試，但她保持儀態莊重，不顯得坐立不安，努力克制住腳點地的衝動。說不定有人正在觀察她。

「哈特女士？」接待小姐終於抬頭叫她。「他可以見妳了。」

塔莉站起來，露出隨時可以上鏡頭的沉著微笑。「謝謝。」她跟著接待小姐穿過幾道門，來到另一個等候區。

在那裡，她終於見到了那個人。將近一年來，她每個星期固定寫信給他。

「你好，羅巴赫先生。」她握住他的手。「很榮幸終於能見到你。」

他比想像中來得疲憊蒼老，油亮的禿頂上只有一小撮紅灰色頭髮，而且沒有一根是整齊的，淺藍色休閒西服上有白色車線綴飾。「請來我的辦公室詳談，哈特小姐。」

「哈特女士。」她糾正，最好一開始便說清楚。葛洛莉雅．史坦能說過，想得到尊重就必須開口要求。

羅巴赫先生怔怔地望著她。「抱歉？」

「若你不介意，麻煩稱呼我為哈特女士，我想你應該不反對吧？名校喬治城大學英美文學系的高材生想必不會抗拒新潮流吧？相信你一定是社會覺醒運動的先鋒，我從你的眼神看得出來。對了，我喜歡你的眼鏡。」

他呆望著她，嘴巴微微張開，過了一會兒才回過神來。「請跟我來，哈特女士。」他帶著她穿過空無一物的白色走廊，最裡面左邊有一扇仿木門，他打開進入。

他的辦公室空間不大，兩面有窗，其中一扇正對著高架單軌電車的水泥軌道。牆上沒有半點裝飾。他辦公桌前有張黑色摺疊椅，塔莉坐下。

羅巴赫先生坐下之後看著她。「一百一十二封信，哈特女士。」他拍了拍桌上一個鼓鼓的牛皮紙檔案夾。

她寄的信他全保留了，這應該是好消息。她從公事包中拿出最新版的履歷表放在桌上。「你應該留意到了，我寫的報導多次登上校刊頭版，我另外附上瓜地馬拉震災的深入報導、昆蘭事件①的後續追蹤，以及弗雷迪．普林茲②尋死前數日的觀察剖析，絕對令人揪心。這幾篇文章應該能顯示我的能力。」

「妳今年十七歲。」

「對。」

「下個月妳要開始念高三。」

那些信沒有白寫，他知道她的所有資料。「沒錯。對了，我認為這是個很有意思的報導角度：前進高三，一九七八年度畢業班記實。或許可以每個月播出一篇專題報導，揭露地區公立高中的真實面貌，我相信讀者一定——」

「哈特女士。」他雙手指尖立靠在一起形成三角形，下巴放在上面看著她，她感覺得出來他極力忍著笑。

「是，羅巴赫先生。」

「我們可是ＡＢＣ公司的加盟公司，不可能雇用高中生的。」

「可是你們有實習生。」

「只限大學生，華盛頓州立大學或其他學校。我們的實習生大部分都在校園電視臺工作過，所以熟悉電視臺的工作模式。很抱歉，但妳還沒準備好。」

「噢。」

他們彼此對望。

「哈特女士，我從事這份工作很長一段時間了，很少看到像妳這麼有企圖心的人。」他再次拍拍那疊信件。「這樣好了，繼續寫文章寄給我，我會幫妳留意機會。」

「也就是說，等我準備好可以成爲記者的時候，你會雇用我？」

他大笑。「總之繼續寄文章來就對了。努力念書拿好成績上大學，知道嗎？其他的到時候再說吧。」

塔莉重新燃起鬥志。「我會每個月寄一篇新報導。羅巴赫先生，總有一天你會雇用我的，等著瞧吧。」

「哈特女士，我樂觀其成。」

他們繼續聊了一下，然後羅巴赫先生送她出去。下樓時，他停在獎座展示櫃前，裡面有幾十座艾美獎與其他新聞獎項，金色獎座在燈光下閃閃發亮。

「有一天我會贏得艾美獎。」她用指尖摸摸玻璃。她不准自己因爲這次的挫折感到受傷，沒錯，這只是一次小小挫折而已。

「塔莉．哈特，我相信妳一定能拿到。回去念高中吧，享受妳的高三生活，不要急，現實人生來得很快。」

街道上的景色有如風景明信片，萬里無雲的碧藍天空，是適合拍照的晴朗天氣，這樣的西雅圖會引誘外地人賣掉他們的房子，離開平淡無奇的老家搬來這裡。可惜他們不知道這種天氣多稀有，這一帶的夏季來得迅速絢爛，彷彿火箭發射般，但離開時也一樣快。

---

①昆蘭事件：指的是凱倫．安．昆蘭（Karen Ann Quinlan）在派對上服用藥物而昏迷成為植物人，其父母為爭取放棄治療並拔除生命維持器而提出訴訟，此案成為美國醫療自主權的代表案例。

②弗雷迪．普林茲（Freddie Prinze）：一九五四年至一九七七年，美國演員，因離婚陷入憂鬱而在經紀人面前飲彈自盡。

她將外公的笨重黑色公事包擁在胸前走向公車站牌，頭頂上，一輛單軌列車由軌道飛馳而過，地面隨之震動。

回家的路上，她告訴自己其實得到了一個好機會，現在要做的是進大學證明自己的能力，然後爭取更好的工作。

然而，無論她如何編造，失敗的感覺依然揮之不去，回到家時，她覺得自己氣勢萎靡，整個垂頭喪氣。

她打開前門進去，將公事包扔在廚房餐桌上。

外婆在客廳裡，坐在破舊的沙發上，穿著絲襪的雙腿架在凹陷的絲絨腳凳上，大腿上放著尚未完成的刺繡。她睡著了，輕輕發出鼾聲。

看到外婆，塔莉擠出笑容。「嘿，外婆。」她低聲說，走進客廳彎腰摸摸外婆滿是疙瘩的手，在她身邊坐下。

外婆慢慢醒來，老式厚鏡片後的雙眼迷茫了一陣，接著漸漸清醒。「面試順利嗎？」

「新聞部協理說我的資格太好，不適合這份工作，很不可思議吧？他說這個職位會浪費我的能力。」

外婆捏捏她的手。「妳年紀太小了，對吧？」

她一路強忍的淚水終於刺痛了眼睛，她難為情地抹去。「只要我一進大學他們肯定會馬上雇用我。等著瞧吧，我會讓妳引以為榮。」

外婆的眼神說著：可憐的塔莉。「妳已經讓我很光榮了。妳其實想要桃樂西的關注。」

塔莉靠在外婆瘦削的肩上，任由外婆擁抱。她知道痛苦很快就會過去，就像曬傷一樣會自行痊癒，然後稍微增強抵抗力。「我有妳就夠了，外婆，她不重要。」

外婆疲憊嘆息。「去打電話給妳的朋友凱蒂吧，不過別講太久，電話費很貴。」

光是想到能和凱蒂說話，塔莉的心情立刻輕鬆起來。因為長途電話費很貴，她們很少有機會通話。「謝謝，外婆，我馬上去。」

下一週，塔莉在社區週刊《安妮女王蜂》找到工作。時薪很低，所負責的工作也只是些雜務，但她不介意，至少她進入了媒體業。一九七七年暑假，除了睡覺以外的時間，她幾乎都耗在那幾間狹小擁擠的辦公室，盡可能多吸收學習。她在公司纏著記者東問西問、影印、買咖啡；在家則陪外婆玩撲克牌，以火柴棒當籌碼。每個星期天晚上，她一定會寫信給凱蒂分享一週的生活點滴，像時鐘一樣準時。

此刻，她坐在房間的兒童書桌前，重讀一遍這星期的八頁長信，最後寫上「永遠的好朋友，塔莉♥」，接著仔細摺三折。

書桌上放著凱蒂剛寄來的明信片，她去露營了，這是穆勒齊家每年固定的活動，凱蒂稱之爲「蟲蟲地獄週」，但塔莉覺得她描述的每個時刻都完美無比，心中無限嚮往。她多麼希望能一起去，拒絕他們的邀約是她這輩子做過最艱難的一件事，但是這份打工非常重要，而且外婆的身體狀況越來越差，她實在別無選擇。

她低頭看著好友寫的內容，重溫她早已熟記的每字每句：晚上玩撲克牌、烤棉花糖，在冷死人的湖中游泳……

她強迫自己轉開視線。渴望無法得到的東西對人生沒有半點好處，白雲教會了她這一課。她將寫好的信放進信封、寫上地址，下樓去探望外婆，她已經睡著了。

塔莉獨自看著最喜歡的週日晚間影集：帶有社會批判的「一家子」、喜劇「愛麗斯」、警探片「警網鐵金剛」，看完便鎖好門窗上床睡覺，飄進夢鄉時還想著穆勒齊一家在做什麼。

第二天早上，她照常六點起床，打扮好準備上班。如果她到得夠早，有時記者會讓她幫忙處理今天的報導。

她快步走到走廊盡頭敲門。雖然她不想吵醒外婆，但出門時一定要說再見，這是家規。

「外婆？」

她再敲一次，然後緩緩推開門，高聲說：「外婆……我要去上班了。」

窗臺下映出深紫色的陰影，光線昏暗，掛在牆上的繡花作品只隱約看得到四方外框。外婆躺在床上。即使站在門口，塔莉依然能清楚看見她的身體輪廓，雪白的鬈髮、凌亂的睡衣……不動的胸口。

「外婆？」

她走向前摸摸外婆滿是皺紋的柔軟臉頰，皮膚冷得像冰，鬆垂的嘴唇沒有氣息。塔莉的世界瞬間傾覆，由地基上崩塌陷落。她站在那兒低頭看著外婆失去生命的臉，光是這樣就耗盡了所有力氣。

淚水來得很慢，彷彿每一滴都由鮮血凝結，因爲太過濃稠而無法穿過淚腺。記憶如萬花筒閃過：七歲生日派對，外婆幫她編辮子，告訴她只要用心祈禱，說不定媽媽會出現；幾年後外婆承認上帝有時不會回應小女孩的祈禱，也不回應大人的祈禱；上星期玩牌的時候，塔莉再次將丟出去的牌全掃過去，外婆笑著說：「塔莉，妳不必每次都拿走所有牌……」；還有，外婆的晚安吻總是那麼輕柔。

她不曉得在那裡站了多久，但是當她彎腰親吻外婆單薄的臉頰時，陽光已經穿透窗簾照亮了房間，那樣的明亮讓塔莉吃了一驚。外婆走了，這個房間應該一片黑暗才對。

「振作點，塔莉。」她對自己說。

她知道現在該做什麼，她知道。外婆和她商量過，也已經做好了準備，然而塔莉明白，無論說什麼也無法讓她準備好迎接這一刻。

她走到外婆的床頭櫃前，外公的照片下面放著一個紫檀盒子，旁邊堆滿了藥物。

她掀開蓋子，隱隱覺得像是做賊，可是外婆交代過要打開來看。外婆經常說：「有一天我會回天上的家，到時候打開外公送我的盒子，裡面有留給妳的東西。」

裡面有幾樣不值錢的首飾，印象中外婆很少配戴，另外還有一張摺起來的粉紅信紙，上面寫著塔莉的名字。

最親愛的塔莉，

對不起，我知道妳多麼害怕孤單、害怕被拋下，但上帝安排好了所有人的生死——如果可以，我也想陪妳久一點。我和外公會永遠在天堂看著妳，只要妳相信就永遠不會孤獨。

妳是我一生中最大的喜悅。

愛妳的外婆

外婆不在了。

塔莉站在教堂外面，看著大批老人魚貫而過。外婆的幾個朋友認得她，過來表示哀悼。

節哀順變，親愛的……

……她去了更好的地方……

……和她親愛的溫斯頓在一起。

……她不希望妳哭。

她盡可能忍受，因爲她知道外婆不希望她失態，但是到了十一點，她已經快尖叫了。那些來弔唁的人看不見嗎？他們難道沒發現她才十七歲，穿著一身喪服，孤伶伶地被扔在這個世界上？

假使凱蒂和她父母在就好了，但他們去了加拿大，她不知道如何聯絡他們，還要再過兩天他們才會回家，她只能獨自承受。若是有他們在身邊扮演家人，或許她能熬到儀式結束。他們不在，她實在辦不到。坐在教堂中只會讓她不斷想起外婆，那種感覺太苦澀心痛，於是葬禮進行到一半時她站起來走了出去。

來到八月的豔陽下，她終於能呼吸了，即使眼淚依然不停在眼中打轉，心中重複著那個沒意義的問題：妳怎麼可以這樣扔下我？

外面停滿灰濛濛的舊款車輛，她努力忍住淚水，更努力不去回想，也不去煩惱以後該怎麼辦。

旁邊傳來樹枝被踩斷的聲音，塔莉抬起頭，一開始她只看見停得歪七扭八的車輛。接著，她看到了她。

在教堂前院外圍有一排高大楓樹標示出市立公園的起點，白雲站在樹蔭下，叼著一支細長的香菸。她穿著破爛的燈心絨喇叭褲和髒兮兮的鄉村風罩衫，毛燥的棕色長髮像括弧般圈住她的臉，整個人瘦得像火柴。

塔莉的心不由自主地歡喜躍動，終於她不是孤伶伶的了。白雲雖然瘋瘋癲癲，但家裡出了事她還知道要回來。塔莉微笑著奔向她。她能原諒媽媽缺席這麼多年、拋棄她這麼多次，最要緊的現在是她回來了，在塔莉最需要她的時候。「感謝老天，妳回來了。」她喘著氣停下。「妳知道我需要妳。」

媽媽搖搖晃晃走過來，因為差點摔倒而大笑起來。「塔莉，妳是美麗的精靈，妳只需要空氣和自由。」

塔莉的胃重重一沉。「不要再這樣。」她眼中帶著哀戚懇求。「拜託……」

「我永遠都是這樣。」白雲的語氣多了分銳利，與茫然失神的雙眼相反。

「我是妳的骨肉，現在我需要妳，不然我會孤伶伶一個人。」塔莉知道自己的聲音很微弱，但她沒辦法大聲說話。

白雲蹣跚上前一步，眼神流露眞實的悲傷，但塔莉不在乎，媽媽的感情都是虛假，像西雅圖的陽光一樣來得快去得也快。「看看我，塔莉。」

「我正在看。」

「不，看清楚，我幫不了妳。」

「可是我需要妳。」

「算妳倒楣。」媽媽抽了一大口菸，幾秒之後吁出。

「爲什麼？」她原本想問「爲什麼妳不愛我？」，但她還來不及將傷痛化爲語言，葬禮便結束了，一身黑衣的悼客湧進停車場。塔莉轉頭擦眼淚，才一下子工夫，回過頭時媽媽已經不見了。

社會福利處派來的女人又乾又瘦，像樹枝一樣。她站在塔莉臥房門外好聲好氣地勸說，但塔莉發現她不停看錶。

「我不懂爲什麼非得打包離開。我很快就滿十八歲了，外婆的這棟房子沒有貸款——我很清楚，因爲今年都是我負責處理帳單。我不是小孩子，我可以一個人生活。」

「律師在等我們。」那個女人只是這麼說。「妳準備好了嗎？」

她將凱蒂的信件收進行李箱，蓋好，上鎖。她說不出準備好了這句話，於是乾脆拎起行李箱，將編織包甩上肩膀。「大概吧。」

「好。」那個女人俐落地轉身，往樓梯走去。

塔莉最後留戀地看臥房一眼，這麼多年來視而不見的東西，這時她終於看清了：紫色荷葉邊床單、白色單人床，窗臺上放著一排蒙塵的塑膠小馬，五斗櫃上的畢斯利太太洋娃娃①，還有裝飾著粉紅芭蕾舞者的美國小姐珠寶盒。

多年前被遺棄在這裡的小女孩，外婆為她布置了這個房間。每件東西都經過精心挑選，現在卻得全部裝進箱子，堆在黑暗的儲藏室，連同回憶一起埋葬。塔莉自問還要多久她才能想起外婆而不哭泣。

她關上門，跟著那個女人穿過死寂的房子下樓離開，大門前的街道上停著一輛老舊的黃色福特雙門房車。

「行李放後面。」

塔莉放好之後上車，社工發動引擎，音響隨之啓動，以震耳欲聾的音量播放大衛・索爾的熱門情歌〈別放棄〉②，她急忙將音量轉小，含糊道歉。

聽這種歌要道歉也是應該的，所以塔莉只是聳聳肩，望向窗外。

「我好像忘記致哀了，很遺憾妳痛失至親。」

塔莉望著車窗上的倒影，她的臉感覺很怪，彷彿底片上的影像，沒有色彩、沒有實體，恰如她內心的感受。

「妳外婆在各方面都非常偉大。」

塔莉沒有回答，反正她也發不出聲音。見過母親之後，她一直覺得內心乾涸、空洞。

「好了，我們到了。」

這裡是巴拉德區最熱鬧的地段，車子停在一棟維護良好的維多利亞風格建築前，大門前的手繪招牌上寫著：貝克與蒙哥馬力聯合法律事務所。

塔莉內心掙扎片刻後才下車，社工給她一個溫柔理解的笑容。

「妳不必帶行李。」

「我想帶，謝謝。」塔莉至少知道打包好的行李有多重要。

社工點點頭，率先走上冒出雜草的水泥人行道到大門前。她們走進雅致過頭的大廳，櫃臺沒有人，塔莉在附近坐下；貼了精美壁紙的牆上懸掛著幾幅矯揉造作的圖畫，主角都是大眼睛的天真幼童。四點整，一個戴著角框眼鏡的禿頭胖子出來見她們。

「妳好，塔莉。我是妳外婆的律師，我叫艾爾莫・貝克。」

塔莉跟著走到樓上的小辦公室，裡面有兩張蓬鬆的扶手椅和一張古董紅木辦公桌，上面散亂放著律師用的黃色筆記本，角落裡有台電風扇嗡嗡運轉，對著門的方向吹出熱風。社工在窗邊的位置坐下。

「來，請坐吧。」他拉出高雅辦公桌後面的椅子。

「塔露拉——」

「塔莉。」她低聲說。

「啊對，我聽妳外婆說過妳比較喜歡塔莉這個名字。」他將手肘靠在桌上，身體往前傾，厚厚的鏡片放大了那雙像蟲子的眼睛。「妳大概知道，妳媽媽拒絕擔任妳的監護人。」

她點頭，光是這樣便用盡了力氣。昨夜她排練了一場演說，解釋為何應該讓她自己一個人生活，然而此刻她感覺自己渺小又年輕。

「很遺憾。」他的語氣十分溫柔，塔莉卻全身一縮。她對這種愚蠢無用的安慰厭惡至極。

「嗯。」她的雙手握拳。

「社工吉利根女士已經幫妳找到了一個好家庭，他們照顧許多需要安置的少年。好消息是，妳可以在目前的學校完成學業，我想妳應該會很高興。」

「開心斃了。」

①畢斯利太太洋娃娃（Mrs. Beasley doll）：一九六六年喜劇影集「合家歡」（Family Affair）中一個女童角色所擁有的娃娃，因為影集大受歡迎，玩具公司美泰（Mattel）便加以量產販售。

②大衛・索爾（David Soul）：美國歌手及演員。〈別放棄〉（Don't Give Up on Us）為其一九七六年單曲作品，內容在祈求戀人回頭。

她的回答讓貝克先生一時陷入困窘。「當然，好，現在來說明一下繼承問題。妳外婆將所有財產都留給妳，包括兩棟房子、車子、銀行存款和股票。她特別註明妳必須繼續按月寄生活費給她的女兒桃樂西，妳外婆認爲只有這樣才能知道她的下落，而事實證明，只要有錢可領，桃樂西就會乖乖保持聯絡。」他清清嗓子。「這個……如果賣掉兩棟房子，妳可以有很長一段時間不必爲財務煩惱。我們可以幫忙——」

「可是賣掉之後我就沒有家了。」

「雖然很遺憾，但妳外婆確切要求出售，她希望無論妳想上哪所大學都沒問題。」他抬起視線。「她跟我說有一天妳會得普立茲獎。」

塔莉不敢相信她又要哭了，還是在兩個外人面前，她急忙跳起身。「我想去一下洗手間。」

貝克先生蒼白的前額皺了一下。「噢，去吧，在樓下，一樓大門左邊。」

塔莉站起來拎起行李箱，拖著步子走向門口，出去關上門之後，她靠在走廊牆上努力忍住眼淚。

她說什麼都不要進寄養家庭。

她低頭看看手上的建國二百年紀念錶。

穆勒齊一家明天就回來了。

7

由加拿大英屬哥倫比亞回家的車程彷彿永無止境。車子的冷氣壞了，出風口只會冒熱風，每個人都又熱又累又髒，但爸媽依然有興致唱歌，還不斷慫恿他們姐弟加入。

遜到凱蒂受不了。「媽，拜託妳叫尙恩不要一直弄我的肩膀。」

弟弟大聲打個嗝，接著笑不停，狗兒隨之狂吠。

駕駛座上的爸爸彎腰打開收音機，鄉村歌手約翰．丹佛唱著〈感謝上帝我是鄉巴佬〉。

「瑪姬，我要唱這首，他們不想加入就算了。」

凱蒂繼續埋頭看書。車子晃動得很厲害，書頁上的字亂跳，但是她不在乎，因爲《魔戒》她看過很多遍，看不清楚也知道內容。

到了一切的盡頭，很高興有你在我身邊。

「凱蒂，凱絲琳。」

她抬起頭。「嗯？」

「到家了。」爸爸說，「快點放下書，來幫忙搬行李。」

「可以先讓我打電話給塔莉嗎？」

「不行，先搬行李。」

凱蒂重重闔上書。整整七天她一直等著打電話，爸媽竟然覺得行李比較重要。「好啦，可是尙恩也要幫忙喔。」

媽媽嘆口氣。「管好妳自己就行了，凱絲琳。」

他們離開臭烘烘的車子，開始每次度假之後的例行公事。整理好之後，天都黑了。洗衣間的地上髒衣物堆成小山，凱蒂將最後幾件扔進去，開始洗第一批衣服，弄完之後去找媽媽，她和爸爸坐在客廳沙發上，兩個人昏昏沉沉靠在一起。

「現在可以打電話給塔莉了嗎？」

爸爸看看錶。「已經九點半了，這麼晚打去，她外婆會不高興。」

「可是——」

「晚安，凱蒂。」爸爸毫不讓步，同時將媽媽摟拉進懷裡。

「不公平。」

媽媽大笑。「誰說人生很公平？快去睡覺吧。」

塔莉站在對面屋角將近四個小時，看著穆勒齊一家人搬行李。她好幾次想跑上山丘驚喜亮相，但她還沒準備好接受整家人的熱情歡樂。她想和凱蒂單獨找個安靜的地方談心。

她等到燈光全暗了才過馬路，在凱蒂窗戶下面的草地上又等了半個小時以防萬一。

左邊傳來甜豆的聲音，牠刨著地對她嘶鳴，顯然這匹老母馬也希望有人作伴。他們一家去露營時拜託鄰居幫忙餵馬，但牠需要被愛的感覺。

「我懂，乖馬兒。」塔莉坐下，屈膝抱著雙腿，整個人縮成一團。或許她該先打個電話，而不是這樣偷偷摸摸。可是穆勒齊伯母可能會說他們長途開車很累了，要她明天再來，但她實在不能等了，她沒有能力獨自應付這樣的寂寞。

十一點時，她終於站起身，拍掉牛仔褲上的草，撿起一塊石頭扔向凱蒂的窗戶。

丟到第四顆好友才終於開窗探頭。「塔莉！」凱蒂縮回房間，急忙關上窗戶，不到一分鐘她就出現在屋側，身上穿著影集「無敵女金剛」圖案的長版T恤睡衣，戴著黑框舊眼鏡和牙齒維持器。凱蒂大大張開雙手奔向塔莉。

塔莉感覺凱蒂的手臂環抱著她，幾天來第一次感到安心。

「我好想妳。」凱蒂抱緊她。

塔莉無法回答，光是忍住不哭就夠難了。她納悶凱蒂究竟是否明白這段友誼對她有多重要。「我把腳踏車牽來了。」她後退，轉開視線，以免凱蒂發現她眼眶泛淚。

「酷。」

不到幾分鐘她們就出發了，俯衝飛過夏季丘，張開雙手捕捉風。到了坡底，她們將腳踏車放在樹下，漫步走過蜿蜒長路到河邊。四周的樹木窸窣聊著天，風兒嘆息，樹葉顫抖著由枝頭落下，昭告早秋的來臨。

凱蒂在她們的老地方躺下，頭靠著長滿青苔的朽木，雙腳在草地上伸直。她們很久沒來這裡，草都長高了。

塔莉莫名緬懷起她們的年少時光。那年夏天她們幾乎天天都來，以各自的寂寞人生編織出友誼。她在凱蒂身邊躺下挨近，急切地讓兩人肩並著肩，過去幾天實在太難熬，她需要確認好友眞的在身邊。她將收音機放在旁邊，轉大音量。

「今年的蟲蟲地獄週比往年更慘。」凱蒂說，「不過我成功拐尙恩吃了一條蟲。」她格格笑。「後來我一直笑，妳眞該看看他的表情。喬治雅阿姨跟我談怎麼避孕，妳相信嗎？她說我應該——」

「妳到底知不知道自己多好命？」這句話自己冒了出來，就像由機器噴出的軟糖豆一樣，塔莉完全來不及制止。

凱蒂移動重心翻身，側躺看著塔莉。「以前我們去露營的大小事妳都想聽。」

「對啦。唉，我這個星期過得很不順。」

「妳被炒魷魚了？」

「妳覺得這就叫不順？我多希望能擁有妳的完美人生，只要一天就好。」

凱蒂蹙眉後退。「妳好像在生我的氣。」

「不是妳。」塔莉嘆息。「妳是我最好的朋友。」

「那是誰惹妳生氣了？」

「白雲。外婆。上帝。隨妳選。」她深吸一口氣，接著說：「妳不在的這段時間，外婆過世了。」

「噢，塔莉。」

好不容易，塔莉已盼望了一整個星期，終於盼來一個愛她的人，一個眞心爲她感到難過的人。淚水刺痛眼睛，她還沒反應過來，已經哭了起來，劇烈的抽噎啜泣讓她全身顫抖、無法呼吸，凱蒂一直抱著她，一言不發，讓她盡情哭泣。

眼淚流乾之後，塔莉露出顫抖的笑容。「謝謝妳沒有說妳很遺憾。」

「不過我眞的覺得很遺憾。」

「我知道。」塔莉往後靠在朽木上仰望夜空。她想承認自己很害怕，雖然她不時在人生中感到孤獨，但現在才明白眞正孑然一身的滋味，然而她說不出口，就算對方是凱蒂也一樣。思緒，甚至恐懼，都是縹緲無形之物，一旦說出來便會賦予實體，而那份重量能夠將人壓垮。

過了一會兒，凱蒂才說：「以後妳怎麼辦？」

塔莉抹去淚水，從口袋中拿出一包菸，點起一支吸了一大口，立刻嗆咳起來。她好幾年沒抽菸了。「我得去寄養家庭，不過只會待一小段時間，一滿十八歲我就可以獨立生活了。」

「妳不可以和陌生人住在一起。」凱蒂憤慨地說。「我會找到白雲，叫她負起責任。」

塔莉懶得回答。好友的這番話雖然貼心，但她和凱蒂活在不同的世界。在塔莉的世界裡，媽媽不會在身邊支援，最要緊的是開拓自己的道路。

最要緊的是不在乎。

要做到不在乎，最好的方法就是讓自己融入吵鬧人群中，很久以前她便學會了這個道理。

很快她就得離開斯諾霍米什，很快當局就會找到她，押著她到甜蜜的新家，和一群流離失所的少年爲伴，家長只是爲了錢而收容他們的人。「明天晚上我們去參加派對吧？妳在信理提到的那個。」

「凱倫家的派對？夏末狂歡夜？」

「就是那個。」

凱蒂蹙眉。「那個派對供應啤酒，我爸媽發現一定會抓狂。」

「跟他們說妳要來對面我家過夜，妳媽一定會相信白雲回來一天這事。」

「萬一被逮到──」

「放心啦。」塔莉看出好友非常擔心，她知道應該立刻終止計畫。這個計畫太魯莽，甚至危險，可是念頭一發動就無法煞車。假使不做些瘋狂的事，她就會陷入恐懼的黑暗泥淖，她會想起一再遺棄她的母親，很快就得一起生活的陌生人，以及撒手人寰的外婆。「我保證不會被抓到。」她轉向凱蒂。「妳信任我吧？」

「當然。」凱蒂遲疑地說。

「好極了。我們去派對吧。」

「你們兩個！吃早餐了。」

凱蒂率先就座。

媽媽才剛放下一盤鬆餅，外面便傳來敲門聲。

凱蒂跳起來。「我去開。」她過去開門，裝出驚喜的模樣。「媽，快來看，塔莉來了。老天，好久不見，感覺像過了一輩子。」

媽媽站在餐桌旁，穿著及地紅絲絨睡袍與粉紅色毛拖鞋。「嘿，塔莉，歡迎妳來。妳沒有一起去露營，大家都很想妳，不過我知道妳的工作很重要。」

塔莉蹣跚上前，抬起頭想說話卻發不出聲音，只能站在那兒呆望著凱蒂的媽媽。

「怎麼了？」她媽媽走向塔莉。「發生了什麼事？」

「我外婆過世了。」塔莉輕聲說。

「噢，親愛的……」媽媽將塔莉拉過去用力抱住很久才放開，她摟著塔莉帶她去客廳坐在沙發上。

「凱蒂，把煎餅的火關掉。」媽媽頭也不回地說。

凱蒂關了火，跟著她們走向客廳。她沒有進去，只是站在廚房與客廳之間的拱門旁，她們兩個似乎都不介意她在場。

「我們沒趕上葬禮嗎？」媽媽握著塔莉的手柔聲問。

塔莉點頭。「大家都說他們很遺憾，現在我恨透了這句話。」

「他們只是不知道該說什麼。」

「最精彩的是一堆人說『她去了更好的地方』，好像比起和我在一起，死了還比較好。」

「妳媽媽呢？」

「這麼說吧，她自稱爲白雲不是沒有原因的，她來了又走。」塔莉看一眼凱蒂，急忙補上一句：「可是目前她在，我們住在對面。」

「當然嘍，她知道妳需要她。」媽媽說。

「媽，我可以去對面住一晚嗎？」凱蒂的心跳得又急又重，很怕媽媽會聽見。她盡力表現出全然可靠的模樣，但既然她在撒謊，心中不由得認定會被媽媽看穿。

媽媽甚至沒有抬頭看她。「當然可以，妳們兩個需要在一起。塔莉·哈特，千萬別忘記妳是下一個潔西卡·賽維其①。妳一定能度過這個難關，相信我。」

「妳眞的這麼想？」塔莉問。

「我知道妳沒問題。塔莉，妳擁有罕見的天賦，而且妳外婆現在一定在天堂保佑妳。」

凱蒂忽然有股衝動，想跑過去問媽媽是否相信她也有能力改變世界，她甚至眞的上前一步，張嘴但還來不及出聲，塔莉便搶先說——

「穆勒齊伯母，我一定會讓妳引以爲榮，我保證不會辜負妳的期望。」

凱蒂頓住。她不曉得怎樣才能讓媽媽引以爲榮，她不像塔莉擁有罕見的天賦。問題在於，媽媽應該相信她有，而且該說給她聽，然而，塔莉像太陽一樣有著超強引力，每個人都會被吸過去，媽媽也不例外。

「我們兩個都會成爲記者。」凱蒂的語氣太激動，她們倆一起愕然地看著她，令她覺得自己像個白癡。她擠出笑容說：「來吧，快去吃早餐，涼掉就不好吃了。」

參加派對是個爛主意，不亞於在舞會上惡整嘉莉的那個。②

塔莉心知肚明，但已經無法回頭了。外婆的葬禮加上再次遭白雲遺棄，之後那幾天，她心中的悲傷漸漸轉爲憤怒，有如掠食動物在血液中暴衝，讓她心中漲滿各種情緒，無法調解也無法壓抑。她知道這麼做很魯莽，但她沒辦法轉向，因爲只要一放慢速度，就算只有一下子，恐懼便會追上來，更何況，計畫已經開始進行了。她們坐在白雲以前的臥房，應該要梳妝打扮卻一直拖拖拉拉。

---

①潔西卡・賽維其（Jessica Savitch）：西元一九四七年～一九八三年，美國第一個播報週末新聞的女主播。

②史蒂芬・金所著恐怖小說《魔女嘉莉》（Carrie）中，在校飽受欺凌的嘉莉遭人設計參加舞會並當選舞會皇后，當她上臺領獎時慘遭豬血淋頭，羞憤引爆嘉莉的超能力並展開大屠殺。

「噢，老天。」凱蒂的語氣中滿是驚嘆。「妳一定要看看這段。」

塔莉衝向滿是補丁的水床，搶走凱蒂手中的平裝小說扔向房間另一頭。「眞不敢相信，妳竟然帶書過來。」

「喂！」凱蒂掙扎著坐起來，造成一陣波浪。「沃夫格準備把她綁在床腳，我一定要知道——」

「凱蒂，我們要去派對，別再看羅曼史了。順便告訴妳，把女人綁在床上這種行爲非、常、變、態。」

「對啦。」凱蒂皺起眉頭不甘願地說。「我知道，可是——」

「沒有可是。快點換衣服。」

「好啦、好啦。」她翻著塔莉之前幫她選好的衣服：名牌牛仔褲搭配古銅色繞頸緊身小可愛。「我媽要是知道我打扮成這樣出門，一定會氣死。」

塔莉沒有回答，老實說，她希望自己沒聽到，她此刻最不願想到的人就是穆勒齊伯母。她集中精神在打扮上，穿上牛仔褲、粉紅平口小可愛、深藍色厚底綁帶涼鞋，然後彎腰將頭髮梳蓬，徹底發揮法拉頭的精神，接著噴上大量髮膠，保證連飛蟲都會被黏住。確認夠完美之後，她轉向凱蒂。「準備好了嗎——」

凱蒂一身派對裝扮在床上看書。

「妳眞是沒救了。」

凱蒂翻身平躺，微笑著說：「這個故事非常浪漫，塔莉，不騙妳。」

塔莉再次搶走那本書，她也不知道爲什麼會這麼火大，或許是因爲凱蒂閃亮亮的美好幻想。她見識過塔莉的人生，怎麼還有辦法相信童話故事般的幸福結局？「走吧。」

塔莉沒有停下來看凱蒂是否有跟上來，逕自走進車庫，打開車門，坐進外婆的那輛老車。駕駛座的黑椅墊外皮龜裂，塡充物戳著她的背，她假裝沒感覺，用力關上了車門。

「妳把妳外婆的車開來了？」凱蒂打開前座的門探進頭。

「基本上，現在這輛車是我的了。」

凱蒂上車關門。

塔莉將一卷吻樂團①的錄音帶放進卡座，接著調高音量。她打入倒車檔，並慢慢踩油門。

她們一路高聲唱著歌到凱倫・艾伯納家，外面已經停了至少五輛車，有幾輛藏在樹叢中。每當有人的父母出遠門，消息就會迅速傳出去，派對如雨後春筍般冒出。

屋裡煙霧瀰漫，大麻與焚香的甜膩氣味令人難以消受。音樂非常大聲，塔莉的耳朵都疼了。她拉著凱蒂的手，帶她去位在地下室的娛樂間。

寬敞的空間裝著仿木板牆，地上鋪著萊姆綠的室內外兩用地毯，中央的錐形暖爐旁圍繞著一張橘色半月形沙發與幾個棕色懶骨頭。左手邊有幾個男生在玩足球，每次球被搶走便大喊大叫；年輕人瘋狂舞動，跟著音樂唱和；沙發上有兩個男生在吸毒；門邊有一幅很大的西班牙征服者畫像，一個女孩倒在下面拿著打洞的啤酒罐猛喝。

「塔莉！」

她還來不及回應，一大票老朋友過來將她團團圍住，拉著她離開凱蒂。她到了啤酒桶旁，其中一個男生給她一個塑膠杯，裡面裝滿金黃色的本地啤酒。她低頭望著杯子，心中浮現的記憶令她一驚：派特將她推倒在地……

她到處找凱蒂，但人群中遍尋不著好友的身影。

大家開始喊她的名字。「塔——莉、塔——莉。」

沒有人會傷害她。此時此刻不用擔心，明天當局找上門來時或許會有一場風波，但現在不

---

①吻樂團（KISS）：美國重金屬搖滾團體，以黑白彩繪臉孔與瘋狂怪異行為著名，一九七三年成軍，七〇年代末期為其全盛時期。

會有問題。她一口喝乾，遞出杯子讓人重新斟滿，同時大聲喊著凱蒂的名字。

凱蒂立刻出現，彷彿一直站在看不見的角落等候召喚。

塔莉將啤酒塞給她。「喏。」

凱蒂搖頭，雖然只是一瞬間的動作，但塔莉看到了，她因爲要朋友喝酒而感到可恥，但同時也因爲凱蒂的純眞而憤怒。她從來沒有純眞過，至少有記憶以來便是如此。

「凱——蒂、凱——蒂。」塔莉大聲喊著，人群跟著起鬨。「快啊，凱蒂。」她低聲催促。「我們是好朋友，對吧？」

凱蒂緊張地看著人群。

塔莉再次感覺到羞恥與嫉妒。她可以立刻喊停保護凱蒂——

凱蒂接過酒杯一飲而盡。

超過一半的酒流了出來，沿著下巴滴落上衣，金屬光澤的布料黏在胸部上，但她似乎沒發現。

音樂換了，音響大聲播放阿巴合唱團的〈舞后〉。

塔莉拉著凱蒂的手帶她去大家跳舞的地方，塔莉放鬆沉浸在音樂與舞步中。

妳是舞后，妳會搖擺……

音樂換成慢歌時，她已經氣喘吁吁、笑個不停。

「我愛這首歌。」凱蒂說。

但凱蒂的變化更驚人。也許是因爲那杯啤酒，也可能是因爲強烈的節奏，塔莉也弄不清楚，她只知道凱蒂美呆了，金髮在燈光下閃耀，潔白細緻的臉龐因爲舞動而染上嫣紅。

尼爾．史都華來邀凱蒂共舞，塔莉覺得理所當然，倒是凱蒂吃了一驚。音樂剛好來到低緩的段落，她轉向塔莉大聲說：「尼爾邀我跳舞耶，他八成喝醉了。」她高舉雙手跳著舞跟尼爾離開，留下塔莉獨自站在人群中。

凱蒂的臉頰貼著尼爾柔軟的上衣。

感覺好棒，他的手臂環抱著她，雙手放在她的臀部上方，她感覺到他的下腹貼著她緩緩移動，不禁心跳加速、呼吸急促。一種全新的感覺佔領了她，一種令人忘記呼吸的期盼。她想要……什麼呢？

「凱蒂？」

她聽出他的語氣帶著猶疑，她忽然醒悟到說不定他也有同樣的感覺。

她緩緩抬起視線。

尼爾低頭對她微笑，腳步只有一點不穩。「妳好美。」他說完便吻了她，就在舞池中，凱蒂倒抽一口氣，在他懷中一動也不敢動。這個吻來得太突然，她不曉得該怎麼辦。

他的舌頭溜進她口中，迫使她的嘴唇微微分開。

這個吻結束時他輕聲說：「哇。」

哇什麼？哇，妳真隨便？還是哇，真讚的吻？

她身後傳來一聲大喊：「條子！」

尼爾瞬間消失，塔莉出現牽起她的手。她們慌慌張張、腳步踉蹌地逃離那棟房子，爬上山丘，穿過灌木叢，再下坡回到樹下停車的地方。終於找到車子時，凱蒂驚恐無比，胃在翻騰。

「我快吐了。」

「不行。」塔莉打開前座的門將凱蒂塞進去。「我們絕不能被逮。」

塔莉繞過車頭，打開駕駛座的門坐進去，插好鑰匙，打進倒車檔，猛踩油門。車子往後飆，撞上了很硬的東西，凱蒂像布娃娃一樣往前飛，前額撞上儀表板，接著重重跌回座位。她迷迷糊糊地睜開雙眼，努力集中視線焦點。

塔莉在她旁邊，貼著駕駛座的窗戶往下滑。

黑暗中出現一張熟面孔，是三年前送塔莉離開斯諾霍米什的丹恩警員。「螢火蟲巷姐妹花，我就知道妳們會給我惹麻煩。」

「靠！」塔莉罵。

「塔露拉，眞會說話啊。好了，麻煩妳下車吧。」他彎腰看著凱蒂。「妳也是，凱蒂・穆勒齊，派對結束了。」

到了警局，首先是將她們兩個分別帶往不同的地方。

「有人要跟妳談談。」丹恩警員帶塔莉到走廊盡頭的一個房間。天花板掛著一顆刺眼的燈泡，照著淒涼的鐵灰色辦公桌和兩張椅子。牆壁是醜兮兮的綠色，地板是光禿禿的水泥，空氣中有種悲哀的淡淡臭味，混合著汗臭、尿臭以及煮過頭的咖啡味。

左邊的牆是一整面大鏡子。

只要看過警探影集的人都知道，那其實是一面單向玻璃。

她懷疑社工是不是在玻璃後面失望地搖頭說「那個好家庭現在不肯收她了」，也有可能是不知道該說什麼才好的律師。

說不定是凱蒂的父母。

想到這裡，她發出懊惱的聲音。她怎麼會這麼蠢？穆勒齊伯父和伯母原本很喜歡她，今晚她卻一手毀了他們的好感，爲了什麼？只因爲她被媽媽拋棄心情不好？媽媽向來只會拋棄她，她應該早就習慣了才對。

「我不會再做蠢事了。」她直視著鏡子說。「如果有人願意給我機會，我一定會改。」

說完之後，她等著外面的人衝進來，說不定還帶著手銬，然而時間只是在臭味中靜靜一分一秒流逝。她將黑色塑膠椅拉到角落坐下。

我明明知道不可以。

她閉上雙眼，同樣的念頭在心裡轉啊轉，回憶緊緊相隨，有如在暮色中形成的陰影：妳會做凱蒂的好朋友嗎？

「我怎麼會這麼蠢？」這次塔莉完全沒有看鏡子。那裡沒有人，誰會想看她？誰會想看一個沒人要的孩子？

對面的門有了動靜，門把轉動。

塔莉全身緊繃，用力抓著大腿。

要順從，塔莉，無論他們說什麼都乖乖聽著。寄養家庭比少年監獄好多了。

門開了，穆勒齊伯母走進來。她穿著褪色的印花洋裝與老舊白色帆布鞋，表情疲憊，衣衫不整，彷彿半夜被吵醒摸黑隨手抓到衣服就穿上。

當然，想必正是如此。

穆勒齊伯母摸著洋裝口袋找香菸，拿出一根點燃。她透過繚繞煙霧端詳塔莉，整個人散發出傷心與失望，幾乎如煙霧般清晰可見。

塔莉無地自容。世上只有少少幾個人對她有信心，而她竟然讓穆勒齊伯母失望了。「凱蒂還好嗎？」

穆勒齊伯母呼出一口煙。「她爸帶她回家了。她應該有很長一段時間休想出門。」

「噢。」塔莉不安地動了動。她相信自己所有的缺陷都一覽無遺，撒過的謊、藏過的祕密、流過的眼淚，穆勒齊伯母全看得一清二楚。

而且她很不高興。

塔莉知道自己活該。「我知道我讓妳失望了。」

「沒錯，的確是。」穆勒齊伯母由桌前拉出椅子，來到塔莉面前坐下。「他們要送妳進少年監獄。」

塔莉低頭望著雙手，穆勒齊伯母失望的神情令她難以承受。「這下寄養家庭也不肯收我了。」

「聽說妳媽媽拒絕擔任監護人。」

「一點也不奇怪。」塔莉聽見自己哽咽的聲音。她知道內心的傷痛暴露了，但是在穆勒齊伯母面前她再也無法隱藏。

「凱蒂認爲他們能幫妳找到新的家庭。」

「唉，凱蒂的世界和我的不一樣。」

穆勒齊伯母往前靠，吸了一口菸，呼出後低聲說：「她希望妳跟我們一起住。」

聽到這句話的感覺宛如心臟遭到重擊，她知道要花很長的時間才能忘記。「是喔？」片刻後，穆勒齊伯母說：「住在我們家的孩子必須做家事、守規矩，我和穆勒齊伯父不容許任何不當的行爲。」

塔莉倏地抬起視線。「什麼意思？」希望驟然湧上心頭，她甚至無法以言語表達。

「而且絕對禁止抽菸。」

塔莉望著她，感覺淚水刺痛眼睛，但那一點痛比不上內心深處的感覺，她忽然覺得快墜落了。「妳是說我可以住在你們家？」

穆勒齊伯母靠向前，摸摸塔莉的下顎。「塔莉，我明白妳一直過得很苦，我無法坐視不管，讓妳回去過那種日子。」

墜落變成飛翔，塔莉突然哭了起來——因爲外婆，因爲寄養家庭，也因爲白雲。她大大鬆了口氣，生平第一次有如此強烈的感受。她伸出顫抖的手，從皮包中拿出壓扁的半包菸交給穆勒齊伯母。

「歡迎加入我們家，塔莉。」穆勒齊伯母終於打破沉默，將塔莉擁入懷中讓她盡情哭泣。之後數十年的人生中，塔莉一直記得這一刻，這是嶄新的契機，她成爲全新的人。穆勒齊家的人喧鬧、瘋狂、相親相愛，與他們一同生活的這段時間，她找到內在全新的自己。她不再隱瞞、撒謊、僞裝虛假，他們從不曾讓她覺得不受接納或不夠出色。未來的人生中，無論她去到何方、有怎樣的成就、與多麼顯赫的人物來往，她永遠記得這一刻和這句話：歡迎加入我們家，塔莉。

高三這一年她和凱蒂形影不離並成爲這個家的一份子，在她心中這永遠是一生中最幸福的一年。

8

「妳們兩個！別再拖拖拉拉了，再不出門就要塞車了。」

在老舊的閣樓臥房中，凱蒂站在單人床前望著打開的行李箱，裡面裝著她所有的寶貝。最上面是祖父母的照片，兩邊夾著很久以前塔莉寫給她的信，以及她們倆在畢業典禮上的合照。

雖然她引頸期盼了好幾個月，每天夜裡與塔莉一起編織無數夢想，每句話都以上了大學之後作爲開頭，但當這一刻眞的到來，她卻捨不得離開家。

高三這一年她們成爲一體：「塔莉與凱蒂」——學校裡所有人都把她們的名字串在一起。塔莉當上校刊編輯，凱蒂成爲她的左右手，幫忙編寫報導。塔莉有所成就她便跟著沾光，乘著她的高人氣一起衝上浪頭，然而這些都發生在凱蒂熟悉的世界裡，她感到安心的地方。

「萬一忘記東西呢？」

塔莉由房間另一頭走過來站在凱蒂身邊，她關上行李箱鎖緊。「妳準備好了。」

「不，是妳準備好了，妳一直都在準備。」凱蒂盡可能不流露怯懦。忽然之間，她強烈體會到將多麼思念父母，甚至弟弟。

塔莉望著她。「我們是搭檔，對吧？螢火蟲巷姐妹花。」

「對啦，可是——」

「沒什麼好可是的。我們要一起上大學、加入同一個姐妹會、進入同一家電視公司上班，就這樣，沒問題，我們一定能做到。」

凱蒂知道塔莉和大家都期望她表現得堅強勇敢，如果她能更深刻地感受到就好了，不過既然她感受不到，只好微笑假裝，最近和塔莉在一起她越來越常這樣。「妳說得對。我們走吧。」

由斯諾霍米什開車到西雅圖市中心需要三十五分鐘，但今天卻彷彿一眨眼就過去了。凱蒂幾乎沒有開口，她發不出聲音。塔莉和媽媽開心聊著新生週的姐妹會招募活動，媽媽似乎比凱蒂更熱中於大學新體驗。

她們來到高聳的「海格特大樓」，穿過擁擠吵雜的走廊，找到位於十樓的昏暗小宿舍。新生週期間她們將暫時住在這裡，之後再搬進選定的姐妹會。

「好啦，新生活開始了。」穆勒齊伯父說。

凱蒂走向父母抱住他們，來個有名的穆勒齊大抱抱。

塔莉站在一旁，突兀地落單。

「眞是的，塔莉，快過來。」媽媽大聲說。

塔莉跑過去讓所有人抱住。

接下來一個小時，她們忙著整理行李、聊天、拍照。最後，爸爸說：「瑪姬，該走了，不然會遇上塞車。」大家最後一次互相擁抱。

凱蒂抱著媽媽不放，奮力強忍淚水。

「沒事的。」媽媽說，「相信妳們的所有夢想。妳和塔莉將成爲華盛頓州有史以來最成功的記者，我和妳爸都以妳爲榮。」

凱蒂點頭，眼眶含著熱淚抬頭看向她媽媽。「媽，我愛妳。」

擁抱結束得太快。

塔莉在她們身後說：「我們每個星期都會打電話，你們從教堂回家就會接到。」

就這樣，一轉眼爸媽已經不在了。

塔莉倒在床上。「不曉得新生週有什麼活動。我敢說每個姐妹會都搶著要我們，一定的啦。」

「她們會搶著要妳。」凱蒂輕聲說，幾個月來第一次，她覺得自己變回了矬蒂，戴著厚鏡片眼鏡，牛仔褲不但廉價而且太短。即使現在她戴隱形眼鏡、脫離牙套，學會以化妝手法勾勒五官，但那些姐妹會的女生絕對會看穿她的眞面目。

塔莉坐起身。「妳知道吧？我不會加入不肯收妳的姐妹會。」

「這樣對妳不太公平。」凱蒂過去坐在她身邊。

「記得螢火蟲巷嗎？」塔莉放低聲音說。這些年來，這句話成爲一句暗號，代表她們之間所有的回憶。她們藉這句話表明十四歲那年開始的友誼將持續到永遠，她們結交的時候大衛・卡西迪①還很紅，歌曲還能讓人流淚。

「我沒忘。」

「可是妳不懂。」塔莉說。

「不懂什麼？」

「我被媽媽遺棄的時候是誰陪著我？外婆過世後是誰收容我？」她轉向凱蒂。「是妳啊，這就是答案。凱蒂，我們是搭檔，永遠的好朋友，無論發生什麼事，好嗎？」她撞一下凱蒂，逗得她露出笑容。

「妳總是有辦法讓事情順妳的意。」

塔莉大笑。「當然嘍，那是我最迷人的特質。好啦，快來想想第一天要穿什麼吧……」

華盛頓州立大學不只符合塔莉的想像，甚至還超越了她的期望。校區綿延數哩，包含數百棟哥德風格建築，這所大學自成一個世界。這樣的規模讓凱蒂心生畏懼，但塔莉卻覺得如果她能在這裡闖出一番成就，那麼無論去哪裡都能出人頭地。自從搬進姐妹會，她便開始勤奮準備，期待能成爲電視聯播網的記者，除了修習傳播系的核心課程，她每天還抽出時間至少讀四份報紙、盡可能多看電視新聞。她要做好萬全準備，等候嶄露頭角的機會。

開學後，她花了將近一週的時間尋找方向，摸索出第一階段的學習計畫該如何安排。她經常去找傳播學院的新生輔導老師，以至於他在走廊上看到她就躲，但她不在乎。只要有問題，她一定會找出答案。

然而，她再次遇上了年齡的障礙。她不能選修傳播進階課程或新聞相關課程，她什麼手段都試過了，即使軟硬兼施也無法撼動這所大型州立大學的官僚制度，她只能等。

而她不擅等待。

她靠向坐在旁邊的凱蒂，低聲說：「爲什麼科學是必修課？報導新聞又用不到地質學。」

「噓。」

塔莉蹙眉坐好。這堂課的教室是「肯恩廳」，全校最大的階梯講堂，至少有五百個學生一起上課，她坐在最後排，幾乎連教授都看不見，更別說教這堂課的人並不是教授，只是助教而已。

「花錢買筆記就好。走了啦，報社辦公室十點開門。」

凱蒂看都不看她一眼，只是繼續抄筆記。

塔莉哀嘆一聲，嫌惡地抱著雙手交叉環在胸前，等候這堂課一分一秒過去。下課鈴一響，她立刻跳起來。「感謝老天，快走吧。」

凱蒂抄完筆記，收拾好活頁紙，有條有理地歸類整齊。

「妳在造紙嗎？快點啦，我想見編輯。」

凱蒂站起來將背包甩上肩頭。「塔莉，報社不可能雇用我們。」

---

①大衛・卡西迪（David Cassidy）：美國歌手、演員及作曲家，七〇年代青春偶像，曾演出家庭喜劇「歡樂滿人間」（The Patridge Family）。

「妳媽叫妳不要這麼悲觀，記得嗎？」

她們下樓，融入喧鬧的大群學生中。

外面豔陽高掛，照耀這片暱稱爲「紅場」的紅磚庭園。蘇桑諾圖書館①外面豎立起「清理漢福德」②的標語，聚集著一群長髮學生。

「不要每次事情不順妳的意就跑去找我媽抱怨。」凱蒂說著往「四方院」走去。「我們得等到三年級才能選修新聞課程。」

塔莉停下腳步。「妳眞的不陪我去？」

凱蒂微笑著繼續走。「我們不可能得到那份工作。」

「可是妳會陪我去吧？我們是搭檔呢。」

「我當然會陪妳去。」

「我就知道妳只是鬧我的。」

她們繼續前進，穿過四方院，那裡的櫻花樹茂盛青翠，草坪也綠油油，幾十個學生在那裡玩飛盤或踢沙包，個個穿著鮮豔的短褲和T恤。

到了報社辦公室，塔莉停下來說：「我負責說話。」

「唷，眞難得。」凱蒂揶揄。

她們大笑著進門，櫃臺坐著一個頭髮蓬亂的學生，她們報上身分之後，他帶她們前往編輯辦公室。

會面不到十分鐘就結束了。

回姐妹會的路上，凱蒂說：「我就說我們年紀不夠大吧。」

「咬我啊。有時候我覺得妳好像不想和我一起當記者。」

「胡說，妳根本很少用心。」

「妳很賤耶。」

「妳才三八咧。」

凱蒂摟著她。「來吧，芭芭拉・華特斯③，我送妳回家。」

塔莉因爲求職受挫而悶悶不樂，凱蒂花了一整天逗她開心。幾個鐘頭後，她們回到姐妹會的超小房間，她終於說：「來吧，我們得開始準備了，參加交誼活動要打扮得漂亮一點。」

「我才不想去什麼交誼活動呢，兄弟會那些男生我看不上眼。」

凱蒂極力忍住笑。塔莉的情緒總是這麼誇張，高興的時候就飛上天空，難過的時候就墜入深谷，上大學之後這個毛病更嚴重了。這個龐大擁擠的校園釋放出塔莉小題大作的天性，在凱蒂身上卻帶來完全相反的效果——她很平靜，一天天變得更堅強，漸漸準備好進入成人的世界。

「妳很愛演欸。我讓妳幫我化妝。」

塔莉抬起頭。「眞的？」

「限時優惠，妳最好立刻把握。」

①蘇桑諾圖書館（Suzzallo Library）：華盛頓大學之代表建築，以前校長亨利・蘇桑諾（Henry Suzzallo）命名。

②漢福德（Hanford）：位於華盛頓州哥倫比亞河畔的核廢料處理場，原本為興建核能反應爐與製造核能武器的地點，因長年製造核能產品導致嚴重污染。

③芭芭拉・華特斯（Babara Walters）：美國知名女主播，第一位在大型聯播網擔任晚間新聞聯合主播的女性。

塔莉跳起來拉著她的手跑進浴室，好幾十個女生已經在洗澡、擦乾、吹頭髮。終於輪到她們了，洗好澡之後她們回到房間，幸好另外兩個室友不在。空間本來就很小，放進衣櫃、書桌和學姐睡的雙層床，剩下的空間幾乎連轉身都不夠。低年級生睡在走廊盡頭的大寢室裡，一人一張單人床。

塔莉花一個鐘頭打理好兩人的髮型與化妝，然後拿出先前買好的布料，以神奇的手法製造出兩件希臘長袍，只用腰帶和水鑽別針固定，塔莉的是金色，凱蒂的則是銀色。

打扮好之後，凱蒂端詳鏡中人影。閃亮的銀色布料襯托出她潔白的膚色與金黃長髮，綠眸顯得更瑩亮有神。因爲當矬蛋太久，有時候看到自己漂亮的樣子她還會感到吃驚。「妳是天才。」她說。

塔莉轉個圈。「好看嗎？」

金色長袍秀出她傲人的上圍與纖細腰身，一頭紅棕長髮經過上捲、抓蓬和噴膠，凌亂不羈地披散在肩頭，有如珍．芳達在科幻片「上空英雌」中的模樣，藍色眼影與濃黑眼線讓她顯得神祕魅惑。

「妳美呆了。」凱蒂說，「那些男生一定會立刻拜倒在妳腳下。」

「妳滿腦子都是愛情，八成是因爲看了太多羅曼史。今晚是我們的狂歡派對，只想上床的男生閃邊去。」

「我不想和他們上床，但約會應該可以。」

塔莉抓著凱蒂的手臂拉她出去，走廊上擠滿談笑喧譁的女生，有的已經打扮好，有的才完成一半，很多人拿著電棒、髮膠和床單忙碌地跑來跑去。

樓下的客廳中，一個女生在教大家跳哈掌舞①。

凱蒂與塔莉走出會所，加入街上的大批人群。這個舒適宜人的九月夜晚，路上到處都是人，幾乎所有兄弟會都選在今晚舉辦交誼活動。姐妹會的女生成群結隊前往各自的場地，有些經過變裝造型，有些穿著一般服裝，有些幾乎衣不蔽體。

菲戴爾特兄弟會的會所位在街角，佔地廣大，格局方正，風格相當現代，融合了玻璃、金屬與紅磚，但室內卻破破爛爛，牆面斑駁、家具難看就算了，還破損撕裂，裝潢風格則像一九五〇年代的監獄。不過因爲人潮太過擁擠，這些缺點大致上看不見。

現場擠得像沙丁魚罐頭，每個人都端著塑膠杯灌啤酒，隨著音樂擺動身體。音響大肆放送著愛斯禮兄弟的歌曲〈吶喊〉②，所有人都跟著唱，配合音樂跳躍。

現在輕柔一點……

所有人一起蹲下不動，接著高舉雙手重新站起，跟著歌詞唱和。

塔莉每次一走進派對便進入狂歡模式，這次也不例外。之前的抑鬱不樂、勉強笑容都不見了，甚至連求職失利的惱怒也煙消雲散，凱蒂讚嘆地看著好友瞬間擄獲全場目光。

「吶喊吧！」塔莉笑著高喊，男生紛紛聚集，有如飛蛾撲火，但塔莉似乎沒有察覺，只拖著凱蒂衝進舞池。

凱蒂很多年沒有玩得這麼瘋了。

她連跳了三首排舞，〈紅磚屋〉、〈扭扭一整夜〉和〈路易路易〉，渾身發熱，大汗淋漓。

「我出去一下。」她大喊，塔莉點點頭，凱蒂便走出去，坐在外面的紅磚矮牆上。涼爽晚風輕拂汗涔涔的臉，她閉上眼睛隨著音樂搖擺。

---

①哈掌舞（Hustle）：迪斯可舞部分類型的暱稱，一九七〇年代極為風行，帶有搖擺舞的特色。

②愛斯禮兄弟（Isley Brothers）：美國少數能同時橫跨流行音樂、靈魂歌曲、放客音樂等的先驅，至今依然是最具影響力的黑人靈魂團體之一。走紅於一九五〇年代，〈吶喊〉（Shout）為其一九五九年作品，「現在輕柔一點」為其中歌詞。

「派對在屋裡，妳知道吧？」

她抬起頭。

跟她說話的那個男生高大寬肩，小麥色的頭髮垂落下來，落在一雙最最碧藍的眼眸前。

「我可以坐妳旁邊嗎？」

「當然。」

「我是布藍特．漢諾威。」

「凱蒂．穆勒齊。」

「第一次參加派對？」

「看得出來？」

他原本已經夠好看了，一笑起來更是俊美。「只有一點點。我記得自己一年級的樣子，像是上了火星一樣。我的老家在摩斯湖。」他的語氣彷彿一說出來大家都會懂。

「小城鎮？」

「只是地圖上的一個小點。」

「這裡確實讓人暈頭轉向。」

他們越聊越自在，他說的事情她都能體會。他是農場子弟，天沒亮就要起床餵牛，十三歲學會駕駛載運乾草的卡車。華盛頓大學如此廣大遼闊，讓人感到迷失的同時也覺得找到了歸屬，他很明白這種心情。

會所裡的音樂換了，現在播放著阿巴合唱團的〈舞后〉，有人將音量調大。

塔莉跑出來。「凱蒂！」她笑著大喊。「妳在這裡啊。」

布藍特立刻站起來。

塔莉蹙眉看著他。「這是誰？」

「布藍特．漢諾威。」

凱蒂很清楚接下來會發生什麼事。因爲多年前在河邊樹林裡的遭遇，塔莉不信任男生，完全不想和他們有任何瓜葛，而且盡心盡力保護凱蒂，以免她心碎受傷。可惜凱蒂不怕受傷，她想要約會、玩樂，甚至戀愛。

可是她怎麼說得出口？畢竟塔莉是出於好意。

塔莉抓著凱蒂的手臂拉她站起來。「算你運氣不好，布藍特。」她笑得有點太大聲，拽著凱蒂離開。「這是我們的歌。」

「我今天在學生會大樓遇見布藍特，他對我笑。」

塔莉忍住不翻白眼。自從參加過菲戴爾特兄弟會的希臘變裝派對之後，半年來凱蒂每天都會設法提起布藍特‧漢諾威至少一次，她說到他名字的次數之多，讓人誤以爲他們在交往。「我來猜猜：妳假裝沒發現。」

「我也對他笑了。」

「哇，今天很放蕩喔。」

「我想邀請他去春季舞會，我們可以兩對一起去。」

「我要寫一篇關於伊朗宗教領袖何梅尼的報導，我想只要我繼續寄文章給報社，遲早有一天他們會採用。稍微努力一點不會要妳的命——」

凱蒂轉向塔莉。「我受夠了，我正式宣布和妳絕交。我知道妳對社交沒興趣，但我有，假使妳不肯去——」

塔莉大笑。「妳上當了。」

凱蒂忍不住大笑。「妳很賤耶。」她搭著塔莉的肩膀，兩人一起走過雜草叢生的人行道，由二十一街進入校園。

到了學校的保全亭旁邊，凱蒂說：「我要去『明尼演藝廳』，妳呢？」

「戲劇電視大樓。」

「對喔！妳的第一堂傳播新聞課，教授是那個很有名的人，打從一入學妳就一直纏著他。」

「查德・懷利。」

「妳寫了多少封信才終於獲准去上課？」

「將近上千。妳應該跟我一起去，我們都需要修這門課。」

「我等大三再上就好。要我陪妳走過去嗎？」

塔莉最愛凱蒂這一點，她看穿她僞裝的勇氣，知道其實她很緊張。她所想要的一切從今天正式展開。「不，謝了。我想來個華麗進場，有人陪會減低我的氣勢。」

她目送凱蒂走遠。大批學生在各大樓間走動，塔莉獨自站在人群中，深吸一口氣放鬆，努力平穩心情。她必須表現得沉著鎮定。

她踏著自信的步伐經過新生池①，走進傳播電視大樓，第一站先去洗手間。

她站在鏡子前，噴了髮膠的鬈髮非常完美，妝容也無懈可擊。緊身喇叭牛仔褲、白得發亮的小立領罩衫搭配金色皮帶，這身打扮讓她顯得正經嚴肅但又不失性感。

上課鐘響，她快步穿過走廊，背包隨著腳步不停拍打著臀部。進了階梯教室，她瀟灑走向第一排坐下。

教室前方，教授懶洋洋地坐在金屬椅上。「我是查德・懷利。」他的聲音很性感，有種沙啞的感覺，彷彿喝了很多威士忌。「只要認得我就能拿優等。」

教室裡響起一片笑聲，塔莉笑得最響亮。她不只知道他的名字，更知道他一生的故事。他一畢業即被視爲傳播金童，在業界急速竄升，不到三十歲便坐上聯播網的主播臺，接著，簡單地說，他崩潰了。幾次酒駕被捕，後來發生了一場嚴重車禍，他雙腿骨折，還撞傷一個小孩，從此他的事業一落千丈。有幾年他完全銷聲匿跡，最後終於出現在華盛頓大學教書。

懷利站起來。他的模樣落拓不羈，留著深色長髮，灰黑的鬍碴至少三天沒刮，但邋遢的外型無損深色眼眸中飽含的智慧光彩。他身上依然有著偉大的標記，難怪能東山再起。

他遞給她一張課程大綱後，繼續往前走。

「那篇關於凱倫・西爾克伍德②的報導帶給我很多啓發。」她露出燦爛的笑容。

他停下腳步低頭看她，那眼神有種令人不安的感覺，太過專注，但倏地便消失了，彷彿雷射光瞬間開啓又關閉，接著，他往下一個學生走去。

他以爲她只是馬屁精，爲了求好成績而坐在前排巴結老師。

以後她必須更注意。對她而言，現在最要緊的就是讓查德・懷利留下好印象，她打算徹底學習他所傳授的一切。

①新生池（The Frosh Pond）：原名為Drumheller Funtain，一九二〇年代盛行將新生拋入池中而得此暱稱。

②凱倫・西爾克伍德（Karen Silkwood）：一九四六年～一九七四年，美國工會運動人士，推動核能設施工作人員安全及保健相關議題。

第二部　八〇年代〈愛情戰場〉

～縱然一次次心碎，我們屹立依舊～①

9

二年級結束時，塔莉心中非常肯定查德．懷利認識她。她修了他的兩門課：傳播新聞學I和II。無論他教什麼，她一概用心學習；無論他要求什麼，她絕對使命必達，全力以赴，全速衝刺。

問題在於，他似乎看不出她的天分。上個禮拜的課程都在練習用讀稿機，每次她唸完都會立刻抬頭看他，但他每次都埋頭看筆記，不然就是冷淡地評論幾句，語氣彷彿向討厭的鄰居解釋食譜，接著便叫下一個人。

日復一日，週復一週，一堂課又一堂課，塔莉等著他讚美她顯著的天賦，等著他說*妳隨時可以進KVTS*。現在已經是五月的第一週了，再過六個星期大二就要結束了，她依然在等。

過去兩年發生了許多變化。她將頭髮剪到及肩長度，也剪了瀏海，她的時尚偶像由性感女星法拉．佛西變成新聞記者潔西卡．賽維其。一九八〇年代的流行風格簡直是爲塔莉而創：蓬鬆髮型、明亮彩妝、亮面布料，外加超大墊肩。她不穿粉彩淺色，對姐妹會風格不屑一顧。最近她走進任何地方都會引起所有人的注目。

當然，查德．懷利例外。

這次塔莉確信他也會注意到她。上個星期她終於湊齊了學分，可以向KVTS申請暑期實習，這是一家地方公共電視臺，座落於華盛頓大學校園內。她一大早六點起床，只爲了搶到登記表前面的位置。拿到試鏡稿之後，她立刻回家練習了無數次，至少嘗試了十幾種才終於找到完美契合這則報導的語調。昨天的試鏡她表現得非常出色，她很有信心。現在終於到了發表結果的時候，她即將知道自己得到什麼職位。

「我的打扮還可以嗎?」

凱蒂忙著看《刺鳥》，連頭都沒抬。「美呆了。」

塔莉感覺一陣惱火，最近她越來越常有這種感覺。有時候光是看著凱蒂，她的血壓就開始狂飆，得用盡力氣才能忍住不尖叫。

愛情是最大的問題。一年級時，凱蒂都在迷戀髮型老土的布藍特，終於開始交往之後幻想隨即破滅，兩人很快就分手了，但凱蒂似乎不放在心上。二年級大部分的時間她都和泰德交往，至少他好像愛她，後來又換了艾瑞克，這個則可以肯定不愛她。凱蒂參加了一場又一場兄弟會舉辦的舞會，總是和一些蠢貨交往，雖然她並非認眞愛他們，而且絕對沒有和他們上床，但她老愛聊他們的事。最近她一開口總會說起某個男生的名字，更可惡的是她從不提及她們的新聞大業，而且似乎更喜歡跑去別的科系選修。每當姐妹會有學姐訂婚，她便興沖沖和一堆人去參觀戒指，一臉暈陶陶的蠢樣。

老實說，塔莉受夠了。她寫了一大堆文章投稿，但報社從不採用；她整天在校園電視臺附近晃蕩，卻沒有人肯花一點時間見她，她受了這麼多挫折打擊最需要好朋友的時候，凱蒂卻只會聊她最近的約會。「妳根本沒看。」

「我不用看也知道。」

「妳不懂這件事對我有多重要。」

凱蒂終於抬起頭。「妳練習那則報導兩個星期了，就連我半夜起床上廁所都會聽見妳在練習。相信我，我知道妳有多瘋狂。」

「那妳怎麼不當一回事?」

---

①愛情戰場（Love Is a Battlefield）：曾獲四次葛萊美獎美國搖滾女歌手佩特・班納塔（Pat Benatar）一九八三年作品。「縱然一次次心碎，我們屹立依舊」為其中歌詞。

「我沒有不當一回事。我知道妳一定能當上主播，所以不擔心。」

塔莉笑嘻嘻地說：「眞的嗎？」

「當然，妳厲害得嚇死人，妳將成爲第一個上電視的三年級生。」

「懷利教授這次非得承認我很棒。」塔莉拎起背包往肩上一甩。「要不要跟我一起去？」

「不行，我和喬許約好一起去圖書館。」

「雖然他每次安排的活動都很無聊，但這次眞的遜斃了。」塔莉由五斗櫃上拿起太陽眼鏡，走出門。

五月中，校園沐浴在淡淡的陽光下，所有植物都盛綻花朵，草坪如此茂盛青翠，感覺有如整齊鋪在水泥步道間的綠色絲絨。她邁著自信的步伐穿過校園，走進KVTS所在的大樓，而後稍微停下，整理好噴過膠的髮型，才走進以實用爲主的安靜走廊。左手邊的布告欄上釘了厚厚一層傳單，招募室友，限抽大麻者——這個告示最先吸引她的注意，她發現下面的電話都被撕光了，旁邊那張則慘兮兮完全沒人動，它的內容是：招募室友，重生派基督徒優先。

二一四號室沒開門，由門縫也看不到一絲光，門邊的布告欄上釘著一張紙。

暑期實習職位暨部門表

新聞主播……………………………………史帝夫・藍迪斯
氣象…………………………………………珍恩・透納
行銷與公關…………………………………葛瑞芊・勞伯
體育…………………………………………丹恩・布魯托
下午時段節目企畫…………………………愛琳・賀頓
資料研究／查核……………………………塔莉・哈特

塔莉先感覺到失望，接著是憤怒，她氣呼呼打開門溜進幽暗的劇場，在這裡她可以放心發洩，沒有人會看到。她抱怨道：「混蛋爛人查德・懷利，有眼不識泰山，就算抓著你的迷你小雞雞用力拽——」

「妳說的人應該是我吧？」

聽到他的聲音讓她嚇了一大跳。

他站在距離不到二十呎的暗處，深色頭髮比平時更邋遢，亂髮翹著披散在肩頭。

他走過來，手指撫過右手邊的椅背。「想知道爲什麼妳沒有得到晚間新聞的實習機會？只要妳開口問，我一定會告訴妳。」

「我不在乎爲什麼。」

「眞的？」他看著她許久，沒有半點笑容，然後轉身沿著走道登上舞臺。

她只有兩個選擇：保住面子或失掉前途。她下定決心追過去時，他已經到了後臺。

「好啦……」這句話彷彿卡在她的喉嚨裡。「爲什麼？」

他朝她走來，她第一次留意到他臉上的細紋、雙頰上的皺褶。頭頂灑落的昏暗燈光強調出缺陷，他皮膚上的每個洞與斑都清晰可見。「每次妳來上課的時候，我看得出來妳精心挑選過衣服，而且花了很多時間在髮型和化妝上。」

他看著她，眞正看見她。她也可以看清他，看透落魄凌亂的打扮，看見曾經讓他俊美迷人的骨架，但眞正擄獲她的卻是他的眼睛，那雙棕眸瑩亮而憂傷，打動了她內在的空虛。「對，那又怎樣？」

「妳知道自己很美。」他說。

沒有結巴，沒有猴急，他冷淡而沉穩。她見過很多男生，在兄弟會派對上、校園裡，還有在酒館打撞球的，他們大多帶著五分醉意，等不及想上下其手，但他不一樣。

「我也很有才華。」

「或許有一天會成眞。」

他的語氣讓她怒火中燒。她絞盡腦汁想以犀利的方式頂回去，這時他來到她面前，她只來得及困惑地說：「你想做——」緊接著就被他吻了。

他的嘴唇溫和而堅定，接觸的瞬間，她感覺有種美好溫柔的東西在內心綻放，她沒來由地哭了。他一定嘗到了她的眼淚，因爲他後退蹙眉問：「塔莉．哈特，妳是女人還是女孩？」

她懂他的意思。雖然她極力掩飾青澀，但他還是感覺到了、品嘗到了。「女人。」她回答，只有一點點顫抖。光是一個吻她就明白了，無論世上有多少關於性愛的知識，她在樹林中慘遭強暴的經驗完全不足以當作參考。雖然她並非處女，但卻比處女更糟，她只是個收納痛苦與可怕記憶的容器，因爲他，她第一次想要更多。

當年她對派特也有同樣的感覺。

不，這次不一樣。當年那個女孩因爲寂寞而不顧一切，只要有人願意愛她，再黑的樹林她也肯去，但現在的她不一樣了。

他再次親吻她，低喃道：「很好。」這次的吻持續了很久，越來越深入，感覺彷彿扯出了內心的某種東西，讓她因需求而感到痛楚。他開始貼著她挺動，在她腿間燃起烈火，這時她完全忘記了恐懼。

「還想要更多？」他低語。

「嗯。」

他一把將她橫抱起，帶往後面牆邊陰暗處，那裡有張破舊的沙發。他將她放在凹凸不平的刺刺椅墊上，緩慢溫柔地除去她的衣裳。她彷彿身在遙遠的地方，隱約察覺胸罩被解開、內褲被脫去，他的吻持續不斷，煽動她體內的火焰。

兩個人都一絲不掛之後，他俯身來到沙發上，將她擁入懷中。彈簧被他們壓凹，偷偷刺痛他們作爲報復。「沒有人對妳慢慢來，對吧，塔莉？」

他的眼眸映出她的慾望，第一次她在男人懷中不感到害怕。「你打算這麼做嗎？慢慢來？」

他將汗濕的頭髮由她臉上撥開。「塔莉，我要教導妳，妳要的不就是這個嗎？」

塔莉花了將近兩個小時才找到凱蒂。一開始她先去姐妹會的地下讀書室，接著又去電視間與臥房轉了一圈，她甚至去大寢室看過，這種晴朗的五月下午，那裡當然沒半個人。她找過大學部圖書館裡凱蒂最喜歡的研究室，接著又去了研究所閱覽室，那裡有幾個嬉皮打扮的學長，她光是從書架間走過就被他們噓。她正準備放棄時，忽然想起「小樓」。

當然嘍，她怎麼沒有早點想到？

她跑過廣闊的校園，來到她們稱之爲小樓的那棟尖頂兩層樓房屋。每個學期有十六個好運的高年級生可以搬離姐妹會所，住進這棟房子。這裡是派對中心，沒有舍監、沒有門禁，畢業離開姐妹會之前，這裡是最接近眞實世界的地方。

她打開前門，喊著凱蒂的名字，另一個房間裡有人回答：「她好像在屋頂。」

塔莉從冰箱拿了兩罐健怡可樂上樓。後面一間臥房的窗戶開著，她探出頭望著車棚屋頂。凱蒂一個人在那裡，穿著布料極少的白色編織比基尼，躺在一條沙灘巾上看平裝小說。

塔莉爬出窗外，走到車棚屋頂上，她們將這裡稱爲黑沙灘。「嘿。」她遞給凱蒂一瓶可樂。「我猜猜：妳在看羅曼史。」

凱蒂歪著頭，在陽光下瞇起眼睛微笑。「丹妮爾·斯蒂的《誓言》，眞的很感人。」

「妳想聽眞正的浪漫故事嗎？」

「妳哪懂浪漫？上大學之後妳連一次約會都沒去過。」

「不一定要約會才能上床。」

「一般人都會先約會。」

「我不是一般人，妳應該很清楚。」

「少來了，」凱蒂說，「妳以為我會相信妳上床了？」

塔莉從旁邊拿起一條毛巾，伸展著身體躺下。她努力忍住笑容，仰望著藍天說：「正確說來，是連續三次。」

「妳不是去看暑期實習……」凱蒂驚呼一聲坐起身。「不會吧！」

「妳八成想說學生不可以和教授發生關係，我認為那只是建議、勸導，不過，妳還是不能說出去喔。」

「妳和查德．懷利發生關係了。」

聽到這句話，塔莉發出夢幻的嘆息。「真的很酷，凱蒂，不蓋妳。」

「哇。妳做了什麼？他做了什麼？痛嗎？妳害怕嗎？」

「我很怕，」塔莉輕聲說。「一開始我一直想到……妳知道……和派特那次。我以為我會吐或逃跑，可是他吻了我。」

「然後呢？」

「然後……我好像融化了。我根本沒察覺，衣服就已經被脫光了。」

「痛嗎？」

「嗯，可是不像之前那樣。」塔莉感到很意外，提及被強暴的經歷忽然變得好容易，她第一次覺得那只是一段遙遠的往事，只是少年時發生的一件爛事。查德的溫柔讓她明白性愛不一定會痛，還可以很美好。「過了一會兒，感覺變得非常不可思議，現在我明白《柯夢波丹》那些文章在說什麼了。」

「他有沒有說愛妳？」

塔莉大笑，但內心深處卻不覺得那麼好笑。「沒有。」

「唉，幸好。」

「爲什麼？我不配讓人愛？天主教乖乖女也會說這種話？」

「他是妳的教授，塔莉。」

「噢，原來是因爲這個，我不在乎這種事情。」她看著好友。「我還以爲妳會把羅曼史情節套在我頭上，嚷嚷著童話故事成眞了。」

「我要見他。」凱蒂堅定地說。

「總不能來個四人約會吧？」

「那我只好當電燈泡了。嘿，餐廳說不定會給他敬老優惠喔。」

塔莉大笑。「妳很賤耶。」

「或許我很賤，但我想知道更多細節，也想知道所有經過，我可以抄筆記嗎？」

凱蒂下了公車，站在人行道上，低頭看著手中的地址。是這裡沒錯。

四周行人熙來攘往，好幾個人經過時撞到她。她挺起背走向門口，這次的會面沒什麼好擔心的，之前她煩惱了整整一個月，而且不斷嘮叨，花了好大的工夫，但塔莉始終不答應。最後凱蒂使出了殺手鐗，說出了那句咒語：「妳不信任我嗎？」接下來就只剩該約何時的問題了。

於是乎，在這個溫暖的傍晚，她朝一棟看似酒館的建築走去，決心拯救好友，以免她犯下一生最大的錯。

和教授上床。

眞是的，這怎麼可能有好結果？

那家店的名字叫「布魯克林的最後出口」，一進門，凱蒂便發現自己置身於一個從未見識過的世界。首先，這家店很大，差不多有七十五張桌子，靠牆邊那些是大理石桌，其他則是原木桌，舞臺區與立式鋼琴似乎是整家店的焦點。鋼琴旁的牆上貼著一張褪色捲邊的海報，上面印的詩句引自〈性靈的渴求〉①，那段文字立刻吸引了她的注意：怡然行走於喧囂繁忙中，莫忘寂靜中或有之平和。

這裡沒有半點平和或寂靜，連讓人呼吸的空氣也付之闕如。

空氣中懸浮著藍灰色煙霧，凝聚在挑高的天花板下。幾乎每個人都在抽菸，隨處可見香菸的火光，夾在手指間隨說話的手勢擺動。一開始她完全看不到空桌子，每個位子都坐滿了人，有的人在下棋、算塔羅牌、辯論政治，還有好幾個人圍坐在麥克風旁彈吉他。

她越過一張張桌子走向後面的角落，那裡有扇開著的門，走過去還有另一個區域，擺滿了野餐桌，同樣擠滿抽菸、聊天的客人。

塔莉坐在很後面的一張桌邊，藏在陰暗的角落，一看到凱蒂，她便站起來揮手。

凱蒂小心閃過一個抽丁香菸的女人，又側身繞過一根柱子。

這時她看到了他。

查德·懷利。

他本人與她預期的完全不同。他懶洋洋地坐著，一條腿伸直，即使煙霧瀰漫，她依然能看出他有多麼俊美。他一點也不顯老，或許有些疲憊，不過是看盡世間滄桑的那種味道，有如年華老去的神槍手或搖滾巨星。他慢慢展開笑容，眼角隨之皺起，她在那雙眼眸中看到令她意外的了然，她不由得踉蹌了一下。

他知道她來這裡的目的：以好友的身分拯救無知少女，以免她跟錯對象而抱憾終生。

「你是查德吧？」她說。

「妳是凱蒂。」

聽到他稱呼她的小名，她不由得心中一揪，這讓她被迫想起查德和塔莉的關係。

「坐吧，」塔莉說，「我去叫服務生。」她隨即站起來走離他們，凱蒂完全來不及制止。

凱蒂看著查德，他也同樣在打量她，臉上的笑容彷彿看穿了什麼祕密。「這個地方很有意思。」她沒話找話說。

「這裡就像酒館，只是沒賣啤酒。」他說，「這是一個可以改變自己的地方。」

「我認爲改變應該由內在發生。」

「有時候，但有時候也會從外在強加於人。」

說出這句話時他的眸光一黯，閃過一種莫名的情緒，她忽然想起他的故事，他所失去的光明前程。「假使學校發現你和塔莉的關係，你會被開除，對吧？」

他將腿收回，稍微坐正一些。「原來妳打算來這招，很好，我喜歡直來直往。沒錯，我連這份工作也會保不住。」

「你是對危險上癮的那種人嗎？」

「不是。」

「你以前和學生發生過關係嗎？」

他大笑。「怎麼可能？」

「那麼，爲什麼？」

他左右張望找到塔莉，她在擁擠的咖啡吧檯前努力想點菜。「別人或許不知道，但妳這麼問就不應該了。爲什麼她是妳最要好的朋友？」

---

①性靈的渴求（Desiderata）：據傳為美國詩人及律師麥克斯・艾爾曼（Max Ehrmann）於一九二七年所著之散文詩，大意是看重自己、善待自己，遠離誘惑和傷害你的人，用自己的步調努力追求幸福。

「因為她很特別。」

「這就對了。」

「可是她的前途怎麼辦？萬一你們兩個在一起的事情傳出去，她就完蛋了，別人會說她的文憑是睡來的。」

「妳想得很周到，凱蒂，妳應該多替她打算，她非常需要。我們的塔莉，她……很脆弱。」

凱蒂心裡很不舒服，但不確定是因為他說塔莉脆弱，還是因為他說我們的塔莉。「她就像蒸汽壓路機，我會叫她『熱帶風暴塔莉』不是沒有原因。」

「那只是外表，只是裝出來的。」

凱蒂往後靠，有些詫異。「你真的關心她？」

「或許這樣更不好。妳打算怎麼跟她說？」

「說什麼？」

「妳來這裡是為了設法說服她不要再和我見面，對吧？妳絕對可以說我年紀太大，師生關係也是個很有力的論點，順便告訴妳，我也有飲酒過量的問題。」

「你要我跟她說這些？」

他看著她。「不，我不希望妳說。」

他們身後，一個穿著破爛長褲、頭髮蓬亂的年輕人走向麥克風，他介紹自己叫肯尼·高理克①，然後開始演奏薩克斯風，他的樂風極度浪漫並帶著爵士情調，一時間全場安靜。凱蒂感覺她隨音樂飛起，來到另一片天地，然後大家漸漸恢復交談，音樂變成背景，她看著查德，他正專注地端詳她。她知道這次談話對他有多重要，也知道塔莉對他有多重要，這下情勢全然改觀，她的立場驟變，開始擔心他會被塔莉毀了，老實說，這個人似乎沒有力氣承受另一次打擊。她還來不及回答他話中隱藏的問題，塔莉回來了，拖著一個紫色頭髮的服務生。

她皺著眉頭，有些上氣不接下氣。「怎樣？你們兩個變成朋友了嗎？」

查德先抬起視線。「我們是朋友。」

「好極了。」塔莉坐在他腿上。「你們想吃蘋果派嗎？」

查德送她們到距離姐妹會兩條街的地方，這條黑漆漆的路兩旁都是老舊供膳宿舍，住在這裡的學生對姐妹會成員完全不感興趣。

「很高興認識你。」凱蒂下車，站在路邊，等候塔莉和他親熱完畢。

終於，塔莉下車了，查德的黑色福特野馬跑車離去，她揮手道別。

「妳覺得呢？」她忽然問凱蒂，「他很帥吧？」

凱蒂點頭。「的確。」

「而且很酷，對吧？」

「毫無疑問。」她邁步往前走，但塔莉抓住她的袖子將她轉回來。

「妳喜歡他嗎？」

「當然喜歡。他很有幽默感。」

「可是？」

凱蒂咬著下唇拖延時間。她不想傷塔莉的感情也不想惹她發火，但在這種時候說謊還算朋友嗎？老實說，她確實喜歡查德，她相信查德真心關懷塔莉，但她不看好這段感情，見過他之

①肯尼·高理克（Kenny Gorelick）：全球知名薩克斯風演奏家、作曲家，以藝名肯尼吉（Kenny G）聞名。

後，這樣的預感更強了。

「別這樣，凱蒂，妳嚇到我了。」

「塔莉，我原本不打算說，但既然妳硬要我說……我不認為妳該繼續和他交往。」想法一旦說出口，便有如衝破水壩般停不下來。「他已經三十一歲了，有前妻和一個從未謀面的四歲女兒。你們不能公開戀情，否則他會被開除，這算什麼愛情？妳會錯過大學生活。」

塔莉後退一步。「錯過大學生活？妳是說打扮成大溪地土著去跳舞？還是猛灌啤酒？或者像妳一樣，找些書呆子約會——那些傢伙只比石頭聰明一點。」

「這樣吧，我們各自保留看法……」

「妳覺得我和他在一起別有用心，對吧？為了什麼？更好的成績？電視臺的工作？」

「不是嗎？一點點也沒有？」話一出口凱蒂立刻後悔了。「對不起，」她伸手抓住好友。

「我不是那個意思。」

塔莉甩開她。「妳當然是那個意思。擁有幸福家庭、優等成績的完美小姐，既然我是為事業出賣肉體的蕩婦，眞不懂妳為什麼要和我做朋友。」

「等一下！」凱蒂大喊，但塔莉已經跑走了，黑暗街道上看不見她的身影。

10

塔莉一路跑到四十五街的巴士站。

「臭三八。」她擦著眼淚嘀咕。

公車來了，她付了車資，上車找座位時還嘀咕了兩次「臭三八」。

凱蒂怎麼可以說出那種話？

「臭三八。」她再次罵著，但這次流露出惆悵。

公車停靠的地方距離查德家不到一條街，她在人行道上奔跑，衝向那棟工匠風格的小屋敲門。

他幾乎立刻來應門，穿著一件灰色舊運動褲和滾石樂團T恤。他知道她會來，由他的笑容看得出來。「嘿，塔莉。」

「帶我上床。」她沙啞低語，雙手伸進他的上衣裡。

他們接吻，一路跌跌撞撞穿過整棟房子，走到後面的臥房。她貼著他，抱著他不放，深深地親吻他，她沒有看他也無法看他，但無所謂。終於倒在床上時，兩人全身皆赤裸，貪婪渴求。他的雙手與嘴唇帶來無限歡愉，塔莉忘記了自己、忘記了痛苦，結束後，他們四肢交纏躺著，她努力不去想其他事情，只想著他帶來的感受。

「想說出來嗎？」

她望著上方，這片單調的三角形天花板變得非常熟悉，就像她懷抱的夢想一樣。「說什麼？」

「別裝傻，塔莉。」

她翻身側躺，一手支著頭凝視他。

他溫柔愛撫她的臉。「妳和凱蒂因爲我的事吵架了，我知道妳有多麼重視她的意見。」

這番話讓她吃了一驚，但其實一點也不奇怪。他們發生關係以來，她對他說了不少自己的事，一開始只是歡愛過後或一起喝酒時無意中提起，後來卻越說越多。在他的床上她覺得很安心，不必擔心批評或責備。他們是性伴侶，彼此並不相愛，這樣說起話來反而更輕鬆。不過，現在她發現原來她隨口說的話他都聽進去了，並藉此組合出整體，這件事讓她忽然覺得不那麼孤單了，即使覺得害怕，她依然不由自主地感到安慰。

「她覺得我們不該在一起。」

「的確不該，塔莉，我們都很清楚。」

「我不在乎。」她抹著眼淚氣沖沖地說。「她是我最好的朋友，無論發生什麼事她都該站在我這邊。」說到最後她泣不成聲，想起當年她們互相許下的承諾。

「她說得很對，塔莉，妳應該聽她的。」

她聽出他的聲音中隱含著若有似無的顫抖，她深深望進他的眼眸，看見了令她不解的哀愁。「你怎麼可以說那種話？」

「塔莉，我漸漸愛上妳了，雖然我也不希望這樣。」他悵然微笑。「不要那麼驚恐，我知道妳不相信愛情。」

這個事實沉沉壓在她身上，讓她忽然覺得自己很老。「或許有一天我會相信。」至少她想要相信。

「希望有那麼一天。」他溫柔親吻她的唇。「現在呢，妳打算怎麼處理和凱蒂的問題？」

「媽，她不跟我說話了。」凱蒂往後靠在小電話室的軟墊牆上，星期天下午很多人打電話，她等了整整一個小時。

「我知道，我才剛跟她講完。」

塔莉當然會搶先打電話回家，凱蒂不曉得爲什麼覺得憤慨。她聽到電話那頭傳來點菸的細微聲響。「她怎麼跟妳說的？」

「她說妳不喜歡她的男朋友。」

「就這樣？」凱蒂必須很小心，萬一媽媽發現查德的年紀，她一定會大發雷霆，到時塔莉會以爲凱蒂聯合媽媽對付她，狀況會火上加油。

「還有別的？」

「沒有。」她急忙說。「媽，他完全不適合塔莉。」

「妳怎麼知道？妳和男生交往的經驗也不多。」

「她沒有參加上次的舞會，只因爲那個男的不想去。她會錯過大學生活。」

「妳眞的以爲塔莉會跟一般的姐妹會女生一樣？別傻了，凱蒂，她……非常情緒化，滿懷夢想。對了，妳也該有一點那種精神，對妳沒壞處。」

凱蒂翻個白眼。媽媽總是暗示加明示，希望她能像塔莉一樣。「我們不是在聊我的未來，別扯遠了，媽。」

「我只是想說——」

「我聽到了。我該怎麼辦？她完全避不見面，我只是想扮演好朋友的角色。」

「有時候沉默才是好友該做的事。」

「難道要我看著她做錯事？」

「有時候就得這樣，然後妳再從旁幫她振作起來。塔莉太耀眼奪目，有時候會讓人忘記她的背景，忘記她多麼容易受傷。」

「我到底該怎麼辦？」

「這個問題只有妳能回答，我早就不再扮演指引迷津的角色了。」

「妳不是很愛說人生大道理？眞是的，偏偏在我最需要的時候又不說了。」

電話那一頭傳來呼出煙的聲音。「不過我知道她今天一點會去KVTS的剪接室。」

「眞的？」

「她跟我說的。」

「謝了，媽。我愛妳。」

「我也愛妳。」

凱蒂掛斷電話，急忙跑回房間，匆匆換了衣服，化了一點妝，主要是用遮瑕膏遮掩痘痘，她們吵完架後她的額頭上冒了一堆。

她以前所未有的高速穿過校園。其實並不難，學期快結束了，大部分的人都忙著準備期末考。到了KVTS門口，她停下腳步，做好迎接硬仗的心理準備，然後推門進入。

她去了媽媽說的地方，塔莉果然在那裡，坐在螢幕前埋頭觀看訪談毛片並標記時間。凱蒂一進門，她便抬起頭來。

「唷唷，」塔莉站起來，「道德委員會主席大駕光臨有何指教？」

「對不起。」凱蒂說。

塔莉的表情瞬間潰塌，彷彿一直憋著氣忽然鬆開。「妳眞的很賤耶。」

「我不該說那些話，只是……我們一向可以有話直說。」

「原來錯在這裡呀。」塔莉嚥了一下，試著微笑卻笑不出來。

「無論如何我都不會傷害妳，妳是我最好的朋友，對不起。」

「發誓以後不會再發生這種事，不可以讓男人破壞我們的感情。」

「我發誓。」凱蒂全心全意決定守住誓言，就算得用釘書機釘住舌頭也在所不惜。任何男人都比不上她們的友誼，她們很清楚，男人來來去去，姐妹淘卻是永遠的。「現在換妳了。」

「什麼意思？」

「發誓妳不會再那樣拋下我、不跟我說話，這三天難過死了。」

「我發誓。」

塔莉也不清楚怎麼會變成這樣，但和教授上床這件事漸漸發展成認眞的交往。或許凱蒂說得沒錯，一開始她或許確實別有用心，但她已經不記得了，她只知道在他懷中感覺很充實，對她而言那是種全新的感受。

當然，他的確給她很多幫助。他們在一起時他傳授了許多東西，如果她自行摸索，恐怕得花很多年。

更重要的是，他讓她明白做愛的意義。他的床成爲她的港灣，他的懷抱則是救生圈，當她親吻他，讓他以無比親密的方式撫摸她，她會忘記自己不相信愛情。在斯諾霍米什那片陰暗樹林中失身的記憶一天天淡去，終於有一天，她發現內心不再扛著這個重擔。那段過去永遠是她的一部分，是她靈魂上的傷疤，但如同所有疤痕，儘管一開始紅腫疼痛，但隨著時間漸漸變成了不顯眼的細微痕跡，偶爾才會看見。

即使他教導、給予她這麼多，她卻開始覺得不夠。大四那年秋季，與世隔絕的大學環境讓她感到越來越不耐煩。CNN（有線新聞網）改變了傳播的面貌，現實世界中發生許許多多驚人大事：歌手約翰・藍儂在紐約住處外遭到槍殺；一個叫作辛克利的年輕人槍擊雷根總統，而動機卻可悲至極——只爲了引起女演員茱蒂・佛斯特的注意；珊德拉・戴伊・歐康納成爲第一位女性高等法院法官；戴安娜・史賓賽嫁給查爾斯王子，這場婚禮如童話般完美，那年夏天美國所有女生都開始相信愛情與幸福美滿。凱蒂動不動就提起那場婚禮，鉅細靡遺的程度讓人以爲她身在現場。

這些頭條新聞全發生在塔莉生活的時代，但是因爲她還沒畢業，因此無緣參與。是啦，她替校刊寫報導，偶爾也在新聞播報中讀幾句稿，但這些都只是扮家家酒般的暖身練習，眞正的競賽依然將她摒除在外。

她渴望能在眞實的新聞業界試試身手，無論是地方新聞或全國新聞都好。她越來越受不了姐妹會舞會、兄弟會派對，最令她厭惡的則是老掉牙的傳遞燭火儀式①。她不懂爲什麼那些女生想訂婚，難道她們不知道世上發生了多少大事？難道她們看不出未來有多少可能？

華盛頓大學所能提供的機會她都嘗試過了，重要的傳播與報業相關課程她全修完了，在公共電視臺實習一年所能學習的東西她也沒放過。現在時機成熟了，她等不及要一頭跳進狗咬狗的電視新聞世界，她想在眾多記者中殺出重圍，拚搏搶奪最前面的位置。

「妳還沒準備好。」查德嘆著氣說，短短幾分鐘內他已經說了三次。

「才怪。」她彎腰靠近五斗櫃上的鏡子，再上一層睫毛膏。在這光鮮亮麗的八〇年代初期，濃妝與誇張髮型才是王道。「我知道你已經幫我做好準備了，你也很清楚。你要我把髮型換成像女主播珍・保利一樣的無聊鮑伯頭，我所有的套裝都是黑色，每雙鞋都是郊區家庭主婦最愛的款式。」她將刷子插回瓶中，緩緩轉過身，端詳著早晨剛貼好的假指甲。「我還需要什麼？」

他在床上坐起來，這番談話似乎讓他感到難過或厭倦，隔著一段距離她無法分辨。「妳自己知道答案。」他輕聲說。

她翻著皮包尋找另一個顏色的口紅。「我受夠了大學，我需要進入眞實世界。」

「塔莉，妳還沒準備好。記者必須在客觀與感性間取得平衡，妳太客觀、太冰冷。」

這個評語一直困擾著她。她花了很多年的工夫避免感性，但現在她忽然必須同時具備感性與客觀、同理心與專業能力，她和查德都知道她做不到。「我又不是想打進新聞聯播網，我只是想在畢業前找份兼職工作。」她走到床邊，黑色套裝配白襯衫的打扮讓她顯得十足保守，她甚至用香蕉夾固定住頭髮，生怕長髮垂肩顯得太性感。她坐上床墊，將一綹長髮由眼睛上方撥開。

「你只是還不想放我進入現實世界。」

他嘆息，用指節輕觸她的下顎。「沒錯，我不想放妳出去，我想讓妳留在我的床上。」

「承認吧，我準備好了。」她想假裝性感成熟，但軟弱顫抖的聲音出賣了她。她需要他的認同，就像需要空氣和陽光一樣。當然，就算他不認同她還是會去，但少了一點自信，而今天她需要每一分自信。

「啊，塔莉，」他終於說：「妳天生就是這塊料。」

她露出得意的笑容，重重吻他一下，然後下床拎起人造皮公事包。裡面有幾份用高磅數象牙白特殊紙印的履歷表，幾張印著「電視新聞記者塔露拉・哈特」的名片，以及在KVTS播報新聞的錄影帶。

「祝妳成功。」查德說。

「一定會的。」她在西雅圖連鎖的基德瓦利漢堡店前搭上公車。即使已經大四了，她依然沒有把車開來學校。停車費很貴，車位也很難找，更何況，凱蒂的父母很喜歡外婆的老車。

離開大學區前往市中心的車程中，她一直溫習著面試官的資料。他今年二十六歲，曾經是廣受敬重的電視新聞記者，在中美洲衝突期間他得過幾個報導大獎，後來他回到故鄉，徹底改變了生涯規畫，但所有資料中都找不到原因，目前在地方電視臺的一個小分社擔任製作人。她演練過無數次面試過程。

很高興見到你，雷恩先生。

是的，雖然我還年輕，但已經累積了可觀的工作經驗。

---

①傳遞燭火儀式（Candle Passing Ceremony）：大學姐妹會的傳統儀式，當成員中有人訂婚時，姐妹會成員圍成一圈傳遞蠟燭作為慶祝、祈福。

我的目標是成為一流記者，我希望……不，期許——

公車冒著黑煙，呼咻一聲停在第一街與布洛德街交叉口。

她急忙下車，站在公車站牌邊溫習資料，開始下雨了，但雨勢不大，不需要雨傘或雨衣，但剛好足夠破壞她的髮型、刺痛她的眼睛。她低頭保護妝容，沿著人行道跑向目的地。

這是棟位於街道中央的小型水泥建築，沒有裝窗簾，旁邊附帶停車場。進去之後，她研究了一下樓層表，找到她要去的地方：KCPO，二〇一室。

她擺好架式，端出最專業的笑容，上樓前往二〇一室。

她一開門就險些和門內的人撞個滿懷。

一時間，塔莉竟然有些不知所措。眼前這個男人太過俊美，凌亂黑髮、鈷藍眼眸與淡淡鬍碴，完全不是她預期中的模樣。

「妳是塔露拉．哈特嗎？」

她伸出一隻手。「是。你是雷恩先生？」

「沒錯。」他和她握手。「進來吧。」他領著她穿過小小的會客室，這裡到處堆滿了紙張、攝影機與報紙。兩扇門開著，裡面是空辦公室；另一個男人站在角落抽菸，他塊頭很大，身高至少一九五公分，一頭金髮亂糟糟，衣服感覺像被穿著睡覺，他的T恤上印著巨大的大麻葉圖案。他們一進去，他立刻抬起頭。

「這位是塔露拉．哈特。」雷恩先生介紹。

大塊頭哼了一聲。「寄了一堆信來的那個？」

「就是她。」雷恩先生對塔莉微笑。「這位是馬特，我們的攝影師。」

「很高興認識你，馬特先生。」

他們兩個一起大笑，他們的笑聲讓她更焦慮，確切感覺到自己太年輕。

他帶她走進一間位在角落的辦公室，指著木製辦公桌前的一張金屬椅。「請坐。」說完後，他關上門。

他在辦公桌後坐下看著她。

她坐得筆挺，努力讓自己顯得成熟。

「好，妳寄來的信件和錄影帶塞爆了我的信箱，既然妳這麼有抱負，想必研究過資料。我們是塔科馬市KCPO電視臺派駐西雅圖的小隊，不提供實習。」

「你之前在信裡說過了。」

「我知道，是我寫的。」他往後靠向椅背，雙手舉高墊在腦後。

「你有沒有看過我的文章和錄影帶？」

「老實說，就是因爲看過才會找妳來。我發現妳不打算停止寄試鏡帶，所以決定乾脆看一下好了。」

「然後呢？」

「有一天妳會變得很出色，妳有那種特質。」

有一天？變得？

「可是妳還沒準備好，差得很遠。」

「所以我才想在這裡實習。」

「我們不提供實習。」

「我願意免費一週工作二十三小時，我不在乎是否能抵學分。我可以幫忙抄寫、查核、找資料，我什麼都肯做，雇用我絕對不吃虧。」

「什麼都肯做？」他目光炯炯地看著她。「妳願意泡咖啡、吸塵、掃廁所嗎？」

「現在誰做？」

「我和馬特，凱蘿不用跑新聞的時候也要幫忙。」

「那麼我絕對願意。」

「也就是說，只要能進來工作，妳不計一切代價？」

「對。」

他重新坐好，仔細觀察她。「妳明白只是來打雜而且沒薪水領吧？」

「我明白。星期一、三、五我可以來上班。」

他終於說：「好吧，塔露拉・哈特。」他站起來，「讓我瞧瞧妳的本事。」

「沒問題。」她微笑。「還有，叫我塔莉。」

他送她出去。「嘿，馬特，見見新來的實習生，塔莉・哈特。」

「酷。」馬特忙著把玩腿上的攝影器材，連頭都沒抬。

到了門外，雷恩先生停下來看著她。「哈特小姐，希望妳認眞看待這份工作，否則這次實習很快會結束，比牛奶的保存期限更短。」

「我一定會努力，雷恩先生。」

「叫我強尼。星期五見，八點好嗎？」

「我會準時到。」

她快步走向公車站，腦中一再回想剛才的經過。

她等於自己創造了實習機會。成名後，接受菲爾・唐納修①的訪問時可以當成小故事來說，藉此展示她的膽識與毅力。

沒錯，菲爾，這麼做眞的很需要勇氣，但你也知道，傳播業是人吃人的世界，而我當年是個有理想、有抱負的年輕人。

不過她要先告訴凱蒂，所有事情都要告訴凱蒂之後才顯得完美。

這是她們實現夢想的起點。

四方院的櫻花樹比日曆更能清楚表現時間。春天時滿樹粉紅繽紛，溫暖寧靜的夏日則變得青翠茂盛，開學時絢爛多彩，而此刻，一九八一年十一月，葉子落盡，只剩光禿禿的樹枝。

對凱蒂而言，時間過得太快。剛進大學時的她羞怯內向，現在則天差地遠。在華盛頓大學的這幾年，她做過新生週短劇的導演，籌備並規畫三百人的大型舞會，學會一口喝乾啤酒、吞下生蠔，在兄弟會派對上熱絡交流，即使和不認識的人相處也很自在，她可以寫出生動感人的新聞報導並拍成影片，即使身在事發現場也能做得十全十美。她的新聞學教授對她評價極高，無數次讚賞她的天分。

然而問題似乎在她的內心。塔莉或許可以勇往直前、什麼都敢問，但凱蒂很難在別人傷心痛苦的時候跑去糾纏。最近她越來越少寫故事，大部分的時間都在幫忙編輯塔莉的報導。

她無法成爲聯播網的新聞製作人或一流記者，她欠缺那種特質。每天她坐在廣播與傳播的課堂上，感覺都像在欺騙自己。

最近她開始有不同的夢想，她想上法學院，這樣就能對抗她所報導的那些不公不義；她想寫小說，讓人們看到美好光明的世界……她想——戀愛，這是埋藏最深的夢想，但她如何能告訴塔莉這些想法？

國中時沒有人肯跟她說話，是塔莉先牽起她的手，是塔莉編織出兩人搭檔報新聞的美夢，她要如何告訴好友她有了不一樣的夢想？

應該不難才對。她們立志一起成爲記者時年紀還很小，這些年來世界發生了很多變化，越

①菲爾・唐納修（Phil Donahue）：美國作家與主持人，他主持的「唐納修秀」是最早的脫口秀形式節目。

南戰敗、尼克森辭職、聖海倫火山爆發、美國冰上曲棍球奇蹟式地贏得奧運金牌，還有低成本電影演員當上總統，在這變化萬千的時代，夢想又怎麼可能不變？

她只要堅持立場一次就好，告訴塔莉實話：那些是妳的夢想，塔莉，妳讓我感到光榮，但我已經不是十四歲的小女生了，不可能永遠跟隨妳。

「今天就說吧。」她自言自語，一手拎著背包穿過霧濛濛的校園。

假使她有眞正的目標，或許可以取代搭檔成爲王牌記者的夢想，塔莉也比較可能接受；如果凱蒂只是含糊地說她不知道，恐怕無法抵擋熱帶風暴塔莉的威力。

到了校園外圍，她和其他學生一起過馬路，遇到朋友時微笑揮手打招呼；回到姐妹會所，她直接去客廳，一大群女生像熱狗一樣排排坐在沙發和椅子上，芹綠色地毯上也坐滿了人。

她將背包扔在地上，在夏綠蒂與瑪莉凱中間找到空位坐下。「開始了嗎？」

大約有三十個人同時出聲噓她，因爲日間醫學影集「杏林春暖」的主題曲響起了。螢幕出現女主角蘿拉的特寫，她好漂亮，眼睛水汪汪，披著無比美麗的白紗，客廳裡的所有人不約而同出聲讚嘆。接著男主角路克登場，穿著灰色晨禮服，對著他的新娘微笑。

就在這時候，會所的門砰一聲打開。「凱蒂！」塔莉嚷嚷著走進客廳。

所有人一起噓她。

塔莉蹲在凱蒂旁邊。「我有話跟妳說。」

「噓，路克和蘿拉要結婚了，播完後再告訴我面試結果，想必妳得到那份工作了吧？恭喜。現在先別吵。」

「可是——」

「噓。」

塔莉跪坐下來，不滿地嘀咕：「妳們怎麼會這麼迷他？他只是個瘦巴巴的慘白男人，而且頭髮燙壞了，更何況他還強暴了女主角，我認爲——」

「噓——」

這次她被噓得更大聲。

塔莉誇張地嘆口氣，雙手交叉環在胸前。

戲一演完，主題曲再次響起，塔莉立刻站起身。「快來，凱蒂，我有話跟妳說。」她牽起凱蒂的手拉她離開擠滿人的客廳，穿過走廊前往地下室，這裡藏著姐妹會見不得光的小祕密：吸菸室。這是個藏在廚房後面的小房間，有兩張雙人沙發，茶几上擺著好幾個已滿的菸灰缸，空氣非常差，即使沒有人在裡面抽菸一樣煙霧繚繞，一進去眼睛會刺痛。這裡是派對結束後聊八卦的聖地，半夜想聊天說笑也很適合來這裡。

凱蒂非常討厭這裡。十三歲時她覺得抽菸很酷、很叛逆，但現在只覺得噁心又愚蠢。「好啦，快點全告訴我吧。妳得到那份實習工作了吧？」

塔莉的笑容很得意。「沒錯，每星期一、三、五上班，有時候週末也要去。凱蒂，我們踏出第一步了。一畢業我就會搶到那裡的工作機會，然後說服他們雇用妳，我們能像以前說好的那樣成爲好搭檔。」

凱蒂深吸一口氣。*快，現在就告訴她。*「塔莉，妳不必幫我想。今天是妳的大日子，妳成功的第一步。」

「說什麼傻話，妳該不會不想做我的搭檔了吧？」塔莉停頓，望著凱蒂，凱蒂努力擠出勇氣張口，但就在這時塔莉大笑起來。「當然不可能，我知道的啦，妳只是跟我鬧著玩，眞幽默。我的新老闆是雷恩先生，等他沒有我不行的時候，我就會跟他說。我得走了，查德絕對很想知道面試結果，不過我一定要先告訴妳。」塔莉用力抱她一下之後就離開了。

凱蒂站在又小又醜的吸菸室裡，聞著陳年菸臭，呆望敞開的門。「對。」她輕聲說。「我不想做妳的搭檔。」

但沒有人聽她說。

11

穆勒齊家的感恩節向來熱鬧非凡。喬治雅阿姨和瑞夫姨丈由華盛頓州東部來訪，帶來的食物足夠餵飽整個社區。以前他們的四個孩子都在身邊，但他們長大以後有時必須去配偶老家過節。今年四個孩子都沒有回來，這樣的狀況讓阿姨和姨丈有些迷惘失措，阿姨一進門還沒打招呼便先倒了一杯酒。

凱蒂坐在櫻桃紅沙發的破扶手上，打從她有記憶以來，這張沙發一直是客廳的重心。塔莉盤腿坐在媽媽腿邊的地上，每逢節慶她都會固定坐那個位子，在塔莉眼中，她是最完美的媽媽，所以捨不得離她太遠。媽媽坐在安樂椅上，喬治雅阿姨坐在對面的沙發上。

現在是穆勒齊家傳統的私房話時間。根據家中的傳說，這是很多年前喬治雅阿姨提出的主意，當時她們都沒有孩子。每逢假期，男人忙著看足球，女人則偷閒一個小時在客廳喝雞尾酒、聊彼此的近況。她們都知道很快就得進廚房忙個沒完，但在這六十分鐘裡可以暫時放下煩惱。

今年媽媽第一次幫凱蒂和塔莉倒了白酒。凱蒂坐在沙發扶手上啜著酒，感覺自己真的是大人了。今年第一張聖誕專輯已經放上了唱盤，可想而知絕對是貓王，他正唱著貧民窟小男孩的故事。

多麼奇妙，一張唱片，甚至是一首歌，就能勾起那麼多回憶。在凱蒂的印象中，所有家庭活動都少不了貓王，聖誕節、感恩節、復活節，甚至年度露營，沒有他就不是穆勒齊家的歡聚時刻了。媽和喬治雅阿姨絕不會忘記他，即使他過世了這個傳統也不會動搖，但她們喝醉的時候會抱在一起哭著悼念。

「妳們絕對不敢相信這個星期我有多好運。」塔莉興奮地跪起身，凱蒂不禁覺得她像個信徒，等候媽媽的賜福。「妳們知道斯波肯之狼吧？聽好囉。」她以戲劇化的語氣吸引她們的注意。「他媽媽買凶暗殺法官和檢察官，很扯吧？我老闆強尼讓我寫那篇報導的草稿，甚至採用了我寫的一個句子，酷斃了。下星期要訪問一個發明新電腦的人，他答應讓我跟去。」

「塔莉，妳真的步上軌道了。」媽媽低頭對她微笑。

「不只是我，穆勒齊伯母，」塔莉說，「凱蒂也會成功。我一定能幫她爭取到實習機會，等著瞧吧，我已經開始放話暗示了。遲早有一天妳會在電視上看到我們兩個，第一對在聯播網主持新聞節目的女性雙主播。」

「真棒啊，瑪姬。」喬治雅一臉夢幻地說。

「主播？」凱蒂坐正。「我們不是要當記者嗎？」

塔莉笑嘻嘻地回答：「妳開玩笑嗎？我們這麼有衝勁，絕對能奔向最高峰啊，凱蒂。」現在一定要說出來。狀況越來越失控，老實說，今天是坦承的好時機，大家都喝了酒，氣氛很輕鬆。「我應該早點跟妳說——」

「穆勒齊伯母，我們會比珍恩・艾諾森更出名。」塔莉笑著說，「而且賺得比她更多。」

「想像一下當有錢人的感覺。」媽媽說。

喬治雅阿姨拍拍凱蒂的大腿。「凱蒂，妳讓家裡每個人感到光榮，妳出名我們也跟著沾光。」

凱蒂嘆息，又錯過了一次好機會。她站起來走向客廳另一頭，角落的空間很快會擺上聖誕樹，她站在窗前望著外面的牧草地。晶瑩白雪籠罩大地，籬笆柱子上也堆著尖尖一層；朦朧月光下，萬物蒙上一層美麗的霜藍與潔白，襯著黑絲絨般的天空，畫面有如聖誕卡。小時候，她總是迫不及待地希望趕緊下雪，甚至連續好幾個月誠心祈求。白雪靄靄的螢火蟲巷彷彿童話故事的場景，在那裡，一切都順心如意，就算志向改變了也不會覺得難以告訴家人。

大四最後的幾個月完美至極。塔莉每星期花二十五個小時在電視臺實習，凱蒂則花同樣的時間在星巴克打工，那是「派克市場」裡新開的時髦咖啡店，儘管如此，她們週末的時間總是一起度過，去「歌蒂酒吧」喝酒、打撞球，或者去「藍月酒館」聽音樂。塔莉晚上大多睡在查德家，但凱蒂沒有表示意見，老實說，她自己都爲了約會忙得不亦樂乎，沒時間去嘮叨塔莉。

凱蒂的生活只有一個煩惱，而且是非常嚴重的問題，那就是她即將畢業了。下個月就要舉行畢業典禮，她將以優異成績取得傳播暨新聞學位，然而她依然沒有告訴任何人這並非她夢想的工作。

不過，現在她打定主意要坦承。她在三樓的電話室，整個人蜷起來擠進小隔間，撥打家裡的號碼。

響到第二聲媽媽就接聽了。「喂？」

「嗨，媽。」

「凱蒂！眞是驚喜，妳好久沒有在平日打電話回家了。妳一定是有心電感應，我和妳爸才剛從購物中心回來，我買了參加畢業典禮要穿的衣服，等著瞧吧，美得不得了，誰說廉價百貨公司沒有漂亮衣服？」

「什麼樣子？」凱蒂拖延時間，心不在焉地聽著媽媽描述。媽媽說到墊肩和亮片時，凱蒂鼓起勇氣說：「媽，我寄了履歷表去『諾斯莊百貨公司』，他們的廣告部門在徵人。」

電話那頭明顯停頓了一下，接著傳來點菸的聲音。「妳和塔莉不是要——」

「我知道。」凱蒂靠在牆上。「搭檔報新聞，享譽世界賺大錢。」

「到底怎麼回事，凱絲琳？」

凱蒂盡可能以言語傳達徬徨的心情，她不曉得這輩子想做什麼。她相信世上一定有屬於她的成就，一條專屬於她的道路，幸福美滿就在盡頭，但起點在哪裡？「我和塔莉不一樣。」她很久以前就知道，但現在終於說出口了。「我無法整天吃飯、睡覺、呼吸的時候都想著新聞。沒錯，我每科都得到優等，教授愛死我了，因爲我總是準時交作業，可是新聞界是野蠻叢林，無論報紙或電視都一樣，像塔莉那樣的人會把我生吞了，他們爲了搶頭條什麼都做得出來，要是我以爲自己能做到，未免太罔顧現實了。」

「現實？現實是妳爸的工時一直被縮短，我們拚了老命才能維持收支平衡；現實是我明明很聰明卻找不到好工作，只能領基本工資，因爲我沒有受過高等教育，而且一輩子在家帶孩子。相信我，凱蒂，在妳這個年紀不必顧慮現實，以後多得是時間讓妳煩惱，現在的妳應該懷抱遠大夢想，立志往高處爬。」

「我只是想走不一樣的路。」

「哪條路？」

「我還不清楚。」

「噢，凱蒂……我覺得妳只是沒有勇氣追求成就，勇敢一點。」

凱蒂還來不及回答，外面傳來敲門聲。「有人。」她高聲說。

門打開了，原來是塔莉。「妳在這裡啊，我到處找妳。妳在跟誰說話？」

「我媽。」

塔莉搶過話筒，「嗨，穆勒齊伯母，我要綁架妳女兒，晚點再打給妳，拜。」她掛斷電話，轉向凱蒂說：「跟我來。」

「去哪裡？」

「妳很快就知道了。」塔莉拉著她離開會所到停車場，上了塔莉新買的藍色福斯金龜車。

前往西雅圖市區的路程中，凱蒂不停追問究竟要去哪裡、要做什麼，終於，車子停在一棟小型辦公樓房前面。

「這是我上班的地方。」塔莉將引擎熄火。「真不敢相信妳沒來過，沒差，反正現在妳來了。」

凱蒂翻個白眼，心裡有了底。塔莉想炫耀新的成就，八成是她的報導被播出了，所以找她來看膠捲或影帶。凱蒂一如往常跟隨著塔莉，穿過毫無色彩的走廊，進入KCPO電視臺西雅圖分社的狹小辦公室。「聽著，塔莉，我有話跟妳說。」

塔莉打開門。「好啊，不過晚點再說。對了，這是馬特。」她指著一個彎腰駝背的長髮壯漢，他站在窗邊抽菸，將煙霧呼出窗外。

「嗨。」他連根手指都沒動。

「我們的記者凱蘿．曼蘇爾去市議會採訪了。」塔莉領著凱蒂走向一扇關著的門。凱蘿．曼蘇爾的事情凱蒂早就聽到不想聽了。

塔莉停下腳步敲敲門，一個男人的聲音回應之後，塔莉開門拉著凱蒂進去。「強尼，這是我的朋友凱蒂。」

辦公桌後的男人抬起頭。「妳就是凱蒂．穆勒齊吧？」

基本上，他是凱蒂見過最好看的男人。他的年紀比她們大，但不會差太多，頂多差五六歲，一頭濃密長黑髮往後剪出層次，尾端微鬈；他的顴骨高聳，偏尖的下巴或許顯得秀氣，但他沒有半點陰柔氣息，他微笑時，她猛然倒抽一口氣，強烈而純粹的肉體吸引如同雷擊，她從來沒有過這種感覺。

她站在這兒，一身準備去打工的裝扮：學院風牛仔褲、平底便鞋、紅色V領毛衣，昨晚捲好的頭髮現在已經全場了，她早上沒時間重弄，也沒有化妝。

她要宰了塔莉。

「你們兩個慢慢聊吧。」塔莉蹦蹦跳跳離開辦公室，順手關上門。

「請坐。」他比著辦公桌前的空椅子。

她坐下，因爲太緊張只敢坐前面一點點。

「塔莉說妳是天才。」

「這個嘛，她是我最好的朋友。」

「妳很幸運，她非常特別。」

「是，先生，的確。」

他大笑，那深具感染力的渾厚笑聲讓她不禁也露出微笑。「拜託不要那樣稱呼我，我會覺得背後站了個老頭。」他往前靠。「那麼，凱蒂，妳覺得怎樣？」

「什麼怎樣？」

「這份工作。」

「什麼工作？」

他瞥了門口一眼。「嗯，有意思。」然後重新看著她說：「我們有個行政人員的空缺。接聽電話和整理檔案的工作以前由凱蘿負責，但她快生產了，所以那個小氣鬼經理終於答應我們雇用新人。」

「可是塔莉——」

「她想繼續實習。她說因爲繼承了外婆的遺產，所以不需要領薪水。偷偷跟妳說，她眞的很不擅長長電話應對。」

這一切發生得太快，凱蒂無法消化。一個小時前她才終於承認不想走傳播這條路，現在卻得到一個好機會，華盛頓大學傳播系的同學絕對不惜殺人放火也要搶到這份工作。

「薪水多少？」她拖延著。

「當然只有基本薪資。」

她心算一番，在星巴克打工的薪水加上小費至少可以賺到兩倍。

「別猶豫了。」他微笑道，「妳怎麼捨得拒絕？妳可以在醜到爆的辦公室裡接電話賺微薄的薪水，這不是所有大學畢業生的夢想嗎？」

她忍不住笑出聲。「既然你形容得這麼美妙，我怎麼能拒絕？」

「至少這是個起步吧？燦爛的電視新聞世界近在眼前。」

他的笑容彷彿有超能力，擾亂了她的心思。「是嗎？眞有那麼燦爛？」

這個問題似乎讓他吃了一驚，他第一次認眞地看著她，虛假的笑容退去，碧藍眼眸中的情緒變成苦澀酸楚。「在這間辦公室裡不是。」

她深深被他打動，她說不出原因，但那份吸引力極爲強烈，完全不像對大學裡那些男生的感覺。這又是另一個不該接受這份工作的好理由。

她身後的門開了，塔莉幾乎是跳著進來。「妳答應了嗎？」

因爲迷上老闆而來上班未免太瘋狂。

話說回來，她才二十一歲，而他提供了一個進入電視圈的起點。

她不敢看塔莉。凱蒂知道如果看了，她會覺得自己又放棄主張，任由塔莉拉著走，而且還是爲了非常不良的理由。

但她怎麼能拒絕？或許開始工作之後可以找到所需要的熱情與才華，她越想越覺得不無可能。畢竟學校並非眞實世界，或許就是因爲這樣她才無法全心投入新聞事業，這裡所做的報導想必意義非凡。

「當然，」她終於說。「我願意試試，雷恩先生。」

「叫我強尼。」他的笑容如此醉人，她甚至不得不轉開視線。她確信他一定能看透她的內心，或是聽見她急促的心跳聲。「好，強尼。」

「成啦。」塔莉拍了一下手，又握在一起。

凱蒂不由自主地察覺到，塔莉立刻攫獲了強尼全部的注意，他坐在辦公桌邊緣凝視著塔莉。

這一刻，凱蒂領悟到她做錯了。

凱蒂望著掛在五斗櫃上方的橢圓小鏡子，經過挑染的直金髮往後梳，用黑色絲絨髮箍固定；淺藍色眼影與雙層綠色睫毛膏襯托出她眼睛的顏色，粉紅唇蜜與腮紅增添好氣色。

「妳會學著愛上新聞，」她對鏡中的映影說。「妳不是被塔莉拉著走。」

「快點，凱蒂，」塔莉敲著臥房門大聲說。「不可以第一天上班就遲到。我去停車場等妳。」

「好吧，看來妳確實是被她拉著走。」她從單人床上拿起公事包，離開臥房下樓。

學期只剩最後一週，姐妹會所一片忙亂，準備期末考、送別與收拾行李，所有事情同時進行。凱蒂在亂糟糟的走廊上左躲右閃，出門來到會所後方的小停車場，塔莉坐在嶄新的金龜車中，引擎已經發動了。

凱蒂一上車關好門，車子立刻出發。小小音箱大聲播放〈紫雨〉，塔莉得用吼的才能壓過音樂。

「很棒對吧？我們終於可以在一起工作了。」

凱蒂點頭。「沒錯。」不得不承認她很興奮，畢竟她還沒畢業就找到工作，而且是她主修的領域。就算是塔莉幫她爭取到的也無所謂，她知道自己基本上是被好友拉著走，但這也沒關係，重點是盡力做好這份工作，認清新聞傳播是否適合她。「老闆是怎樣的人？」她調低音量。

「強尼？他非常在行。以前原本是戰地記者，去過薩爾瓦多還是利比亞之類的地方，天曉得？聽說他很想念戰場，但他是很厲害的製作人，跟著他可以學到很多。」

「妳想和他交往嗎？」

塔莉大笑。「雖然我和教授上床，不代表每個老闆都有搞頭。」

凱蒂鬆了口氣，遠超過應該的程度。她想問強尼結婚了沒，整個星期她一直想問，卻怎樣也開不了口，這種問題太明顯。

「到了。」塔莉將車停在公司外面的人行道上。在樓梯和走廊上她一路說著一起工作有多棒，但是一進入擁擠的小辦公室，她立刻直接走向馬特，和他在一起交頭接耳。

凱蒂呆站著將人造皮公事包抱在胸前，不曉得該做什麼。

她剛決定先脫掉外套，強尼忽然出現了，模樣俊美得不可思議，但表情非常憤怒。

「馬特！凱蘿！」他大吼，雖然他們就在旁邊。「那家叫微軟的新公司發表了新東西，我不曉得是什麼鬼。邁克會把資料傳眞過來，上面要你們去微軟總部一趟，看看能不能訪問到那裡的老闆比爾．蓋茲。」

塔莉立刻跑過來。「我可以跟嗎？」

「隨便妳，反正只是條狗屁新聞。」強尼說完，便回到辦公室用力甩上門。

接下來是一片乒荒馬亂，凱蘿、塔莉和馬特收拾好用具衝出辦公室。

他們走了之後，辦公室變得寂靜空蕩，凱蒂呆站著不知道究竟該做什麼。

旁邊的電話響了。

她脫掉外套掛在椅背上，坐下來接聽。「KCPO新聞部，我是凱絲琳，請問需要什麼服務？」

「嘿，親愛的，是爸和媽啦，我們只是想祝妳第一天工作順利。妳是我們的榮耀。」

凱蒂一點也不覺得驚訝。人生中有些事情永遠不會變，她的家人就是這樣，所以她這麼愛他們。「謝啦，爸、媽。」

接下來幾個鐘頭並不難打發。電話響個不停，她桌上的收件匣好像很多年沒人動過了，文件檔案雜亂無章。

她太專注於工作，終於抬頭看鐘時已經下午一點，肚子快餓扁了。

應該有午休時間吧？她離開座位，穿過已收拾乾淨的辦公室，走到強尼的門前，她停下腳步，鼓起勇氣準備敲門，但她還沒敲下去，裡面便傳來一陣怒吼。他在電話上跟人吵架。最好別去煩他。她啓動答錄機轉到自動接聽，跑下樓找到一家熟食店買了一份火腿起司三明治，一時衝動又買了一杯蛤蜊巧達濃湯和一份培根生菜蕃茄三明治，最後加上兩罐可樂。她拎著提袋跑上樓，將電話重新轉回人工接聽。

接著，她再次走到強尼的門前，裡面安安靜靜。

她怯怯地敲門。

「進來。」

她打開門。

他坐在辦公桌後，神情很疲憊，頭髮凌亂，彷彿被他隨手胡亂往後撥了很多次。「穆勒齊，」他嘆口氣。「可惡，我忘記妳今天開始上班。」

凱蒂原本想開個玩笑，但聲音拒絕配合。她是如此在意他，他卻壓根不曉得她在辦公室裡，這種感覺有些惱人。

「進來吧。妳拿著什麼？」

「午餐，我猜你應該餓了。」

「妳幫我買午餐？」

「我做錯了嗎？對不起，我——」

「坐下。」他指著對面的椅子。「其實我很感激，我想不起來多久沒吃東西了。」

她走向辦公桌，拿出兩人的午餐。她感覺到他一直看著她，那雙焰藍色的眼眸專注凝視，害她差點因爲緊張而打翻巧達濃湯。

「熱湯。」他的聲音變得低沉親暱。「原來妳是那種女生。」

她坐下看著他，無法不看他。「哪種女生？」

「愛照顧人的那種。」他拿起湯匙。「我猜猜，妳生長在幸福家庭，兩個小孩一條狗，父母沒有離婚。」

她大笑。「我認罪。你呢？」

「沒有狗，不太幸福。」

「噢。」她努力找別的話說：「你結婚了嗎？」這句話自己冒了出來，她完全來不及制止。

「沒有，從來沒有。妳呢？」

她微笑。「沒有。」

「算妳走運，這份工作需要全神貫注。」

凱蒂覺得自己像個騙子。她坐在上司對面，絞盡腦汁想說出能討他歡心的話，卻無法看他的雙眼。太瘋狂了，他沒有帥到那種程度，但他的某種特質強烈地觸動她，以致她無法順暢思考。最後，她說：「他們去微軟能採訪到好新聞嗎？」

「昨天以色列入侵了黎巴嫩，妳知道這件事嗎？他們將巴勒斯坦人趕回貝魯特，這才是眞正的新聞，我們卻只能待在這間狗屁辦公室，報導一些風花雪月。」他嘆息。「對不起，我今天過得很不順。」他微笑，但眼睛沒有笑。「而妳幫我買了湯，我保證明天會好好表現。」

「塔莉說你以前是戰地記者。」

「嗯。」

「你應該很愛那份工作吧？」

她看見他眼眸中閃過一種情緒，她本能地辨識爲悲傷，但她怎麼可能懂？「很瘋狂。」

「你爲什麼放棄？」

「妳太年輕了，不會懂。」

「我沒有比你小那麼多，說說看嘛。」

他嘆氣。「有時候人生會把人整得很慘，就這樣。就像滾石合唱團唱的，人不可能總是得到想要的。」

「那首歌還說，那就改爲追尋你需要的。」

他看著她，剎那間，她知道自己抓住了他全部的注意力。「今天早上妳有找到事情做嗎？」

「檔案非常亂，郵件也一樣，堆在角落的那些錄影帶我也都整理好了。」

他大笑，整張臉變得如此俊美，她不禁倒抽一口氣。「這幾個月來我們一直叫塔莉去整理，但就是叫不動。」

「我不是故意——」

「別擔心，妳沒有害到朋友。相信我，我知道該對塔莉有怎樣的期許。」

「是什麼？」

「熱情。」他簡單地說，將三明治包裝袋塞進保麗龍湯杯。

他的語氣讓凱蒂幾乎忍不住一個抽縮，她忽然意識到麻煩大了。無論她提醒自己多少次他是上司，依然毫無作用，每當接近他時，她心中的感覺便無法否認。

墜落，沒有其他詞能夠形容。

這一天剩下的時間她繼續接電話、整理文件，然而腦海中卻不停重溫在他辦公室最後的那個時刻，以及她問起塔莉時他那個不假思索的率直回答：熱情。

記憶中最清晰的，是他說這句話時愛慕的笑容。

12

畢業那年的夏天，對塔莉而言簡直有如天堂。她和凱蒂找到一間一九六〇年代風格的公寓，地段非常理想，就在派克市場樓上。她們搬來外婆的舊家具，廚房裡的康寧廚具與英國瓷器都有四十年歷史。她們掛上喜歡的海報，小茶几上擺著兩人的照片。穆勒齊伯母有一天突然來訪，送來幾袋生活用品與幾盆人造花，說是要為她們的公寓增添溫馨氣氛。

環境塑造了她們的生活風格。步行範圍內便有數間酒吧，她們最喜歡市場裡的「雅典酒吧」，以及街角那家煙霧繚繞的「維吉尼亞客棧」。早上六點，送貨卡車嗶嗶倒車、嗚嗚鳴笛，她們到對街的星巴克買拿鐵，然後去「拉潘尼爾法式烘焙坊」買可頌麵包。

身為單身上班族，她們的生活規律而悠閒。每天早上她們出門吃早餐，坐在街邊的鍛鐵餐桌旁閱讀她們收集來的報紙，《紐約時報》、《華爾街日報》，《西雅圖時報》與《郵訊報》更成為她們的聖經。吃完早餐後，她們開車去公司，每天都能在那裡學到關於電視新聞報導的知識；下班後她們換上有大墊肩的閃亮上衣與老爺褲，造訪市區許許多多的夜店，各種音樂都有——龐克、新浪潮、搖滾、流行，隨她們的心情挑選。

塔莉終於可以正大光明地和查德交往，他經常帶她們一起出去玩得很瘋。

她和凱蒂當年在深夜河畔編織的夢想成真了，塔莉覺得每分鐘都很快樂。

現在，她們將車停在公司前面，從下車到進去大樓，一路聊個不停。

但是一打開辦公室的門，塔莉隨即察覺到狀況不對。馬特在窗邊匆忙收拾攝影器材，強尼在辦公室裡對著電話大吼大叫。

「怎麼回事？」塔莉將皮包扔在凱蒂一塵不染的辦公桌上。

馬特抬起頭。「發生了抗議事件，由我們負責報導。」

「凱蘿呢？」

「在醫院生產。」

這是塔莉的好機會，她直奔強尼的辦公室，連門都沒敲。「讓我播報。我知道你認爲我還沒準備好，但是現在沒有別人了。」

他掛斷電話看著她。「我已經通報電視臺要由妳負責報導，剛才就是在吵這件事。」他由辦公桌後面走出來步向她。「別讓我丟臉，塔莉。」

塔莉知道這麼做很不專業，但她實在忍不住——她撲過去抱住他。「你最棒了。我會讓你很有面子，等著瞧吧。」

她往門口衝去，他清清嗓子叫她，她停下來，轉過身。

「妳不想看一下背景資料嗎？難道妳打算什麼都不知道就去採訪？」

塔莉感覺臉頰發燙。「糟糕，我要看。」

他遞給她一張滑溜溜的傳眞紙。「事件起因是耶姆鎮一個叫傑西奈①的家庭主婦，她自稱能通靈。」

塔莉蹙眉。

「怎麼了嗎？」

「沒有，只是……有一個我認識的人住在那附近，沒什麼。」

「沒時間去拜訪朋友了。快出發吧，我希望妳兩點能回來進行剪接。」

---

①傑西奈（J.Z. Knight）：原為家庭主婦，一九七七年於自家廚房與靈體藍慕沙相遇，並於一九八八年創立藍慕沙啓蒙學院，成為美國性靈大師。

馬特和塔莉出去後，辦公室變得非常安靜，只剩她和強尼兩個人，這種狀況很罕見，這是整個夏天裡的第二次。寂靜讓她有些不安，他的辦公室門開著，想到他就在裡面，凱蒂的心無法平靜，電話響起時她每次都太快接聽，而且有些上氣不接下氣。

塔莉在的時候總是熱鬧滾滾。她爲電視新聞而活，所有大小事她都想知道，每天她整日纏著強尼、凱蘿和馬特不停發問，所有事情都要徵詢他們全體的看法。

塔莉經常聊天到一半自顧自地走掉，馬特翻白眼的次數多到凱蒂數不清，頭牌記者凱蘿的反應更不客氣，最近她幾乎不和塔莉說話了，但塔莉似乎不在意，對她而言只有新聞最重要，第一是新聞，最後是新聞，永遠是新聞。

然而凱蒂不一樣，她關心同事勝過他們所報導的新聞。她幾乎立刻和凱蘿成爲朋友，她經常帶凱蒂一起去吃午餐聊即將出世的孩子，她也常請凱蒂幫忙編輯稿件或查資料。馬特也常找凱蒂傾吐，一說就好幾個小時，聊家庭問題以及女朋友不肯嫁給他的煩惱。

唯一沒有對凱蒂打開心門的人是強尼。

每次他在旁邊她就緊張得不知所措；只要他看著她的方向微笑，她就會雙手發軟拿不住東西；向他轉達留言時她總是結結巴巴，還被他辦公室的破舊地毯絆倒。

簡直可悲至極。

一開始凱蒂以爲只是因爲他長得帥。他有著愛爾蘭天主教男孩的完美外型，黑髮藍眼，笑起來時整張臉皺在一起的模樣令她忘記呼吸。

她原本以爲這種迷戀不會持續很久，只要經過一段時間多瞭解他，便會停止醉心於他的外貌，至少可以對他的笑容免疫。

可惜沒那麼順利。他所說的話讓她的心被綁得更緊，在他憤世嫉俗的僞裝下，她瞥見一個懷抱理想的人，不只如此，他還受了傷。雖然不知道發生了什麼事，但強尼內心破碎，屈居邊緣地帶，無法觸及大新聞，這樣的悲哀挑動著她。

她走向牆角，那裡放著一堆錄影帶等著歸檔。她剛抱起一疊，強尼忽然出現在他辦公室的門口。「嘿，妳很忙嗎？」

她手中的錄影帶立刻掉滿地。白癡。「沒有，還好。」

「我們去吃一頓像樣的午餐吧。今天沒什麼新聞，我吃膩了熟食店的三明治。」

「呃……當然好。」她專注在出門前要做的事情上：啓動答錄機，穿上毛衣，拿起皮包。他來到她身邊。「準備好了嗎？」

「走吧。」

他們並肩走向街口過馬路，他的身體不時輕觸到她，每一次她都清楚感受到。

終於到了餐廳，他帶她走向角落的座位，從這裡可以俯瞰艾略特灣與七十號碼頭的店鋪。他們一落座，服務生立刻來點菜。

「穆勒齊，妳的年紀可以喝酒嗎？」他微笑著問。

「你眞會開玩笑，可是我不在上班時間喝酒。」這句話簡直古板透頂，她沮喪極了，再次罵自己白癡。

「妳是個負責任的好孩子。」服務生離開之後他如此說，看得出來他強忍著笑。

「是好女人才對。」她堅定地道，希望沒有臉紅。

他微微一笑。「我是在稱讚妳。」

「有那麼多好話可說，你卻選負責任？」

「不然妳希望我稱讚妳什麼？」

「性感、傑出、漂亮。」她緊張地大笑，她希望展現成熟，卻表現得像個小丫頭。「你知道，所有女人都想聽的那些。」她微笑。她必須利用這次機會在他心中留下好印象，並吸引他的注意，就像他吸引她那樣。絕不能搞砸。

他往後靠，希望不是因爲忽然想離她遠一點。此時此刻，她萬分遺憾沒有和大學時交往的男生上床，她敢說他一定看見了她身上的處女印記。「妳來上班多久了？兩個月？」

「快三個月了。」

「妳喜歡嗎？」

「還不錯。」

「還不錯？眞怪的答案。這個業界的觀感很極端，不是愛死就是恨死。」他靠向前，手肘靠在桌上。「妳對傳播有熱情嗎？」

又是這個詞，這是她與塔莉之間最大的差異，就因爲這個，所以塔莉是糧，而她則是糠。

「呃，有。」

他端詳她，接著露出了然於胸的笑容。她很想知道，那雙藍色眼眸究竟將她的靈魂看穿到什麼程度。「塔莉絕對有。」

「是啊。」

他盡可能裝出不經意地問：「她有交往的對象嗎？」

凱蒂沒有退縮也沒有蹙眉，她自認表現非凡。至少，現在她知道這次邀請的用意了。她很想說「有，她和現在的男朋友交往很多年了」，但她不敢說，雖然塔莉不必隱瞞和查德的關係了，但也沒有四處張揚。「你說呢？」

「我猜她應該有很多對象。」

幸好服務生送餐來了，她假裝讚賞盤中的食物。「你呢？我覺得你好像不太熱中於這份工作。」

他猛然抬起視線。「妳怎麼會有那種想法？」

她聳肩繼續吃，但眼睛看著他。

「或許吧。」他低聲說。

她感覺自己愣住，叉子停在半空中。他們的話題第一次超越隨口閒聊，他吐露了很重要的心事，她非常確定。「告訴我，在薩爾瓦多發生了什麼事？」

「妳應該知道那裡發生過大屠殺吧？當年就非常血腥了，聽說現在更嚴重。行刑隊殺害平民、神父和修女。」

凱蒂不是很清楚，老實說，她一無所知，但她還是點頭，看著他臉上紛雜的情緒。她第一次看到他如此激動熱情的模樣，他的眼眸中再次出現無法解讀的神情。「你好像很熱愛那份工作，爲什麼放棄？」

「我從來不提這件事。」他喝光啤酒站起來。「該回去上班了。」

她低頭看著幾乎沒吃幾口的餐點，顯然她太多事、刺探太深了。「我侵犯你的隱私了，對不起——」

「不用道歉，那已經是陳年往事了。走吧。」

回公司的路上他一言不發，他們迅速上樓，進入寂靜的辦公室。

她終於忍不住碰碰他的手臂。「我眞的很抱歉，我不是故意惹你不高興。」

「我剛才說過，那是陳年往事了。」

「但是還沒過去，對吧？」她輕聲說，立刻察覺自己又越界了。

「回去工作。」他粗聲說完，進入他的辦公室，用力關上門。

耶姆鎮座落在奧林匹亞市與塔科馬市之間，藏身於翠綠山谷。這是個典型的鄉間小鎮，所有人都穿法藍絨襯衫配褪色牛仔褲，在路上相遇時會互相揮手打招呼。

然而幾年前發生了急遽的變化，一個三千五百歲的亞特蘭提斯戰士現身在一個平凡主婦的廚房。

鎮民奉行西北地區的風俗：過好自己的日子，也給人一條活路，於是一直以來都沒有干預。他們不理會那些來耶姆鎮朝聖的信徒（大多開著昂貴名車、一身精品行頭——好萊塢那種人），也裝作沒發現最上等的土地一一售出。

然而，當傑西奈準備大興土木成立學校教育信眾，鎮民終於忍無可忍。KCPO南灣分社的主管表示，當地民眾包圍了傑西奈的土地。

抗議建案的所謂「群眾」，其實不過區區十個人，他們舉著標語牌在聊天，感覺不像政治集會，比較像一起喝咖啡聊是非，不過採訪車一出現，他們立刻開始遊行、呼口號。

「啊，媒體的魔力。」馬特將車停在路邊，轉頭對塔莉說：「告訴妳一個大學沒教的祕訣：跟受訪者打成一片，大膽走進去。假使感覺快要爆發肢體衝突，我要妳立刻過去，知道了嗎？不斷提問、不斷說話就對了。一看到我打手勢就立刻閃開，不要擋住鏡頭。」

塔莉跟著他往前走，她的心跳彷彿一分鐘內跑了一英里。

抗議群眾朝他們蜂擁而來，所有人同時開口想表明立場，互相推擠爭搶。

馬特用力推塔莉一把，她踉蹌往前，直接對上一名彪形大漢，他留著聖誕老人風格的大鬍子，高舉標語牌，上面寫著：拒絕藍慕沙。

「我是KCPO的塔莉．哈特，請問你今天來這裡的訴求是？」

「問他的名字。」馬特大吼。

塔莉瑟縮了下。該死。

壯漢說：「我叫班恩．聶圖曼，我的家族在耶姆鎮住了將近八十年，我們不希望這個鎮變成新世紀怪咖的超市。」

「他們已經有加州了！」有人大喊。

「請介紹一下你印象中的耶姆鎮。」塔莉說。

「這裡很安靜，大家互相照應。我們每天一起床就先禱告，通常不管鄰居的閒事……直到他們開始建造不屬於這裡的鬼東西，載來一車車精神病患。」

「你說他們是精神病——」

「本來就是！那個女人說會通靈，和一個自稱來自亞特蘭提斯的死人說話。」

「學印地安人說話就是藍慕沙嗎？我也會！」旁邊有個人大聲說。

接下來二十分鐘，塔莉徹底發揮所長和大家說話。採訪進行六七分鐘後，她漸漸抓到節奏，也想起學過的東西。她聆聽，然後問一些很平常的問題，她不確定是否問到重點，也不確定是否站在最佳位置，但是訪問到第三個人時，馬特不再指揮她，而是交給她主導。她知道自己感覺很好。人們對她推心置腹，說出心中的感覺、疑慮與畏懼。

「好了，塔莉。」馬特在她身後說。「拍夠了，可以收工了。」

一停止拍攝，群眾立刻解散。

「我辦到了。」她低語，控制住想上下蹦跳的心情。「眞刺激。」

「表現很好。」馬特對她微笑，她永遠忘不了這個笑容。

馬特以破紀錄的速度收拾好攝影器材上車。

塔莉的腎上腺素狂飆，依然處於亢奮狀態。

這時她看到露營區的招牌。

「開進去。」她沒想到自己竟然會這麼說。

「爲什麼？」馬特問。

「我媽……來這裡度假，暫時住在這個露營區。給我五分鐘去打個招呼。」

「我去抽支菸，妳有十五分鐘，不過等一下我們得盡快趕回去。」

採訪車停在露營區的預約櫃臺前。

塔莉過去問她媽媽在不在，值班的人點點頭。「三十六號營區，看到她時順便提醒她該繳錢了。」

塔莉沿著小徑穿過樹林，好幾時次想放棄回頭。老實說，她不知道為什麼要來。自從外婆的葬禮之後，她再也沒有見過媽媽，也沒和她說過話。塔莉滿十八歲時繼承了外婆的遺產，從此負責每個月寄錢給白雲，她從不曾收到隻字片語的道謝，倒是收過好幾張通知寄錢新地址的明信片。耶姆鎮這個露營區是最新的地址。

她看到媽媽站在一排流動廁所旁邊抽菸，身上穿著一件印地安風格的灰色粗織毛衣，搭配很像睡褲的褲子，感覺彷彿女子監獄的逃犯。歲月磨損了她的美貌，在凹陷的臉上留下交織的皺紋。

她走過去說：「嗨，白雲。」

媽媽深吸一口菸再緩緩呼出，她看著塔莉，眼睛好像睜不開。

她看得出來媽媽狀況很差，毒品讓她老得很快，她還不滿四十歲，模樣卻像五十歲。她的眼神迷離昏茫，一看就知道是癮君子。

「我在KCPO新聞部上班，來這裡採訪。」塔莉盡可能不表現出得意，她知道不能對媽媽有任何期待，但她的眼神與聲音中依然有舊日的回音，當年那個小女孩填滿了十二本剪貼簿，只希望有一天媽媽能瞭解她並引以為榮。「這是我第一次播報，我以前就說過遲早有一天我會上電視。」

白雲輕輕搖晃，彷彿呼應著只有她能聽見的音樂。「電視是大眾的鴉片。」

「誰能比妳更懂毒品？」

「說到這裡，我這個月手頭有點緊，妳有錢嗎？」

塔莉翻著皮包，找出皮夾裡應急用的五十元紙鈔交給媽媽。「不要全給同一個毒販。」

白雲蹣跚上前接過錢。

塔莉後悔著不該來。她明知道不能對媽媽有所期待，為什麼總是記不住？「白雲，我會寄錢讓妳重新接受勒戒。每個家庭都有傳統，對吧？」說完，她便轉身走回採訪車。

馬特在等她，他拋下菸蒂用腳跟踩熄，笑嘻嘻地問：「媽咪有沒有覺得大學生女兒很了不起啊？」

「愛說笑，」塔莉燦爛笑著，抹了抹眼睛。「她哭得像個嬰兒。」

塔莉與馬特一回來，整個辦公室立刻全速運轉。他們四個人擠在剪接室裡，將二十六分鐘的毛片剪成三十秒的報導，內容一針見血、不偏不倚。凱蒂努力專注在報導上，盡可能只想著報導，但午餐時發生的事使她的感官變得麻木遲鈍或極度敏銳，她分不清楚是哪一種。她只知道對他的感覺原本只是羞澀暗戀，經過那頓午餐之後，變成了更深沉的情感。

剪接結束，強尼打電話給塔科馬的臺長，幾分鐘之後他掛斷電話看著塔莉。「除非發生更大的新聞，不然應該會在今晚十點播出。」

塔莉拍著手跳起來。「我們成功了！」

凱蒂忍不住感到嫉妒。她多麼希望強尼也能那樣看著她，一次就好。

假使她能像塔莉一樣就好了，自信性感，想要就大膽爭取，任何人事物都一樣，那麼她或許能有機會，但是強尼可能拒絕她，也可能一臉不解地質疑她，想到這裡，她就只敢躲在陰影中。

正確地說，是塔莉的陰影。一如往常，凱蒂只是幕後合音，永遠無法站在聚光燈下。

「我們去慶祝吧，」塔莉說，「晚餐我請。」

「我不能去。」馬特說，「女朋友在等我。」

「晚餐我沒辦法，不然約九點去喝一杯好嗎？」強尼說。

「沒問題。」塔莉回答。

凱蒂知道她應該退出，她不想坐在桌邊看著強尼欣賞塔莉，但她別無選擇。她是配角，就像電視影集裡的蘿達．摩根斯坦①，無論瑪莉去哪裡，蘿達只能跟隨，無論多麼心痛也得去。

凱蒂仔細挑選衣服：白色蓋袖T恤、黑色復古緹花背心，緊身牛仔褲的褲管塞進抓皺短靴中，也捲好頭髮，仔細梳到一側綁成馬尾。她原本以為自己相當好看，一進客廳卻看到塔莉穿著一襲綠色針織洋裝，有著深V領口、大墊肩，搭配金屬色調寬腰帶，正隨音樂舞動身體。

「塔莉？妳準備好了？」

塔莉停止跳舞、關掉音響，勾起凱蒂的手臂。「走吧，該出門了。」

她們下樓來到公寓前面的街道，強尼靠在他的黑色卡米諾轎車上，褪色牛仔褲搭配舊舊的史密斯飛船T恤，顯得隨性不羈，性感得要命。

塔莉的另一手立刻勾住他。「我們要去哪裡？」

「我計畫好了。」強尼說。

「我最愛有計畫的男人。」塔莉說，「妳呢，凱蒂？」

愛這個字和他同時出現在對話中，幾乎觸動她的心事，她不敢看他，只回答：「我也是。」

他們三個人並肩走在石鋪街道上，進入空蕩蕩的市場。

街角有家霓虹燈閃爍的情趣商店，強尼帶著她們往右轉。

凱蒂蹙眉。派克街有一條隱形的分隔線，就像赤道一樣分隔南北，越往南越敗壞，除非想找毒品或妓女，否則遊客不會涉足這一帶。街道兩旁的店鋪與商家都顯得低級下流。

她們經過兩家成人書店和一家限制級電影院，這一檔同時播放兩部鉅片：黛比爽翻達拉斯續集與週末性狂熱。

「真好玩，」塔莉說，「我和凱蒂沒有來過這裡。」

強尼在一扇破破的木門前停下腳步，看得出來以前是漆成紅色，他微笑著問：「準備好了嗎？」

塔莉點頭。

他打開門，音樂震耳欲聾。

門口坐著一個黑人大漢。「麻煩看一下證件。」他打開手電筒檢查他們的駕照。「進去吧。」

檢查過證件之後，塔莉與凱蒂走下狹窄陰暗的走廊，兩旁的牆上貼滿廣告、海報與保險桿貼紙。

走廊盡頭是一個長方形的空間，裡面擠滿了人，個個穿著掛滿五金裝飾的黑皮衣。凱蒂第一次在同一個地方看到這麼多怪髮型，好幾十個人頂著龐克頭，用髮膠固定得像鋸子一樣挺，染成彩虹般的七彩顏色。

強尼帶她們穿過舞池，經過幾張木桌來到吧檯旁，酒保的頭髮染成紫紅色，呈八爪形根根豎立，臉頰上別著一個安全別針。吧檯盡頭有個大電視掛在半空中，目前播放著MTV頻道，但完全沒有人在看。

酒保送酒過來，強尼給她豐厚小費與燦爛笑容，然後領著凱蒂與塔莉走向電視下方的角落座位。

塔莉馬上舉起瑪格莉特調酒。「敬我們。今天的表現太酷了。」

---

①蘿達・摩根斯坦（Rhoda Morgenstern）：美國一九七〇年代很受歡迎的情境喜劇「瑪莉・泰勒・摩爾秀」（The Mary Tyler Moore Show）中的女配角，是女主角瑪莉的鄰居兼好友。

他們碰杯之後開始喝。

喝不停。

喝到第三杯時，塔莉醉了。當她喜歡的搖滾樂響起，例如金髮美女樂團的〈叩我〉①、英國舞韻樂團的〈美夢〔就是這麼做的〕〉、文化俱樂部的〈你眞的想傷害我？〉，她就會站起來在桌子旁邊獨自跳舞。

凱蒂多希望自己也能那麼隨興，但兩杯酒還不足以讓她忘卻本性，於是她只好看著強尼欣賞塔莉。

直到塔莉去洗手間，他才終於正眼看凱蒂。「她總是那麼橫衝直撞，對吧？」

凱蒂努力想找個巧妙的回答，既能讓話題離開好友，也能展現自己熱情的一面，但她騙得了誰？她沒有熱情的一面。塔莉是火紅絲緞，凱蒂只是米白棉布。「嗯。」

塔莉由洗手間衝出來，醉醺醺跑向吧檯。「十點了，可以轉臺嗎？反正沒人看。」

「隨便。」酒保的造型有如末日戰爭片中的跑龍套角色，他爬上梯子轉臺。

塔莉走向電視，態度有如虔誠信徒走向教宗。

她的臉出現在螢幕上。「我是塔露拉．哈特，在華盛頓州耶姆鎮為您報導。這座寧靜的小鎮今天成爲抗議現場，傑西奈與來自三千五百年前的靈體藍慕沙計畫建立會所，因而與當地民眾發生衝突……」

報導結束之後，塔莉轉向凱蒂，緊張地低聲問：「還可以嗎？」

「妳完全讚透了，」凱蒂誠摯地說。「出色極了。」

塔莉用力抱了凱蒂一下，然後握住她的手。「來吧，我想跳舞。強尼，你也來，我們三個一起跳。」

隨著英國龐克搖滾樂團——性手槍的歌曲，舞池中有男人相擁共舞，也有女人調情親熱。凱蒂旁邊的女生穿著黑色塑膠迷你裙、戰鬥靴搭配網襪，一個人跳得很開心。

塔莉率先跳起舞，接著是強尼，凱蒂最後。一開始她覺得有點不自在，名副其實是個電燈泡，但是跳完一曲後，她漸漸放鬆了。酒精是最好的潤滑劑，讓她的身體變得靈活，當音樂變成慢歌，她幾乎毫不遲疑地投入塔莉與強尼的懷抱，他們三個自在地一起舞動，感覺出奇性感。凱蒂抬頭看強尼，他癡癡望著塔莉，她忍不住希望他能那樣看她。

「我永遠不會忘記今晚。」塔莉對他們說。

他彎腰親吻塔莉。凱蒂太醉了，過了一秒才明白是怎麼回事，接著心開始痛起來。

塔莉打斷這個吻。「壞強尼。」她大笑著推開他。

他的手沿著塔莉的背往下滑，想將她拉過去。「壞有什麼不好？」

塔莉還來不及回答，有人叫她的名字，她迅速轉過身。

查德推擠著人群穿過擁擠紛亂的舞池，他留著長髮，身穿史普林斯汀②T恤，彷彿誤闖新浪潮③世界的硬式搖滾樂手。

塔莉奔向他，他們旁若無人地激情熱吻，接著凱蒂聽見好友說：「老頭子，帶我上床。」

他們沒有揮手、沒有道別、沒有打招呼，就這麼離去。凱蒂呆站在強尼懷中，他則望著門口，彷彿希望塔莉回來，或者笑著說只是整人遊戲，然後繼續一起跳舞。

---

①〈叩我〉（Call Me）：美國搖滾樂團金髮美女（Blondie）一九八〇年作品，為李察・吉爾成名電影「美國舞男」的主題曲。

②史普林斯汀（Bruce Springsteen）：美國搖滾歌手，被稱為「工人皇帝」，以音樂關心中下階層生活，曾獲得許多重要獎項。

③新浪潮（New Wave）：是搖滾樂的一種分支風格，在一九七〇年代中晚期出現。整體來說，是種多變且有時讓人感覺古怪的音樂，常有吸引人的旋律，不少歌曲朗朗上口且易於流行。

「她不會回來。」凱蒂說。

強尼回過神，放開她，回到桌子旁點了兩杯酒，接下來他陷入沉默，她看著他，心裡想：看我。

「那個人是查德・懷利。」他說。

凱蒂點頭。

「難怪了……」他注視著舞池另一頭空蕩蕩的走廊。

「他們在一起很久了。」她端詳他的測臉，在瘋狂的瞬間，她好想主動出擊，對他伸出手。或許她能讓他忘記塔莉或改變心意，或許今晚她可以不在乎屈居次等地位，就算只是酒精作祟也無所謂。酒後亂性也能滋長愛苗，不是嗎？「你以爲可以和塔莉……」

她沒說完他便搶先點頭，接著說：「走吧，穆勒齊，我送妳回家。」

回去的路上，她告訴自己這樣最好。

「晚安，強尼。」她在家門前道別。

「晚安。」他轉向電梯，走到一半忽然停下腳步轉身叫她。「穆勒齊？」

她停住，回頭看他。「嗯？」

「妳今天的表現十分出色，我有說過嗎？妳非常有寫作天分，我沒見過比妳更厲害的撰稿人。」

「謝了。」

夜裡，她躺在床上望著幽暗虛空，想起他這番話，以及他當時的眼神。

就算只是微不足道的地方，至少今天他留意到她了。

或許這份感情沒有她所想的那麼絕望。

13

自從塔莉第一次上電視播報後，所有事情都發生了變化。他們四個人成爲無堅不摧的團隊：凱蒂、塔莉、馬特與強尼，接下來兩年，他們經常一起行動，在辦公室腦力激盪、製作新聞，如吉普賽人般趕往一個個地點。塔莉第二次播報的新聞是關於一隻雪梟，牠在「首都丘」的街燈上築巢，之後，她又負責追蹤加德納的州長競選連任的活動，雖然有數十個記者同時採訪，但加德納經常優先回答她的問題。第一批微軟新貴頭戴超大耳機聽宅男音樂、開著嶄新法拉利在街頭呼嘯而過，KCPO的同仁都知道塔莉很快會出人頭地，離開這個小小的地區電視臺。

大家都知道，而強尼更是體會深刻。雖然他們三個閉口不提以後的事，但未來如同一片總是存在的陰影，但也因此使他們的關係更融洽、更緊密。偶爾不需要加班趕報導時，強尼、塔莉和凱蒂會相約在歌蒂酒吧打撞球、喝啤酒。共事即將兩年了，他們知道對方所有的事情，除了各自不願分享的那些。

除了眞正重要的那些。凱蒂經常覺得很諷刺，他們三個在人生的瓦礫中尋覓眞相，卻堅決不肯看清自己的人生。

塔莉不曉得強尼喜歡她，他則完全沒發現凱蒂的心意。

日復一日，夜復一夜，這段怪異的三角關係持續著，沒有人打破僵局。塔莉總是問凱蒂爲何不交男朋友，她很想說出心事，老實對塔莉坦承一切，但每次準備開口時又打退堂鼓。塔莉和查德剛開始在一起時她義正詞嚴地勸誡，現在又怎麼有辦法說出她喜歡強尼？畢竟老闆是比教授更不恰當的對象。

更何況，塔莉怎麼可能瞭解暗戀的心情？塔莉只會逼她約強尼出去，到時候她該怎麼說？

不行，因爲他喜歡妳。她內心深處有一個自己都不敢承認的黑暗角落，只有在夢中才會看見，在朗朗白日下她不會相信，但夜晚獨處時她會擔心，萬一塔莉發現她的感情，說不定強尼在塔莉眼裡將突然變得很有吸引力。塔莉的毛病並非渴望得不到的東西，而是所有東西她都要，而且遲早能得手。凱蒂不敢冒險，她可以接受無法擁有強尼，但無法看著他被塔莉搶走。

於是凱蒂保持低調、忙碌，將愛情的夢想深深埋藏。爸、媽和塔莉常取笑她不交男朋友，她總是一笑置之，推說她的標準很高，然後提出認識的人做比較，每次總能逗得大家哈哈大笑。

爲了安全起見，她盡可能不和強尼獨處。雖然在他面前她不會再手忙腳亂或舌頭打結，但她知道他的觀察力很敏銳，假使給他太多機會，她拚命隱藏的祕密很可能被看穿。

她的計畫相當成功，可謂面面俱到，直到一九八四年十一月，一個酷寒的日子，她被叫進強尼的辦公室。

那一天，辦公室又只剩他們兩個。奧林匹克國家公園據說有野人出沒，塔莉和馬特去追蹤採訪了。

凱蒂撫平安哥拉羊毛上衣，換上客套的笑容，一進他的辦公室，只見他站在髒兮兮的窗前。「強尼，有什麼事嗎？」

他的模樣很糟，神色憔悴。「我跟妳說過薩爾瓦多的事情，妳還記得嗎？」

「當然。」

「我在那裡還有一些朋友，其中一位是拉蒙神父，他失蹤了。他姐姐認爲他被抓去刑求，可能已經遇害了，她希望我過去一趟設法幫忙。」

「可是那裡很危險——」

「危險是我的小名。」他雖然笑著，但笑容扭曲虛假，有如水中倒影。

「這不是可以說笑的事。你可能被殺害，也可能像去採訪智利政變的那個記者一樣人間蒸發，再也沒有人知道他的下落。」

「相信我，」他說，「我不是在說笑。我以前去過，記得嗎？我看過被蒙起眼睛處決的狀況。」他轉過頭，眼神空洞迷離，她納悶他想起了什麼。「那些人曾經保護過我，我不能背棄他們。如果塔莉求妳幫忙，妳能置之不理嗎？」

「你很清楚我一定會幫，但是她不可能身陷戰區，除非百貨公司週年慶也算數。」

「我就知道能信賴妳。我不在的時候妳會把公司打理好吧？」

「我？」

「我以前說過，妳是個負責任的好孩子。」

她情不自禁地走過去抬頭看他。他要走了，說不定會受傷，也可能發生更慘的狀況。「是好女人才對。」她說。

他低頭看她，臉上沒有笑容。兩人之間的距離每一寸她都能清楚感覺到，她不必費力，只要舉起手就能摸到他。

「好女人。」他說。

然後他離開了，丟下她獨自站在那兒，那些能說而沒說的話有如幽魂纏著她。

強尼不在的這段時間，凱蒂體會到時間的彈性多麼驚人，可以不斷延伸，一分鐘感覺就像一小時，而只要一通電話，只要聽到他鄭重說對不起，時間又如同橡皮筋般彈回原狀。每次電話鈴聲響起她便滿懷期待。第一天結束時，她的頭抽痛不已。

在第一個星期中，她也學到了另一課。塔科馬的臺長還是會打電話來督導，並派了一位製作人過來管理這個團隊，然而實際上，凱蒂慢慢開始接手製作的工作。馬特和塔莉信任她，她懂得如何善用少少預算維持運作。她的單戀總算有點好處，因爲她平時仔細觀察強尼，所以知道該怎麼處理他的工作。當然，相較於他大師級的功力，她頂多只是個小學徒，不過她的能力足以應付。到了第一週的星期四，總部派來的製作人舉雙手投降，說他有更要緊的事情，沒有閒工夫整天追著瘋子跑，就這樣回塔科馬去了。

星期五，凱蒂第一次製作了一段報導。雖然只是無足輕重的軟性報導——追蹤前兒童電視節目明星主持人「煞車手比爾」①的現況，但依然是她的作品，而且順利播出了。

看到自己的作品出現在螢幕上，那種腎上腺素狂飆的感覺很刺激，雖然大家只會記得塔莉的臉孔和聲音。

她打電話給爸媽，他們特地開車過來和她與塔莉一起收看，結束之後，大家舉杯爲「她們的夢想」祝賀，並一致同意實現的那天越來越近了。

「我一直以爲凱蒂會和我搭檔成爲主播，看來我錯了，」塔莉說。「將來她會成爲我的製作人，芭芭拉．華特斯訪問我時，我會說因爲有她，我才能成功。」

凱蒂依照被期望的舉杯祝賀，臉上堆滿笑容，隨著塔莉的滔滔不絕重溫每一刻。她很滿意自己的表現，眞的，製作的過程是種喜悅，和父母一起慶祝也很開心，最富意義的時刻，則是媽媽將她拉到一旁說：「凱蒂，我以妳爲榮。妳踏上成功之路了，現在妳應該很慶幸沒有轉換跑道吧？」

但是整個過程中，她一直偷偷看時鐘，納悶時間怎麼過得這麼慢。

第二天，塔莉搬來一疊影帶放在凱蒂桌上。「妳的氣色很難看。」

凱蒂被聲響嚇了一跳，這才意識到她又呆望著時鐘。「是喔？妳的歌聲很難聽。」

塔莉大笑。「人都有缺點嘛。」她雙手按在凱蒂的桌上彎腰靠近。「晚上我和查德要去『後臺酒吧』，搖滾樂團小凱迪拉克要去表演，要來嗎？」

「今天晚上不行。」

塔莉打量她。「妳是怎麼了？整個星期妳都魂不守舍，我知道妳失眠，常聽到妳半夜走來走去，而且妳都不出去玩，我覺得好像變成了象人②的室友。」

凱蒂忍不住瞥了強尼的辦公室一眼，然後轉回來看著好友，心中瞬間漲滿濃濃的惆悵，要是能告訴塔莉實情就好了——她不小心愛上了強尼，現在非常擔心他——那樣一定能大大減輕她內心的負擔。十年來，這是她第一次對塔莉有所隱瞞，她難受到連身體都不對勁了。

但是她對強尼的感情很嬌嫩，禁不起熱帶風暴塔莉的驟雨摧殘。

「我只是有點累，」她說，「製作工作很辛苦，只是這樣而已。」

「可是妳很喜歡吧？」

「當然，很有趣。快去和查德約會吧，我來關門。」塔莉離開之後，凱蒂獨自在幽暗寂靜的辦公室流連。多奇怪，她喜歡待在這裡，因爲感覺離他很近。

「大白癡。」她罵自己。老實說，最近她每天至少會罵自己兩次。她的舉止有如癡心守候的戀人，她的感覺也是如此，但這一切不過是她的想像——至少她沒有恍神到忘記這個事實。

她一個人回家，公車停在派克街與松樹街口，這裡擠滿形形色色的人，有很多觀光客、怪咖和嬉皮，她夾在中間買晚餐。回到家後，她蜷起身子窩在沙發上，邊看新聞邊吃裝在白色紙盒中的晚餐。晚餐後，她記下幾個可以報導的點子、打電話給媽媽，然後轉到NBC頻道收看影集：講家族權謀鬥爭的「朝代」與醫學劇「波城杏話」。

「波城杏話」演到一半，忽然有人按門鈴。

---

①煞車手比爾（Brakeman Bill）：一九六〇至七〇年代西雅圖塔科馬地區KSTW頻道製作之兒童節目，主持人名稱與節目相同。

②象人（The Elephant Man）：約瑟夫・凱里・梅里克（Joseph Carey Merrick，一八六二～一八九〇年）因罹患罕見疾病導致身體嚴重畸形，成為獵奇秀的「展示品」，主持人為他取了「象人」這個名號，一九八〇年美國導演大衛・林區（David Lynch）將其故事改編成同名電影。在故事中，象人因不被社會接受，所以害怕跟人說話，也假裝不會說話，只想隱藏自己。

她皺著眉頭應門。「誰？」

「強尼・雷恩。」

強大的震撼幾乎使凱蒂跌倒。放心、歡喜與緊張，一次心跳的瞬間她同時感受到這三種情緒。

她瞥一眼客廳牆上的鏡子，倒抽一口氣。她活像時尚雜誌的「改造前」照片，頭髮扁塌，素顏朝天，連眉毛都沒修。

他再次敲門。

她開門。

他站在門外，沉沉靠在門框上，身上穿著髒兮兮的李維牌牛仔褲與破爛T恤，上面印著史普林斯汀「生在美國」巡迴演唱會的圖案。他的頭髮長長了而且沒有梳理，雖然曬黑了一些，但神情頹喪，感覺老了許多，她也嗅到酒臭味。

「嗨。」他放開門框打招呼，因此失去平衡險些摔倒。

凱蒂過去扶住他，攙著他進門，順便用腳關上門，帶他到沙發旁，他幾乎是跌坐上去的。

「我在雅典酒館坐了很久，」他說，「一直提不起勇氣上樓來。」他恍惚地左右察看。「塔莉呢？」

「她出去了。」凱蒂的心抽痛。

「哦。」

她坐在他旁邊。「薩爾瓦多的事情還順利嗎？」

他轉過頭，眼神如此哀瘁，她忍不住將他擁進懷中。

他沉默了許久之後才說：「我還沒到他就死了，可是我一定要找到他……」他由後口袋拿出扁酒瓶灌了一大口。「要喝嗎？」

她啜了一小口，烈酒燒灼她的喉嚨，如熱炭般停在胃部頂端。

「他媽的，狀況眞是讓人心碎，新聞卻只是輕描淡寫帶過，根本沒人關心。」

「你可以去採訪啊。」她說，雖然她並不喜歡這個主意。

「我也想啊……」他的聲音越來越低，然後又大聲起來：「但那不算新聞了。」他又喝了一口酒。

「喝慢一點。」她想搶走酒瓶，沒想到反而被他一把抓住手腕拖到腿上。他的另一隻手撫摸她的臉，彷彿眼睛看不見，要靠觸覺摸索她的長相。

「妳很美。」他呢喃。

「你醉了。」

「妳一樣很美。」他一手沿著她的手臂往上，另一手順著喉嚨往下，最後將她抱進懷中。她知道他要吻她，全身所有神經末稍都感應到了，但她也知道應該制止。

他將她拉過去，她的決心瞬間消散，她順從他雙手的力量，任他領著自己往下漸漸接近他的嘴唇。

這個吻與她從前的經驗截然不同：一開始溫柔甜蜜，接著變成索求且霸道。她將自己完全交給他，如同她一直以來的夢想。他的舌頭彷彿帶著電流，激起嶄新而痛楚的慾望，她開始急不可耐地貪求他，想都沒想就將雙手伸進他的上衣，感受他肌膚的溫度，需要更加貼近……

她的雙手來到他的鎖骨上，將柔軟溫暖的棉布T恤往上拉起，這時，她察覺他沒有反應。她的感官太過混亂，過了一下子頭腦才清醒。這全新的需求讓她隱隱作痛，她重重喘息著，後退一些查看他。

他躺在沙發上，眼睛半閉，緩緩舉起一隻手，動作有些僵硬，彷彿無法完全控制行動，最後落在她的嘴唇上，指尖描著外圍。「塔莉，」他低語，「我就知道妳一定很美味。」

給她心頭一記重擊之後，他沉沉睡去。

凱蒂坐在他腿上低頭呆望著他的臉，不曉得這樣過了多久。再一次，時間在兩人間拉長。那種感覺像流血，但由體內滴滴流淌消逝的並非血液，不是那種能夠輕易轉移的東西，她失去的是夢，她獨自栽種、細心呵護的夢幻愛情之花。

她離開他身上，扶他在沙發上躺好，脫掉他的鞋子，拿來毯子幫他蓋好。

她回到房間關上門，躺在床上許久無法入睡，努力不去一再回想剛才的事，但怎樣也做不到。她一直嘗到他嘴唇的滋味，感受到他舌頭的觸感，聽見他低聲說著塔莉。

過了午夜很久，她才終於入睡，而早晨來得太快。六點時她按掉鬧鐘，刷牙，梳頭，穿上睡袍，急匆匆來到客廳。

強尼已經醒了，坐在廚房餐桌旁喝咖啡。看到她進來，他放下杯子站起來。「嗨。」他伸手爬梳了一下頭髮。

「嗨。」

他們四目相對，她綁緊睡袍的腰帶。

他瞥一眼塔莉的房門。

「她不在，」凱蒂說，「昨天晚上她在查德家過夜。」

「那麼是妳讓我睡在沙發上，還幫我蓋毯子？」

「對。」

他走向她。「昨晚我醉得很慘，對不起，我不該跑來這裡。」

她不曉得該說什麼。

他終於說：「穆勒齊，我知道昨晚我不太正常……」

「沒錯。」

「我們……有發生什麼事嗎？我不希望——」

「我們？怎麼可能？」她搶話，不給他機會說出萬一兩人發生關係他會有多懊惱。「別擔心，什麼都沒發生。」

他的笑容是如此慶幸，她覺得好想哭。「那我們辦公室見吧。謝謝妳照顧我。」

「不客氣。」她雙手環胸。「我們是朋友，應該的。」

14

一九八五年即將結束時，塔莉得到一次大好機會。她獲派前往「明燈丘」①進行現場直播報導，她很意外自己竟然緊張到手指發抖、聲音沙啞，但是結束後她覺得自己天下無敵。她的表現極爲出色，甚至可說令人驚奇。

她端坐在車子的前座，因爲亢奮而微微躍動。這輛車特別改裝過，以符合現場直播的設備需求，她閉起雙眼重溫每一刻：她擠到人群前面發問，結尾的鏡頭更是毫無瑕疵，她站在被燈光照亮的河岸前，紅黃色的警車燈照亮向晚天空。結束之後，他們花了很長的時間將器材裝上車，回公司的車程也很長，但她不在乎。她不希望這個夜晚太早結束，她還戴著耳機、電池、無線麥克風和對講機，這些東西是榮耀的勳章。

「在那家便利商店停一下，我口渴了。」強尼在後座說，「馬特，趁現在下去拍幾個遠景鏡頭；塔莉，輪到妳去跑腿了。」

馬特將車開進停車場。「酷。」

車停好之後，塔莉收了錢，下車往燈火通明的便利商店走去。

她的耳機裡響起強尼的聲音：「我不要那種新可樂喔。」

她從腰帶上拿起對講機，啓動之後說：「你說了幾百次，我又不是白癡。」

進入店面，她找了一下冷飲櫃在哪裡，看到之後由藥品那一排走過去。

「嘿，快看，」她對著對講機說，「這裡有賣預防老人健忘的營養品耶，你需要嗎，強尼？」

「貧嘴。」他在耳機裡說。

她笑著握住飲料櫃的門把，忽然發現玻璃上有道陰影晃過，她轉過頭，看到一個戴著灰色滑雪面罩的男人拿槍指著店員。

「噢，上帝啊。」

「妳在叫我嗎？」強尼說，「妳終於明白——」

她慌亂地將對講機的音量調到最小才關掉，以免被搶匪聽到。她將對講機掛回腰帶上用外套遮住，同時藏好電池。

收銀臺前的搶匪轉頭看她。

「妳！趴在地上。」蒙面男子對天花板開槍警告。

「塔莉？到底發生什麼事了？」耳機裡傳來強尼的聲音。

塔莉急忙拉扯耳機線，盡可能藏在外套下，接著將對講機的輸出音量轉到最大，希望強尼能聽到背景的聲音。她按下通話鈕，以她敢發出的最大音量說：「有人搶劫。」

透過耳機，她聽見強尼說：「要命了。馬特，快報警，然後開始拍攝；塔莉，保持冷靜，趴在地上別亂動。我們可以進行現場直播，啓動妳的麥克風，我來聯絡臺裡，現在正好是新聞時段。史丹，你有沒有聽見？」

幾秒後，強尼說：「好，塔莉，我們將透過邁可進行報導，現在他正在播報十點新聞。妳的聲音會即時傳送出去，妳聽不見他的聲音，但是他能聽見妳說話。」

塔莉啓動麥克風低聲說：「我不曉得欸，強尼，要怎麼——」

---

①一九八五年十一月二十四日，位於西雅圖市明燈丘的柯曼高中（Colman）廢校，此校是該地區第一個收黑人學生的高中，因此別具意義。廢校後，一群社區運動人士為推動將該校改建為西北部非裔美人博物館而進行佔領，行動持續到一九九三年方才落幕，成為美國民運史上最長的佔領活動。

「塔莉，妳的麥克風在線上，」他急切地說，「現在是實況轉播，快。」

蒙面搶匪一定是聽到了聲音，他突然轉身用槍指著她。「媽的，我叫妳趴好。」

接下來她只聽到一句：「我受夠了這些狗屁。」然後他就開槍了。

瞬間爆出巨響，塔莉還來不及尖叫，子彈已經射中她的肩膀，衝擊力讓她倒在地上。她撞上身邊的貨架，隱約察覺五顏六色的盒子被壓扁，四散落在周圍，她的頭重重撞上合成地板。

她躺在地上喘氣，望著天花板上蛇一般扭動的日光燈管。

「塔莉？」

是強尼，在她的耳朵裡。她以緩慢的動作輕輕翻身，肩膀一陣抽痛，但她咬牙繼續動作。她保持趴伏，手腳並用爬向走道盡頭，拆開一盒衛生棉取出一片壓住傷口，一按她就痛得要命兼頭暈眼花。

「塔莉？怎麼回事？快說話。妳還好嗎？」

「我在，」她說，「只是忙著……處理傷口，應該沒有大礙。」

「感謝老天，」強尼說，「要關掉麥克風嗎？」

「休想。」

「好。記住，妳正在現場直播，不要忘記說話。他們聽不見我的聲音，但是可以聽見妳的。ㄚ頭，這是妳一炮而紅的好機會，我就在這裡協助妳。可以描述一下現在的狀況嗎？」

她蹲起身，痛得整張臉一揪，接著慢慢往前移動，抬頭試著進行評估。「幾分鐘前，一名蒙面男子闖入這家位於明燈丘的便利商店，持槍要求店員交出現金。他先是對空鳴槍示威，後來又對我開槍。」她在不驚擾搶犯的程度下盡可能提高音量。

她聽見聲響，好像是哭聲，她保持蹲低姿勢接近牆角，發現一個小男孩縮成一團靠在色彩繽紛的糖果架旁。

「嗨。」她伸出一隻手，他急忙握住，他抓得很緊，她抽不回手。「你叫什麼名字？」

「凱柏，我和爺爺一起來的。妳有沒看到那個人開槍？」

「有。你爺爺應該平安無事，我去找他，你在這裡躲好。凱柏，你姓什麼？今年幾歲？」

「林雷特，到七月就滿七歲了。」

「很好，凱柏．林雷特，保持蹲低，不要出聲。不可以再哭嘍，好不好？勇敢一點。」

「我盡量。」

她低頭對著麥克風低聲說話，她不曉得電視臺是否能全部聽到，但只能繼續說下去。「我在糖果架旁邊發現一個七歲大的男童，他的名字是凱柏，他和爺爺一起來，我正在找他。我聽見搶匪在櫃臺那邊恐嚇店員，告訴警方，歹徒只有一人。」她轉向角落。

她看到一個老人盤腿坐在地上，抱著一盒狗飼料。「你是凱柏的爺爺嗎？」她低聲問。

「他沒事吧？」

「他很好，只是受了驚嚇，現在在糖果架旁邊。你看到了什麼？」

「我從窗戶看到搶匪開著一輛藍色車子過來。」他看看她的肩膀。「妳應該——」

「我要靠近一點。」她用力壓住傷口上的衛生棉，忍著痛等暈眩過去，這次放開時手上有血，她不予理會，雖然聽不見主播的聲音，但她繼續對他說話：「邁可，顯然這名搶匪是獨自開著藍色車輛來到這裡，車子停在一扇窗戶外面。我很高興告訴大家，凱柏的爺爺活著而且沒有受傷。現在我正往櫃臺前進，我聽見搶匪大吼說應該不只這點錢，店員說他沒辦法開保險箱。我看到外面有閃光，應該是警方抵達了，他們用探照燈照亮店鋪，要求搶匪舉起雙手走出去。」她快步跑過一塊沒有掩蔽的地方，隨後躲在瑪莉．露．雷頓①吃麥片的人形立牌下。「邁可，告訴

---

①瑪莉．露．雷頓（Mary Lou Retton）：美國競技體操選手，於一九八四年洛杉磯奧運贏得女子體操全能金牌，之後成為喜瑞爾營養穀品代言人。

警方犯人脫下面罩了，他是金髮，蛇形刺青繞過整個脖子。槍手非常驚慌，大聲罵著髒話揮舞槍枝，我認為——」

又一聲槍響，玻璃碎裂，幾秒後，霹靂小組由窗口衝進來。

「塔莉！」強尼大聲呼喚她。

「我沒事。」她緩緩站起來，一動就覺得劇痛難耐、頭暈目眩。她由破掉的窗戶看到轉播車，馬特站在那兒拍攝所有經過，但她沒看到強尼。「西雅圖霹靂小組擊破玻璃窗進來，搶匪已經被制伏在地上了。我盡可能靠近，看看能不能進行訪問。」

她由立牌後面走出來，慢動作前進，接近麥片貨架時，她瞬間冒出一個念頭：穆勒齊家星期六的早餐，穆勒齊伯母會讓她吃卡通玉米片，不過只限週末。

這是她最後一道清晰的思緒，接著就昏倒了。

去醫院的車程非常漫長，好像永遠到不了。城市車陣走走停停，凱蒂坐在臭氣熏人的計程車裡，一路祈禱塔莉平安無事。車子終於停在醫院前，時間已經超過十一點了，她付了車資，隨即衝進燈火通明的大廳。

強尼和馬特在裡面，神色憔悴，癱坐在很不舒服的塑膠椅上。一看到她進去，強尼立刻站起來。

她跑過去。「我看到新聞了。怎麼回事？」

「搶匪開槍擊中她的肩膀，但她繼續報導。穆勒齊，妳眞該看看她那時候的模樣，非常出色，毫無畏懼。」

他的語氣與眼神裡滿是愛慕，換作其他時候，那毫不掩飾的與有榮焉或許會讓她傷心，但此刻她卻火冒三丈。「所以你才那麼愛她，是嗎？因為她擁有你所欠缺的膽識。你讓她去冒險、害她受槍擊，再來讚賞她的熱情。」她的聲音顫抖，最後那個詞尾音拉得長長的，有如包裹劇毒的太妃糖。「去你的英雄事蹟！我關心的不是新聞，而是她的命。你有沒有去問過她的狀況？」

她的暴怒讓他一臉錯愕。「她在動手術，她——」

「凱蒂！」

她聽見查德叫喚她的名字，轉身看到他跑進大廳，他們抱在一起，如同風和雨一般自然地互相依靠。

「她還好嗎？」他在她耳邊低語，他的聲音流露出脆弱，就像她一樣。

她退開。「在動手術，我只知道這麼多。不過她不會有事的，子彈無法抵擋風暴。」

「雖然她老愛逞強，但其實沒那麼堅強，妳我都知道，不是嗎，凱蒂？」

她嚥了一下，點點頭。在彆扭的沉默中他們並肩站著，對塔莉的關懷像一條無形的繩索將他們綁在一起。她從他的眼神中清清楚楚看出，他眞的愛塔莉，而且他非常害怕。「我去打電話通知我爸媽，他們應該也想過來。」

她等著他回應，但他只是呆站在原處，眼神迷茫，雙手握拳放在身側，有如隨時準備拔槍的西部槍手。她疲憊地笑了笑，轉身走開，經過強尼身邊時，她忍不住說：「現實中的人會像那樣互相扶持度過難關。」

她來到一排公用電話前，投進四枚兩角五的硬幣，撥打家裡的號碼。爸爸接起電話，她說明狀況之後掛斷，深深慶幸接電話的人不是媽媽，因爲聽見媽媽的聲音她會崩潰。

她轉過身，強尼在旁邊等候。「對不起。」

「你的確該道歉。」

「凱蒂，要做這一行就得學會將內心分隔，以報導爲最優先，這是職業傷害。」

「對你和塔莉這樣的人而言，報導永遠最重要。」她扔下他獨自站在那裡，坐在沙發上低著頭再次禱告。

不久之後，她感覺他來到身邊但一直沒開口，於是她抬起頭。

他沒有動，甚至沒有眨眼，但她看得出他非常緊繃，他似乎死命撐住冷靜的表象，但邊緣的破綻越來越明顯。「穆勒齊，妳看起來溫和，其實很強悍。」

「有時候。」她本來想說愛給了她力量，尤其是在這種時刻，但是她不敢看著他說出那個字。

他動作緩慢地在她身邊坐下。「妳怎麼會這麼瞭解我？」

「辦公室就那麼一點大。」

「不是這個原因。沒有人像妳這麼瞭解我。」他嘆息往後靠。「我的確害她陷入險境。」

「她自己也想把握這次機會。」她讓步。「我們都很清楚。」

「我知道，但是……」

他沒有把話說完，她看著他問：「你愛她嗎？」

他完全沒有回答，只是坐在那裡，閉著雙眼靠在椅背上。

她無法忍耐，好不容易才鼓起勇氣發問，她想知道答案。「強尼？」

他伸手摟住她的肩膀將她拉過去，她沉入他所給予的安慰中。在他懷裡的感覺有如呼吸般自然，但她知道這種感覺有多危險。

他們靜靜坐在一起度過漫長空虛的夜晚，無言等待。

塔莉漸漸醒來，開始察覺到周遭的環境：天花板上的白色隔音磁磚、一條條的日光燈館、床上的銀色欄杆，以及她身旁的托盤。

記憶一點一滴回到意識中：明燈丘，便利商店，她想起槍口指著她，還有疼痛。

「爲了出風頭，妳可眞是無所不用其極呀。」凱蒂站在門口，穿著寬鬆的華盛頓大學運動褲與舊舊的希臘週活動T恤。她往床邊走來，眼淚湧出，她忿忿抹去。「可惡，我發過誓不會哭。」

「感謝老天，妳在這裡。」塔莉按下控制鈕，讓床立起來讓她變成坐姿。

「我當然在這裡，大白癡。所有人都來了，查德、馬特、媽、爸，還有強尼。他陪我爸玩了好幾個鐘頭撲克牌，外加聊新聞，媽至少織完了兩條毛線毯。大家都擔心死了。」

「我的表現好不好？」

雖然眼淚滑落面頰，凱蒂還是大笑起來。「妳的第一個問題竟然是這個。強尼說妳讓潔西卡・賽維其相形失色。」

「不曉得『六十分鐘』會不會訪問我。」

凱蒂站在她身邊。「不准再那樣嚇我，知道了嗎？」

「我盡力。」

凱蒂還來不及回答，門被打開了，查德端著兩個保麗龍咖啡杯站在門口。「她醒了。」他輕聲說，將杯子放在旁邊的桌上。

「她才剛睜開眼睛。當然，她一點也不關心傷勢，只想知道有沒有機會贏得艾美獎。」凱蒂低頭看著好友。「我先出去了，你們兩個慢慢聊。」

「妳不會走掉吧？」塔莉問。

「等大家都回家以後我會再來。」

「好，」塔莉說，「我需要妳。」

凱蒂一出去，查德立刻來到床邊。「我還以爲會失去妳。」

「我很好。」她的語氣很不耐煩。「你有沒有看到播出？你覺得怎樣？」

「我覺得妳一點也不好，塔莉。」他柔聲說。「我認識很多有毛病的人，但妳是問題最大的一個，可是我愛妳。整個晚上我一直在想，沒有了妳，我的人生會變成怎樣，我一點也不喜歡那種結果。」

「你怎麼會失去我？我就在這裡。」

「嫁給我，塔莉。」

她還以為是玩笑話，差點笑出來，但她看見他眼中的恐懼，他眞的很害怕失去她。「你是認眞的。」她皺著眉頭說。

「田納西州的范德堡大學請我過去，我希望妳一起去。塔莉，雖然妳不知道，但其實妳愛我，而且需要我。」

「我當然需要你。田納西在四十大媒體市場中嗎？」

他憔悴的臉瞬間一垮，笑容隨之消失。「我愛妳。」他再次說，這次很輕柔，但沒有以親吻封印與強調。

他身後的門開了。穆勒齊伯母雙手扠腰站在那兒，穿著廉價牛仔裙、小圓領格子襯衫，很像青春歌舞片「渾身是勁」中的配角。「護士說會客時間只剩五分鐘，然後就要把我們全趕出去。」

查德彎腰吻她，這個吻很美、很纏綿，將他們拉近的同時也突顯出兩人之間的距離有多遠。「我愛過妳，塔莉。」他低聲說。

愛過？他剛才說愛過？過去式？「查德——」

他轉身離開病床。「瑪姬，她交給妳了。」

「抱歉這樣趕你出去。」穆勒齊伯母說。

「沒關係，我的時間好像過了。再見，塔莉。」他由穆勒齊伯母身邊走過，離開病房，讓門自行砰一聲關上。

「嘿，小丫頭。」穆勒齊伯母喚。

塔莉瞬間哭了出來，連她自己也大吃一驚，穆勒齊伯母只是摸摸她的頭髮，任由她哭泣。

「看來我眞的嚇到了。」

「噓，」穆勒齊伯母輕聲安慰，用面紙擦去她的淚水。「當然嘍，可是現在我們都來陪妳了，妳不必獨自面對。」

塔莉盡情哭泣，直到胸口的壓力減輕、淚水流盡，她終於覺得舒服了一點，才擦乾眼淚，擠出笑容。「好了，現在我可以聽訓了。」

穆勒齊伯母表情嚴厲地看著她。「妳的教授，塔莉？」

「前教授。所以我才一直沒告訴妳，我知道妳會說他的年紀太大了。」

「妳愛他嗎？」

「我怎麼知道？」

「妳自然會知道。」

塔莉看著穆勒齊伯母，第一次覺得自己比她老成世故。穆勒齊家的人都以爲愛是一種持久可靠的東西，一眼就能認出來。塔莉雖然年輕，但她知道並非如此，愛比麻雀的骨頭更不堪一擊，可是她沒有說出來，只是淡淡回答：「也許吧。」

一夜之間，塔莉成爲西雅圖的媒體寵兒。專欄作家艾密特・華森難得一次沒有批評華盛頓州加州化的問題，特別寫了一篇文章稱讚塔莉在火線下表現出的勇氣、對報導的投入，還說新聞界應該以她爲榮。廣播電台KJR播放了一整天的搖滾樂，獻給「用麥克風阻止搶案的辣妹」，就連當地最熱門的喜劇秀「差點直播」都演了一段短劇嘲弄笨拙的搶匪，飾演塔莉的人打扮成神力女超人。

她的病房裡堆滿了花束、氣球，很多來自於經常出現在新聞中的人物。到了星期三，她開始將花束和花飾轉送給其他病患。負責照顧她的護士除了一般工作，還得兼任她的保鏢與門衛。

「妳是這方面的天才，告訴我該怎麼做。」她坐在病床上，翻閱著凱蒂從公司帶來的一疊粉紅色便條紙，全是祝她早日康復的留言，上頭的名字都是大人物，但她無法專心。她的手臂很痛，吊帶讓小事變成大挑戰，更煩人的是她不斷想起查德突如其來的求婚。「拜託，田納西耶，乾脆叫我去內布拉斯加①算了。」

「可不是。」

「在那種地方我怎麼有辦法出人頭地？說不定我該去，在那裡我一定能迅速爬上頂點，得到聯播網的注意。」

凱蒂坐在床腳，伸長雙腿與塔莉並排。「聽著，我們聊這件事很久了，感覺至少有一個小時，或許不太適合由我提出這件事，但妳從頭到尾沒有提起愛。」

「妳媽說如果我愛他自然會知道。」她低頭看著自己的光禿禿的左手，試著想像戴上鑽石戒指的模樣。

「妳以前說過，假使妳在三十歲之前考慮結婚，要我一槍打死妳。」凱蒂笑嘻嘻地說。

「要不要改一下啊？」

「眞搞笑。」

床邊的電話響起，她接起來，繼續望著左手，希望是查德打來的。「喂？」

「塔露拉．哈特？」

「我是弗瑞德．羅巴赫，妳大概記得我……」

她失望嘆息。「是。」

「我當然記得——ＫＩＬＯ電視臺，我高三那年每個星期都寄履歷表給你，上大學之後還寄了錄影帶。你好嗎？」

「很好，謝謝，不過現在我不在ＫＩＬＯ電視臺了，而是在ＫＬＵＥ。我負責晚間新聞。」

「恭喜。」

「事實上，我打電話給妳就是爲了這個。應該有很多電視臺聯絡過妳了，但我們保證能給妳最好的條件。」

這下她全神貫注了。「哦，眞的？」

凱蒂下床來到塔莉旁邊，用嘴形問：什麼事？

塔莉揮手要她別吵。「說來聽聽。」

「只要能說服妳加入KLUE新聞家族，我們什麼都願意。我們想請妳來公司進一步研究，什麼時候比較方便？」

「我馬上就要辦理出院了，明天早上十點好嗎？」

「明天見。」

塔莉掛上電話，興奮尖叫。「那是KLUE電視臺，他們想雇用我！」

「噢，我的天。」凱蒂上下跳著。「妳要變成大明星了，我就知道，我等不及——」她說到一半停了下來，笑容也消失了。

「怎麼了？」

「查德。」

塔莉感覺內心深處抽緊。她想假裝左右爲難、無法抉擇，但她知道事實並非如此，凱蒂也很清楚。

「妳要成爲大明星了。」凱蒂堅定地說。「他一定能體諒。」

---

①內布拉斯加州位於美國中西部，以農業為主要經濟來源，比位於南方的田納西州更深入內陸。

15

凱蒂假裝專心駕駛塔莉的車，但實在很難。自從面試結束上車之後，塔莉的嘴就沒停過，不斷編織著少女時期的那個夢想。凱蒂，我們就要成功了。等我登上主播臺，一定會要他們雇用妳當記者。

凱蒂知道應該踩煞車，是時候為她們共同的未來畫下句點了。她不想繼續被塔莉拖著跑，更何況她不想離開現在的公司。她終於找到了繼續留在這一行的理由。

強尼。

眞是可悲。他不愛她，但她忍不住想著，或許塔莉離開之後她能有機會。

雖然荒唐又可恥，但她夢想的重點在他身上，而不是傳播，可是她無法對任何人坦承。二十五歲、擁有學士學位的女性應該要賺大錢，攀上企業階級的頂端，管理當年拒絕雇用她們母親的公司，盡可能避免在三十歲之前結婚。這個年紀的女性普遍認為婚姻與生育可以慢慢來，不該為了家庭放棄自己。

萬一有人想要家庭，而不是有權有勢的自己，那又該怎麼辦呢？凱蒂知道塔莉一定會取笑她卡在五〇年代，就連媽媽也會說這樣不對，然後搬出那個沉重的詞：後悔。她會引用女性雜誌上那些文章，教訓她只當媽媽是浪費天分的行為。媽媽從來沒察覺說這些話時她的表情多惆悵，彷彿她所選擇的人生毫無意義。

「嘿，妳忘記轉彎了。」

「噢，對不起。」凱蒂在下一個街口轉彎繞回去，停在查德家門口。「我在車上等，我想讀完《魔符》①。」

塔莉打開車門。「他一定能理解爲什麼我還不能嫁給他，他知道這個機會對我有多重要。」

「他一定懂。」凱蒂附和。

「祝我好運。」

「哪次不是？」

塔莉下車，走向大門。

凱蒂翻開平裝小說沉溺在故事中，許久之後她抬起頭來，發現外面在下雨。

這時候塔莉應該會出來說今晚要留宿查德家，要凱蒂自己先回去。凱蒂闔起小說，下了車，走在通往門口的水泥小徑上，她忽然有種不祥的預感。

她敲了兩下門，然後自行打開。

客廳空蕩蕩，塔莉獨自跪在壁爐前哭泣。

塔莉遞給她一張沾滿淚水的紙。「妳看。」

凱蒂跪坐在地上，看著信紙上粗黑的字跡。

塔莉，

是我向KLUE推薦妳的，所以我很清楚妳來是爲了告訴我這件事。寶貝，妳是我的榮耀，我知道妳一定能成功。

當我接下范德堡大學的工作，心裡便很清楚我們無法繼續下去了。我希望……但我清楚知

---

①魔符（The Talisman）：史蒂芬・金與彼得・史超伯（Peter Straub）於一九八四年出版之奇幻小說，敘述十二歲的傑克為拯救母親的性命，而到「魔域」尋找魔符的故事。

道不能。

塔莉，在這個世界上妳要的東西很多很多，而我要的只有妳。

這樣的兩個人當然無法契合，對吧？

我只想說，我會永遠愛妳。

點燃世界吧！

署名只是一個簡單的C。

凱蒂遞回那封信，塔莉說：「我以爲他愛我。」

「感覺起來他確實很愛妳。」

「那爲什麼他要離開我？」

凱蒂看著朋友，聽出塔莉小時候被母親一再拋棄留下的傷痛。「妳有沒有說過愛他？」

「我說不出口。」

「那麼說不定妳並不愛他。」

「說不定我愛他，」塔莉嘆息。「只是我眞的很難相信愛情。」

這是她們兩人之間最根本的差異。凱蒂全心全意相信愛情，只可惜她所愛的人眼中根本沒有她。「反正現在妳的事業最重要，愛情與婚姻可以慢慢來。」

「是啊，等我們成功之後再說。」

「嗯。」

「到時候絕對會有人愛我。」

「全世界都會愛妳。」

塔莉大笑著說：「去他的。」但是笑聲有些淒涼。許久許久之後，那句話依然在凱蒂腦中盤旋，忽然間她有些擔憂。

萬一全世界都愛塔莉，但她依然不滿足，那該怎麼辦？

塔莉忘記了夜晚竟是如此漫長孤寂，多年來查德一直保護著她、讓她依靠。因爲他，她學會了徹夜安眠、平靜呼吸，夢裡只有輝煌的未來，因爲他愛她，就算兩個人沒有一起過夜她也睡得很安穩，因爲她知道可以隨時去找他。

她掀開被單下床，很快地看了眼床頭櫃上的時鐘，發現才凌晨兩點多。

一如她所想的，漫長而孤寂。

她走進廚房，裝滿一壺水放在爐子上，站在旁邊等水開。

說不定她做錯了，也許她此刻感受到的空虛就是愛。她似乎只注意到負面情緒卻感受不到正面，不過考量到她過往的人生，這樣或許一點也不奇怪。不過，就算她真的愛他，那又如何？她能怎麼辦？跟他去田納西，住進大學教職員宿舍，成爲懷利太太？這樣她就無法成爲下一個珍恩·艾諾森或潔西卡·賽維其了。

她由櫥櫃中拿出印著KVTS的大杯子，倒好茶之後，她走進客廳，坐在沙發上屈起雙腿，握著瓷杯暖手。茶香飄上來，她閉起雙眼試著釐清思緒。

「睡不著嗎？」

她抬起頭，看到凱蒂站在臥房門口，身上那套法蘭絨舊睡衣她穿了很多年。塔莉通常會取笑她像電視上的鄉巴佬，但今晚她很感謝能有這份熟悉的慰藉。眞奇怪，一件衣服竟能讓人回想起那麼多年的往事——睡衣派對、化妝打扮、週六上午看著卡通吃早餐。「抱歉吵醒妳了。」

「妳的腳步聲活像大象。還有熱水嗎？」

「水壺在爐子上。」

凱蒂走進廚房，出來時端著一杯茶和一盒爆米花零食。她將爆米花扔在兩人中間，面向塔莉背靠著扶手坐下。「妳沒事吧？」

「我的肩膀痛得要命。」

「妳多久沒吃止痛藥了？」

「總之過了規定的時間。」

凱蒂放下杯子走進浴室，拿來一杯水和止痛藥。

塔莉配著水吞下藥丸。

「好了，」凱蒂回到座位上。「想談談眞正的問題嗎？」

「不想。」

「別逞強，塔莉。我知道妳在想查德，納悶是不是做錯了。」

「老朋友就是這一點不好，太瞭解我了。」

「也許吧。」

「我們兩個哪裡懂愛？」

凱蒂的神情惆悵又略帶批評，塔莉很討厭那種表情，感覺很像在可憐她。「我懂愛，」她輕聲說。「或許不是相愛或被愛的那種，但我知道愛人的感覺，也知道那有多痛。我認爲如果妳眞的愛查德，那麼妳自然會知道，現在就會跟他一起在田納西了。至少當我愛上一個人，我自己會知道。」

「妳的世界總是那麼黑白分明。妳怎麼知道自己想要什麼？」

「塔莉，妳知道自己要什麼，一直都很清楚。」

「所以我永遠不可能戀愛？這是我追求名聲與成功的代價？孤獨終老？」

「妳當然可以戀愛，可是妳要准許自己墜入愛河。用『墜入』這個詞不是沒道理的。」

這番話應該會給塔莉安慰，應該帶給她希望，她知道，但她感覺不到那份樂觀，反而覺得由凱蒂口中說出來顯得格外冰冷空洞。「我的內心有缺陷，」她輕聲說。「最早看出來的人是我爸爸，雖然我不知道他是誰，但他一看到我就決定落跑，更別說我慈愛的老媽。我……總是輕易被拋棄，爲什麼呢？」

凱蒂在沙發上移動過去靠著塔莉，就像當年在皮查克河畔那樣。零食盒子戳到她的背，她拿出來扔在滿是報紙的凌亂茶几上。「塔莉，妳沒有缺陷，事實上恰好相反，妳比一般人擁有更多。妳眞的非常非常特別，如果查德看不出來，或是無法等妳準備好，那麼他就不是妳的眞命天子。和年紀大的人交往常有這種問題，他準備定下來時，妳才正要起飛。」

「沒錯。我忘記了我還很年輕，他應該理解並耐心等我。假使他眞的愛我，怎麼可能離開我？妳能離開所愛的人嗎？」

「不一定。」

「怎麼說？」

「要看他會不會愛我。」

「妳會等多久？」

「很久。」

自從看了查德的信之後，塔莉第一次覺得好過一些。「妳說得對。我愛他，不過看來他並不愛我，或者該說愛得不夠深。」

凱蒂蹙眉。「我不是那個意思。」

「差不多啦。我們還太年輕，不該被愛情綁住，我怎麼會忘記呢？」她擁抱凱蒂。「沒有妳我眞不知道該怎麼辦。」

很久之後，塔莉度過另一個無眠的長夜，躺在床上看著窗外的黎明漸漸來臨，這一夜所說過的話重上心頭，強而有力且揮之不去。*我總是輕易被拋棄。*

16

自從塔莉去了新公司，凱蒂發覺自己彷彿由遠處觀察好友的生活。一個月又一個月，她們的生活各自獨立，只有回家才在一起。塔莉一週工作七天，一天十二個小時，就算不在辦公室也忙著搜查資料、追蹤新聞，只要能讓她上鏡頭，她什麼都願意做，拚了命爭取上電視的機會。

少了塔莉，凱蒂的人生頓然失序，就像洗了太多次的毛衣一樣，無論如何整理、摺疊也無法恢復原狀。媽媽老愛教訓她要走出恐懼，開始交男朋友、找樂子，但是那些對她有意思的男生她全都沒感覺，怎麼可能進一步交往？

塔莉沒有這種問題。雖然晚上喝酒時她依然會爲查德哭泣，卻可以若無其事地認識新對象、帶他們回家，凱蒂經常看到男人走出塔莉的臥房，從來沒有重複過。根據塔莉的說法，她原本就打算這樣，她說不打算再談戀愛了。雖然爲時已晚，但塔莉漸漸相信她曾經瘋狂愛過查德，以至於沒有男人能比得上他，但那份愛卻不足以讓她打電話給查德，或是搬去田納西。

塔莉每次喝醉便開始回憶她和查德之間偉大的愛情，老實說，凱蒂越來越覺得煩。凱蒂知道愛是什麼，明白愛能讓人神魂顛倒，也能搾乾一顆心。單戀淒涼又悲慘，她像是一顆次等行星，鎮日繞著強尼的軌道運行，在孤寂的沉默中看著他、渴望他、爲他心痛。

一起在醫院等候室度過慢慢長夜之後，凱蒂原本以爲會有一絲希望。她感覺兩人之間開了一扇門，他們可以輕鬆交談，而且談的都是有意義的話題，然而，在等候室明亮燈光下所產生的那一點進展，隨著黎明的到來漸漸褪色。她永遠忘不了他聽到塔莉沒有大礙時的表情，那絕不只是鬆了一口氣而已。

就在那一刻，他放開了她。

現在終於到了她放開他的時候，她要拋棄小女孩的夢幻，連同其他早已遺忘的玩具一起扔進沙堆裡，朝著未來大步前進。他不愛她，任何與這個事實相反的夢想都只是虛幻妄念。

不能再這樣下去。今天上班時她下了這個決心，當時她站在他的辦公室門口，等他察覺她在那裡。

一下班，她立刻直奔市場的書報攤，買下所有地方報紙。塔莉還沒回家，可能和今天看上的男人泡酒吧，也可能還在加班，凱蒂打算利用這個機會導正人生的方向。

她坐在廚房餐桌前，吃了一半的外帶餐點四散在周圍，翻開《西雅圖時報》的分類廣告人事專區。她看到幾個有興趣的選擇，拿起筆來圈起一個，這時身後的門被打開了。

她轉身看到塔莉站在門口，一身約會裝扮——以巧妙手法割破的上衣露出一邊肩膀，牛仔褲塞進抓皺短靴裡，寬腰帶低低懸在髖部上，她的頭髮整個刷蓬，以亮色香蕉夾固定在左耳上方，脖子上戴著許多精美十字架組成的項鍊。

可想而知，她帶了男人回來，她整個人掛在他身上。

「嘿，凱蒂。」她大舌頭很嚴重，像是連灌了三杯瑪格莉特。「看看我遇到誰。」

那個男人由門外進來。

是強尼。

「嘿，穆勒齊，」他笑著說，「塔莉要妳一起來跳舞。」

她以極度謹慎的動作闔上報紙。「不，謝了。」

「別這樣嘛，凱蒂，就像以前那樣啊，」塔莉說，「三劍客重新聚首。」

「我覺得不太好。」

塔莉放開強尼的手，蹣跚走向她，幾乎是整個人倒過來。「拜託，我今天很不順，我需要妳。」

「不要。」凱蒂說，但塔莉沒有在聽。

「我們去『凱爾愛爾蘭酒吧』。」

「來嘛，穆勒齊，」強尼朝她走來。「一定很好玩。」

他的笑容讓她無法拒絕，即使她很清楚不該和他們一起去。

「好吧，」她說，「我去換衣服。」

她進入臥房，換上大墊肩閃亮藍洋裝搭配腰封，當她回來時，看到強尼將塔莉壓在牆上，抓著她的手舉高過頭，激情地吻著她。

「我準備好了。」凱蒂冷冷地說。

塔莉自強尼懷中掙脫，笑嘻嘻地看著她。「好極了，我們去狂歡吧。」

他們三個手挽著手並肩離開公寓，走上空無一人的石鋪街道。到了凱爾愛爾蘭酒吧，他們在舞池旁邊找到一張空桌子。

強尼離開去點酒，凱蒂立刻望著對面的塔莉。「妳怎麼會和他在一起？」

塔莉大笑。「還能怎樣？我們下班後巧遇，一起喝了幾杯，事情自然變成這樣，那個……」她目光銳利地望著凱蒂。「要是我和他上床，妳會介意嗎？」

終於來了，最關鍵的問題。凱蒂相信，只要她表明心意說出實話，這個難堪的夜晚就能立刻結束。塔莉會馬上將強尼列爲拒絕往來戶，比龍捲風來襲時關門的速度更快，而且不會告訴他原因。

但即使如此又有什麼意義？凱蒂知道強尼喜歡塔莉，一直愛慕著她，他要的是擁有熱情與烈焰的女人，即使失去塔莉他也不會看上凱蒂。說不定下猛藥的時候到了，無論承受多少打擊，她始終懷抱希望，但是他和塔莉上床之後，她應該能死心了。

她抬起視線，祈求眼淚不要出來搗亂。「拜託，塔莉，妳知道我無所謂。」

「眞的？妳要不要——」

「不。可是……他眞的很在乎妳，妳應該曉得吧？妳會害他心碎。」

塔莉大笑。「妳們這些天主教女孩就是愛替別人操心。」

凱蒂還來不及回答，強尼就回來了，端著兩杯瑪格莉特和一瓶啤酒。他將東西放下，牽起塔莉的手領她進舞池，他們融入人群，他將她擁入懷中親吻。

凱蒂伸手拿酒。她不知道那個吻對塔莉有何意義，但她很清楚強尼的感受，這份明瞭如毒液滲進她心中。

接下來兩個小時，她和他們坐在一起，酒一杯接一杯喝個不停，假裝她很開心，但內心有一樣東西隨著時間逐漸死去。

這個猶如無盡酷刑的夜晚中，有一段時間塔莉去洗手間，留下強尼與凱蒂獨處。她努力想找話說，但實際上卻不敢看他的雙眼。他的頭髮濕潤微鬈、臉頰紅潤，模樣性感得令她心痛。

「她眞的不同凡響。」他說，身後的樂團一曲奏罷，正在翻譜尋找靈感。「我本來已經準備放棄了，接受我和她永遠沒機會。」他喝了一口啤酒，望著洗手間的方向，彷彿想憑意志力將她拉回來。

「我勸你當心點。」凱蒂的聲音很低，幾乎聽不見。她知道說這些話會揭露自己的眞心，但她沒辦法不說。強尼在工作上或許表現得憤世嫉俗，然而在醫院那一夜，她發現到其實他的內心依舊懷抱著理想，相信夢想的人最容易受傷，她自己親身體會過。

強尼靠向她。「妳說什麼，穆勒齊？」

她搖頭，她沒辦法重複，更何況塔莉回來了。

那天夜裡，她獨自躺在床上聽著隔壁臥房歡愛的聲音，這才終於哭了出來。

凱爾酒吧那一夜之後過了一個月，不只凱蒂一個人察覺強尼變得不太一樣。秋季籠罩西雅圖，帶走了夏日繽紛，辦公室裡的氣氛沉重寂靜。馬特完全不理人，整天埋頭清潔整理器材以及將底片歸檔。塔莉離職後，凱蘿被找回公司，最近她整天關在辦公室，連出來倒咖啡時也不和人說話。

沒有人敢批評強尼的儀表，但大家都看得出來他幾乎是下床後直接來上班。他好幾天沒有刮鬍子，消瘦臉頰上東一塊西一塊冒出黑色鬍鬚，身上的衣服完全沒有經過搭配。

最初幾次他這樣來上班時，大家還會像老母雞一樣纏著他表達關心，但他堅持自己很好，以沉著但堅定的態度將他們拒於門外。馬特不斷勸說，甚至拿出了大麻，但最後也只能說：「隨你吧，老兄，等你想說的時候儘管找我。」

強尼在自己周圍建了一道看不見的護城河，凱蘿也曾經盡力想游過去，但最後像馬特一樣落得無功而返。

只有凱蒂一個人沒有去勸強尼，而她是唯一知道問題所在的人。

塔莉。

這天吃早餐的時候，塔莉才說過：「強尼老是打電話給我，我應該再和他出去嗎？」

幸好凱蒂不用回答，因爲塔莉自己接著說：「不可能。我對戀愛避之唯恐不及，就像不想挨毒針一樣，我以爲他知道。」

此刻凱蒂坐在位子上，假裝填寫新的保險申請書。

凱蘿和馬特出門去採訪，幾天以來第一次，辦公室裡只剩她與強尼。

她慢慢站起來，走到他緊閉的辦公室門前。她沒有立場去找他，假使今天換作是她失戀，他絕對不可能來安慰她，但是現在他非常痛苦，她無法坐視不管。她猶豫了很久，終於伸手敲門。

「進來。」

她打開門。

他坐在辦公桌後，埋頭在筆記簿上拚命寫東西。長髮落在他的側臉上，他不耐煩地塞到耳後。「穆勒齊，什麼事？」

她走向他辦公室裡的冰箱，拿了兩瓶西北地區特產的亨利·懷哈德牌啤酒。她打開，將一瓶遞給他，然後坐在他亂糟糟的辦公桌邊。「你看起來好像快溺死了。」她簡單地說。

他接過啤酒。「有這麼明顯？」

「有。」

他瞥門口一眼。「外面還有別人嗎？」

「馬特和凱蘿十分鐘前出去了。」

強尼喝了一大口啤酒，往椅背上靠。「她不肯回我的電話。」

「我知道。」

「我不懂，那天晚上——我們在一起那次，我還以爲……」

「你想聽老實話嗎？」

「我自己知道。」

接下來他們沉默許久，各自喝著啤酒。

「渴望一個得不到的人，這種感覺他媽的慘。」

聽到這句話，凱蒂明白了：她永遠沒機會。「嗯，的確是。」她略頓，看著他。終於到了她放下這場夢繼續前進的時候，她早該這樣做了。她離開他的辦公桌，最後說：「很遺憾，強尼。」

「妳遺憾什麼？」

她多麼希望有勇氣回答，表白她的感情，但有些事情不說比較好。

凱蒂坐在陌生的辦公室裡，椅子非常不舒服，她望著窗外光禿禿的樹木與灰暗天空，暗暗納悶著最後一片橘紅葉子是何時落下的。

「穆勒齊小姐，以妳的年齡而言，這樣的資歷非常亮眼。請問妳爲何會想轉換跑道進入廣告業？」

凱蒂盡力表現得輕鬆。她今天的打扮經過精心挑選，黑色斜紋羊毛套裝搭配白上衣，渦漩圖案的領巾鬆鬆打個蝴蝶結，她希望傳達出極度專業的形象。「在電視新聞圈子這些年，我更瞭解自己，也更瞭解世界。想必您也知道，新聞界向來是衝衝衝，總是以最高速前進，採擷新聞之後便頭也不回，而比起報導本身，我發現自己更關心後續發展。我相信自己更善於長時間的思考與規畫，重視細節勝過大局。我的文筆很好，我想在這方面多學習，但我不想只寫報導十秒鐘的內容。」

「看來妳想得很清楚。」

「是的。」

凱蒂對面的女主管戴著眼鏡，鑲珠子的鏡框非常時髦。她往後靠打量凱蒂，似乎對她印象不錯。「好，穆勒齊小姐，我和合夥人商量之後再通知妳結果。我想先瞭解一下妳什麼時候能來上班？」

「我需要提前兩個星期告知雇主，然後就可以離職了。」

「很好。」女主管說，「需要停車券嗎？」

「不用，謝謝。」凱蒂堅定地和她握了一下手之後離開。

大樓外，天空深灰陰鬱，「先鋒廣場」彷彿也畏寒瑟縮。狹窄的老式街道上塞滿車輛，但是紅磚建築前卻很少有行人經過。平常公園裡有很多遊民向路人乞討香菸或零錢，晚上就睡在長凳上，但是在這種冷颼颼的午後，連這些人都換了地方。

凱蒂沿著第一街快步前進，將大學時代的舊大衣扣好。她搭上通往上城區的公車，在公司門前那一站下車時正好三點五十七分。

沒想到辦公室空無一人。凱蒂掛好外套，將皮包與公事包扔到辦公桌底下，然後繞過角落去強尼的辦公室。「我回來了。」

他正在講電話，但他打手勢要她進去。「眞是的，」他的語氣氣急敗壞。「我怎麼有辦法幫你？」他皺著眉頭默默聽了一段時間，接著說：「好吧，可是你欠我一個人情。」他掛斷電話，對凱蒂微笑，但這個笑容少了點什麼，從前他一笑就會讓凱蒂無法呼吸，自從他和塔莉在一起的那夜之後，她再也沒看過那樣的笑容。

「妳穿了套裝，」他說，「別以爲我沒發現。穿套裝來上班只有兩種可能，我知道妳沒有要上鏡頭報新聞，那就表示——」

「莫格嘉聯合公司。」

「那家廣告公司？妳應徵什麼職位？」

「業務專員。」

「妳一定可以做得很好。」

「謝謝，但對方還沒通知結果。」

「妳絕對會被錄取。」

她等著他繼續說下去，但他只是凝望著她，彷彿有什麼心事。可想而知，她讓他想起與塔莉共度的那一夜。「呃，我該回去做事了。」

「等一下，我在寫一篇關於音樂人邁克．赫特的報導，幫幫我好嗎？」

「沒問題。」

接下來幾個鐘頭，他們一起在他的辦公桌上埋頭研究，將有問題的部分重新寫過。凱蒂小心保持距離，叮嚀自己絕不可以看他的眼睛，但最後都失敗了。工作結束時天已經黑了，外面的辦公室黑漆漆而且很安靜。

「我該請妳吃飯才對，」強尼將文件收好。「已經快八點了。」

「不用這麼客氣，」她回答，「這是我的工作。」

他看著她問：「沒有妳我該怎麼辦？」

幾個月前，當她依然懷抱希望時，或許會因爲這句話而滿臉通紅，甚至幾個星期前也可能會。「我會幫你物色人選。」

「妳以爲能輕易找到人取代妳？」

她不知道該怎麼回答。「我先走了——」

「我要請妳吃飯，就這麼決定了，快去拿外套。拜託。」

「好吧。」

他們下樓，上了他的車，幾分鐘後，車子停在聯合湖畔，旁邊有個漂亮的杉木船屋。

「這是什麼地方？」凱蒂問。

「我家。別擔心，我不打算親自下廚，只是想換件衣服，因爲妳打扮得很正式。」

感情的波濤拍打凱蒂的心，她堅定意志抗拒。她一直任由不可能實現的幸福美夢凌遲，將她磨成齏粉，這種狀況持續太久了。她跟著他走下碼頭進了船屋，裡面的空間意外寬敞。

強尼立刻走向壁爐，裡面已經擺好了木柴，他彎腰點燃報紙引火，火很快就旺了起來。他轉頭問她：「要來一杯嗎？」

「蘭姆酒加可樂。」

「沒問題。」他走進廚房，倒了兩杯酒之後回來。「喏，喝吧。我馬上回來。」

她在原地站了一下，不確定該做什麼。她環顧客聽，發現他沒幾張照片，電視櫃上只有一張照片，那是一對中年夫妻，穿著色彩鮮豔的服飾，他們蹲著，旁邊有大批兒童圍繞，背景似乎是叢林。

「我父母，」強尼來到她身後。「威廉和茉娜。」

她轉過身，感覺像做賊被逮到。「他們住在哪裡？」她走向沙發坐下，她需要和他保持距離。

「他們是傳教士，在烏干達被暴君阿敏的死刑隊處決。」

「當時你在哪裡？」

「當時我十六歲，他們送我去紐約念書，那是我最後一次見到他們。」

「看來他們也是理想主義者。」

「也是？什麼意思？」

她不認為有必要說明。這些年來她一直在觀察他，以拾取的片段拼湊出他人生的全貌。

「不重要。你很幸運，你父母都是有信念的人。」

他蹙眉凝望著她。

「所以你才成為記者？為了以你自己的方式奮鬥？」

他嘆息搖頭，走向沙發坐在她身旁。他看著她的眼神感覺好似看不清她的模樣，她的心跳不禁加速。「妳怎麼辦到的？」

「什麼？」

「這麼瞭解我？」

她微笑，希望不會洩漏出內心的酸楚。「我們共事了很長一段時間。」

許久之後，他才說：「穆勒齊，妳辭職眞正的原因是什麼？」

她稍微往後靠。「你曾經說過渴望得不到的東西很慘，記得嗎？我永遠無法成為高超的記者或一流製作人，我無法讓新聞成為生活重心，把新聞當作呼吸的空氣，我受夠了永遠屈居次等的感覺。」

「我當時說的是，渴望得不到的人很慘。」

「呃……差不多啦。」

「是嗎？」他將杯子放在茶几上。

她改變姿勢面向他，將雙腿屈起在沙發上。「我知道渴望一個人的感覺。」

他一臉懷疑，肯定是想起來塔莉經常取笑她不交男朋友。「誰？」

她知道不可以說實話，應該設法敷衍過去，然而此刻他如此接近，渴望的巨浪幾乎將她撲倒。老天救命，那扇門似乎又重新開啓了，雖然她知道不是真的，雖然她知道只是妄想，但她還是不顧一切走進去。「你。」

他往後一縮，顯然想都沒想過。「妳從來沒有……」

「我怎麼說得出口？我知道你喜歡塔莉。」

她等候他開口，但他只是看著她，她可以任意想像他沉默不語的意義。他沒有拒絕，也沒有笑，或許這表示他並非全然無意。

這些年來，她一直用盡力氣鎖緊內心的龍頭，不准自己渴望他，然而現在，他近在咫尺，她再也無法控制，這是她最後的機會。「吻我，強尼。讓我明白我錯了，我不該渴望你。」

「我不希望傷害妳。妳是個好女孩，我不打算……」

「假使不吻我對我更是一種傷害呢？」

「凱蒂……」

難得一次，他沒有稱呼她穆勒齊。她靠得更近。「現在是誰在害怕？吻我，強尼。」

將唇貼上去之前，她好像聽到他說：「不該這麼做。」但是她還來不及出聲安撫他，他已經開始回吻了。

這不是凱蒂的初吻，甚至不是第一次和心儀的對象接吻，然而她卻莫名其妙哭了起來。

他察覺她的淚水想退開身，但她不放。前一刻他們還像青少年一樣在沙發上親熱，下一刻她便全裸躺在壁爐前了。

他跪在她身邊，依然穿著衣服，陰影遮掩了他一半的身體，勾勒出臉形的角度起伏。「妳確定？」

「這是個好問題，但是應該趁我還穿著衣服的時候問。」她微笑著撐起上身，開始解開他的襯衫。

他發出一個怪聲音，半是無奈半是投降，任由她脫去他的衣服，接著重新將她擁入懷中。

他的吻不一樣了，變得更霸道、深入、煽情。她感覺身體做出不曾有過的反應，彷彿她同時成為虛無與萬物，她不復存在，只剩亂成一團的神經。他的觸摸既是折磨也是救贖。

感受成為一切，成為她的整體，成為她唯一的掛念、疼痛、歡愉與挫敗。就連呼吸也彷彿不是她自己的了，她喘息、哽咽、吶喊，要他停止也不想他停止，要這種感覺繼續，也不想再繼續。

她感覺身體拱起，彷彿她整個人拚命想抓住一樣東西，渴望強烈到令她覺得疼痛，但又根本不曉得是什麼。

然後他進入她體內，弄痛了她，突如其來的疼痛讓她倒抽一口氣，但沒有發出聲音。她只是攀附著他，親吻他，配合他的動作，直到疼痛消失，自己也消失，只剩這個，只剩兩人交會處的感受，那種極致強烈的需求，尋覓著更多……

我愛你，她在心裡想著，抱緊他，挺起身體迎接他，說不出口的那句話充滿她腦袋，如同配合兩人身體節奏的音效。

「凱蒂。」他吶喊著深深挺進。

她的身體爆炸，有如太空中的星球粉碎飄移。時間停止了一下，然後慢慢恢復正常。

「哇。」她翻身仰躺在溫暖的地毯上，大家都將性愛捧上了天，有生以來她第一次明白為什麼。

他平躺在她身邊，汗濕的身體依偎著她。他一手摟著她，仰望天花板，呼吸像她一樣凌亂。

「妳是處女。」他的語氣飄渺得令人害怕。

「對。」她只能這麼說。

她翻身側躺，一條光裸的腿跨在他身上。「每次都像這樣嗎？」

他轉頭看著她，藍眸中的情感令她不解，那是畏懼。

「不，凱蒂，」他許久之後才回答。「不是每次都像這樣。」

凱蒂在強尼的懷中醒來，兩人都仰躺著，床單蓋住下腹。她望著上方的木條天花板，他的一隻手放在她裸露的乳峰間，沉沉的感覺很陌生。

黎明的淡淡日光由敞開的窗戶斜斜灑進來，凝聚在硬木地板上，有如一道抹開的奶油；潮水不停拍打木樁，呼應著她平緩穩定的心跳。

她不曉得現在該怎麼辦、該做什麼。從第一個吻開始，這一夜完全是個突然降臨的神奇大禮。昨夜他們歡愛了三次，最後一次發生在幾個小時前。他們親吻、煎蛋捲、在壁爐前一起吃，他們聊了家人、工作和夢想，強尼甚至開了一堆超蠢的玩笑。

他們唯一沒談到的是明天，隨著黎明到來，這個問題眞切地置身於兩人之間，如同柔軟的床單與他們的呼吸聲。

她很慶幸自己守到現在才初嘗人事，這年頭就連等候理想對象出現都嫌迂腐。昨夜的所有經歷深深震撼她的世界，一如詩人所描述的那樣。

萬一強尼不認爲她是理想對象呢？他沒有說愛她——可想而知，而沒有這句話，女人要如何解讀激情？

她是不是應該穿上衣服悄悄溜走，裝作什麼都沒有發生？還是應該下樓做早餐，拚命祈禱昨夜是開始而不是結束？

她感覺他動了，她整個人緊張起來。

「早。」他聲音沙啞地說。

她不會裝靦腆也不會扮瀟灑，她愛他太久，無法假裝沒這回事。這一刻別具意義，因爲他們沒有立刻下床，各自分飛。「說一件我不知道的事情給我聽。」

他愛撫她的上臂。「嗯……我當過輔祭童。」

她腦中自然浮現出他當年的模樣，瘦瘦的少年，黑髮沾水往後梳，踏著莊重的步伐走向祭壇，她忍不住吃吃笑了起來。「我媽一定會愛死你。」

「換妳了。」

「我是科幻迷。《星際大戰》、《星艦迷航記》、《沙丘魔堡》，每一部我都超愛。」

「我還以爲妳是喜歡羅曼史的那一型呢。」

「那個我也喜歡。現在告訴我一件有意義的事情，爲什麼你放棄採訪工作？」

「妳總是愛往深處去，對吧？」他嘆息。「我猜妳已經大致推敲出來了——薩爾瓦多。當時我自以爲是正義使者，準備用我的光芒照亮眞相，但當我親眼見識到那裡的慘狀……」

她沒有開口，只是親吻他的肩彎。

「我父母隱瞞了很多醜惡的現實沒告訴我。我以爲自己準備好了，但那樣的場面讓人不忍卒睹，到處是鮮血、死亡與被炸碎的人體，幼童橫死街頭，少年拿著機關槍。我被抓了……」他哽咽不成聲，清清嗓子之後重新振作。「我不知道爲什麼他們饒我一命，總之我活了下來，眞走運，然後我夾著尾巴逃回家。」

「你沒有做壞事，不必感到可恥。」

「我是孬種，我逃跑認輸了。現在妳知道爲什麼我會在西雅圖了。」

「你以爲我對你的感覺會因此改變？」

他停頓片刻，才說：「凱蒂，我們不能操之過急。」

「我知道。」她翻身偎靠在他懷中，努力記住他臉上的所有細節、他一大早醒來時的模樣。她看到他在睡覺時長出的鬍碴，不禁想著：已經開始不一樣了。

他將她的頭髮撥到耳後。「我不想害妳傷心。」

她很想說「那就不要讓我傷心」，但現在不適合這麼簡短的回答，也不適合偽裝，此刻眞誠最重要。「如果你願意冒險，那我也願意。」她平靜地說。

他的嘴唇揚起一抹若有似無的笑，但眼睛沒有跟著笑，事實上，他感覺起來似乎相當煩惱。「我早就知道妳很危險。」

她不懂。「我？開玩笑吧？從來沒有人覺得我危險。」

「我這麼覺得。」

「爲什麼？」

他沒有回答，只是靠近到可以吻她的距離，她閉上雙眼等候，她不確定是否眞的聽見了，但在嘴唇接觸前一刻，他似乎說了：「因爲妳是會讓男人情不自禁愛上的那種女生。」

他的語氣有點悶。

凱蒂在家門口停下腳步。幾分鐘前她還身在雲端，回味著在強尼懷中度過的夜晚，然而此刻她落回現實世界，她和好友睡過的男人上了床。

塔莉會怎麼說？

她開門進去。這個早晨下著雨，天空灰濛濛，公寓裡異常安靜。她將皮包扔在廚房餐桌上，動手泡了一杯茶。

「妳跑去哪裡了？」

她轉身，有些心虛。

塔莉站在那兒，頭髮還在滴水，身上只圍著一條毛巾。「昨天晚上我差點報警了，妳跑去哪裡——妳穿著昨天的套裝。」她慢慢綻開笑容。「妳和男人過夜了？噢，老天，是真的，妳臉紅了。」塔莉大笑。「我還以爲妳會守著處女身進棺材呢。」她拉著凱蒂的手臂將她拖向沙發。「快老實招來。」

凱蒂望著好友，遺憾沒有等塔莉出門上班後再回家。她必須先想清楚、做好計畫，塔莉的一句話、一個眼神就能摧毀一切，萬一塔莉說「他是我的」，她該怎麼辦？

「快說啊。」塔莉催促著撞她一下。

凱蒂深吸一口氣。「我談戀愛了。」

「哇塞，嚇死人。戀愛？才一個晚上？」

現在不說就永遠沒機會了，雖然永遠不說比較輕鬆，但既然終究得說，繼續拖拖拉拉也毫無意義。「不，我愛他好幾年了。」

「誰？」

「強尼。」

「我們的強尼？」

她不想因爲「我們的」這三個字感到受傷。「對。昨天晚上——」

「他跟我睡過，才幾個月前的事情而已，然後他還奪命連環叩。他只是利用妳療傷，凱蒂，他不可能愛妳。」

凱蒂盡可能不讓「他只是利用妳療傷」這句話留下陰影，但傷害已經造成了。「我就知道妳一定會說是因爲妳。」

「可是……他是妳的上司呢，拜託。」

「我辭職了，兩週後我要去廣告公司上班。」

「這下可好，妳爲了男人放棄事業。」

「妳也很清楚，我的能力不足以打進聯播網。塔莉，那是妳的夢想，一直都是。」她看得

出來塔莉想爭辯，她也看得出來塔莉所能說的也只是虛言罷了。塔莉，我愛他。」她終於說道，

「很多年了。」

「妳怎麼沒告訴我？」

「我很怕。」

「怕什麼？」

凱蒂無法回答。

塔莉望著她，那雙生動靈活的深色眼眸道盡一切：害怕、擔憂，以及嫉妒。「你們最後一定會很慘。」

「記得嗎？當年我也不信任查德，但是因爲妳需要我，所以我放下了成見。」

「最後果然很慘。」

「妳就不能爲我感到開心嗎？」

塔莉望著她，雖然終於擠出了笑容，但她們都知道只是假笑。「我盡量。」

他只是利用妳療傷。這句話不斷在凱蒂腦中盤旋，伴隨著記憶的畫面。

他跟我睡過，才幾個月前的事情而已……

……他不可能愛妳……

塔莉一出門，凱蒂馬上打電話請病假，然後爬上床窩著。她才剛躺下二十分鐘，敲門聲驚斷了她了思緒。「討厭啦，塔莉。」她嘀咕著套上粉紅絲絨睡袍，踩進兔兔拖鞋。「妳怎麼老是忘記帶鑰匙？」她打開門。

強尼站在門外。「妳不像生病的樣子。」

「少來，我明明氣色很差。」

他伸手解開腰帶，將睡袍由她肩膀上撥開，落在地上積成皺皺的粉紅雲朵。「法蘭絨睡

衣，真性感。」他走進來，關上門。

她盡可能不去想塔莉所說的話——

他只是利用妳療傷。

不可能愛妳。

——這兩句話在她腦中輪番奔竄，卻不時絆到他所說的：我不想害妳傷心。現在她才看清她有多天真、擔下了多大的危險，他可以讓她的心粉碎，而她完全無力保護自己。

「我以為來看妳會讓妳很高興。」他說。

「我跟塔莉說了我們的事。」

「噢，有什麼問題嗎？」

「她認為你只是利用我療傷。」

「很像她會有的想法。」

凱蒂用力嚥了一下。「你愛她嗎？」

「這就是妳心煩的原因？」他一把將她橫抱起來帶進臥房，彷彿她完全沒有重量。上床之後，他解開她的睡衣鈕釦，一路印下親吻，他貼著她裸露的肌膚低語：「一點也不重要，反正她不愛我。」

她閉上雙眼，讓他再次搖撼她的世界，但結束之後，當她窩在他懷中，徬徨不安又重新爬上心頭。她或許不是世上最成熟世故的女人，但也沒有天真無知到那種地步，有一件事情她十分確定：強尼是否愛塔莉這件事很重要。

非常重要。

17

愛情果然如凱蒂夢想般的美好。當春天將大地染上鮮豔色彩，她和強尼已經是不折不扣的情侶了，他們每個週末都在一起，平日也盡可能見面。三月時，她帶他回家見父母，他們開心極了。在他們眼中他極盡理想：愛爾蘭天主教徒、前途無量、有幽默感，而且喜歡玩桌上遊戲和紙牌，老爸稱讚他和氣又可靠，老媽更是直接打一百分。第一次見面結束時，媽媽悄聲說：「絕對值得等待。」

至於強尼這部分，他毫無困難地融入穆勒齊家族，彷彿生來就是這個家的一份子。雖然他永遠不會說出口，但是他一個人生活了這麼多年，凱蒂確信他很高興能再次擁有家人。雖然沒有談過未來的打算，但他們享受現在的每分每秒。

不過狀況即將改變。

此刻她躺在床上望著天花板，強尼在旁邊睡得很熟。時間剛過凌晨四點，但她已經反胃兩次了。終究要面對現實，繼續拖延也沒用。

她輕輕掀開被子下床，小心不吵醒他，而後赤腳踩著厚軟地毯走進他的浴室，關上門。她打開皮包翻找一番，拿出昨天買的那盒東西，打開之後照指示使用。

等待將近兩個小時之後，她知道答案了：粉紅色代表懷孕了。

她低頭呆望著，腦中浮現一個可笑的念頭：她從小就夢想當媽媽，現在竟然只想哭。

強尼一定無法接受，他完全沒準備好當爸爸，他甚至還沒說愛她。

她非常愛他，過去幾個月是如此幸福美滿，但她依然有種甩不掉的忐忑，總覺得這份感情經不起考驗，一不小心就會失衡翻覆。寶寶很可能會導致他們分手。

她將包裝盒和驗孕棒藏進皮包，以生活中的平凡雜物掩蓋這件驚人的東西，然後她打開熱水，花了很長的時間洗澡。她換好衣服準備去上班時，鬧鐘響了，她走到床邊坐下，伸手撫摸他的頭髮。

他醒來對她微笑，睡眼惺忪地說：「嗨。」

她很想直接說出「我懷孕了」，但怎樣也無法坦承，於是她只好說：「我今天要早點進辦公室，要處理紅知更的案子。」

他一手摟住她的頸背，將她拉過去親吻，一吻結束，她決定先裝作若無其事。「我愛你。」她低聲說。

他再次親吻她。「我是全世界最幸運的男人。」

她說了再見，彷彿這個早晨沒什麼特別，只是像平常一樣，與他共度夜晚之後出門上班。一進辦公室，她用力關上門，站在門後努力忍住眼淚。

「我懷孕了。」她對著掛滿廣告的牆壁說。

如果能告訴強尼就好了。她應該要能對他無話不說，愛情不就是這樣嗎？她對他的愛絕對足夠，甚至遠遠超過，老天可以作證。她再也無法想像沒有他的生活，她喜歡他們日常的步調，他們經常一起在他的船屋吃早餐，並肩站在洗碗槽前，晚上則在床上看脫口秀；每當他親吻她，她的心跳都會激烈加速，無論是淡暖的晚安吻，或是激情的前戲吻；他們經常聊天，話題天南地北，包羅萬象，在今天之前，她絕對敢說他們兩個無話不談。

她進入自動模式處理公事，就這樣過了一天，但是到了下午四點，她再也忍不住了。她拿起電話，撥打熟悉的號碼，然後不耐煩地等待。

「喂？」塔莉說。

「是我，出大事了。」

塔莉毫不遲疑地說：「我馬上到，等我二十分鐘。」

凱蒂今天第一次露出笑容，光是和塔莉在一起就能減輕煩惱，向來很有效。十五分鐘後，她收拾好原本就很整齊的辦公桌，拎起公事包離開辦公室。

大樓外，淺藍色天空掛著淡暖太陽，幾個不怕冷的觀光客在先鋒廣場閒晃，隔著馬路的「西方廣場」上，以那兒爲家的遊民躺在石板路或鍛鐵長凳上，裹著髒毛毯和舊睡袋，旁邊的樹木開滿了花。

凱蒂扣著大衣時，正好看見塔莉新買的鈷藍色敞篷跑車駛來。每次看到這輛車，凱蒂總會忍不住搖頭微笑。這輛車實在太……陽具崇拜，但非常適合塔莉，她甚至穿著與車子同色的羊毛西裝褲和絲質上衣。

凱蒂快步走過去，坐進前座。

「妳想去哪裡？」

「給我個驚喜吧。」凱蒂回答。

「沒問題。」

車子很快地在車陣間穿梭，高速駛過西雅圖西橋，抵達「阿爾奇海灘」上的一家餐廳。在這個春寒料峭的季節，餐廳裡完全沒客人，她們很快被帶往俯瞰灰濛濛海灣的座位。

「眞高興妳打電話找我。」塔莉說，「這個星期簡直像地獄一樣，他們派我跑遍了全州每個鳥不拉屎的小鎭。上星期我去錢尼鎭採訪一個傢伙，他發明了燒木柴做動力的卡車，不蓋妳，他在後斗安裝了鍋爐，尺寸幾乎像航空母艦一樣大，一星期就得燒掉小山般的木柴，冒出來的黑煙濃到我幾乎看不見那輛破車，他還希望我在報導中說他發明了未來。明天我要去林登鎭採訪一個姓哈特萊特的小丫頭，她在農村園遊會裡贏了三十二項頭獎，了不起吧？噢，還有上星期——」

「我懷孕了。」

塔莉張大了嘴。「妳在開玩笑吧？」

「我像在開玩笑嗎？」

「我的天……」塔莉一臉震驚地往前傾靠。「妳不是一直在吃避孕藥嗎？」

「對啊，而且從來沒有忘記過。」

「懷孕了，哇。強尼怎麼說？」

「我還沒告訴他。」

「妳打算怎麼處理？」沒說出口的選擇讓這個問題顯得分外沉重。

「我不知道。」凱蒂抬頭對上塔莉的雙眼。「但我知道我不打算處理掉。」

塔莉默默凝望她許久，會說話的深色眼眸掠過種種情緒——不解、畏懼、憂傷、擔心，最後是愛。「凱蒂，妳一定會是個好媽媽。」

她感覺淚水湧出，這就是此時此刻她想要的，她第一次有勇氣對自己承認。這就是姐妹淘的好處，如同明鏡映出眞心。「塔莉，他從沒說過愛我。」

「噢，唉……妳也知道，強尼就是那樣。」

凱蒂感覺這句話喚醒了過去，她知道塔莉也有同樣的感覺，雖然她們很努力忘卻，但事實無法抹滅：她們同樣瞭解強尼。「妳和他很像，」她終於說，「他知道了會有什麼感受？」

「被綁住。」

凱蒂也猜會這樣。「那我該怎麼辦？」

「妳問我？我連養金魚都無法超過一個星期。」她的笑聲裡略帶一絲苦澀。「去找妳心愛的男人，說他要當爸爸了。」

「妳說得簡單。」

塔莉越過桌面握住她的手。「相信他，凱蒂。」

她知道這是最好的建議。「謝謝。」

「現在來商量重要的大事吧，要取什麼名字？如果是女兒千萬不要取我的名字，塔露拉難聽死了，一聽就知道是毒蟲取的，不過我的中間名叫蘿絲，這倒還不錯……」

接下來，時間在平靜的閒聊中度過，兩個人都絕口不提懷孕的事，只聊些瑣碎家常。她們離開餐廳，開車回市區時，凱蒂的心情沒那麼絕望了。雖然依舊沉重，但至少有了方向。

塔莉將車停在船屋後方，道別之前，凱蒂用力抱了一下朋友。

強尼還沒回來，她換上運動褲和舊T恤，坐在客廳等他。

她坐著，雙腿夾緊（早該這麼做）、雙手交握，聽著早已習慣的聲響：波浪拍打著木樁，海鷗啼叫，汽艇經過時的馬達聲。她第一次覺得愛情是如此不堪一擊，甜蜜中暗藏苦澀。她從小認定愛情牢固無比，能夠承受消耗磨損以及日常生活，就像化學纖維一樣，但現在她明白這種想法多麼危險，會讓人受到誘惑而賭上一切。

客廳另一頭傳來鑰匙聲響，門開了，強尼看到她，微笑著說：「嘿，妳來啦。我下班之前打過電話找妳，妳去哪裡了？」

「我和塔莉一起蹺班了。」

「姐妹聚會嗎？」他將她擁進懷中吻了一下。

她讓自己融化在他懷裡，抱住他之後，她發現無法放手。

她抱得太緊，以至於他得真的用力拉開。「凱蒂？」他後退一些低頭看她。「怎麼了？」

過去一個小時，她設想過好幾種減低衝擊的方式，但現在站在他面前，她明白那些計畫毫無意義。無論如何費心包裝，這個消息依然很驚人，而她不是能默默藏在心底的那種人。

她盡可能讓語氣顯得堅定。「我懷孕了。」

他呆望著她非常久，完全無法消化。「什麼？怎麼發生的？」

「我敢說應該是一般的方式。」

他吁了口長氣，沉沉坐在沙發上。「寶寶？」

「我不是故意的。」她在他身邊坐下。「我不希望你覺得被綁住。」

他雖然笑了，但感覺很陌生，不像她所愛的那個人，那個笑容讓他的眼角皺起，她不禁回以微笑。「妳知道我一直期待著內心準備好的那天來到，可以隨時拎起行李出發去追大新聞，以彌補當年的怯懦。這個想法在我心裡很久了……自從在薩爾瓦多落荒而逃之後。」

她用力嚥了一下，點點頭，淚水刺痛雙眼，但她不想被他發現流淚，所以沒有伸手去抹。

「我知道。」

他伸手按住她平坦的腹部。「可是現在我不能說走就走了，對吧？」

「因爲寶寶？」

「因爲我愛妳。」他簡潔地說。

「我也愛你，但是我不想——」

他離開沙發單膝跪下，她倒抽一口氣。「凱絲琳・思嘉・穆勒齊，妳願意嫁給我嗎？」

她很想說「好」，想大聲喊出來，但她不敢。她心裡依然有太多疑慮，於是她不得不問：

「你確定嗎，強尼？」

終於，她看到了屬於他的笑容。「確定。」

凱蒂一如以往聽從了塔莉的建議，決定選擇經典優雅的風格。她的禮服是象牙白絲緞質料，胸口綴滿了珠子，低胸露肩設計；頭髮仔細染成三種不同深淺的金色，在腦後盤成演員葛莉絲・凱莉風格的髮髻，戴上的面紗像晶瑩的雲朵垂落肩膀。有生以來第一次，她覺得自己像電影明星一樣美，媽也有同感，她只看一眼就感動得哭了出來，她用力擁抱凱蒂，親吻她的臉頰，然後離開休息室回教堂。一整天下來，凱蒂第一次有機會和塔莉單獨相處。

全身鏡映出凱蒂如童話公主般的模樣，她回過頭看塔莉，在今天這種熱鬧的大日子，有那麼多髮型、化妝的事情可插手，塔莉卻異樣安靜。她穿著淺粉紅色塔夫綢平口伴娘禮服，感覺無法融入且心神不寧。

「妳的表情像要參加葬禮而不是婚禮。」

塔莉看著她，努力裝出眞誠的笑容，但她們認識那麼久了，一眼就能看出眞假。「妳眞的確定要結婚？百分之百確定？一旦結了就不能——」

「我確定。」

塔莉似乎並不相信，除此之外還一臉憂愁。「好吧。」她咬著下唇生硬地點頭。「因爲一旦結了就永遠不能變了。」

「妳知道還有什麼永遠不會變嗎？」

「髒尿布。」

凱蒂握住塔莉的手，發現她的皮膚很冰。她要如何說服塔莉相信，雖然婚後她們勢必將走上不同的道路，但不表示她被拋棄了？「我們，」她斬釘截鐵地說，「即使換了工作、結婚生子，我們永遠都是好朋友。」她咧嘴而笑，「或許妳的老公會換一個又一個，但我絕不會被妳換掉。」

「噢，眞感人。」塔莉大笑著撞了一下凱蒂的肩膀。「妳覺得我無法維持婚姻。」

凱蒂靠在好友身上。「我認爲妳會隨心所欲，塔莉，妳是燦爛的陽光。而我呢，我只要強尼，我非常愛他，甚至到了心痛的地步。」

「妳怎麼可以說只要強尼？妳有大好前程，遲早能成爲高階主管，懷孕生子不會打亂妳的腳步，這年頭女人可以擁有一切。」

凱蒂微笑。「那是妳，塔莉。妳讓我感到非常光榮，我都快得意死了，好幾次我在超市對陌生人說妳是我的朋友，可是我也需要妳以我爲榮，無論我選擇做什麼或不做什麼。」

「我永遠都在妳身邊，妳知道的。」

「我知道。」

她們四目相對，兩個人都打扮得像公主般站在鏡子前，一瞬間她們又回到十四歲，規畫著未來的人生。

塔莉終於露出笑容，這次是眞心的。「寶寶的事妳打算什麼時候告訴妳媽？」

「婚禮結束之後。」凱蒂大笑。「我會對上帝告解，但正式成爲雷恩太太之前，我絕不會告訴我媽。」

在那閃耀的瞬間，時間停止了，她們再次成爲共同體「塔莉與凱蒂」，兩個女生互相分享祕密。

門被打開了。

「時間到了，」爸爸說，「教堂擠滿了客人。塔莉，妳該上場了。」

塔莉給凱蒂一個大大的擁抱，然後快步離開休息室。

凱蒂看著爸爸，他一身租來的燕尾服，頭髮剛剪過，她心中翻騰著對他的愛。門外傳來音樂聲。

「妳眞美。」他的聲音發抖，完全不像平常的感覺。

她走到爸爸身邊看著他，霎時想起千百個回憶片段。小時候他讀床邊故事給她聽，少女時他在她的後口袋塞零錢，他在教堂唱歌走音。

他摸摸她的下巴，抬起她的頭，這時她才發現他眼眶含淚。「凱蒂．思嘉，千萬別忘記妳永遠是我的小女兒。」

「我怎麼可能忘記？」

音樂變成了結婚進行曲，他們勾著手臂走向通往教堂的雙扇門，一步一頓地走過紅毯。

強尼站在祭壇上等她，當他牽起她的手低頭微笑，她感覺內心漲滿了甜蜜的感受，知道這個人就是她的眞命天子。無論這一生將有多少悲喜，她知道她非常幸運，能夠嫁給眞心所愛的人。

接下來，整個晚上像夢境般朦朧，彷彿打了柔焦。他們站在婚宴迎賓行列的尾端，親吻親朋好友，一一接受祝福。

整個世界豁然開朗，充滿無限可能，凱蒂發現自己總是在笑或哭。

瑪丹娜的歌曲〈爲你瘋狂〉響起，強尼在人群中找到她，對她伸出手。

「嗨，雷恩太太。」

只要一次接觸，你就會明白此言不虛……

她投入他的臂彎，愛極了與他依偎的感受。

四周的人紛紛後退，讓新郎新娘佔據舞池中央。她感覺到他們的視線和微笑，知道他們都在說這首歌有多麼浪漫，新娘是多麼美。

這是凱蒂從小就夢想的時刻，灰姑娘變身爲公主與王子共舞。「我愛你。」她說。

「眞慶幸。」他低語，溫柔地親吻她。

歌曲結束，賓客爆出掌聲，大家紛紛舉起香檳、啤酒與雞尾酒，高聲說：「敬雷恩夫婦！」

在這個最最神奇的夜晚，凱蒂的笑容沒停過，但將近尾聲時，卻看到了讓她失去笑容的一幕。當時她正在吧檯啜飲著氣泡蘋果酒，和喬治雅阿姨聊著天。

之後的歲月中，特別是在心煩不順的時刻，她總會納悶爲何偏偏在這瞬間抬起頭，宴會廳裡有那麼多人在跳舞、聊天、歡笑，爲何偏偏在她抬頭的這一刻剛好看見強尼獨自站在一旁喝啤酒？

他正凝視著塔莉。

18

「雖然不知道說明書是誰寫的，但我敢說那個混蛋鐵定不懂英文。」

凱蒂微笑著，小心翼翼走下階梯。她們在船屋樓下的臥房裡，正忙著布置嬰兒房。她感覺得出來，再過三十秒，塔莉就會將螺絲起子扔向剛漆好的牆壁。「給我看一下。」

塔莉坐在地板中央，旁邊滿是白色的木條、木板和一堆堆螺絲、金屬墊片，她舉起那張被揉皺的長條形說明書。「請便。」

內容複雜到荒謬的地步，凱蒂仔細研究著。「從長長扁扁那塊開始，後面接上那邊那塊，看到了嗎？然後將那個零件鎖上……」

接下來兩個小時，她們或坐或站，一起埋頭努力，拼裝出有史以來最複雜的嬰兒床。完工之後，她們將小床推到裝飾著小熊維尼壁貼的黃色牆邊，後退幾步欣賞。「塔莉，沒有妳我該怎麼辦？」

塔莉摟著她。「幸好妳永遠不必煩惱這個問題。來吧，我來弄兩杯瑪格莉特。」

「妳知道我不能喝酒。」

塔莉笑嘻嘻地看著她。「眞是萬分遺憾，不過呢，妳應該看得出來，我的肚子裡沒寶寶，老實說，我想很可能短期之內都不可能有，所以啦，我當然可以喝瑪格莉特，更何況，我才剛組好那個嬰兒床，替強尼解決了他的工作，完成了連男人也得耗上一整天的苦工，因此我絕對有資格來一杯瑪格莉特。至於妳呢，發胖的夫人，可以來杯無酒精的處女瑪格莉特，妳不覺得很諷刺嗎？」

她們勾著手臂進廚房調酒，然後坐在客廳壁爐前，嘴一直沒停過，大致上聊些日常小事，例如塔莉上星期超速被開罰單、尚恩的新女友，以及媽媽在社區大學修的課。

凱蒂站起來替壁爐添柴，塔莉問：「結婚是什麼感覺？」

「我才結婚三個月，所以不算是專家，但目前感覺很不錯。」她重新坐下，腳架在茶几上，一手放在還很小的肚子上。「妳一定覺得我瘋了，但我很愛這種規律的生活，一起吃早餐，在餐桌上各自讀著書報資料；每天早上一睜開眼就看見他，睡覺前他吻我道晚安，我喜歡這種感覺。」她對塔莉微笑。「不過我想念以前和妳共用浴室的時候，他每次都把我的東西亂拿亂放，然後忘記放在哪裡。妳呢，塔莉？妳一個人住我們的舊公寓還習慣嗎？」

「有點寂寞。」塔莉聳肩微笑，表現得一派瀟灑。「我又重新開始適應了。」

「妳知道的，妳可以隨時打電話來。」

「我知道，所以拚命打。」塔莉大笑著倒了第二杯瑪格莉特。「你們想好孩子出生之後要怎麼安排了嗎？公司會讓妳休幾個星期的產假吧？」

凱蒂一直逃避這個話題，與強尼成婚的那一刻她就知道想怎麼做，但沒有勇氣告訴塔莉。

「我打算辭職。」

「什麼？爲什麼？妳負責的客戶都是一流廠商，而且妳和強尼的收入加在一起很可觀。拜託，都已經一九八七年了，妳不必爲了孩子辭職，可以請保母啊。」

「我不想將寶寶交給別人養，至少要等孩子上幼稚園。」

塔莉跳起來。「幼稚園？那要多久？八年？」

凱蒂不禁微笑。「五年。」

「可是——」

「沒什麼好可是。我很重視媽媽的角色，妳應該比任何人都明白媽媽對孩子有多重要。」

塔莉重新坐下。她們都很清楚她無法辯駁，不負責任的媽媽讓塔莉至今仍背負著創傷。

「妳知道，女人可以兼顧事業與家庭，現在已經不是五〇年代了。」

「從小每次校外教學我媽都會跟去，每年級她都來教室當義工媽媽，直到我哀求她不要來；上國中之前我沒有坐過校車，我到現在都還記得放學後在車上和媽媽說話的感覺。我希望我的孩子也能擁有這些，我可以晚一點再回職場。」

「接送孩子、校外教學、義工媽媽，妳真的可以滿足於這種生活？」

「如果不行，我會找新工作，拜託，我又不是太空人。」她微笑。「好啦，跟我說說妳的工作吧。我要透過妳感受職場生活，所以說得精彩一點。」

塔莉立刻說起最近採訪時發生的趣事。

凱蒂靠在椅背上，閉起眼睛聽。

「凱蒂？凱蒂？」

她一時失神，過了片刻才發覺塔莉在叫她，她笑著說：「對不起，妳剛才說到哪裡了？」

「我在說話妳竟然睡著了。我剛才說有個男的約我出去，一回頭妳竟然睡得不省人事。」

「才沒有呢。」凱蒂連忙否認，但事實上她確實有點睏倦，感覺昏沉沉。「我好像需要來杯茶。」她站起身，卻一陣天旋地轉，她連忙抓住沙發椅背。「哇，怎麼回事——」說到一半，她皺著眉頭看塔莉。「塔莉？」

塔莉急忙跳起來，甚至打翻了酒，她攙扶著凱蒂站穩。「我在這裡。」

不太對勁，暈眩突然變嚴重，她差點摔倒。

「振作點，凱蒂。」塔莉扶著她慢慢走向門口。「我們得快點打電話。」

電話？凱蒂困惑地搖搖頭，她的視線一片模糊。「我不知道怎麼了。」她含糊地說，「這是驚喜派對嗎？今天是我生日嗎？」

接著，她低頭看向剛才坐過的沙發。

椅墊上有一灘深紅的血跡，血不斷滴落她腳邊的木板地。「噢，不。」她低語著伸手摸向肚子。她想說話，想求上帝救她，但當她努力拼湊話語時，世界突然傾倒，她昏了過去。

塔莉硬逼急救人員讓她上救護車，她坐在凱蒂身邊不斷重複說著：「我在這裡。」

凱蒂雖然有意識，但非常模糊。她的膚色極爲蒼白，如同洗過太多次的舊床單，就連平時明亮的綠眸都變得茫然無神，淚水不斷滑落太陽穴。

救護車停在醫院前，醫護人員急忙將凱蒂搬下車，推進燈火通明的醫院，塔莉被推到一邊。她站在敞開的門口，看著好姐妹被送走，霎時間，她意識到狀況有多嚴重。

流產可能導致失血過多死亡。

「求求祢，上帝，」有生以來第一次，她希望自己懂得禱告。「不要讓我失去她。」

她知道求錯了，凱蒂希望的不是這個。「求祢眷顧她的孩子。」

感覺求了也只是白費力氣，上帝從來沒有聽過她的祈禱，爲了以防萬一，她提醒上帝：「凱蒂每個星期日都上教堂。」

可俯瞰停車場的綠色小病房中，凱蒂熟睡著，穆勒齊伯母坐在旁邊的一體成形塑膠椅上看平裝版小說，嘴唇一邊跟著動，這是她的老毛病。

塔莉來到她身邊，摸摸她的肩膀。「我買了咖啡。」她的手停在伯母肩上。凱蒂失去寶寶之後已經過了將近兩個小時，雖然強尼已經接獲消息，但他在斯波肯市採訪，相隔整個州。

「幸好發生在懷孕初期。」塔莉說。

「四個月不算初期了，塔莉。」穆勒齊伯母輕聲說。「沒有流產經驗的人總會那麼說，巴德以前也那麼對我說，而且還兩次。」她抬起頭。「我不覺得有什麼幸好，我只覺得失去了所愛，妳懂那種感覺吧？」

「謝謝，」她捏捏穆勒齊伯母的肩膀，走到病床邊。「現在我知道不能說這句話了。眞希望我知道怎樣才能安慰她。」

凱蒂睜開眼睛看著她們。

穆勒齊伯母站起來走向病床，與塔莉並肩站在一起。

「嗨，」凱蒂低聲說。「還要多久強尼——」說到丈夫的名字，她哽咽不成聲，開始發抖。

「有人叫我嗎？」

塔莉轉過身。

他站在門口，手中的花束有些無力地往左倒。他整個人狼狽不堪，慘白膚色與濃黑鬍碴形成強烈對比，黑色長髮凌亂糾結，眼神道盡深入骨髓的疲憊。他的牛仔褲破爛骯髒，卡其襯衫比睡了一夜的床單更皺。「我雇了私人飛機，信用卡帳單會嚇死人。」

他將花束往椅子上一拋，走向老婆。「嗨，寶貝，」他呢喃，「對不起這麼晚才回來。」

「是男生。」凱蒂攀附著他大哭。

塔莉聽見強尼跟著哭了出來。

穆勒齊伯母來到她身邊，摟住她的腰。

「他愛她。」塔莉緩緩說。因爲她和強尼發生過關係所以被記憶蒙蔽，讓她像困在樹脂中的昆蟲一樣停留在早已遺忘的時光，她一直以爲凱蒂是他退而求其次的選擇，得不到第一名只好將就第二名。

可是……現在的感覺不像那樣。

穆勒齊伯母拉她離開病床邊。「他當然愛她。走吧，讓他們獨處一下。」

她們端著咖啡到走廊，穆勒齊伯父坐在很不舒服的椅子上，他抬起頭，眼睛泛紅充血。

「她還好嗎？」

「強尼在陪她。」穆勒齊伯母摸摸他的肩膀。

這麼多年來，塔莉第一次覺得自己是外人。「我應該陪著她。」

「別擔心，塔莉。」穆勒齊伯母透徹地看著她。「她永遠需要妳。」

「可是現在不一樣了。」

「當然啊，凱蒂結婚了。妳們兩個走上了不同的道路，但永遠都是好朋友。」

不同的道路。

沒錯，這就是她早該看出來卻一直無法認清的事實。

接下來幾天他們輪流陪伴凱蒂，星期四輪到塔莉。她裝病請假，整天陪著凱蒂。她們玩牌、看電視、聊天，事實上，大部分的時間塔莉只是聽著，輪到她開口時，她盡可能找出最正確的回答，但她知道自己說錯話的次數非常多。凱蒂全身籠罩著悲傷，那種灰暗的氛圍如此陌生，塔莉覺得眼前的人彷彿是好友的負面分身，無論她說什麼感覺都不對。

好不容易到了八點，凱蒂說：「我知道妳一定覺得我瘋了，可是我要去睡了。再過一個小時強尼就回來了，回家去吧，和妳的新男友泰德享受狂野放蕩的床上運動。」

「他叫陶德，現在我沒心情親熱。話說回來……」她微笑著扶凱蒂上樓，讓她躺好，然後站在床邊看著她。「妳不知道我多想找到正確的安慰，讓妳不那麼難過。」

「妳說的那些就很有用了，謝謝。」凱蒂閉上雙眼。

塔莉站在那裡片刻，難得感覺自己很沒用，她嘆口氣下樓，進廚房洗碗。她擦乾最後一個杯子時，大門輕輕打開又悄聲關上。

強尼站在門口，捧著一把粉紅玫瑰。他把頭髮剪得很短，穿著淺藍牛仔褲，白色愛迪達網球鞋的鞋舌拉了出來，感覺像二十歲的小伙子。認識他這麼多年來，他第一次顯得如此哀傷悽慘。

「嗨。」他將花束放在茶几上。

「你好像需要來一杯。」

「乾脆直接吊點滴好了。」他擠出笑容。「她睡了？」

「嗯。」塔莉從流理檯上拿起一瓶威士忌直接倒了一杯，什麼都不摻，又倒了一杯自己要喝的紅酒，端著酒走向他。

「我們去碼頭坐吧，」他接過酒杯。「我不想吵醒她。」

塔莉拿了大衣，跟著他出去，他們並肩坐在碼頭上，腿懸空在漆黑的湖面上晃蕩，像小孩一樣。

夜色靜謐祥和，一輪圓月掛在天際，照亮屋頂，在窗玻璃上反射；潮水拍打木樁，遠處橋樑上的車流噪音如同切分音讓強弱節拍異位。

「老實說，你還挺得住嗎？」塔莉問。

「我比較擔心凱蒂。」

「我懂，」她回答，「但我想知道你的狀況。」

「我已經好多了。」他啜了一口酒。

塔莉靠在他身上。「你很幸運，」她說，「她愛你，穆勒齊家的人一旦愛上一個人就會持續到永遠。」一說出這句話，她再次感到莫名感傷，彷彿孤寂雖然遠在看不見的地方，但一步步逐漸逼近。她第一次由衷感到好奇，假使她像凱蒂一樣選擇了愛情現在又會如何？她能眞正體會有歸屬、有依靠的感覺嗎？她望著水面。

「怎麼了，塔莉？」

「我好像有點羨慕你和凱蒂。」

「妳不想要這種生活。」

「我想要哪種生活？」

他摟著她。「妳心裡一直很清楚，新聞聯播網，那才是妳要的。」

「這樣很膚淺嗎？」

他大笑。「我沒資格評判。這樣吧，我會四處打聽，遲早能幫妳弄到聯播網的工作。」

「你願意幫我？」

「當然。不過妳要有耐心，說不定得等很長一段時間才有好消息。」

她轉身擁抱他，低聲說：「謝謝你，強尼。」他非常瞭解她，連她自己都才剛察覺的想法，他卻早已洞悉：她向前邁進的時候到了。

凱蒂雖然很疲倦，但無法入睡。她躺在床上望著三角形天花板，等候丈夫回來。

這份焦慮就是這段感情的核心。每當發生不順心的事，她就會想起自己曾經是他退而求其次的選擇，無論她多少次告訴自己沒這回事，但內心始終有一小塊單薄的陰影依舊這麼相信，讓她無法停止憂慮。

這種恐懼症破壞性非常強大，有如漲潮的皮查克河，侵蝕周圍的一切，將大塊土石捲走。

她聽到樓下有動靜。

他回來了。

「感謝老天。」

她忍痛離開床鋪下樓。

燈關著，壁爐中的火幾乎全滅了，只剩微弱的橘紅餘燼。一開始她以爲自己聽錯了，其實他還沒回來，接著才察覺碼頭上有兩條人影並肩坐著，月光照亮他們的輪廓，在漆黑湖水的襯托下閃爍銀芒。她悄然穿過客廳，打開門走進夜色中，微風吹拂她的頭髮與睡衣。

塔莉轉身擁抱強尼，在他耳邊呢喃，因爲潮水拍打的聲響，她聽不見他的回答。他好像笑了，凱蒂不確定。

「你們兩個開派對不找我？」她聽見自己的聲音有點啞，急忙吸一口氣作為掩飾。她心中知道強尼沒有轉頭吻塔莉，但那塊陰影依舊不停猜忌疑慮。那醜陋惡毒的念頭比一滴血還小，卻足以污染整條河流。

強尼立刻來到她身邊，將她拉進懷中親吻，他放開她之後，她轉頭找塔莉，但碼頭上只剩他們倆。

有生以來第一次，她希望自己可以不要這麼愛他。這種感情太危險，她有如置身荒野的裸體嬰兒，不堪一擊又滿懷恐懼。他可以輕易摧毀她，這一點她毫不懷疑。

幾個月過去了，新的一年來臨，塔莉耐心等候，相信遲早會有好消息，但是到了五月底，她幾乎快放棄希望了。一九八八年似乎並非她的幸運年。現在還很早，在這個高溫的春日中，她盡可能由代班主播的工作中尋找樂趣。播報結束，她回到辦公室。

她才剛坐下，外面傳來一聲：「塔莉，二線。」

她拿起電話，按下白色方形按鈕接通二線，通話燈立刻亮起。「我是塔露拉・哈特。」

「妳好，哈特小姐。我是迪克・艾莫森，NBC（國家廣播公司）的節目部副總，聽說妳想更上一層樓，進入聯播網工作。」

塔莉猛抽一口氣。「沒錯。」

「我們的晨間新聞缺一個基層記者。」

「真的？」

「下星期有超過五十人要來面試，競爭非常激烈，哈特小姐。」

「我也不是省油的燈，艾莫森先生。」

「很好，我喜歡有企圖心的人。」她聽見翻閱紙張的聲音。「我會請祕書寄機票給妳，她會打電話和妳進一步確認，並安排妳來紐約時的住宿、通知面試的時間。有沒有什麼問題？」

「沒問題，謝謝您，我絕對會拿出一流表現。」

「好，我討厭浪費時間。」他停頓一下。「幫我跟強尼・雷恩打個招呼。」

塔莉掛斷後，立刻打去凱蒂和強尼的家。

凱蒂很快接起電話。「喂？」

「我愛上妳老公了。」

電話另一頭停頓了約半秒。「哦，眞的？」

「他幫我爭取到NBC的面試機會。」

「下星期，對吧？」

「妳知道？」

凱蒂大笑。「我當然知道，他花了好大的工夫，還是鄙人在下我親自幫妳寄試鏡帶。」

「妳有那麼多事情忙，竟然還有空想到我？」塔莉感動地說。

「塔莉，妳和我要攜手挑戰世界，有些事情永遠不會變。」

「這次我眞的可以點燃世界，」她笑著說，「我終於拿到火柴了。」

紐約完全符合塔莉的想像。來到這裡的第一個星期，她緊握著NBC公司的新名片，像夢遊仙境的愛麗絲一樣走在繁忙的街道上，總是抬頭仰望上方。數不清的摩天大樓令她著迷，還有二十四小時不打烊的餐廳、中央公園旁排隊等客人的馬車，擁擠街道上的行人幾乎一律全身黑。

她花兩個星期的時間探索這個城市，挑選地區，尋找公寓，熟悉地下鐵網絡。她多少有點寂寞，身在這花花世界卻沒人陪她欣賞，但是老實說，能得到這份工作她實在太興奮，即使孤單也不覺得難過，更何況，在這樣一個不夜城，永遠沒有眞正一個人的時候，即使在深夜時刻，街頭依然熙來攘往。

更別說還有她的工作。打從以記者身分走進NBC大樓的那一刻，她便欲罷不能。她每天凌晨兩點半起床，四點抵達辦公室，雖然實際上不需要那麼早到，但她喜歡待在公司找事情做。她認眞研究珍・保利的舉止與儀態。

塔莉的職務是基層記者，主要工作是協助其他人的報導。有時候運氣來了，她可以撿到一些大牌記者不屑一顧的報導，例如印第安那州最大的南瓜那種新聞。她摩拳擦掌、躍躍欲試，遲早有一天她能累積足夠的資歷，可以報導眞正的新聞，等那一天到來，她絕對會有最令人驚豔的表現。老實說，當她看著珍・保利與布萊恩・剛博①那種一線記者，她知道自己還差得很遠。在她眼中他們像神一樣，她一有空就仔細觀察他們的工作；回到家，她分析播出效果，將每則報導錄下來反覆播放。

到了一九八九年秋天，她終於找到了自己的步調，漸漸脫離新手記者的階段，準備好大展身手。上個月她第一次眞正出差採訪：她飛去阿肯色州報導得獎的閹豬新聞，雖然最後沒有播出，但她不但完成採訪且做得非常出色，那一趟她學到很多經驗。

如果不是因爲晨間新聞內部鬥得烏煙瘴氣，她一定可以在攝影棚學到更多。團隊發生內訌，全國觀眾都知道。上星期拍攝宣傳照時，凌晨新聞的主播黛博拉・諾維爾②和珍、布萊恩一起坐在沙發上，那張照片在整個聯播網投下震撼彈，全國爲之撼動，各家報導紛紛猜測保利很快

---

①布萊恩・剛博（Bryant Gumbel）：美國記者，曾擔任NBC「今日」（Today）節目共同主持人長達十五年。

②黛博拉・諾維爾（Deborah Norville）：美國女主播，曾贏得兩座艾美獎。

會被諾維爾擠走。

塔莉保持低調，遠離所有八卦，任何流言都休想破壞她成功的機會。她全心專注在工作上，只要她比所有人都認眞，說不定有可能搶下代班機會，成爲凌晨時段「NBC破曉新聞」的主播。只要坐上那個位置，她相信一定能爭取到「今日」節目的頭條播報臺，接下來就可以一帆風順，掌握握整個世界。

一天工作十八個小時，她的私生活被壓縮到只剩一點點，然而即使相隔遙遠，她依然有凱蒂這個好朋友。她們至少每星期通話兩次，每個星期天塔莉都會打電話給穆勒齊伯母，她告訴她們工作壓力有多大、看到哪些名人與曼哈頓的生活點滴；她們則描述凱蒂和強尼新買的房子、伯父和伯母春季出遊的計畫，最棒的是凱蒂又懷孕了，這次一切平安。

日子一天天過去，像由牌堆落下的紙牌，速度快到有時感覺只是一晃眼，但她知道自己邁上了成功之路，因此有毅力繼續奮鬥下去。

十二月底的這一天，氣候酷寒，這樣的天氣已經持續了不知道多久，她在公司忙了十四個小時，拖著疲憊的身體下班。

「洛克斐勒中心」的聖誕裝飾吸引了她的目光。即使傍晚時分天色灰暗，路上依然到處都是人，逛街購物，拍攝巨大的聖誕樹，在冬季限定的滑冰場中溜冰。

她正準備走上回家的路，忽然看到「彩虹廳」的招牌，於是想著：試試無妨。她來紐約一年多了，雖然認識了很多人，但一直沒有交往的對象。

或許是因爲聖誕裝飾，也可能是因爲她要求聖誕節休假而被老闆取笑，她不確定，她只知道今天是星期五，而且聖誕節快到了，她不想回到死寂的公寓。反正CNN不會跑。

位於洛克斐勒中心六十五樓的餐廳——彩虹廳的景觀和傳說中一樣美，甚至有過之而無不及。她感覺彷彿置身於未來的太空船，飄浮在金碧輝煌的曼哈頓上空。

時間還早，吧檯與餐桌都有許多空位。她選了靠窗的位子坐下，點了一杯瑪格莉特。

她準備點第二杯時，酒吧開始擠滿客人。來自華爾街與城中區的男男女女成群結隊而來，此外還有打扮太過正式的觀光客，所有桌椅都被佔據了，吧檯更被裡裡外外包圍了三層。

「請問我可以坐下嗎？」

塔莉抬起頭。

一個好看的金髮男子低頭對她微笑，他的西裝非常高級。「我在吧檯和那堆雅痞推擠了半天還點不到酒。」

英國腔。她的罩門。

「讓你渴死未免太可憐了。」她將對面的椅子輕輕踢出去，請他坐下。

「感謝老天。」他揮手招來服務生，點了一杯加冰的威士忌，也替她再點了一杯瑪格莉特，然後整個人癱倒在座位上。「眞是見鬼了，這裡根本是人肉市場。對了，我叫葛蘭。」

她喜歡他的笑容，於是也回以微笑。「塔莉。」

「不報姓氏，非常好。這表示我們不必互道人生故事，可以單純開心。」

服務生送酒來，很快又離開了。

「敬妳。」他將杯子斜斜朝她一比。「這裡的景色比我聽說得更漂亮。」他靠向她。「妳很美，不過妳應該早就知道了。」

這些話她這輩子聽了無數次，通常對她毫無影響，就像落在金屬屋頂上又彈開的雨點一樣，但是不知道爲什麼，在這個地方，這個接近佳節的日子，這句讚美正合她的意。「你打算在紐約停留多久？」

「一個星期左右。我在『維珍娛樂公司』上班。」

「你瞎掰的吧？」①

「是眞的，屬於理查・布朗森的集團②，我們來美國勘查，尋找適合開設複合式娛樂商店的地點。」

「眞不敢想像裡面賣的是什麼。」

「妳眞逗。主要是唱片，但之後還會擴張。」

她喝一口酒，隔著沾鹽的杯緣微笑打量他。凱蒂老是叨唸著要她多出去玩、多認識人，現在她覺得這個建議非常好。「你投宿的飯店在附近嗎？」

---

①維珍娛樂公司的英文名「Virgin」有處女之意。

②理查・布朗森（Richard Branson）為維珍集團的創辦人，集團業務範圍包括旅遊、航空、娛樂等。

第三部　九〇年代〈我是每個女人〉

~全在我之中~①

19

「乾脆打昏我算了，我是說眞的。假使醫生不肯給我藥，那就拿根球棒打昏我，呼吸練習都是狗屁——啊啊啊！」凱蒂感覺體內劇痛扭絞，整個人快撕裂了。

強尼她身邊說著：「來……哈哈哈……妳一定可以的。呼吸，哈……哈……像這樣。記得我們上過的課嗎？專注，想像，進入我們練習過的境界——」

她一把揪住他的領子拽過去。「眞是夠了，你再說一次呼吸，我會把你打得四腳朝天。我要麻醉——」

陣痛又來了，痙攣、撕扯、扭絞，傳遍整個身體，她忍不住尖叫。剛開始的六個小時感覺還不錯，她專注呼吸，老公彎腰關心時她會吻他，他拿濕布幫她冷敷前額時她會道謝，但接下來的六個小時，她喪失了天生的樂觀。殘酷無情的噬骨劇痛有如恐怖怪物一口口啃咬，她殘存的部分越來越少。

到了第十七個小時，她徹徹底底變成瘋狂潑婦，連護士都來去匆匆。

「來嘛，寶貝，呼吸，現在已經不能打麻醉了。剛才醫生說的話妳也聽見啦，很快就會生了。」

她發覺雖然強尼努力安撫她，但始終躲得遠遠的。他彷彿站在地雷區的士兵，剛剛目睹最要好的朋友被炸死，所以一動也不敢動。

「媽呢？」

「她好像又下樓去打電話給塔莉了。」

凱蒂努力專注呼吸，但完全沒用，疼痛再度激升，達到最高點。她汗濕的雙手握住產床欄杆。「我……要……冰……塊！」她尖叫喊出最後一個字。強尼拔腿衝出去的樣子應該很好笑，可惜她實在沒心情笑，現在的她感覺有如電影「大白鯊」中獨自被鯊魚攻擊的女生。

病房的門砰一聲被打開。「聽說有人一直要賤喔。」

凱蒂努力擠出笑容，但另一波收縮又開始了。「我不……要……再……生了。」

「改變主意啦？時機選得很好。」塔莉來到床邊。

陣痛再次來襲。

「盡量叫吧。」塔莉撫摸她的額頭。

「我……應該……要靠呼吸撐過去。」

「去他的，叫吧。」

於是她叫了，感覺非常痛快，疼痛減輕之後，她無力地笑了笑。「看來妳是反拉梅茲派。」

「我自認不是崇尚自然產的那種。」她看著凱蒂的便便大腹與慘白汗濕臉龐。「這絕對是我看過最有效的節育宣導。從今天開始，我每次都要用三層保險套。」塔莉微笑，但眼神很擔憂。「妳眞的沒事嗎？要不要叫醫生？」

凱蒂虛弱地搖頭。「跟我說說話就好，讓我分心。」

「上個月我認識了一個男的。」

「叫什麼名字？」

「我就知道妳第一句肯定會問這個——葛蘭。我曉得妳一定又要搬出《柯夢波丹》雜誌那一套，來場『妳多瞭解男友』小測驗，我自己先招認，我對他一無所知，只知道他的吻功像天

---

①我是每個女人（I'm Every Woman）：一九七八年時，由靈魂歌姬夏卡康（Chaka Khan）演唱，後於一九九二年由惠妮・休士頓翻唱，收錄於「終極保鏢」電影原聲帶中。

神，床功像魔鬼。」

又一陣收縮，凱蒂拱起背再次尖叫。彷彿隔著遙遠的距離，她聽見塔莉的聲音，感覺她輕撫前額，但疼痛實在太過強烈，她只能拚命喘氣。疼痛結束之後，她說：「可惡，下次強尼敢碰我，我一定會揍他一頓。」

「想要小孩的人是妳。」

「我要換朋友，換找個記性不好的人。」

「我的記性很差啊。我有沒有告訴妳我有交往的對象了？他非常適合我。」

「爲什麼？」凱蒂喘著氣問。

「他住在倫敦，我們只有週末才見面。順便補充一下，每次都爽翻天。」

「媽之前打電話妳沒接，就是在忙這個？」

「剛好忙到一半，可是一結束我就立刻打包出發了。」

「眞高興妳懂得分辨輕重——噢，媽的——緩急。」子宮收縮到一半時，病房門又開了，護士先進來，後面跟著媽媽和強尼，塔莉後退，讓他們能靠近病床。護士檢查凱蒂的子宮頸，然後出去叫醫生，他急忙進來戴上手套，滿臉笑容的模樣彷彿在超市與她巧遇。腳架立了起來，重頭戲要開始了。

「用力。」醫生的語氣全然鎭定、毫無痛苦，凱蒂好想戳出他的眼球。

她尖叫、用力、吶喊，疼痛瞬間結束，就像開始時一樣突然。

「很健康的女寶寶，」醫生說，「爸爸，你想幫忙剪臍帶嗎？」

凱蒂掙扎著想坐起來，但實在沒體力。不久，強尼來到她身邊，交給她一個包在粉紅毯子裡的小玩意兒，她將剛出生的女兒抱在懷中，低頭看著那張心形小臉。她有一頭濕答答、亂糟糟的黑色鬈髮，像媽媽一樣極度白皙的肌膚，以及凱蒂見過最最完美的小嘴。她的心瞬間漲滿了愛，強烈到無法形容。「嘿，瑪拉．蘿絲。」她低語，握住寶寶葡萄般嬌小的拳頭。「歡迎加入這個家，寶貝女兒。」

她抬起頭，發現強尼在哭，他彎腰親吻她，猶如蝴蝶般輕柔。「我愛妳，凱蒂。」

她的世界從來沒有像這一刻如此美好，她知道未來無論有多少考驗，她會永遠記得在這璀璨的一刻，她接觸到了天堂。

塔莉苦苦哀求多請了兩天假，幫忙凱蒂回家安頓。打電話時，感覺事關生死，毫無疑慮。但現在塔莉終於看清現實。凱蒂和瑪拉出院才幾個小時，她就像支沒電的麥克風一樣毫無用處。穆勒齊伯母如機器般效率十足，凱蒂還沒喊餓她就先送上吃的，像魔術師般瞬間換好手帕般的小小尿布，指導凱蒂如何哺乳，塔莉一直以為那是女人天生的本能，但顯然不是。

她有什麼貢獻？運氣好的時候她可以逗凱蒂笑，但大部分的時間凱蒂只是溫柔嘆息，臉上滿是疲憊以及對女兒的深情。此刻凱蒂躺在床上，寶寶抱在懷裡。「她很美吧？」

塔莉看著那粉紅色的小小包。「真的很美。」

凱蒂摸摸女兒的小臉頰，低頭微笑。「塔莉，妳先回紐約吧，真的，等我可以下床再來就好了。」

塔莉努力不表現出鬆了口氣。「攝影棚確實少不了我，我不在，他們八成已經亂成一團了。」

凱蒂露出體貼的笑容。「妳知道，沒有妳我真的撐不過去。」

「真的？」

「真的。快過來親一下妳的乾女兒，然後回去上班吧。」

「她受洗的時候我一定會到。」塔莉彎腰親吻瑪拉細嫩的小臉蛋，再吻一下凱蒂的前額，她低聲道別走出臥房時，凱蒂似乎已經完全忘記她了。

一下樓，她看見強尼萎靡地坐在壁爐邊，頭髮凌亂糾結，襯衫穿反了，兩腳的襪子不一樣，而且上午十一點就在喝啤酒。

「你氣色很差。」她在他身邊坐下。

「昨天晚上她每個小時醒來一次，連在薩爾瓦多的時候都沒這麼慘。」他喝了一口酒。「不過她眞美，對吧？」

「美呆了。」

「現在凱蒂想搬去郊區了，她發現船屋四周都是水，所以我們得搬去溫馨小社區，和鄰居一起烘焙募款、帶小孩互串門子。」他做個苦臉。「妳能想像我和那些雅痞住在郊區嗎？」

雖然很不可思議，但她能想像。「那工作怎麼辦？」

「我要回KILO上班，負責製作政治與國際新聞。」

「感覺不像你。」

他似乎有些意外。當他看著她，她察覺一縷回憶閃過，她勾起了他們的過去。「塔莉，我已經三十五歲了，有妻有女，以後我必須滿足於不同的成就。」

她忍不住留意到他所說的以後二字。「可是你熱愛瘋狂的記者工作，你喜歡戰場、燒夷彈，甚至喜歡有人對你開槍。我們都很清楚，你無法永遠放棄。」

「塔莉，其實妳沒有那麼瞭解我，我們並沒有互相傾訴祕密。」

早該遺忘的那段記憶驟然襲上心頭。「你嘗試過。」

「的確。」他附和。

「凱蒂一定希望你能開心，你去CNN絕對可以大展身手。」

「亞特蘭大？」他大笑。「有一天妳會懂。」

「我結婚生子的那天？」

「我說的是妳墜入愛河的那天，愛情會改變一個人。」

「就像你這樣？有一天我會生小孩，然後就會想走回頭路，跑去報導蜜蜂的新聞？」

「首先妳要先去愛，對吧？」強尼看她的眼神如此理解、如此透徹，彷彿將她刺穿。回想起過去的人不只她一個。

她站起來。「我要回曼哈頓了，你也知道，新聞不等人。」

強尼放下啤酒，站起來走到她身邊。「塔莉，替我完成夢想，報導整個世界。」

他的語氣是如此惆悵，她不曉得他是對自己感到後悔，還是爲她感到悲哀。

她強迫自己微笑。「沒問題。」

塔莉離開西雅圖回到紐約兩個星期後，一場暴風雪冰封曼哈頓，讓這個活力十足的城市停下來——至少幾個鐘頭。平常車滿爲患的街道此時一片空盪，潔淨的白雪籠罩馬路和人行道，中央公園變成冬季樂園。

塔莉照常四點抵達辦公室。她住的公寓很老舊，沒有電梯，暖氣喀喀作響，單薄的古董窗戶上積了一層霜，她穿上緊身褲、黑色絲絨踩腳褲、雪靴、兩件毛衣，最後套上深藍色羊毛大衣與灰色連指手套，她在街頭奮力與氣候對抗，彎著腰逆風而行。大雪使得她視線不清、臉頰刺痛，但她不在乎，她熱愛工作，只要能早點到辦公室，她什麼都願意忍受。

她在大廳跺腳清掉靴子上的雪，簽到，上樓。她一進辦公室就發現一堆人請病假，只剩下維持運作的基本人手。

就坐之後她立刻著手進行昨天分配給她的報導，研究西北地區斑點鴞的爭議，她決心要以在地觀點爲內容增色，忙著閱讀所有能找到的資料，包括參議院的委員會報告、環境評估數據、伐木產業的經濟統計與原生林的生物繁衍。

「妳很認眞嘛。」

塔莉猛地抬起頭，因爲太專注於讀資料，以致沒察覺有人接近。這個人可不是普通人。

愛德娜．古柏，一身招牌黑色斜紋羊毛褲裝，三七步站在她的辦公桌旁抽菸，藍黑色平瀏海下，一雙敏銳的灰眸看著她。愛德娜在新聞圈很出名，在那個女性頂多只能當祕書的年代，她一路爬上了最高層。她一向單以「愛德娜」這名號行走業界，一說出來大家都知道。據說她有一本寫滿名人聯絡資料的電話簿，從古巴總統卡斯楚到性格影星克林．伊斯威特全都在裡面，她想訪問的人一定能訪問到，只要她想要的，走遍全世界也非得找到。

「變啞巴啦？」她呼出一口煙。

塔莉連忙站起來。「對不起，愛德娜。古柏女士，您好。」

「我最討厭人家用『您』稱呼我，會讓我覺得很老。妳覺得我很老嗎？」

「不，您——」

「很好。妳怎麼來的？今天路上連半輛計程車和公車都沒有。」

「走路。」

「叫什麼名字？」

「塔莉．哈特。塔露拉。」

愛德娜瞇起眼將塔莉上下打量一圈。「跟我來。」她的黑色靴跟一轉，大步走向位於大樓轉角的辦公室。

見鬼了。

塔莉的心怦怦直跳，她從來沒進過這間辦公室，從來沒見過晨間新聞的大總管摩利．史坦。

這間辦公室非常大，兩面牆有著大窗戶，降雪讓外面的萬物顯得灰白詭異。站在這個景觀極佳的地點，感覺很像由雪球往外看。

「這孩子可以用。」愛德娜朝塔莉一撇頭。

摩利正在忙，他抬起頭，只瞄了塔莉一眼，便點頭說：「好。」

愛德娜離開辦公室。

塔莉迷糊地站在那裡，然後聽見愛德娜說：「妳有什麼毛病？癲癇症？昏睡症？」

塔莉連忙跟著回到走廊。

「妳有紙筆吧？」

「有。」

「不必回答，只要做好我交代的事，而且動作要快。」

塔莉慌張地由口袋中找出筆，從旁邊的辦公桌隨手拿了一張紙。「好了。」

「首先，尼加拉瓜即將舉行總統大選，給我一份詳細的報告。妳應該知道那裡的狀況吧？」

「當然。」她回答。

「我要知道關於桑定黨的一切，布希的尼加拉瓜政策，貿易禁運的狀況、當地民眾的生活，甚至薇奧萊塔・查莫洛何時失去處女身。給妳十二天時間。」①

「是——」這次她即時打住，沒有說出「您」。

愛德娜停在塔莉的辦公桌旁。「妳有護照吧？」

「有。到職的時候公司要我去辦了。」

---

①桑定國家解放陣線（Sandinista National Liberation Front）為尼加拉瓜左派政治黨，簡稱為桑定黨（Sandinistas），名稱來自於抗美成功卻遭同志暗殺的英雄桑定諾（Sandino），此黨於一九七九年發起革命取得政權，美國為抗議其社會政策而於一九八五年實施貿易禁運。一九九〇年總統大選中，反桑定聯合陣線代表薇奧萊塔・查莫洛（Violeta Chamorro）獲勝，結束桑定黨政權。

「也對。我們十六號出發，走之前——」
「我們？」
「妳以爲我爲什麼找妳說話？有問題嗎？」
「沒有，沒問題。謝謝，我眞的——」
「需要預防注射，找個醫生幫我們和組員處理一下，然後妳開始著手準備採訪會議，懂嗎？」她看看錶。「會議一點開始。星期五早上來報告進度，五點可以嗎？」
「馬上辦。再次謝謝妳，愛德娜。」
「不用謝，哈特。只要做好妳的工作，而且要比所有人做得更好。」
「沒問題。」塔莉回到辦公桌拿起話筒，號碼還沒撥完愛德娜已經不見了。
「喂？」凱蒂的聲音有氣無力。
塔莉看看時間，現在是九點，換言之西雅圖才六點。「哎呀，我又太早打，對不起。」
「妳的乾女兒不用睡覺，她是自然界的怪胎。過幾個小時我再打給妳好嗎？」
「其實我要找強尼。」
「強尼？」這個問題傳來前的一瞬沉默中，塔莉聽見嬰兒哭聲。
「愛德娜．古柏打算帶我去尼加拉瓜，我想請教一些背景資料。」
「等一下。」凱蒂將電話拿開，接著傳來一陣像是揉皺蠟紙的聲音，然後是含糊低語，最後強尼接起電話。
「嗨，塔莉，妳走運了，愛德娜是傳奇人物。」
「強尼，這是我出頭的大好機會，我不想搞砸了，所以想直接借用你的頭腦。」
「我一整個月沒睡了，不確定頭腦還能不能用，不過我會盡力。」他停頓一下，「妳知道那裡很危險吧？根本是個火藥桶，死了很多人。」
「你好像很擔心我。」

「我當然會擔心。好了，從相關的歷史開始吧，桑定國家解放陣線成立於一九六〇或六一年，也稱為桑定黨……」

接下來兩個星期，塔莉拚了命工作，一天花十八到二十個小時閱讀、寫作、打電話和安排會議。除了工作與試著入睡之外，她還抽出時間跑了幾家不曾去過的商店，像露營用品店、軍用品批發行之類。她買了摺疊小刀、附防蟲網的探險帽、健行靴，總之所有她能想到的東西都買了。若是她們身陷叢林，而愛德娜想要蒼蠅拍，塔莉也絕對拿得出來。

眞的出發時，她非常緊張。愛德娜抵達機場時一身輕便裝扮，筆挺的亞麻褲配棉質白上衣，她看了一眼塔莉身上那套口袋一堆的叢林行頭，立刻放聲狂笑。

旅途非常漫長，在達拉斯與墨西哥市轉機兩次之後，終於抵達尼國首都馬納瓜。一路上，愛德娜不停發問考塔莉。

飛機降落的地方感覺像某戶人家的後院，一身迷彩軍服的年輕士兵拿著來福槍在四周戒備；叢林裡跑出一堆小孩，在飛機螺旋槳激起的氣流中玩耍。塔莉知道她永遠忘不了這對比強烈的畫面，但是下飛機後到重新登機回家的這五天中，她忙到沒時間去想。

愛德娜是行動派。

她們在游擊隊四伏的叢林中跋涉，聽吼猴的淒厲叫聲，拚命打蚊子，在排滿鱷魚的河流中航行，有時被蒙住眼睛，有時可以看。深入叢林之後，愛德娜訪問將領，塔莉負責採訪士兵。

這趟旅程擴展了她的眼界，讓她看見原本不知道的世界，更看清自己的本質。恐懼、腎上腺素狂飆與採訪，這種種都讓她感受到前所未有的亢奮。

採訪結束後，她們回到墨西哥市的酒店，坐在愛德娜房間外的陽臺上喝著純龍舌蘭酒，塔莉說：「我眞不知道要如何感謝妳。」

愛德娜又喝了一杯，往後靠在椅背上。這個夜晚很安靜，好幾天來第一次沒有聽見槍響。

「妳表現得不錯，小鬼。」

塔莉得意到心都要漲痛了。「謝謝妳。過去幾個星期跟著妳學到的東西，勝過我念四年大學。」

「那下次採訪妳想跟嗎？」

「去哪裡都行，我隨時待命。」

「我要去訪問南非的尼爾森．曼德拉。」

「我加入。」

愛德娜轉向她，陽臺上只有一個光禿禿的燈泡提供照明，黏膩的橘黃光線強調出她的皺紋，讓她顯得眼袋很重，看起來比平時老了十歲，而且非常疲憊，此外還有一些醉意。「妳有男朋友嗎？」

「我整天工作，恐怕很難吧？」塔莉笑了一聲，重新斟滿一杯。

「是啊，」愛德娜說，「我人生的寫照。」

「選擇這種人生，妳後悔嗎？」若不是仗著酒膽，塔莉絕不敢問這麼私人的事，但此刻酒精模糊了兩人之間的界線。塔莉可以假裝她們是同事，而不是傳奇與菜鳥。

「確實得付出代價，至少我這一代的女人不可能兼顧家庭和這樣的工作。想結婚當然可以，我結過三次，可是很難維持下去；小孩更是想都別想，一有大事發生，我就得立刻趕往現場，沒得商量，即使是孩子婚禮當天，我一樣會走，所以我一個人生活。」她看著塔莉。「我愛死這種人生了，每一秒都很痛快，就算我得在老人院孤獨死去，那又怎樣？我這一生每一秒都在做自己想做的事情，而且我的工作非常有意義。」

塔莉感覺彷彿正式加入一個宗教，雖然她一直篤信，但現在終於接受了洗禮。「阿們。」

「好啦，妳對南非瞭解多少？」

20

初爲人母的第一年，感覺有如波濤洶湧的黑暗大海，不斷將凱蒂往下拖。

她從小就偷偷憧憬爲人母，當這神奇的時刻終於來到，她卻發現自己力有未逮，這實在很丟人，因爲覺得太沒面子，所以即使應付不來她也沒有對任何人說。有人表示關心時，她總是露出燦爛的笑容，回答說當媽媽是她人生中最棒的一件事，絕對沒說謊。

然而也有不太美好的時候。

老實說，這個雪膚、黑髮、棕眸的漂亮女兒非常難帶。瑪拉一回家就開始生病，耳道感染不斷復發，治好了又來，腹絞痛讓她一哭就好幾個小時不停。數不清有多少次，凱蒂半夜抱著尖聲哭喊到小臉漲紅的女兒坐在客廳裡，自己也跟著偷哭起來。

再過三天瑪拉便滿一歲了，但到現在她還沒安穩睡過一整夜，最高紀錄頂多四個小時。因此過去一年中，凱蒂不曾有過一夜好眠，強尼每次都會主動說要起床去哄女兒，一開始甚至眞的掀開被子，但凱蒂每次都說不用了。她不是想扮演烈士，雖然她經常有這種感覺。

強尼要上班，事情就這麼簡單。凱蒂放棄事業全心當媽媽，因此夜裡起床是她的工作，一開始她心甘情願，後來至少會擠出笑容，然而最近當瑪拉在十一點哭起來，她發現自己祈求上帝賜予勇氣。

她的煩惱不止這個。首先，她的模樣糟透了，她猜想是長期無法安睡的結果，再多化妝品、保養品都無法改善，她的膚色原本就白，最近更是像小丑的白粉臉，只剩下兩個黑眼圈。她的體重大致恢復了，只剩最後十磅，但她的身高才五呎三吋，十磅等於衣服大兩號，所以這一年來她每天都穿運動服。

她計畫運動甩肉。上星期她挖出以前買的有氧舞蹈教學帶、韻律服和泡泡襪，萬事具備，只欠按下播放鍵開始跳。

「今天就開始。」她邊宣示邊將女兒抱回床上蓋好小毯子。這是塔莉送的禮物，粉紅與與雪白相間的喀什米爾羊毛材質，價格非常驚人，觸感極爲柔軟，這是瑪拉睡覺時少不了的寶貝，凱蒂試過換其他玩具或毛毯，但她只要塔莉送的這個。「拜託妳乖乖睡到七點，媽咪需要休息。」

凱蒂打著呵欠回床上窩在老公身邊。

他親吻她的嘴唇，留戀不去，似乎暗示著接下來的好戲，他呢喃：「妳眞美。」

她睜開眼睛，迷濛地望著他。「老實招吧，你搞上了哪個女人？大半夜裡說我美，一定是因爲心裡有鬼。」

「別傻了，最近妳的情緒大起大落，感覺像同時擁有三個老婆，我才不想再招惹其他女人呢。」

「不過能做愛也不錯。」

「能做愛的確很不錯。眞妙，妳竟然會提起這件事。」

「眞妙？是好笑的意思？還是在抱怨太久沒做，你已經不記得上次是什麼時候了？」

「是因爲這個週末妳要轉運了。」

「哦？怎麼說？」

「我已經聯絡過妳媽了。瑪拉的生日派對結束之後她會幫忙帶孩子，我們兩個去西雅圖市區享受浪漫夜晚。」

「可是我的衣服都穿不下了。」

「放心，我不介意妳脫光。我們可以待在房間不出去，叫客房服務就好。只有妳自己覺得身材還沒恢復，試穿一下以前的衣服，妳一定會嚇一跳。」

「難怪我這麼愛你。」

「我是神，不用懷疑。」

她微笑摟住他，送上溫柔熱吻。

他們才剛閉上眼電話就響了，凱蒂慢吞吞坐起來看時鐘，才五點四十七分。

鈴聲響第二聲時她接起來。「嗨，塔莉。」

「嗨，凱蒂，」塔莉說，「妳怎麼知道是我？」

「碰巧猜到。」凱蒂揉揉鼻梁，覺得頭隱隱作痛，強尼含糊抱怨有人不會看時間。

「就是今天，記得吧？布希徵召後備軍人的新聞，這是第一次由我負責報導眞正的國家大事。」

「噢，對喔。」

「凱蒂，妳怎麼這麼冷淡？」

「現在是凌晨五點半。」

「噢，我以爲妳會想看播出，對不起吵醒妳了，拜。」

「塔莉，等一下——」

太遲了，話筒傳來嘟嘟聲。

凱蒂低聲罵了一句之後掛上電話，最近她好像做什麼都不對。她和塔莉的交集越來越少，根本沒什麼話可聊，塔莉不想聽沒完沒了的媽媽經，凱蒂也很難忍受塔莉總是將她的人生與事業放在第一位。從遙遠國度打來的電話、寄來的明信片，這些都讓凱蒂覺得有點煩。

「她今天要上『破曉新聞』，記得嗎？」凱蒂說，「她想提醒我們。」

強尼掀起被子，打開電視，他們一起坐在床上，聽記者報導伊拉克敵意日深，以及總統的回應。

這時塔莉忽然出現在螢幕上。她站在一棟破舊的水泥建築前訪問一個長相稚嫩的士兵，他滿臉雀斑，濃密的紅髮剃成平頭，感覺十秒前才拆掉牙套、脫下高中校隊制服。

塔莉搶盡風頭，她的模樣俐落又極爲專業，且豔光照人。她將紅棕色鬈髮拉直並剪成風韻十足的鮑伯頭，濃淡合宜的妝容勾勒出靈動眼眸。

「哇。」凱蒂低低出聲。這樣的轉變是什麼時候發生的？塔莉的打扮不再誇張絢麗，揮別了屬於古柯鹼與亮片的八〇年代，她是記者塔露拉．哈特，美色可比超級名模，專業不輸大牌主播。

「哇得對，」強尼說，「她美呆了。」

他們將報導看完，他親吻凱蒂的臉頰，進入浴室，而後她聽見淋浴的聲音。

「她美呆了。」凱蒂嘀咕著側身拿電話。

她撥打塔莉的號碼卻被轉到總機，對方要求她留言。

看來塔莉真的生氣了。

「就說凱蒂找她，她的報導非常出色。」

塔莉很可能就站在電話旁邊，一身高級名牌服飾，翻著菱格紋名牌包，看著電話上的紅燈閃爍。

凱蒂下床進入浴室，現在躺回去也睡不了多久，瑪拉隨時可能醒來。她老公在淋浴間裡唱著滾石樂團的老歌，走音很嚴重。

她雖然知道不該看，但還是瞥了一眼鏡子，蒸氣讓映影模糊不清，但還是看得見。

她的頭髮亂七八糟且太長，髮根露出一大段深金色，昭告她很久沒染髮了，她的眼袋尺寸有如撐開的雨傘，胸部大到可以分給兩個女人。

難怪她一直躲避任何反照面。她嘆氣拿出牙膏開始刷牙，還沒刷完就感覺到瑪拉醒了。

她關水，開門。

果然沒錯，瑪拉哭得很大聲。

凱蒂的一天開始了。

大日子終於來臨，凱蒂納悶自己怎麼會給女兒辦這麼荒唐的生日派對。她一夜沒睡好，清晨起床就開始準備，完成粉紅色芭比娃娃蛋糕的裝飾，包裝好剩下的幾份禮物。她當初一時失心瘋，邀請了親子教室的所有小朋友，還有兩個姐妹會的老朋友，她們各自有年紀與瑪拉相仿的女兒，此外也邀請了她的爸媽。因爲活動太盛大，連強尼都特地請了半天假。當所有賓客帶著禮物準時抵達，凱蒂立刻頭痛起來，而瑪拉選在這一刻哭叫更使得狀況雪上加霜。

不過派對還是順利進行下去，所有媽媽聚在客廳，小孩在地上玩耍，場面比薛曼將軍攻入亞特蘭大更喧鬧①。

「前幾天凌晨時我起床照顧丹尼，剛好在新聞上看到塔莉。」瑪莉凱說。

「我也看到了。」夏綠蒂端起咖啡。「她很漂亮，對吧？」

「那是因爲她晚上能睡覺，」維琪一針見血地說。「衣服也不會弄到嘔吐物。」

凱蒂很想加入，但沒有力氣。她頭痛欲裂，有種莫名的不祥預感，那種感覺太強烈，甚至當強尼一點出門去上班時，她幾乎想叫他別去。

送走客人後，媽媽問：「妳今天怎麼都沒說話？」

「昨天晚上瑪拉又鬧了一整夜。」

「她一直沒辦法睡到天亮，爲什麼呢？因爲——」

①薛曼將軍（General Sherman）：美國南北戰爭時期的北軍名將，於一八六四年攻陷亞特蘭大時實施焦土戰略，不顧仍有市民居住，縱火焚燬整座城市，造成市民慌亂竄逃、互相踐踏。

「我知道、我知道，我應該讓她哭到累。」凱蒂將最後一個髒紙盤扔進垃圾桶。「可是我就是狠不下心。」

「以前我不哄妳，過個三天妳就不會半夜醒來了。」

「那是因爲我是天才，我女兒顯然沒那麼聰明。」

「錯，我才是天才，我女兒顯然沒那麼聰明。」媽媽摟著凱蒂的肩膀，帶她去沙發坐下。

她們並肩坐著，凱蒂靠在媽媽身上，媽媽摸著她的頭髮，那溫柔安撫的動作讓凱蒂覺得自己變回小孩。「記得嗎？小時候我說想當太空人，妳說我很幸運，因爲我這一輩的女人可以同時擁有事業和家庭。我可以有丈夫和三個小孩，依然有餘裕上月球，眞是騙死人不償命。」她嘆息。「當個好媽媽非常辛苦。」

「不只當媽媽，做什麼都是這樣。」

「感謝上帝。」凱蒂說。她眞的很愛女兒，那份愛有時強烈到令她心痛，但是爲人母的責任實在太沉重，生活步調令人精疲力盡。

「我知道妳有多累，不過慢慢就會好了，我保證。」

媽媽才剛說完，便見爸爸走進客廳，他幾乎整天都躲在起居室看體育比賽轉播。「瑪姬，我們該出發了，我不想碰上塞車。去幫瑪拉準備一下。」

凱蒂感到一陣恐慌。她眞的準備好離開女兒一整夜了嗎？「我不知道欸，媽。」

媽媽溫柔地摸摸她的手。「凱蒂，我和妳爸養大了兩個小孩，照顧外孫女一個晚上不會有問題的。和妳老公去約會吧，穿上高跟鞋，好好開心一下。有我們在，瑪拉不會有事。」

凱蒂知道媽媽說得對，知道這樣做只有好處，但爲什麼她會覺得胃部糾結？

「這輩子妳要擔心受怕的機會多得很，」爸爸說，「爲人父母就是這樣，學著適應吧，丫頭。」

凱蒂努力擠出笑容。「我們小時候你們的心情就像這樣吧？」

「現在也沒變。」老爸說，媽媽則握住她的手。「我們去收拾瑪拉的東西吧，再過兩個鐘頭強尼就要回來接妳了。」

凱蒂打包好瑪拉的衣物，確定粉紅毛毯、奶嘴和她最愛的小熊維尼玩偶都放進去了，然後她收拾好奶粉、奶瓶、小罐水果泥與蔬菜泥，寫好餵奶和睡覺的時間，安排得滴水不漏，連航空管制員都會甘拜下風。

凱蒂最後一次抱著瑪拉親吻她柔嫩的小臉蛋，眼淚差點奪眶而出，雖然可笑又丟人，但她實在忍不住。即使當媽媽讓她備受煎熬、信心全失，但也讓她心中漲滿了愛，沒有女兒在身邊她彷彿只剩半個人。

她站在班布理奇島海濱新居的門廊上，一手放在前額上遮陽，目送車子離開車道漸漸走遠，直到看不見。

她回到屋裡漫無目的地遊蕩了片刻，不知道一個人該做什麼。

她再次打給塔莉，同樣只能留言。

終於，她來到衣櫥前，望著懷孕前穿的衣物，努力找出性感成熟又能塞得進去的。她收拾好行李時，樓下傳來開門又關上的聲音，硬木地板響起老公的腳步聲。

她下樓去會合。「雷恩先生，我們要去哪裡呀？」

「妳等一下就知道了。」他牽起她的手，接過行李，將門窗關好。他們來到他的車子旁，音響開得很大聲，就像年輕時那樣，史普林斯汀唱著：「嘿，小女孩，爹地在家嗎……」①

凱蒂大笑，感覺彷彿回到青春歲月。車子開到渡輪碼頭上了船，平常他們會坐在車裡等，但今天他們裹著大衣和帽子站在船舷邊，和觀光客一起看風景。寒冷一月的傍晚五點，天空與運

①此句歌詞來自布魯斯・史普林斯汀一九八五年的熱門歌曲〈慾火焚身〉（I'm On Fire）。

河有如莫內的畫作，滿是淺紫與粉紅，遠方的西雅圖閃爍著千萬光點。

「你到底要不要告訴我目的地是哪裡？」

「這是祕密，不過我可以告訴妳今晚要做什麼。」

她大笑。「我知道今晚要做什麼。」

渡輪軋軋進港，他們回到車上。下船後，強尼將車駛進走走停停的市中心車陣，最後停在派克市場附近的一家飯店前，制服筆挺的門房為她開車門、拿行李。

強尼由駕駛座下車，繞過來牽起她的手。「我們已經登記好了。」他對行李員說，「四一六號房。」

他們漫步走過安靜的紅磚庭院進入歐式大廳，上到四樓進入房間，這是間位在轉角處的高級套房，海灣風光一覽無遺，班布理奇島幾乎是一片深紫。窗前桌上的銀色冰桶裡擺著一瓶香檳，旁邊有一盤草莓。

凱蒂微笑。「看來有人爲了上床用盡手段喔。」

「這是男人愛老婆的表現。」他將她攬入懷中熱情親吻。

有人敲門，他們像青少年般急忙分開，互相取笑對方猴急。

凱蒂耐著性子等行李員離開，門一關上，她立刻動手解開上衣鈕釦。「我一直無法決定該穿什麼。」強尼看著她，他沒有笑，表情像她一樣飢渴，她拉下拉鍊讓長褲落在地上。幾個月來第一次，她不再擔心身材問題，以他的眼神做爲鏡子。

她解開胸罩，先是掛在指尖挑逗，然後扔在地上。

「不公平，妳怎麼可以先偷跑？」他扯下襯衫扔在地上，接著脫掉長褲。

他們一起倒在床上熱情纏綿，感覺彷似他們好幾個月沒做愛了，但其實才幾星期而已。太多欠缺激情的夜晚讓他累積了濃濃渴望，他進入的瞬間，她發出歡愉的吶喊，體內的一切、全身每個部位都與這個她愛之勝過自己生命的男人合而爲一。她達到高潮，全身劇烈顫抖，抱緊他，貼著他汗濕的身軀，整個人癱軟無力。

他將她拉進懷中，兩人全身赤裸、氣息粗重，四肢交纏躺在一塊兒，飯店的高級床單纏在腿上。

「妳知道我有多愛妳吧？」他輕聲說。這句話他說過好幾百次，她非常熟悉，所以能聽出這次的語氣不太對勁。

她立刻擔心起來，翻身側躺看著他。「究竟怎麼回事？」

「什麼意思？」他從容地離開她，走到窗邊的桌前倒了兩杯香檳。

「要吃草莓嗎？」

他緩緩轉過身，感覺有點太過謹慎，也不肯看她的眼睛。

「你這樣我很害怕。」

他走到窗前往外望，側臉忽然顯得消沉遙遠，汗濕糾結的髮絲遮住面頰，她無法判斷他是否有笑容。「凱蒂，現在先別說這些。我們有一整夜加上明天，慢慢再說就好，現在我們先——」

「快說。」

他將酒杯放在窗臺上轉過身，視線終於對上她的雙眼，她看出那雙藍眸中有著憂傷，她的呼吸不禁屏住。他走過來跪坐在床邊，抬頭看著她。「妳知道中東的狀況吧？」

這句話實在太出乎意料，她只能呆望著他。「什麼？」

「凱蒂，妳知道很快就要開戰了，全世界都知道。」

戰爭。

這個詞糾結成一片巨大漆黑的烏雲，她明白是怎麼回事了。

「我要去。」他簡潔平靜的語氣比大吼大叫更可怕。

「你不是說失去勇氣了嗎？」

「眞的很諷刺，是妳讓我找了回來。凱蒂，我不想繼續做個窩囊廢，我需要證明這次我能成功。」

「你希望我贊同。」她吶吶地說。

「我需要妳贊同。」

「無論我說什麼你都會去，又何必費這麼大的工夫？」

他跪直，雙手牢牢捧著她的臉，她想掙脫，但他不肯放手。「那裡需要我，我有經驗。」

「我需要你，瑪拉也需要你，這難道毫無意義？」

「當然有。」

她感覺熱淚盈滿眶，模糊了視線。

「如果妳要我別去，我就不去。」

「好，別去，不准去，我不讓你去。我愛你，強尼，這次你可能會賠上性命。」

他放開她，往後跪坐凝望著她。「這就是妳的回答？」

淚水終於落下，沿著臉頰流淌，她忿忿抹去，很想說：對，去你的，對。這就是我的回答。

但她怎麼能阻止？一方面因爲這是他想做的事情，但還有一個更深層的原因，她心中始終殘留著恐懼的醜陋碎片，不時會浮現出來，提醒著他原本愛的人是塔莉，因此凱蒂不敢拒絕他的任何要求。她再次抹去眼淚。「強尼，發誓你一定會活著回來。」

他爬上床將她擁入懷中，她用盡全部的力氣抱緊他，心中已經開始感到徬徨忐忑，彷彿他在她懷中融解，一點一滴消失。「我發誓會活著回來。」

這句話只是空言，他熱切的語氣更顯虛假。

她忍不住想起早上起床時就有的不祥預感。「我說眞的，強尼，假使你死在那裡，我會恨你一輩子。我對上帝發誓，絕對會。」

「妳很清楚妳會愛我一輩子。」

這句話加上他輕鬆得意的語氣，害得她又開始想哭。他們在房裡享用浪漫的晚餐，再次溫存，依偎在對方懷中，她再次想起說過的話，這才體會到她的威脅是多麼殘忍可怕，幾乎像是挑釁上帝。

塔莉離開葛蘭赤裸的懷抱，翻身躺在床上，氣息依然粗重。「哇。」她閉起雙眼。「太棒了。」

「確實沒錯。」

「眞高興這個週末你來了，我剛好需要這個。」

「我也一樣，寶貝。」

她很愛聽他的腔調，也喜歡感覺兩人的裸體相貼。她希望這一刻無限延長，因爲當他一離開她的床，不快的心情又會回來。自從打過電話給凱蒂之後，她整天一直在糾結，和好友嘔氣總是讓她意志消沉、心煩意亂。

葛蘭在床上坐起來。

她摸摸他的背，想要求他將會議改期，今晚留下來陪她，但他們不是那樣的關係。他們是炮友，每次相聚幾個小時尋歡作樂，然後各自分飛。

他身邊的電話響了，他伸手去接。

「別接，我沒心情跟別人說話。」

「我給了祕書這裡的電話。」他拿起話筒接聽。「喂？……我是葛蘭。」他說，「妳是哪位？哦，我知道了。」他停頓一下，先是蹙眉，然後大笑。「沒問題。」他將話筒按在赤裸的胸膛上，轉身對塔莉說：「妳的好姐妹要我代爲轉告，所以我直接引用她的原話：快點帶著妳雪白的屁股滾下床來接該死的電話。她還說這是有史以來最需要妳的一天，假使妳敢拿翹，她會揍得妳跪地求饒。」他再次輕笑出聲。「她好像是認眞的。」

「電話給我。」

葛蘭將話筒交給她，光著身子走向浴室，他關上門後，塔莉將話筒放在耳邊，說：「哪位？」

「眞好笑。」

「我原本有個永遠的好姐妹，可是她對我很壞，所以我——」

「聽著，塔莉，平常我或許會磨上一個小時，纏著妳賠禮道歉，但是現在我沒空來那套。對不起，雖然妳在一個很不體貼的時間打來，但我的語氣太衝了，可以了吧？」

「怎麼了？」

「強尼明天要去巴格達。」

塔莉早該想到會這樣。中東情勢讓電視臺忙翻天，所有記者和整個世界都在猜布希總統何時會投下第一枚炸彈。「凱蒂，很多記者都要去，他不會有事的。」

「塔莉，我很害怕，萬一——」

「別怕，」塔莉急忙說。「別往壞處想。我會從電視臺追蹤他的動向，大部分的消息我們都會第一手得到，我幫妳留意。」

「妳保證一定會告訴我實情，無論發生什麼事？」

塔莉嘆息，這種話她們常常說，但這次與平常不同，感覺沉重而絕望，她強迫自己裝作沒察覺那種陰暗不祥的氣氛。「無論發生什麼事，凱蒂。但妳眞的不用操心，這場戰爭會很快結束，瑪拉還沒走第一步他就回家了。」

「我祈求妳說得沒錯。」

「我永遠不會錯，妳知道的。」

塔莉掛斷電話，聽見葛蘭開水淋浴，平常聽到他哼歌時她總會忍不住笑出來，但這次卻失去了效果。她很久沒感覺到害怕了，這是許久以來第一次。

強尼要去巴格達。

強尼出發兩天後，凱蒂收到第一封信。在他來信之前，她整天像遊魂一樣在家裡飄盪，總是守在廚房附近，因爲新裝的傳眞電話機放在那裡。她忙著日常瑣事，換尿布、讀故事書、看瑪拉在各種可能造成危險的家具間爬來爬去，心中一直想著：快啊，強尼，讓我知道你平安無事。他說過只有發生危急狀況才能打電話（她爭辯說她的心情也很急，爲什麼不算數？），不過發傳眞沒問題，且相對容易。

於是她只能等。

電話在凌晨四點響起，她掀起毯子翻身離開沙發，蹣跚走向廚房，等候傳眞列印出來。還沒看到內容她就哭了出來，光是他粗黑的字跡就讓思念排山倒海而來。

親愛的凱蒂，

這裡的狀況很亂，根本瘋了。我們無法確切掌握情勢，現在只能乾等。所有記者都聚集在巴格達中部的「拉希德飯店」，對戰雙方都積極接受採訪，這是前所未見的狀況。這場戰爭的報導將改變一切。明天我們將首度離開市區。別擔心，我會保重。

我得走了，幫我親女兒一下。

愛妳的

強

之後大約一星期會來一封傳眞，對她而言遠遠不夠。

凱，

昨晚開始轟炸了，還是該說今天凌晨？我們從飯店可以鳥瞰現場，那場面令人揪心不忍又無比神奇。昨晚的巴格達繁星點點非常美麗，飛彈將整座城市化為地獄。飯店附近的一棟辦公大樓爆炸了，傳來的熱流像烤箱一樣。

我會當心。

愛妳的

強

凱，

轟炸十七個小時了，依然持續中。結束之後恐怕將只剩一片焦土。我回去工作了。

凱，

抱歉這麼久沒寫信。採訪的行程一個接一個，我連五秒的空閒都沒有。不過我很平安，只是有一點累，其實不止一點，我快累斃了。昨晚第一次發生美國女性淪為戰俘，這件事對我們所有人造成極大的衝擊。希望有一天能告訴妳目睹這一切的感受，可是現在我不能想那些，不然我會睡不著。總之，聽說伊拉克軍隊打算引燃科威特的油田，我們要出發去採訪了。給瑪拉無數的吻，給妳更多。

凱蒂呆望著最後一次收到的傳真，日期是一九九一年二月二十一日，將近一個星期前了。她坐在客廳收看戰爭報導。過去六週是她一生中最漫長艱辛的時光。她殷殷盼望他的電話，期待聽到他說要回國製作預告戰爭結束的特別報導。據說盟軍隨時會發動最後攻勢，進行地面掃蕩，這比任何事情更令她害怕，因爲她瞭解她的強尼，他一定會設法登上戰車，記錄別人無法採訪到的新聞。

等待使她形銷骨立。她瘦了七、八公斤，從飯店那次之後再也沒有安睡過。

她將那張傳眞對摺和其他幾張放在一起。每天她都告訴自己不可以再拿出來重複看，但最後總是做不到。

今天有一堆家務，每件她都只做到一半，最後又坐下來看新聞，她已經在電視機前耗了超過兩個小時。

瑪拉站在茶几旁，粉紅色的胖小手抓著桌面，身體像跳霹靂舞般動個不停，嘴裡嘰哩咕嚕說著寶寶話，最後她包著尿布的小屁股往後跌坐在地上，但又立刻爬行離開沙發處。

「來媽咪這裡。」凱蒂習慣性地叫喚。電視上，油井燃燒，空氣中滿佈濃濃黑煙。

瑪拉在客廳另一頭發現了好玩的東西，因爲太安靜，凱蒂感覺不對勁，於是連忙跳起來衝向壁爐邊的椅子。

強尼的椅子。

別想了，她告訴自己。他很快就會回來，下班後坐在那裡看報紙。

她彎腰抱起好奇的女兒，她睜著晶瑩的棕色大眼看著她，又開始嘰哩咕嚕。凱蒂忍不住笑了，瑪拉很努力想溝通，女兒快樂的模樣讓她振作起來。「嗨，小寶貝，妳找到了什麼？」她抱著女兒回到沙發，經過電視機時順手關上——她受夠了。她打開收音機，剛好是一個老歌節目，她每次聽到都直搖頭，因爲在她心中，七〇年代沒那麼遙遠。現在正在播放老鷹合唱團的〈亡命之徒〉①。

---

①老鷹合唱團（Eagles）：一九七一年成立的美國知名搖滾樂團，〈亡命之徒〉（Desperado）為其一九七三年的作品。

凱蒂跟著唱，抱著女兒在客廳跳舞，讓音樂帶她回到無憂無慮的時光。瑪拉格格笑著在她懷裡上下躍動，幾天來凱蒂第一次笑了出來。她親吻女兒圓嘟嘟的臉蛋，用鼻子磨蹭柔嫩的頸子，搔她的小肚子讓她開心得又叫又笑。

母女倆玩得不亦樂乎，電話響了好幾聲凱蒂才留意到。她連忙跑去將收音機的音量調小，接起電話。

「請問強尼・雷恩的夫人在嗎？」雜訊很重，顯然是長途電話。只有危急狀況才能打電話。

她一怔，抱緊瑪拉，女兒在她懷中不停掙扎。「我就是。」

「我是妳先生的朋友，我叫藍尼・葛立賀，我和他一起來巴格達。雷恩夫人，很遺憾通知妳，昨天在轟炸中……」

餐廳領班帶愛德娜前往她固定的位子，塔莉跟在後面，盡可能不露出瞠目結舌的蠢樣，因爲有很多大人物和名流來這裡吃午餐。很顯然的，「二十一餐廳」是曼哈頓最適合露臉的地點。幾乎每經過一張桌子愛德娜都會停下來打招呼，然後介紹塔莉給對方認識。「留意這個小鬼，她未來的發展不可限量。」

終於坐下時，塔莉覺得自己快飛起來了。她等不及想打電話告訴凱蒂她見到小甘迺迪。她很清楚剛才的機會有多可貴，愛德娜送了她一份大禮，讓那些人留下印象。侍者離開之後，她問：「爲什麼是我？」

愛德娜點燃香菸，往後靠，對餐廳另一頭的某個人頷首致意，似乎沒聽見她的問題。塔莉正準備重新問一次，便聽見愛德娜輕聲說：「妳很像當年的我。看得出來妳很驚訝。」

「我覺得很榮幸。」

「我的故鄉是一個小鎮，位在奧克拉荷馬州。我帶著新聞學位來到紐約從事祕書工作，發現了這一行的醜陋真面目。每個人都有背景、有關係，無名小卒只能賣命工作，有將近十年的時間，我沒有一天睡超過五個小時，假期也不能回家團圓，更沒有性生活。」

服務生來上菜，放下盤子後，若有似無地一點頭便離開了。愛德娜夾著菸切牛排。「一看到妳，我就想我要拉這個小鬼一把，我也不知道爲什麼，唯一的理由就是我剛才說的，妳很像以前的我。」

「看來那天是我的幸運日。」

愛德娜點點頭，繼續切牛排。

「古柏小姐？」領班拿著電話過來。「找您的，對方說很緊急。」

她接起電話，「快說。」然後聽了很長一段時間。「叫什麼名字？怎麼回事？轟炸？」她開始寫筆記。「西雅圖記者身亡，製作人重傷。」

製作人三個字之後的內容塔莉完全聽不見，愛德娜的聲音變得毫無意義，她靠過去問：「是誰？」

愛德娜將話筒壓在胸口。「西雅圖加盟公司有兩個人在轟炸中受到波及，記者身亡，製作人強尼．雷恩傷勢危急。」她重新拿起電話，「記者叫什麼名字？」

塔莉倒抽一口氣，滿腦子只有一個念頭：強尼。她閉上雙眼卻無助於平靜心情，黑暗中浮現出無數令她心痛的回憶：坐在船屋的甲板上聊她的未來……多年前在市中心不入流地帶那家可笑的夜店跳舞……他第一次看著瑪拉時眼眶含淚的神情。「噢，我的天，」她站起來。「我得走了。」

愛德娜看著她，用嘴形問：怎麼了？

「強尼．雷恩是我好朋友的先生。」她好不容易才說出這句話，感覺像燒灼著她的嘴。

「眞的？」愛德娜看看她，然後對著電話說：「摩利，讓塔莉負責這條新聞，她有門路。

我再打給你。」說完，她掛斷電話。「塔莉，坐下。」

她呆滯地聽令，反正她的腿也撐不住了。回憶不斷來襲。「我要去幫凱蒂。」她低聲喃語。

「塔莉，這是大新聞。」愛德娜說。

塔莉不耐煩地揮揮手。「我不在乎。她是我的好朋友。」

「不在乎？」愛德娜憤慨地說。「噢，妳當然在乎，所有人都想搶這條大新聞，但妳有門路，妳知道那是什麼意思嗎？」

塔莉皺著眉頭，盡可能暫時放下煩惱，利用這次事件拚事業似乎不太對。「我不知道。」

「看來是我看走眼了，妳不是我以爲的那種人。難道妳不能在安慰朋友的同時搶到獨家？」

塔莉考慮了一下。「如果用這種方式說……」

「還有別的方式嗎？別人擠破頭也搶不到的專訪，妳輕輕鬆鬆就能得到。把握這次機會，妳很快就能打響名號，說不定還能將妳推上頭條播報臺。」

塔莉禁不起誘惑。頭條播報臺是晨間新聞特別設的專區，報導一天的頭條大新聞，只要能坐上那個位子，保證可以打開知名度，很多人以此做爲跳板躍上主播大位。「而且我可以保護凱蒂不受騷擾。」

「對極了。」愛德娜拿起電話撥號。「摩利，哈特能拿到獨家。絕對沒問題，我替她擔保。」掛斷電話後，愛德娜的表情看起來很嚴厲。「不要讓我失望。」

離開餐廳回辦公室的路上，塔莉說服自己這樣做沒錯。她回到座位，將大衣披在椅背上，拿起電話打給凱蒂。電話響了又響，最後被轉到答錄機：這裡是雷恩家，強尼和凱蒂都暫時無法前來接聽，若您不介意請留言，我們會盡快回電。

嗶聲響起，塔莉說：「嗨，凱蒂，是我。我剛聽說——」

凱蒂接起電話，切斷答錄機。「嗨，」她的語氣聽起來非常茫然。「妳收到我的留言了。對不起把妳轉到答錄機，那些吸血鬼記者一直來煩我。」

「凱蒂，狀況——」

「他在德國的一家醫院，兩個小時後我要搭軍機過去，到了再打給妳。」

「不用了，我去醫院跟妳會合。」

「妳要去德國？」

「當然，我不會讓妳獨自面對這個難關。妳媽會幫忙照顧瑪拉吧？」

「嗯。妳眞的會去嗎，塔莉？」凱蒂的音調略微上揚，帶著一絲希望。

「我們是永遠的好朋友，對吧？」

「無論發生什麼事。」說到這裡，凱蒂哽咽不成聲。「謝謝妳，塔莉。」

塔莉很想說「我們是好朋友，應該的」，可是那句話卡在喉嚨出不來。她腦中只想著答應愛德娜一定會搶到的獨家專訪。

21

整整十六個小時，凱蒂的心情有如鐘擺，在希望與絕望之間來回擺盪。一開始她盡力專注在每件小事上，例如聯絡父母、收拾瑪拉的行李、塡寫文件，忙亂的工作有如救生索，一旦放開她就只能煩惱擔心了。在飛機上，她有生以來第一次服用安眠藥，雖然藥效造成的睡眠很不舒服，感覺黏膩、黑暗又不安，但總比醒著好。

現在，她在護送下前往醫院。一接近門口，她就看到大批記者聚集在外面，其中一定有人認出她了，因爲他們全體同時轉身，有如被驚醒的野獸，爭先恐後地擠過來。

「雷恩太太，請問妳知道他的狀況嗎？」

「頭部有受傷嗎？」

「他有沒有說話——」

「——或睜開眼睛？」

她沒有放慢腳步。身爲製作人的妻子，她至少知道該如何閃避媒體。以這些人的職業而言，這樣已經算是很客氣了，雖然強尼是他們的同業，他們很清楚這種事情也可能發生在自己身上，但新聞就是新聞。

「不予置評。」她在人群中推擠進入醫院。無論在哪裡，醫院的感覺都差不多——毫無裝飾的牆壁，樸實的地板，穿著整潔制服的人在寬敞走廊上忙碌。

院方顯然知道她來了，因爲一個穿著白色制服、頭戴護士帽的粗壯婦人走過來，對她露出同情的笑容。

「妳想必是雷恩太太吧？」她的口音很重。

「沒錯。」

「我帶妳去雷恩先生的病房，醫生很快會來解釋病況。」

凱蒂點頭。

她們搭電梯上樓，幸好護士沒有和她閒聊。到了三樓，她們經過護理站，轉進他的病房。他的模樣虛弱無力，像躺在父母大床上的小孩。她停下腳步，這時才意識到她之前一直想像大團圓的場面，以至於沒有做好接受現實的心理準備。她的丈夫活力十足、挺拔俊美，床上這個人雖然很像他，但只是最表層像而已。

他的頭上纏滿繃帶，左臉整個紅腫，兩隻眼睛都蒙著紗布，身邊滿是機器、管線與點滴。

護士拍拍她的肩膀，輕柔地將她往病床方向一推。「他活著，」她說，「雖然傷勢嚴重，但妳應該感到慶幸。」

凱蒂邁出人生中最艱難的一步，之前她完全沒發現到自己停下了腳步。「他平常很堅強。」

「現在他需要妳堅強起來。」

這就是凱蒂需要聽到的話。她身負重責大任，此時此地不適合感情用事、哭泣崩潰，等她一個人的時候再慢慢發洩。「謝謝。」她對護士說，走向了病床。

房門輕輕關上，她知道現在只剩下她和這個既是強尼也不是他的人。

「我們不是說好了？」她說，「我記得很清楚，你保證過會平安無事，我還以為你說得出就做得到。」她抹去眼淚，彎腰親吻他紅腫的臉。「爸媽都在爲你祈禱，瑪拉託給他們照顧。塔莉很快就會過來陪我們，你應該很清楚，要是膽敢不理她，她絕對會大發脾氣，所以你最好快點醒過來，不然她會把你罵死。」最後那個字使她哽咽，險些失控，但她憑著意志力重新振作起來。「我說錯話了。」她低語，輕輕握住病床欄杆。「強尼・雷恩，你有沒有聽見？讓我知道你在。」她向下握住他的手。「捏我的手，寶貝，你一定能做到。」然後又說：「可惡，快說話呀！雖然你害我嚇得半死，但我不會凶你——至少現在不會。」

「雷恩太太？」

凱蒂沒聽見開門聲，她轉過身，距離她不到十呎的地方站著一個人。

「我是卡爾・許密特醫生，負責照料尊夫。」

她知道應該放開強尼的手，過去和醫生握手問候，這樣才合乎禮儀，凱蒂這一生總是循規蹈矩，但現在她動不了，也無法假裝若無其事。「然後呢？」她只能擠出這句話。

「相信妳應該知道，他的頭部傷勢相當嚴重。目前他打了很重的鎮定劑，所以我們無法徹底檢查他的腦部功能。他在巴格達受到很好的醫療照護，那裡的醫生移除了一塊顱骨——」

「什麼？」

「移除了一塊顱骨讓大腦有腫脹的空間。請不用擔心，這是一般程序，此類創傷經常以這種方式處置。」

她很想說切除盲腸才叫一般程序，但又怕惹惱醫生。「為什麼他的眼睛被蒙住？」

「我們還不確定——」

他身後的門被用力打開，敲到牆壁發出砰的一聲，塔莉衝進病房——沒有其他詞語可以形容——又硬生生停下腳步。她的呼吸很急促，臉色明亮得有些奇怪。「凱蒂，抱歉我來遲了，沒有人肯告訴我妳在哪裡。」

醫生說：「抱歉，這裡只有家屬能進來。」

「她是家屬。」凱蒂對塔莉伸出手，塔莉拍開那隻手將她擁入懷中，兩人抱在一起痛哭，最後是凱蒂先放開並擦乾眼淚。

醫生接著說：「我們還不確定他是否會失明，要等他醒來才能確定。」

「他一定會醒來。」塔莉說，但聲音有點抖。

「接下來的四十八小時是關鍵。」醫生接得很自然，彷彿沒有被打斷。

四十八小時，感覺像一輩子。

「請一直對他說話，這樣做只有好處，明白嗎？」醫生說。

凱蒂點頭，退開讓醫生到病床邊幫強尼做檢查，他在病歷表上做了一些註記之後便離開了。

他一出去，塔莉便抓住凱蒂的兩邊肩膀輕輕一搖。「不要相信那些不好的話，醫生不認識強尼．雷恩，可是我們很瞭解他。他答應過會平安回到妳和瑪拉身邊，他一定會遵守承諾。」

塔莉就像救生圈，就算她什麼也不做也能讓凱蒂有勇氣撐下去，剛才瞬間抽離的力量又回來了。「強尼，你最好乖乖照她的意思做，你也知道她從不認錯，而且面子掛不住的時候超愛耍賤。」

接下來六個小時，她們一直守在病床邊。凱蒂盡可能和他說話，當她找不出話題或哭出來，便換塔莉過去接著說。

半夜裡的某個時候，凱蒂不知道幾點，她已經無法分辨時間了，她們下樓到空無一人的餐廳，買了販賣機裡的食物坐在窗邊的位子吃著。

餐廳裡除了她們只有空桌椅，兩個好友四目相對。

「妳打算怎麼處理媒體？」

凱蒂抬起視線。「什麼意思？」

塔莉聳肩，喝了口咖啡。「妳也看到了，大門外有那麼多記者守候。凱蒂，他是條大新聞。」

「護士說他被送進來的時候，記者搶拍他的照片，還有記者收買工友企圖取得他頭部被包紮起來的照片。記者都是下三濫——抱歉，我不是在罵妳。」

「我知道，但不是每個記者都那樣，凱蒂。」

「他一定不想讓記者知道。」

「怎麼可能？他是記者呢，他一定會主張將他的故事告訴同業，至少告訴其中一個。」

「他可能會瞎掉或腦部受創，妳覺得他會希望全世界知道？以後他要怎麼工作？不可以，確認他的狀況之前不能報導。」

「醫生說他可能腦部受創？」

「他的頭骨都被拿掉一片了，妳覺得呢？」凱蒂哆嗦了下。「世人不需要窺探他綁帶下的模樣。」

「這是新聞，凱蒂。」塔莉柔聲說，「如果妳給我獨家，我可以保護你們。」

「要不是爲了該死的新聞，他現在也不會在鬼門關前掙扎。」

「不只我一個人對新聞懷抱信念。」

這句話讓凱蒂想起強尼與塔莉之間的共通處，總是將凱蒂排除在外的那份默契。她想說句諷刺的酸話，但她太累了，幾個星期沒睡好，全身每條肌肉筋腱都痠痛不已。

塔莉覆住凱蒂的手。「讓我幫妳應付媒體，由我來報導，這樣妳就不必煩心了。」

近二十四小時以來，凱蒂第一次綻放微笑。「塔莉，沒有妳我該怎麼辦？」

「妳說什麼？我等了整整三天，妳大小姐一直不打電話回來，現在竟然說還要一點時間？」

塔莉緊靠著公用電話，試圖在這個非常公開的地點擠出一些隱私。「摩利，家屬還沒準備好公開，醫生尊重他們的選擇，你應該可以理解吧？」

「理解？我理解有個屁用？塔莉，這是世界關注的大新聞，不是他媽的姐妹會聊八卦。CNN報導他頭部受傷——」

「這個消息未獲證實。」

「去妳的，塔莉，妳害我很爲難，高層非常火大，今天早上他們說要把這則新聞交給別人，迪克想派——」

「我會交出成果。」

「弄到這條新聞，下星期妳就可以上頭條播報臺。」

這句話太震撼，塔莉一時以爲是自己的想像。「眞的？」

「塔莉，妳還有二十四小時，這段時間將決定妳會成爲英雄或狗熊，妳自己看著辦吧。」

塔莉聽見他摔電話。在空蕩蕩的大廳裡，她看見玻璃牆外有大批記者擠在人行道上，三天來，他們一直等候醫院正式公布強尼的病況，消息出爐之前他們只能以資料填補時段，例如導致爆炸發生的前因後果、戰地醫院的傷勢報告，以及他以前在中美洲的經歷。此外，他們也藉此引出一些相關的話題，像是戰地記者面臨的危險、沙漠風暴獨特的考驗，以及爆炸事件中常見的外傷種類。

她站在原地，考慮著到底該怎麼做。她必須面面俱到，讓摩利和凱蒂都得到想要的結果，她必須滿足雙方的需求，如果處理得當，她的事業可能從此扶搖直上。她寧死也不想辜負愛德娜的栽培，愛德娜說得沒錯，她可以在搶獨家的同時保護凱蒂。她必須率先報導，但一定得想出好辦法。

要慎重，要委婉，不能提及腦部受創或可能失明，只要這樣就能滿足各方的需求。

頭條播報臺。

那是她畢生的夢想，也是她飛黃騰達的起點。她不能錯過這次機會，凱蒂一定能理解這對她有多重要。

一定。

她微笑著去找攝影師，先拍攝一些遠鏡頭，如背景畫面、醫院內外之類的，必要時可以先藏起攝影機。幸好，當家主事的人都知道凱蒂允許塔莉隨時去探望強尼。

她走出大門，午後的天氣陰冷灰暗。她的攝影師在遠離那批記者的地方待命，看到她打手勢，他將攝影機藏在羽絨大衣下朝她走去。

凱蒂坐在許密特醫生的辦公室聽他說明。「那麼，大腦還沒有消腫。」她極力控制想緊握冒汗雙手的衝動。她好累，光是撐著不閉上眼睛都很難。

「恐怕沒有我們希望中那麼快，假使短時間內沒有好轉，那麼就得考慮再次進行手術。」

她點頭。

「先別擔心，雷恩太太，妳先生非常堅強，我們看得出來他很努力在奮鬥。」

「你怎麼知道？」

「因爲他還活著啊，不夠堅強的人恐怕已經走了。」

她盡可能從中汲取勇氣，盡可能眞心相信，然而希望變得很難抓住。隨著每一天過去，她的身心都在消耗，她越來越難否認現實，恐懼掛上事實的名號，戳穿她築起的抗拒之牆。

許密特醫生站起身。「我要去探視病患了，順路陪妳回雷恩先生的病房。」

她點頭跟上。一路上醫生以輕柔但權威的語氣說著話，這樣的氣氛讓她忽然好想念爸爸。

「好了，我要在這裡轉彎。」許密特醫生比了比放射科的方向。

凱蒂點頭。她很想說再見，但又怕哽咽，她不希望暴露自己的軟弱。

她站在走廊上看醫生走遠，直至走廊盡頭他融入白袍人海中消失不見。

她嘆口氣往強尼的病房走去。如果運氣不錯，說不定塔莉正在裡頭，光是看到好友就能給她莫大的助力。老實說，過去這三天幸虧有塔莉在，否則她不知道怎麼撐過去。她們一起玩牌、聊天，甚至唱了幾首老歌，希望強尼會被吵醒叫她們閉嘴。昨天晚上，塔莉在電視上發現德文配音的老影集「歡樂滿人間」，她亂編臺詞讓男主角暗戀戲裡的妹妹，逗得凱蒂笑不停，甚至驚動護士進來叫她們小聲點。

凱蒂一轉彎就看見一個人站在強尼的病房門口，他個子很高，一頭長髮，穿著蓬蓬的藍色外套和破舊牛仔褲，肩膀上駕著攝影機。他正在拍攝，她看到攝影機上的紅燈亮著。

她衝過去揪住那個人的外套袖子，用力將他轉過來。「你在做什麼？」她用力一推，他踉蹌後退，差點跌倒。感覺很痛快，她有點遺憾沒往他臉上揍一拳。「沒人性的東西。」她嘶聲罵道，伸手關掉攝影機。

這時候她看到了塔莉。她最好的朋友站在強尼的床尾，穿著紅色V領毛衣配黑長褲，髮型與妝容完美無瑕，一看就是準備上鏡頭的模樣，手裡還拿著麥克風。

「噢，我的天。」凱蒂低聲說。

「事情不是妳想的那樣。」

「難道妳不是在報導強尼的病況？」

「沒錯，的確是，我原本想先跟妳商量、解釋，我上樓來問妳——」

「帶著攝影師？」凱蒂後退一步。

塔莉跑過去哀求。「我的上司打電話來了，要是採訪不到這則新聞我會被炒魷魚。我知道只要老實說，妳一定能體諒。妳知道這是條大新聞，也明白這個機會對我有多重要，但我絕不會做任何傷害妳或強尼的事。」

「妳怎麼可以這樣！妳應該是我的朋友。」

「我的確是妳的朋友。」塔莉的語氣裡多了分慌亂，她的眼神如此陌生，以至於凱蒂花了一些時間才辨認出是害怕。「我承認，我不該先開始拍攝，可是我以爲妳不會介意，我曉得強尼絕對不會介意，他是新聞界的人，像我一樣，妳以前也是。他知道報導——」

凱蒂用盡全身的力量打了塔莉一耳光。「他不是妳的報導，他是我的丈夫。」說到最後一個字，凱蒂哽咽不成聲。「滾，滾出去。」塔莉沒有動，凱蒂厲聲大吼：「立刻給我滾出病房！

只有家屬能進來。」

強尼床邊的儀器鈴聲大作。

大批穿著白制服的護士魚貫而入，將凱蒂和塔莉推到一邊，他們將他抬上輪床推出病房。

凱蒂站在原處，呆望著空空的被單。

「凱蒂——」

「滾。」她木然地說。

塔莉抓住她的衣袖。「別這樣，凱蒂，我們是永遠的好姐妹，無論發生什麼事，記得嗎？妳現在需要我。」

「我不需要妳這種朋友。」她扯開袖子衝出病房。

她一路跑到二樓，獨自在女廁望著綠色隔間門，這才終於哭了出來。

幾個小時後，凱蒂獨自坐在家屬等候室。一整天之中，許多人來來去去，一群群眼神茫然的家屬抱在一塊兒等候親人的消息，然而現在連櫃臺志工都回家了，只剩空蕩蕩的等候室。

時間從來沒有流逝得這麼慢過。她沒事可做，無法轉移心思。她翻了翻雜誌，但內容全是德文，圖片也不夠有趣，就連打電話回家也沒有幫助。少了塔莉在一旁支持，她覺得自己漸漸沉入絕望深淵。

「雷恩太太？」

凱蒂急忙站起來。「醫生你好，手術成功嗎？」

「他的狀況很好。他的腦部大量出血，我們認爲這就是無法消腫的主因，現在血止住了，說不定病情有希望進步。我陪妳回病房好嗎？」

只要他還活著就好。

「謝謝。」

經過護理站時，醫生問：「要我幫忙呼叫妳的好朋友塔露拉嗎？妳現在應該不想一個人吧？」

「我確實不想一個人，」凱蒂說，「但是我不歡迎塔露拉再來這裡。」

「啊，好吧。請保持信心，相信他一定會醒來。我當醫生這麼多年，見識過不少所謂的奇蹟，我認爲信念很有幫助。」

「我不敢抱太大的希望。」她低聲說。

他在關閉的病房前停下腳步，低頭對她說：「雖然抱持信念不容易，但絕對有必要。況且妳在這裡陪伴他，不是嗎？這麼做也需要很大的勇氣，對吧？」他拍拍她的肩膀，留下她獨自站在門外。

獨自站在淒涼的白色醫院裡，她不知道在那兒站了多久，但終究她還是進去坐下，閉上眼睛斷斷續續低聲對他說話，說了些什麼她自己也不清楚，只知道聲音能在黑暗的世界點亮一道光，而那道光能帶他回來。

她再睜開眼睛時，天已經亮了。對外的窗戶透進日光，照亮米色合成地板與灰白牆面。

她慢慢離開椅子站在病床邊，感覺全身僵硬痠痛。「嗨，帥哥。」她低喃，彎腰親吻強尼的臉頰。他眼睛上的繃帶已經拆除了，現在她能看清他的左眼嚴重瘀血紅腫。「不准再腦出血了，知道嗎？如果你想撒嬌，用老派的方法就可以了，像是鬧脾氣或吻我。」

她一直說下去，直到想不出該說什麼，最後她打開放在角落的電視機，螢幕啪一聲亮起，接著是一陣沙沙雜音，才出現畫質很差的黑白畫面。「你最愛的機器。」她帶著酸楚地說，握著他的手，他的手指感覺乾枯無力。她依偎在他身旁，彎腰親吻他的臉頰，留戀不忍離去。雖然他身上散發濃濃的醫院消毒水氣味與藥味，但只要她聞得夠認眞、信心夠堅定，依然能捕捉到一絲他的氣息。「電視開了，你是頭條。」

沒有回答。

她茫然隨手轉臺，尋找著英文節目。

塔莉的臉出現在螢幕上。

她站在醫院前對著麥克風說話，下方的字幕打出德文翻譯。「幾天來，全世界都在關注、擔憂電視新聞製作人約翰・派崔克・雷恩的病況，他在拉希德飯店附近發生的爆炸事件中不幸受到波及而身受重傷。事件中身亡的記者亞瑟・顧爾德已於昨日舉行葬禮，但雷恩的家屬與德國醫院方面依然拒絕接受採訪。我們又怎麼能責怪他們？對家屬而言，這起事件是難以承受的悲劇。約翰的親友都暱稱他爲強尼，他的頭部在爆炸中受到嚴重外傷，巴格達的戰地醫院進行了很複雜的醫療程序。根據專家的說法，若不是當場動了這項手術，雷恩先生恐怕將性命不保。」

畫面一轉，塔莉站在強尼的病床邊。他動也不動地躺在白床單上，頭部和眼睛都包著紗布，雖然鏡頭只稍微帶了一下就回到塔莉身上，但他的模樣依然令人不忍卒睹。

「雷恩先生的病況尚不明朗。接受訪問的專家指出，現在只能等候，若是他的腦部能夠消腫，那麼便有很高的生存機會，如若不然……」她沒有說完，轉身走向床尾，直視著攝影機。「目前一切都是未知數，只有一點可以確定：這個故事屬於海內外所有英勇的記者。約翰・雷恩希望將前線的消息帶給美國大眾，以我個人對他的瞭解，他十分清楚此行有多危險，儘管如此，他依舊義無反顧。當他在戰場報導時，他的妻子凱絲琳在家中照顧一歲的女兒，心中篤信丈夫的貢獻極爲偉大，就像所有士兵的妻子一樣，因爲有她的犧牲付出，約翰・雷恩才得以完成他的工作。」畫面再次切換，這次塔莉站在醫院門前的階梯上。「塔露拉・哈特在德國報導。布萊恩，我相信今天所有人都將爲雷恩一家祈禱。」

報導結束後過了很久，凱蒂依然呆望著電視機。「她把我們形容成英雄。」她對著空蕩蕩的病房說。「連我也一樣。」

她感覺掌心有輕微搔癢，因爲太微弱，一開始她幾乎沒察覺。她蹙眉，低下頭。

強尼緩緩睜開雙眼。

「強尼？」她低語，有些害怕只是幻覺，她終於因爲壓力而精神崩潰了。「你能看見我嗎？」

他捏一下她的手，動作非常輕，在正常狀況下甚至算不上是觸摸，但現在卻讓她激動得又哭又笑。

「你能看見我嗎？」她彎下腰重複。「如果能看見就閉一下眼睛。」

他用慢動作閉上眼睛。

她親吻他的臉頰、前額、乾裂的嘴唇。「你知道這是什麼地方嗎？」她終於放開他，按鈴叫護士。

他的眼神很困惑，她不禁害怕起來。「那我呢？你知道我是誰嗎？」

他往上看著她，用力嚥了一下，才慢慢張嘴說：「我的……凱蒂。」

「對，」她的眼淚奪眶而出。「我是你的凱蒂。」

接下來七十二小時如旋風掃過，安排了無數會議、療程、檢驗與藥物調整。凱蒂陪強尼走訪眼科、精神科、物理治療科、語言與職能治療科，當然，最後還有許密特醫生，感覺好像要整家醫院每個人都簽名認同強尼大有起色，她才能帶他回家，轉往附近的復健中心。

會議結束時，許密特醫生說：「他很幸運能有妳這樣的妻子。」

凱蒂微笑。「我也很幸運能有他這樣的丈夫。」

「是啊。我建議妳去餐廳吃點東西，這個星期妳一下子瘦了太多。」

「眞的？」

「當然。去吧，檢驗結束之後我會送妳先生回病房。」

凱蒂站起來。「許密特醫生，謝謝你所有的幫助。」

他做了個手勢表示沒什麼。「這是我的職責。」

她帶著微笑走向門口，快出去時他叫住她，她轉過身。「有什麼事嗎？」

「雖然現在剩下的記者不多了，但可以公開尊夫的病情了嗎？我們非常希望他們盡快離開。」

「我會考慮。」

「太好了。」

凱蒂離開診間，前往走廊盡頭的電梯。

現在是星期四下午，餐廳裡幾乎沒有人。一些員工圍坐在長桌旁，少數幾個病患家屬在點餐。不難分辨哪些是員工、哪些是家屬，員工會邊吃邊嘻笑聊天，而家屬則低頭默默吃飯，每隔幾分鐘便抬頭看時間。

凱蒂經過一排排桌子走到窗邊，外面的天空滿是深灰色烏雲，隨時可能下雨或落雪。映在玻璃上的影像有些變形，但她依然能看出自己是多麼疲憊憔悴。

雖然很奇怪，但現在鬆了一口氣之後，她反而覺得一個人很難熬，比之前絕望焦急時更嚴重。之前她只想靜靜坐著讓頭腦保持空白，只往好的方面想，現在她想找個人陪她一起歡笑，舉杯慶賀，說她早就料到最後一定會沒事。

不，不是隨便一個人。

塔莉。

從小到大，塔莉永遠是第一個陪她慶祝的人，像一場隨時待命的派對。只要凱蒂想慶祝，就算只是爲了安全過馬路這種小事，塔莉也樂意奉陪。

她轉身離開窗戶，走到桌邊坐下。

「妳好像需要來一杯。」

凱蒂抬起頭，塔莉站在她面前，穿著直挺的黑色牛仔褲搭配白色船型領安哥拉羊毛上衣。

雖然髮型與妝容都十分完美，但她的神情很疲累，也很緊張。

「妳還沒走？」

「妳以爲我會拋下妳？」塔莉擠出笑容，但只是表面而已。「我幫妳買了一杯茶。」凱蒂望著塔莉手中的保麗龍杯，知道裡面裝著她最愛的伯爵茶，連糖的份量都恰到好處。

塔莉知道自己做錯了，但她只懂得用這種方式道歉。倘若凱蒂接受這杯茶，就必須將這次的不愉快全拋在腦後，塔莉的背叛與那一耳光都會自動消失，她們倆將重新回到人生交會的道路上。不後悔，不懷恨，她們將重新成爲分不開的好姐妹，至少在成年人所能做到的範圍內。

「那則報導還不錯。」她淡淡地說。

塔莉的眼中滿是懇求，懇求著原宥與體諒，嘴上卻說：「下星期我就要上頭條播報臺了，雖然只是代班，但總是個開始。」

凱蒂心中想：*原來妳是爲了這個出賣我*，但她說不出口，只好改口說：「恭喜。」

塔莉遞上那杯茶。「凱蒂，快拿去，拜託。」

凱蒂注視好友許久。她想聽塔莉說對不起，但知道她永遠說不出口，塔莉就是這樣。凱蒂不清楚究竟是什麼造成塔莉無法道歉，但她猜想應該與白雲有關，她的好姐妹小時候受過無法彌補的傷害，而這就是當時留下的疤。終於，她伸手接過杯子。「謝謝。」

塔莉滿臉笑容在她身邊坐下，屁股還沒放好就開始說話了。

轉眼間，塔莉與凱蒂一起開心歡笑起來。好朋友就是這樣，像姐妹和媽媽一樣，總是能惹妳火大、哭泣、心碎，即使如此，當妳遭遇困難，她們會守在妳身邊，在最黑暗的時刻逗妳笑。

22

這一年雖然考驗重重，但凱蒂知道自己其實很幸運。她由德國帶回來的人感覺完全不像她老公，只有外型略微相似。他的大腦恢復很慢，當說話不清楚、無法表達思緒時他會對自己發脾氣，她花了很長的時間陪他復健，他訓練時她從旁協助，也和治療師研究商討，有時只是抱著瑪拉在大廳等候。

他們一回到家，瑪拉似乎察覺她的爹地不一樣了，無論怎麼哄、怎麼搖都無法安撫。她經常半夜哭嚎，除非凱蒂帶她上床一起睡，否則她再也不肯入眠。（聽到她這種做法，媽翻個白眼，點支菸，說：「妳以後就知道。」）

聖誕佳節即將到來，凱蒂用盡心思布置，希望這些寶貝收藏能重新凝聚這個家，回到以前的模樣。

到了私房話時間，她喝著酒告訴媽和喬治雅阿姨她撐得住，沒想到說著說著便哭了出來。媽媽握住她的手。「沒關係，孩子，發洩出來吧。」

但她不敢。「我沒事。」她說，「只是今年真的很辛苦。」

門鈴響了。

喬治雅阿姨站起來。「大概是理克和凱麗來了。」

結果是塔莉。她站在門廊上，穿著雪白的喀什米爾羊毛長大衣，美得令人傾倒，她手中的禮物足夠分給三個家庭。「妳們該不會沒等我就開始私房話時間了吧？如果是真的，只好請妳們重來一次了。」

「妳不是要去柏林？」凱蒂說，有些懊惱自己隨便亂穿也沒化妝。

「我怎麼可能錯過聖誕節？」她將禮物放在聖誕樹下，把凱蒂拉過去緊緊抱住。這一刻凱蒂才意識到她多麼思念好友。

塔莉一來，原本寧靜的私房話時間立刻變成狂歡派對。到了一點，媽、喬治雅阿姨和塔莉還隨著阿巴合唱團與艾爾頓．強的歌曲跳舞，扯開嗓門跟著唱，完全忘記該把火雞放進烤箱。

凱蒂站在聖誕樹旁，感覺整個客廳彷彿由內在綻放光明。爲什麼塔莉總能輕易成爲派對的活力來源？也許是因爲她沒有參與勞心勞力的部分，塔莉從不打掃、煮飯與洗衣。

強尼來到凱蒂身邊，她留意到他的腳步幾乎沒有跛。「嗨，妳好啊。」他說。

「嗨。」

滿屋子的人都在聊天、歌唱，喬治雅阿姨、姨丈、尚恩和他女友一起跳電影「洛基恐怖秀」中的搞笑舞，爸媽和塔莉在聊天，塔莉抱著瑪拉隨音樂擺動。

強尼由樹下找出一個小盒子，包裝紙是金銀色調，接合處用透明膠帶整個黏住，上面綁著特大號紅色蝴蝶結。他將禮物交給她。

「要我打開嗎？」

他點頭。

她摘下蝴蝶結，打開包裝紙，裡面是一個藍色絲絨盒子，一打開，她便驚呼。裡面放著一條金項鍊，掛著鑲鑽心型墜盒。「強尼……」

「凱蒂，這輩子我做過很多蠢事，大部分都付出了慘痛的代價，但是現在妳也受到波及。我知道這一年妳有多辛苦，我想讓妳知道一件事：我這輩子做過最正確的事就是娶了妳。」他從盒中取出項鍊爲她戴上。「我以前待過的電視臺給了我一份工作，妳不必再爲我操心了。凱蒂．思嘉，妳是我的心，我會永遠守在妳身邊。我愛妳。」

凱蒂感動得哽咽。「我也愛你。」

大學時，四方院的櫻花標示出時光流轉，春夏秋冬在灰棕色細長枝條上輪番來去。八〇年代，時間的標記是立在派克市場石鋪路兩旁的街燈，當燈柱掛起「喜迎佳節」的旗幟，她便知道又一年即將結束。

九〇年代則是塔莉的髮型。每天早上，當凱蒂餵瑪拉吃飯、幫她洗澡，總會順便收看晨間新聞。塔莉固定一年換兩次髮型，頭三次都是珍・保利的極短瀏海樣式，然後換成梅格・萊恩隨性凌亂的造型，接著小妖精風的短髮帶給她不可思議的青春氣息，最近她選了國內最熱門的髮型——模仿影集「六人行」中的瑞秋。

每當凱蒂看到新髮型，總會因爲時間過得太快而心驚。一年接著一年過去了，不是慢慢走過，而是高速飛馳。現在已經是一九九七年八月，再過幾天她的小寶貝就要上二年級了。

雖然很不想承認，但她殷切盼望著開學日。

過去七年來，她盡一切所能當個好媽媽。她歡喜記錄瑪拉成長的重大時刻，相簿中的照片數量之多，簡直像觀察新物種的生態紀錄。不只如此，女兒帶給她如此多的喜悅，以至於有時候她感覺彷彿迷失在愛的汪洋中。她和強尼一直努力想再生一個孩子，但始終沒有成功，雖然凱蒂覺得遺憾，但她漸漸接受這樣的家庭規模，努力讓每個時刻都完美無缺。她終於找到能夠熱中投入的事業了：當媽媽。

隨著光陰累積成月，再累積爲年，她隱隱感覺到一絲不滿足。一開始她只是壓抑，畢竟她沒什麼好抱怨的，她熱愛這樣的生活。有空閒時間她就去學校當義工，或是去當地的婦女救援機構幫忙，甚至上課學作畫。

雖然不足以填滿那個無形的空洞，但至少可以讓她覺得自己有用、有貢獻。那些愛她的人常說她需要更多成就，強尼、塔莉和媽都這麼說過，但她全當作耳邊風。她想專注在當下，好好照顧女兒，這樣比較簡單，以後還有大把時間可以讓她尋找自己。

此刻，她穿著法蘭絨睡衣站在客廳窗前，望著依然黑暗的後院。即使光線昏暗，她依然能看出露臺上玩具四散，有芭比娃娃、填充布偶，三輪車倒在地上，粉紅色塑膠敞蓬跑車隨潮水前後移動。

她搖頭離開窗前，走到一旁打開電視。等瑪拉起床，她會立刻叫她出去收拾，可想而知女兒一定會鬧脾氣。

電視啪一聲啓動，主播伯納・蕭神情肅穆，下方有著「新聞快報」的字樣跑動。他身後的畫面播放著黛安娜王妃的照片集錦，一張接一張不停播放。「剛打開電視的觀眾，」主播說，「法國傳來噩耗，戴安娜王妃逝世……」

凱蒂呆望著螢幕，以爲自己聽錯了。

黛妃。他們的黛妃。死了？

她身邊的電話響了，她看著電視隨手接起。「喂？」

「妳在看新聞嗎？」

「是眞的嗎？」

「我被派來倫敦採訪。」

「噢，我的天。」凱蒂看著電視畫面，年輕羞澀的黛安娜，穿著格子裙和飛行員夾克，視線低垂；身懷六甲的黛安娜，表情充滿希望，散發出幸福光輝；高雅的黛安娜，穿著露肩禮服在白宮與演員約翰・屈伏塔共舞；歡笑的戴安娜，陪兩個兒子在迪士尼樂園坐雲霄飛車；最後是孤身一人的戴安娜，在遙遠國度的醫院裡，抱著一個營養不良的黑人寶寶。

幾張照片就道盡了一個女人的一生。

「生命說結束就結束了。」凱蒂其實在自言自語，而不是對塔莉說話，說完她才察覺塔莉原本在說話，被她打斷了。

「她才剛開始過自己的人生。」

或許她等了太久才開始。凱蒂明白那種恐懼，看著小孩長大、老公出門上班，獨自面對空出來的時間，不知道該如何是好。

螢幕播放著熟悉的照片：戴安娜獨自出席社交盛會、對群眾揮手，然後畫面轉到一座城堡，大門前堆滿悼念的花束。生命的變化總是來得太突然，她竟然忘了這件事。

「凱蒂？妳還好嗎？」

「我要去華盛頓大學報名寫作班。」她緩慢地說，這句話感覺像是由內心深處被硬扯出來。

「眞的？太好了。妳的文筆非常出色。」

凱蒂沒有回答，她沉沉坐在沙發上望著電視，當眼淚流出來時連她自己也嚇了一跳。

才剛下定決心，凱蒂幾乎立刻後悔了。這樣說不太對，讓她後悔的是不該告訴塔莉，因爲她告訴媽媽，媽媽又告訴了強尼。

幾天之後的夜裡，他們躺在床上看電視，強尼說：「妳知道，參加寫作班是個好主意，有什麼需要幫忙的儘管告訴我。」

凱蒂很想列一張清單說明她爲什麼沒辦法去，她每天事情一大堆，再去上課會讓她喘不過氣。強尼和塔莉總是說得很簡單，彷彿人生是什錦冷盤，點餐之後付了錢就不必煩惱了。她很清楚他們的想法多麼謬誤，也知道發現自己資質不足的感覺。

然而到了最後，她還是無法繼續欺騙自己，也無法找藉口逃避。瑪拉開學了，她瘋狂揮手走進學校之後，凱蒂得獨自面對空虛的一天，家事和雜務不足以消磨時間。

於是乎，九月中一個秋老虎的日子裡，她載瑪拉去學校之後驅車前往碼頭，搭上晨間渡輪，進入西雅圖市中心的車陣中。十點半，她將車停在華盛頓大學的訪客停車場，步行前往註冊大樓，登記選修了一堂課：小說寫作入門。

接下來一個星期，她緊張得快要崩潰。

「我辦不到。」她對丈夫抱怨，第一天上課的壓力讓她反胃。

「妳一定沒問題。瑪拉放學時由我去接，這樣妳就不必急著趕渡輪。」

「可是我覺得壓力很大。」

他彎腰親吻她，接著微笑後退說：「快點滾下床。」

下床後，她進入自動模式：淋浴、更衣、收拾書包。

去華盛頓大學的路上，她一直在想：我到底在做什麼？我都已經三十七歲了，一把年紀怎麼有辦法重回校園？

進了教室，她發現全班只有她一個人超過三十歲，包括老師在內。

她不確定自己什麼時候放鬆了，但她的胃漸漸不痛了。教授講解越多關於寫作的事情、關於說故事的天賦，她越覺得自己來對了。

塔莉坐在播報臺上，與兩位主播例行說笑一番，接著轉頭看讀稿機，行雲流水般讀出：「丹佛市警局局長湯姆・科比今日做出讓步，坦承瓊貝妮・拉姆希命案調查過程中的確有疏失。案件相關人士宣稱……」①

結束之後，她對著鏡頭秀出招牌笑容，將畫面交還給主播。她收拾草稿和筆記時，一位助理製作人過來低聲在她耳邊說：「塔莉，妳的經紀人打電話找妳，他說有急事。」

---

① 一九九六年，年僅六歲之幼童選美皇后瓊貝妮・拉姆希（JonBenét Ramsey）被發現於自家地下室遭到殺害，家人遭到懷疑，後查證無涉而成為懸案。

「謝謝。」

她離開攝影棚回辦公室，一路和工作人員寒暄。進了辦公室，她關上門，拿起電話接通一線。

「我是塔莉。嗨，喬治。」

「大門外面有輛車在等妳，十五分鐘後『廣場飯店』見。」

「怎麼回事？」

「快點補妝，出發就對了。」

她掛斷電話，通知必須的幾個人說她要去開會，然後離開公司。

到了飯店，制服筆挺的行李員立刻幫她打開車門。「哈特小姐，歡迎光臨廣場飯店。」

「謝謝。」她遞上十元美金的小費，走進米白與金黃輝映的大廳。

她的經紀人喬治．戴維森已經在等了，他穿著一身高雅的灰色亞曼尼西裝。「妳的美夢即將成眞，準備好了嗎？」

「你終於幫我爭取到了？」

他帶路往前走，經過各禮品店與珠寶店的玻璃櫥窗，進入寬敞挑高的餐廳。

她立刻看到會面對象。世界一流的自助餐檯後方有一個小包廂，CBS的總裁獨自坐在裡面。

看到她過去，他起身相迎。「妳好，塔露拉，謝謝妳撥冗前來。」

她的腳步有些亂，但沒有忘記微笑。「你好。」她在他對面坐下，喬治坐在兩人中間。

「我就不拐彎抹角了。妳也知道，『今日』節目將我們的晨間新聞打得落花流水。」

「是。」

「我們認爲那個節目之所以如此成功，妳是很重要的因素。我特別留意到妳傑出的訪問技巧，例如奧克拉荷馬爆炸案的倖存者、辛普森的辯護團隊，以及犯下弒親血案兄弟檔中的哥哥萊爾．曼南德茲，妳的表現非常出色。」

「謝謝。」

「我們想邀請妳加入晨間新聞的主播搭檔，從一九九八年第一集開始主持。我們的行銷研究指出，觀眾能和妳產生共鳴，他們喜歡妳、信任妳，我們需要這樣的主播來挽回我們的收視率。妳怎麼說？」

塔莉覺得快飛起來了，她藏不住喜悅，笑容無比燦爛。「我感到非常意外也非常榮幸。」

「你們打算開怎樣的條件？」喬治問。

「簽約五年，年薪一百萬。」

「年薪兩百萬。」喬治說。

「沒問題。妳說呢，塔莉？」

塔莉沒有看經紀人，她不用看，這是他們多年來的夢想。「當然好，我可以明天就去上班嗎？」

透過寫作，凱蒂找回了自己的聲音。她將空房間布置成辦公室，一早六點起床就先去寫作，她孜孜不倦地寫了又改，潤飾每個段落，直到能正確傳達她的想法。通常七點左右，強尼準備出門時會來吻別，然後她又可以專心工作到瑪拉起床的時間，然後開始忙真正的工作。

在家中辦公室敲打鍵盤時，她總是信心滿滿，她多希望現在也能那麼有自信。

她站在教室前端，背對著黑板，面前的課桌椅中坐著十來個年輕人，個個一臉無聊、懶洋洋地癱坐著，甚至有幾個好像睡著了。教授在一旁耐心等待，他年紀很輕，留著一頭亂亂的長髮，穿著喬丹氣墊籃球鞋與迷彩褲。

凱蒂深吸一口氣，開始讀：「那棟年久失修的老屋裡，女孩再度獨自待在小房間中，至少她覺得沒有別人在。電燈壞了，窗戶被黑紙和寬膠帶蒙住，她很難分辨究竟有沒有人。她應該利用機會逃跑嗎？這是個大問題。上一次逃跑時因爲計算錯誤而被抓回，下場非常慘，她下意識地揉揉依然疼痛的下顎……」

她沉醉在自己所寫的內容中，這個短篇故事完全由她獨力創作。故事結束得太快，讀完最後一句，她抬起頭，以爲那些年輕人會對她刮目相看。

可惜沒有發生。

「很好，」教授走上前。「非常有意思，看來這班誕生了未來的懸疑大師。有人想發表評論嗎？」

接下來二十分鐘，他們拆解凱蒂的故事，一一揪出缺點，她仔細聆聽，不讓自己因爲批評而受傷。她花了整整四個星期才寫出這篇六頁長的故事，但那並不重要，重點是她還有進步的空間，她可以讓情節更緊湊，掌握人物觀點，更注意對話內容。到了下課時，她不但沒有覺得受傷或氣餒，反而有了更多衝勁，彷彿一條全新的道路在眼前展開，她等不及想回家重新修改。

她收拾東西準備離開，教授過來對她說：「凱蒂，妳很有潛力。」

「謝謝。」

她滿臉笑容快步走出教室，穿過校園走進學生停車場，一路上思考著故事的新方向以及該如何修改。

因爲她想得太入神，以至於錯過出口而必須迴轉。

一點二十分左右，她將車停在高架橋下，過馬路走進「愛法餐廳」。媽媽已經坐在角落的位子上，從一整排的窗戶看出去，艾略特灣在陽光下閃耀生輝，碼頭上，海鷗盤旋俯衝爭搶觀光客扔出的薯條。

「抱歉我遲到了。」凱蒂在媽媽對面坐下，解開腰包放在腿上。「我討厭在市區開車。」

「我先點了兩份鮮蝦沙拉，我知道妳要趕兩點十分的渡輪。」媽媽往前靠，手肘撐在桌面上。「結果呢？教授有沒有覺得妳的作品比約翰．葛里遜①更棒？」

凱蒂忍不住笑了。「他倒是沒說得那麼直接，不過他稱讚我有才華。」

「噢。」媽媽往後靠，表情有些失望。「我覺得妳寫得很精彩，連妳爸都這麼說。」

「爸也覺得我比約翰・葛里遜還厲害？這是我的第一篇作品呢，看來我是天才。」

「難道妳覺得我們有偏見？」

「多少吧，不過我最愛你們這樣了。」

「凱蒂，我以妳為榮，」她輕聲說，「我一直想找出自己的專長，看來我的天分都發揮在編織上了。」

「妳養大了兩個好孩子……呃，一個好孩子，另外一個勉強還行啦。」凱蒂打趣。「而且妳維持婚姻這麼多年，經營一個和樂幸福的家庭，妳應該覺得很光榮。」

「是啦，不過……」

凱蒂按住媽媽的手。她們兩個都明白，全天下所有家庭主婦都明白，女人無論選擇家庭或事業都必須付出代價。「媽，妳是我的偶像。」凱蒂簡單地說。

媽媽看著她，眼中閃著淚光，她還來不及回答，服務生便端來了沙拉和檸檬水，放好之後又離開了。

凱蒂拿起叉子開動。

一陣噁心毫無預警地來襲。

「失陪一下。」凱蒂含糊地說，匆匆放下叉子摀著嘴跑向洗手間，衝進悶熱狹窄的小隔間中嘔吐。

胃裡的東西全嘔光後，她在洗手臺洗了手和臉，順便漱口。

---

①約翰・葛里遜（John Gisham）：美國超級暢銷小說家，擅長寫法律與人性，一九九一年出版《黑色豪門企業》（The Firm）一書一炮而紅，有多部作品被改編為電影。

她全身無力，不停顫抖，鏡中的自己臉色慘白虛弱，她這才發現自己有黑眼圈。大概是感染了腸胃型感冒，她想著，這個星期兒童遊戲場裡有很多人生病。

她回到餐桌時還是覺得不太舒服，媽媽仔細觀察她。

「我沒事。」凱蒂坐下。「這個週末我帶瑪拉去遊戲場，很多小孩都生病了。」她等著媽媽回答，但她很久很久都沒開口，凱蒂終於忍不住問：「怎麼了？」

「美奶滋，」媽媽說，「妳懷瑪拉的時候也會因爲美奶滋反胃。」

凱蒂感覺椅子彷彿瞬間蒸發，呼一聲消失了，令她迅速墜落。一些惱人的小毛病這下全變成了線索：即使不是經期也胸部漲痛、難以入眠和疲倦無力，她閉上雙眼，搖頭嘆息。她一直想要再生一個孩子，強尼也一樣，但努力這麼久都沒有好消息，他們早就放棄了，她在寫作方面漸漸上了軌道，偏偏在這時候有喜了。她不想回到以前的日子，晚上無法睡覺，白天要哄哭鬧的孩子，總是累得連在餐桌上說話的力氣都沒有，更遑論寫作。

「只要稍微延後出書的計畫就好，」媽媽說，「妳一定可以兼顧。」

「我們一直很想再生一個寶寶。」她努力擠出笑容。「我一定可以繼續寫作，等著瞧吧。」幾乎連她自己都相信了。「就算有兩個孩子我也能應付。」

兩天後，星期四，她發現腹中懷的是雙胞胎。

第四部　千禧年〈這樣的一刻〉

～有人等候了一生～①

23

到了二〇〇〇年，凱蒂每天的生活都有如龍捲風過境，她再也沒時間納悶光陰流逝何方。回顧與反省成了屬於另一段時光、另一段人生的東西，休息也是，就像人們常說的，是當初沒有選的那條路。女兒十歲了，即將進入青春期，兩個兒子還不滿一歲，身爲三個孩子的媽媽，她不可能有時間考慮自己，加上姐弟之間年紀差距太大，感覺像兩個不同的家庭。一般女人都會將生育時間集中，她完全能體會爲什麼，從頭來過感覺加倍疲累。

她的每一天都被各種小事吞噬，這個出奇晴朗的三月早晨也一樣，雜務一件接著一件，從日出到日落她都在不停東奔西走。最可悲的是，她似乎沒有任何實質的成就，卻又連一個小時的私人時間也沒有，家庭主婦的生活就是一場沒有終點的賽跑。一群媽媽在接送區等小孩放學，聊的話題除了這個就是離婚，許多看似堅不可摧的婚姻，最近紛紛暴露出其實基底早已腐蝕崩壞。

不過今天並非平凡忙碌的另一天，今天塔莉要來西雅圖宣傳。她們好幾個月沒見面了，凱蒂等不及想與好友相聚，她需要姐妹淘時間。

她急匆匆完成所有事情：送瑪拉上學，在超市大排長龍結帳，去藥妝店買新的化妝品，及時趕到圖書館說故事，去乾洗店領回強尼的衣物，哄兩個小的午睡，最後還要打掃。

兩點半，她再度來到學校接送區，整個人都快累癱了。

「塔莉阿姨今天要來家裡住，對不對，媽咪？」瑪拉在後座問，夾在兩個巨大的安全座椅中間，她顯得非常嬌小。

「對。」

「妳要化妝嗎？」

凱蒂忍不住笑了。她不太清楚怎麼會這樣，但她好像生了個小小愛美女王。瑪拉雖然才十歲，但她對時尚非常敏銳，搭配衣服的眼光也很好，凱蒂一輩子都沒那麼厲害過。每次看到高䠷苗條的十歲女兒抱著少女雜誌背誦設計師的名字，凱蒂總是感覺很不可思議，不過每次開學買新衣服都是一場惡夢，要是瑪拉找不到和預期中一模一樣的款式，她就會哭鬧使性子。凱蒂十分確定女兒開始爲她的外表打分數，而她知道自己常常完全沒打扮。「我當然會化妝，我甚至會上髮捲，可以了吧？」

「我可以搽唇蜜嗎？一次就好，其他女生都——」

「不行。瑪拉，這件事我們已經討論過了，妳還太小。」

瑪拉雙手交叉環在胸前。「我不是小寶寶了。」

「但妳也還不是少女。相信我，以後妳多得是時間可以化妝打扮。」她將車開進車庫停好。

瑪拉一轉眼就下車跑進屋裡，凱蒂來不及叫她幫忙拿東西。「多謝啦，眞是幫了大忙。」她嘀咕著解開雙胞胎的安全座椅，在這種學步的年紀，路卡和威廉各自都是瘋狂的小搗蛋，湊在一起時更是凡走過必留下災難。

接下來幾個小時，她迎戰更多下午要處理的雜務，除了一般家事，她還插了幾瓶花擺在各處裝飾，點燃香氛蠟燭放在雙胞胎碰不到的五斗櫃上，接著徹底清理客房，以備塔莉臨時決定留下來過夜。晚餐放進烤箱，雙胞胎緊跟在她屁股後面，她上樓去梳妝打扮。經過瑪拉的房間時，她聽到赤腳跑來跑去的聲音，這表示女兒正忙著把衣櫥裡的衣服一件件搬出來挑選。

凱蒂微笑著回到房間，將雙胞胎放進遊戲圍欄裡，不理會他們的哭鬧，逕自去浴室洗澡。

---

①此為美國偶像（American idol）第一屆冠軍女歌手、屢獲音樂大獎的凱莉・克萊森（Kelly Clarkson）於二〇〇二年單曲〈這樣的一刻〉（A Moment Like This）中的歌詞。

洗完澡，吹乾頭髮（努力不去看深色的髮根有多長），她打開浴室門。

「你們兩個在做什麼呀？」

路卡和威廉伸出小肥腿並肩坐著，嘰哩咕嚕地說著嬰兒話聊天。

「很好。」她經過時拍拍他們的頭。

站在衣櫥前，她不由得嘆了口氣。她的衣服不是過時就是穿不下。她懷孕時增加的體重還沒減掉，雙胞胎將她的肚子撐得像巨蛋，那種程度要縮回去不是簡單的事。運動絕對有幫助，她極度希望今年冬天能有時間去健身。

現在想這些已經太遲了。

她選了心愛的抓破牛仔褲，搭配黑色安哥拉毛衣，這是幾年前強尼送的聖誕禮物，當時他才剛回KLUE上班。這是她僅有的一件名牌服飾。

「來吧，你們兩個。」她以熟練的動作輕鬆撈起雙胞胎，一邊一個靠在髖骨上抱回他們的房間，換好尿布，給他們穿上可愛的水手裝——這是塔莉送他們的生日禮物。因爲讓他們自己走下樓太花時間，所以她再次抱起他們，到了客廳，她將雙胞胎放在地上，找來一堆玩具，然後播放小熊維尼錄影帶。如果運氣不錯，這樣應該能爭取到二十分鐘。

她鎖好樓梯底端的寶寶防護柵欄，進廚房開始準備餐具，平常她做事時總會稍微留意雙胞胎的狀況，今天也不例外。

「媽！」瑪拉大喊。「他們到了！」她乒乒乓乓衝下樓，躍過防護柵欄，跑到窗戶前，小鼻子壓在玻璃上。

凱蒂側身走到女兒身後撥開窗簾。車頭燈照亮夜色，強尼的車在前面帶路，一輛黑色加長禮車悄然跟著，兩臺車開進長滿樹木的長車道，停在車庫前面。

「哇。」瑪拉讚嘆。

穿著制服的司機下車繞到後座開門。

塔莉慢條斯理地下車，好像知道有人在欣賞。她穿著名牌低腰牛仔褲、男裝款式的筆挺白襯衫，外面罩著一件深藍色西裝外套，徹底展現休閒而不失俏麗的風格。她的頭髮層次分明，八成出自曼哈頓最高檔設計師的手筆，豔麗的紅棕色調在車庫燈光下更顯耀眼。

「哇。」瑪拉再次讚嘆。

凱蒂努力縮小腹。「現在去抽脂來得及嗎？」

強尼下車走向塔莉，他們站得很近，肩膀靠在一起，司機說了一句話，他們兩個同時笑了起來，塔莉仰望著強尼說話，一手按在他的胸口。

他們有如一對璧人，像是從時尚雜誌走出來的模特兒。

「爹地很喜歡塔莉阿姨。」瑪拉說。

「的確很喜歡。」凱蒂低聲回答，但瑪拉已經跑掉了。她女兒打開門奔向乾媽，塔莉一把抱起她轉圈。

塔莉進門時的排場熱鬧華麗，她做什麼事都是這樣。她用力擁抱凱蒂，親吻雙胞胎圓滾滾的小臉，手上的禮物比雷恩家過聖誕節時還多，嚷嚷著要喝酒。

晚餐時，她負責娛樂大家，說了一個又一個精彩故事：她去巴黎採訪千禧蟲危機，年度轉換時大家慌成一團；說她出席奧斯卡頒獎典禮，服裝助理用膠帶把禮服黏在她的咪咪上，可是在派對上，她舉起酒瓶灌酒時膠帶鬆脫了。

「全場的人都被閃到了，你們瞭吧？」她大笑。

瑪拉認真聽著塔莉說的每個字。「那件禮服是亞曼尼的嗎？」

塔莉回答：「對，沒錯，瑪拉。看來妳已經認識不少設計師了，真是了不起。」凱蒂啞口無言。

「我看到雜誌上的照片，他們說妳是那天打扮最出色的人。」

「那可是大工程喔，」塔莉燦爛地笑著說，「一整個團隊的人辛苦付出，我才能那麼漂亮。」

「哇，」瑪拉讚嘆不已。「好酷喔。」

頒獎典禮服裝造成的話題告一段落，塔莉接著聊起世界大事。她和強尼熱烈討論總統柯林頓與陸溫斯基的桃色事件，激辯著媒體報導是否太過腥羶色，每當出現空檔，瑪拉就搶著問一些青春偶像的事情，塔莉和他們每個都有私交，而凱蒂卻連名字都沒聽過。老實說，雙胞胎實在太調皮，光是要讓他們乖乖聽話就耗盡了她全部的心力，她偶爾也想說句話，發表一下她的見解，但他們偏偏挑今天晚上互丟食物，她得隨時留意以免他們失控。

晚餐彷彿一眨眼就過去了，吃完飯後，瑪拉難得主動幫忙收拾，一看就知道是力求表現來討好塔莉。

「我來洗碗，」強尼說，「妳和塔莉拿著毯子去外面聊天吧。」

「你眞是白馬王子，」塔莉說，「我來準備一壺瑪格莉特。凱蒂，妳把搗蛋雙寶送上床，十五分鐘後外面見。」

凱蒂點頭，帶雙胞胎上樓。等她幫他們洗好澡、換好衣服、唸完故事，時間已經將近八點了。

她自己也有點睏了，下樓走到客廳，發現瑪拉窩在塔莉腿上。

強尼過來跟她說：「瑪格莉特在果汁機裡，我帶瑪拉去睡。」

「我愛你。」

他拍一下她的屁股。「我知道。」然後轉向女兒說：「快來吧，小寶貝，該睡覺了。」

「噢，爹地，一定要嗎？我在跟塔莉阿姨說賀曼老師的事。」

「快上樓去換睡衣，我等一下上去唸故事書給妳聽。」

瑪拉給塔莉一個大大的擁抱，親吻她的臉頰，拖著沉重的腳步走向強尼和凱蒂。

她敷衍地親一下凱蒂說晚安，然後就上樓去了。

塔莉離開沙發，來到強尼身邊。「好吧，我忍很久了，妳也知道我多不擅長忍耐，現在小鬼終於走了，所以快說吧。」

凱蒂蹙眉。「說什麼？」

「妳的臉色很差，」塔莉輕聲說，「怎麼回事？」

「只是因爲賀爾蒙還沒恢復正常，也可能是因爲失眠，帶兩個孩子讓我累壞了。」這些理由太平凡無奇，她自己都覺得好笑。「我沒事。」

「我覺得她好像不知道哪裡有問題。」強尼對塔莉說，彷彿凱蒂不在場。

「寫作還順利嗎？」塔莉問她。

凱蒂做個苦臉。「很順利。」

「她根本沒有動筆。」強尼爆料，凱蒂好想揍他。

塔莉一臉無法置信。「一個字都沒寫？」

「據我所知是這樣。」強尼說。

「你們當我不在啊？」凱蒂說，「我的女兒才十歲就罹患了重度公主病，地表上所有運動她都得摻一腳，一星期上三堂舞蹈課，社交活動比『慾望城市』影集裡的女主角更豐富。別忘了還有雙胞胎，他們兩個從來不在同一個時間睡覺，碰到的東西全都會弄壞。除了要照顧三個孩子，我還得煮飯、洗衣、打掃，哪有工夫寫作？」她看著他們倆。「我知道你們認爲我應該尋求眞正的自我，每個人都這麼說。我不該滿足於當媽媽，我確實不滿足，問題在於，我不知道要怎麼兼顧這一切，還得準時接送孩子上下學。」

她爆發完後，一片死寂降臨，壁爐裡的木柴落下，發出喀啦聲響。

塔莉看著強尼。「你眞是混蛋。」

「什麼？」他一頭霧水的表情讓凱蒂差點笑出來。

「她一個人要打掃整個家，還得幫你去乾洗店拿衣服？有沒有搞錯，你難道不能請個人幫忙打掃？」

「她又沒說需要幫手。」

這一刻凱蒂才察覺自己早已左支右絀，鬆了一口氣的感覺蔓延開來，讓她背部的肌肉慢慢放鬆。「我需要。」她終於對丈夫承認。

強尼將她拉過去親吻，貼著她的唇低聲說：「妳只要開口就好。」她回吻，抱著他不放。

「你們親熱夠了沒？」塔莉抓住她的手臂。「我們需要瑪格莉特。強尼，把酒端到露臺去。」

凱蒂任由她拉著去露臺，一出去她立刻微笑對好友說：「謝謝，塔莉，眞不懂爲什麼之前我沒想到要找人幫忙。」

「開什麼玩笑？我最喜歡支使強尼了。」露臺上有幾張躺椅，她就近坐下，前院過去一點可以看見銀白的泡沫浪花，潮水起伏的幽幽聲響在夜色中迴盪。

凱蒂在她旁邊坐下。

強尼端了酒過來，又回屋裡去。

沉默許久之後，塔莉終於說：「凱蒂，我說這種話是因爲我愛妳：妳眞的不必每次校外教學和烘焙義賣都踴躍參與，妳需要空出時間給自己。」

「不用妳說我也知道，說點別的來聽聽。」

「我在雜誌和電視上看過，全職媽媽比一般人更容易——」

「停，我是認眞的。說點別的來聽聽，說點有趣的事情。」

「我有說過二〇〇〇年元旦在巴黎的事嗎？不是煙火喔，而是一個男的，他是巴西人……」

二〇〇〇年七月一日，塔莉的鬧鐘在三點半響起，週一到週五她都固定在這個時間起床。她哀嘆一聲，用力拍下貪睡鈕——難得一次希望能賴床十分鐘，又窩回葛蘭身邊。她很喜歡在他身邊醒來，雖然她很少眞的在他懷裡醒來。他們雙方都太獨立，所以無法眞正融合，即使在睡夢中也一樣。他們斷斷續續交往了很多年，一起走遍世界，參加過無數奢華絢麗的派對和正經八百的慈善活動。媒體封他爲塔莉的「非常態情人」，她覺得這個綽號挺不賴，但最近她開始重新考慮了。

他慢慢醒來，搓搓她的手臂。「早安，親愛的。」他的聲音沙啞粗嗄，這表示他昨天晚上抽了雪茄。

「我是嗎？」她輕聲問，用一隻手肘撐起身體。

「是什麼？」

他雖然沒有翻白眼，但感覺十分清楚。「又來了？妳三十九歲了，我知道，但我們的人格並不會因此改變，塔莉，我們這樣就很好了，不要破壞好嗎？」

他的反應很激動，好像她要求結婚或宣布懷孕，但根本沒這麼嚴重。她翻身下床，走向位在寬敞公寓另一頭的浴室，一開燈，她嚇了一跳。

「噢，老天。」

她的樣子活像在垃圾桶裡睡了一夜。她的頭髮現在剪短挑染金色，一覺醒來竟然根根豎立，只有安妮特．班寧或莎朗．史東這樣的女演員才能頂著這種髮型依然美豔，而且她的眼袋尺寸可比登機箱。

以後她再也不要搭深夜班機從西岸趕回來了。她老了，沒辦法在洛杉磯狂歡整個週末後，星期一還精神抖擻地上班。希望昨天晚上回家的時候沒有被偷拍。自從小約翰．甘迺迪墜機慘死之後，狗仔隊簡直無所不在，名流新聞成了大事業，連其實不算名流的人也跟著遭殃。

她開熱水洗了很久的澡，吹乾頭髮後，穿上名牌運動服，走出蒸氣氤氳的浴室，葛蘭在門口等她。他穿著昨晚的西裝，頭髮亂得很有格調，英俊得不可思議。

「我們蹺班吧。」她摟住他的腰說。

「抱歉，親愛的，我得趕飛機回倫敦，老爸老媽召見。」

她點頭，一點也不覺得奇怪。他總會找藉口離開。她鎖好門，兩人一起搭電梯下樓，走向中央公園西路，兩輛禮車一前一後停在路旁，她親吻他道別，目送他上車離去。

以前她很喜歡他這種瀟灑來去的作風，總是在意想不到的時候出現，然後在她覺得悶或開始放感情之前離開。不過最近幾個月，無論他是否在身邊，她都同樣感到寂寞。

穿著制服的司機送上咖啡加倍的拿鐵。「早安，哈特女士。」

她感激地接過。「謝謝，漢斯。」她上車安穩坐好，盡可能不去想葛蘭或她的人生，看著深色玻璃窗外的幽暗街景轉移心思。在這種時段，就連曼哈頓這個不夜城也安靜了下來，只有最勤勉的人還在外面工作，像是收垃圾的清潔隊員、麵包師傅和送報員。

這樣的生活她過得太久了，久到她不想去計算多少年。幾乎從她抵達紐約的第一天起，她就固定凌晨三點起床上班。功成名就之後，原本漫長的一天只是變得更漫長，自從被CBS挖角，除了早晨播報新聞之外，下午的會議她也得出席。名聲、地位與金錢應該要讓她可以放慢腳步享受事業才對，但她反而越來越忙。她擁有越多，就想要更多，越怕失去既有的一切，因此更拚命工作。無論什麼工作找上門她一概接受，如為乳癌紀錄片旁白配音、上最新的益智節目當特別主持人，甚至擔任環球小姐選美大賽的評審，除此之外她還以嘉賓的姿態出現於各熱門脫口秀，節日遊行需要主持人時她也不推辭。她努力讓自己不被遺忘。

三十出頭時，應付如此繁忙的工作並不難。當時的她有辦法在公司長時間賣命，下午大睡一覺，徹夜狂歡，第二天起床依舊神采奕奕，但現在她快要四十歲了，開始感到有些疲憊，穿著高跟鞋趕場變得很辛苦。最近下班回家後，她越來越常窩在沙發上打電話給凱蒂、穆勒齊伯母或愛德娜，光顧新開的時髦夜店、出席首映會、走紅地毯、受眾人仰慕與拍照等活動已失去了吸引力。她最近越來越想念那些眞正瞭解她、關心她的人。

愛德娜總說這是她必須付出的代價，擁有成功的事業就必須犧牲人生。上次她們一起去喝酒時，塔莉質疑地問：「假使沒有人能分享，成功又有什麼意義？」

愛德娜只是搖頭說：「所以才叫犧牲啊，人不可能擁有一切。」

萬一她就是想要擁有一切呢？

到了CBS大樓，她等司機過來開門，下了車，夏季凌晨的街頭依然一片漆黑。她已經感覺街道散發出的熱氣，今天肯定又是酷熱難耐，也聽到附近傳來垃圾車的聲響。

她快步走進大門，對門房頷首打招呼，走向電梯，到了樓上的休息室，她的救星已經在等了。他的名字叫坦克，緊身紅T恤秀出雄壯的肌肉，黑皮褲讓他下半身的線條一覽無遺，他單手扠腰猛搖頭。「有人今天氣色差得像鬼喔。」

「幹嘛那樣說你自己。」塔莉坐進梳妝檯前的椅子。五年前她雇用坦克專門打理她的髮型與化妝，從此幾乎每天都覺得後悔。

他拿掉她頭上的愛瑪仕絲巾，摘下她的黑色墨鏡。「親愛的，妳知道我很愛妳，可是妳不能繼續這樣蠟燭兩頭燒，妳又變得太瘦了。」

「閉嘴快點畫。」

他像平常一樣由髮型開始著手，邊做事邊聊天。有時候他們會互相說些心事，造型師這個行業就是如此，因爲長時間相處所以培養出親密感，但又不足以發展爲友誼。不過今天塔莉只是漫無邊際地聊些閒事，不想說出她最近情緒鬱悶，因爲他一定會嘮叨要她改變生活方式。

五點時，她彷彿年輕了十歲。「你是天才。」她離開座位。

「姐妹，妳要是繼續這樣過日子，很快化妝天才也會愛莫能助，到時候妳只能去找外科醫生了。」

「謝啦。」她賞他一個上鏡頭專用的笑容之後急忙離開，以免他繼續說教。

進棚後，她凝視著攝影機再次微笑，在這個虛假的世界中，她無比完美。她談笑風生，配合來賓與搭檔主播的幽默，讓所有人覺得她可以成為好朋友，但她很清楚，全美國沒有人知道她此刻真實的心情。塔露拉·哈特已經擁有了這麼多，絕對沒有人會想到她竟然還不滿足。

帶瑪拉和雙胞胎一起出門買東西是件令人頭疼的苦差事。她接連跑了超市、圖書館、藥局和布店，還不到三點就已經體力耗盡。回家的路上，雙胞胎不停哭鬧，瑪拉則一直嘔氣。她的女兒才十歲，但自認已經是大孩子，不該和小嬰兒一起坐後座，所以每次出門都胡亂鬧脾氣，顯然想用這種招數逼凱蒂讓步。

「瑪拉，不要再跟我吵了。」離開超市後，這句話她至少說了十多次。

「我不是在吵，我是在解釋。愛蜜莉可以坐前座，瑞秋也是，其他人的媽媽都覺得沒問題，只有妳——」

凱蒂開進車庫，猛地踩煞車，購物袋往前飛。很值得，因為至少瑪拉閉嘴了。「幫忙拿東西。」

瑪拉拎起一個袋子往裡面走。

凱蒂還來不及訓她，強尼已經來車庫幫忙了，他一個人拎起所有東西，凱蒂和雙胞胎跟著他回屋裡。

一如往常，電視開著，頻道鎖定CNN，音量大到凱蒂受不了。

「我帶兒子去午睡。」強尼將東西放在流理檯上。「然後我要告訴妳一個好消息。」

凱蒂疲憊地對他微笑。「謝了，我很需要。」

三十分鐘後，他回到樓下。凱蒂在餐廳，將布料攤在餐桌上，她答應幫忙做芭蕾發表會的服裝，目前已經完成了九件，還剩三件要趕工。

「我是大白癡。」她其實不是在跟他說話，而是對自己發牢騷。「下次需要義工的時候，我絕對不會舉手。」

他來到她身後，拉她站起來轉身面對他。「妳每次都這麼說。」

「所以我才說自己是大白癡。什麼好消息？你要煮晚餐？」

「塔莉打電話來。」

「這就是你說的好消息？她每個星期六都打來。」

「她要來看瑪拉的發表會，然後幫她的乾女兒辦場驚喜派對。」

她從他懷中掙脫。

「妳好像不覺得高興。」他皺著眉頭說。

凱蒂心中莫名有股怒火升起，連自己都感到意外。「瑪拉生活中我能參與的只剩舞蹈課了，我原本打算在家裡開派對。」

「哦。」

她感覺得出來老公有話想說，但他很識時務，知道這件事輪不到他決定。

終於，凱蒂喟嘆一聲。她也知道自己太自私，塔莉是瑪拉的偶像，而且驚喜派對一定會讓女兒非常開心。「她什麼時候到？」

24

發表會當天，瑪拉既緊張又興奮，幾乎無法控制情緒。因爲壓力，她變得任性無比，一點小事都會大發脾氣，她總是這樣。此刻她站在餐桌旁，一手扠著腰，身上穿著褪色低腰牛仔褲和粉紅色T恤，上面用水鑽排出「Baby One More Time」字樣，褲腰與衣襬之間露出三公分肚皮。「妳把我的蝴蝶髮夾放哪裡了？」

凱蒂在縫紉機前拚命趕工，連頭都沒抬。「在妳的浴室抽屜裡，最上層。還有，不准穿那件衣服出門。」

瑪拉張大了嘴。「這是我的生日禮物耶。」

「對，妳的塔莉阿姨是白癡。」

「別人都可以穿這樣。」

「哦，那只好委屈妳了。快去換掉，我沒時間跟妳吵。」

瑪拉誇張地嘆息，重重跺著腳回樓上。

凱蒂搖頭。不只是因爲發表會，最近瑪拉總是這麼誇張，情緒非常兩極，高興起來就笑個不停，一生氣便沒完沒了。媽媽每次看到外孫女，都會大笑著點起一支菸說：「噢，青春期最精彩，妳最好趁早養成酗酒的習慣。」

凱蒂彎下腰，腳放在踏板上，繼續努力車布。

她再次停下來時，已經過了兩個小時。車好舞衣之後，她急忙趕著做其他雜事：找衣架、把東西搬上車、幫雙胞胎刷牙、制止他們打架。幸好強尼幫忙煮飯、洗碗。

六點一到，她把所有人趕上車，將雙胞胎放進兒童安全座椅，自己也上了車。「我有沒有忘記什麼？」

強尼看她一眼。「妳的額頭沾到義大利麵醬。」

她打開座位上方的四方形小鏡子檢查。沒錯，她的眉毛上有一抹紅。

「我忘記洗澡了。」她驚呼。

「我也覺得奇怪。」強尼說。

她轉向他。「你知道？」

「五點的時候我去提醒妳，結果妳吼我，要我去弄晚餐。」

她哀嘆一聲。因爲太過忙亂，她忘記打扮了，身上還穿著舊牛仔褲、寬鬆的華盛頓大學運動衫與破球鞋。「我的樣子簡直像遊民。」

「而且是上過大學的遊民。」

她不理會強尼的風涼話，以最快的速度衝下車，身後傳來瑪拉的高聲喊叫：「媽，記得化妝！」

凱蒂翻亂抽屜，找出一條不算太舊的絨布黑色踩腳褲，搭配黑白相間的V領長版上衣。這年頭還有人穿踩腳褲嗎？她不曉得。她將頭髮抓成馬尾用白色大腸圈綁好，刷過牙，搽上睫毛膏與胭紅。

外面傳來催促的喇叭聲。

她抓起黑色短絲襪與麂皮平底鞋衝回車上。

「快遲到了啦！」瑪拉抱怨。「其他人說不定都到了。」

「一定來得及。」凱蒂回答，只是呼吸有點喘。

車子駛過市中心，停在島上的演藝廳外。裡面亂得天翻地覆，有年齡介於七到十一歲之間的十二個女孩、焦頭爛額的家長，還有幾十個對發表會毫無興趣的手足在一旁打打鬧鬧。舞蹈老師帕克小姐高齡七十了，儀態總是那麼嚴謹端莊，她指揮若定，始終保持輕聲細語。凱蒂將舞衣搬進休息室，幫忙小舞者更衣打扮，幫她們上髮夾、綁馬尾、噴髮膠，最後刷上一些睫毛膏和唇蜜。

完工後，她跪下來看著女兒。「準備好了嗎？」

「你們有帶攝影機吧？」

「當然有。」

瑪拉開心地笑了，露出歪歪扭扭的大板牙。「媽咪，真高興有妳在。」

一瞬間，所有辛苦都值得了：緊湊瘋狂的進度，熬夜車縫、熨燙，手指痠痛受傷，這些都不算什麼。為了這一秒鐘的母女連心，她心甘情願。「我也是。」

瑪拉擁抱她。「我愛妳，媽咪。」

凱蒂緊緊抱住她，嗅著她身上甜蜜的香粉氣味。這一刻，她想著女兒的童年就快結束了，青春期即將到來，於是她久久不肯放手。最近這樣的時刻已經變得很稀有。

瑪拉掙脫，再次露出笑容，跟著朋友跑向後臺。「拜！」

凱蒂緩緩站起來，離開休息室走進觀眾席，強尼坐在第三排中間，雙胞胎一左一右坐在兩邊，她看著附近的座位尋找塔莉。「她還沒到？」

「還沒，她也沒有打電話，大概臨時有事吧。」他笑道，「例如和喬治・克隆尼約會。」

凱蒂微笑著坐在路卡旁邊，其他小舞者的父母、祖父母魚貫入座，坐下之後紛紛拿出攝影機。

凱蒂的父母準時抵達，在她身邊坐下。她媽媽的手腕上掛著黑色柯達老相機，這是她一貫的配備。「塔莉不是要來嗎？」

「她說要來，希望不是出了什麼事。」凱蒂幫塔莉留了位子，但最後不得不讓給別人。

燈光閃了幾下，觀眾安靜下來，帕克小姐走到舞臺中央，穿著粉紅色緊身衣與及膝芭蕾舞裙，雖然青春不再，但無損名伶風範。「大家好。」她的聲音輕柔但音調略微刺耳。「如各位所知，我——」

演藝廳的門砰的一聲被打開，全體觀眾一起回頭。

塔莉站在門口，模樣彷彿剛離開葛萊美頒獎典禮，金色挑染的短髮讓她顯得嫵媚妖豔，笑容更加燦爛。她穿著深綠色絲質洋裝，單肩斜斜垂墜，收攏在依然纖細的腰肢上。

觀眾紛紛耳語：「塔露拉．哈特……本人比電視上更漂亮……」沒有人在聽帕克小姐的開場介紹。

「她怎麼有辦法維持得那麼好？」媽媽靠過來問。

「整型加化妝師軍團。」

媽媽大笑幾聲捏捏她的手，藉此告訴凱蒂她也很漂亮。

塔莉向凱蒂的父母揮揮手，走到最前排靠走道的位置坐下。

劇場燈光轉暗，瑪姬．勒凡一身藍仙子打扮上了舞臺，她妹妹克蘿依和其他女生跟著上臺旋轉、跳躍，動作有些不整齊。幾個舞者年紀太小，只能看著姐姐們的動作有樣學樣，因此總是慢半拍。

笨拙的可愛模樣讓表演顯得更夢幻。瑪拉旋轉上臺，凱蒂勉強忍住眼淚，強尼越過路卡握住她的手，不過她跳到一半時發現塔莉，便在舞臺中央停止舞步瘋狂揮手。

塔拉也對她揮手，全場迴盪著歡笑。

表演結束後，熱烈的掌聲久久不斷，舞者出來謝幕幾次，然後格格笑著跑去找家人。

瑪拉直接奔向乾媽，由舞臺往下一跳，落在塔莉懷中。一群人圍住她們自我介紹和要簽名，瑪拉跟著沾光，笑得非常燦爛。

人群散開後，塔莉走向凱蒂一家人，分別擁抱每個人。她一手搭著凱蒂的肩膀，另一手摟著瑪拉，大聲說：「我爲乾女兒準備了大驚喜。」

瑪拉開心笑著上下蹦跳。「是什麼？」

「妳馬上就知道了。」塔莉對凱蒂眨一下眼睛，全家人一起由走道往門口移動。

演藝廳外停著一輛粉紅色加長禮車。

瑪拉興奮地尖叫。

凱蒂轉向塔拉。「有沒有搞錯？」

「很酷吧？妳絕對想不到有多難找。大家快上車吧。」她打開車門，他們擠進車裡，黑色內裝非常奢華，車頂有著紅藍兩色小燈。

瑪拉緊黏著塔莉，握住她的手。「這是天下最棒的驚喜。」她說，「妳覺得我跳得好嗎？」

「非常完美。」塔莉回答。

他們坐在車裡搭渡輪到對岸，瑪拉對塔莉說個不停。

抵達西雅圖後，禮車重新發動，帶他們在市區兜風，像是來度假的觀光客，最後車子停在燈火通明的飯店雨棚下，門房過來迎接。他打開車門，彎腰問：「各位美麗的女士，請問哪位是瑪拉・蘿絲？」

瑪拉立刻舉手，吃吃笑著說：「我。」

他由身後拿出一朵粉紅玫瑰獻上。

瑪拉的表情又驚又喜。「哇。」

「瑪拉，快說謝謝。」凱蒂覺得自己語氣有點太衝。

瑪拉不爽地瞥她一眼。「謝謝你。」

塔莉帶他們進飯店。到了頂樓，她打開門，走進一間佔地寬廣的套房，裡面有各種遊戲區：跳跳屋、電玩和迷你碰碰車。發表會的所有舞者和家人都來了，房間中央鋪著白桌巾的檯子上放著一個多層大蛋糕，點綴著許多芭蕾舞伶造型的糖人偶。

「塔莉阿姨，」瑪拉尖叫著抱住她。「太酷了。我愛妳。」

「我也愛妳，小公主，去找朋友玩吧。」

他們所有人因爲太過震驚而一時呆住了，強尼率先回過神，他抱著威廉悄悄走向塔莉。「這樣會寵壞她。」

「我本來想弄匹小馬，但又覺得好像太超過了一點。」

媽媽放聲大笑，爸爸直搖頭，說：「來吧，老婆、強尼，我們去吧檯看看。」

只剩下她和塔莉時，凱蒂說：「妳確實很善於華麗登場，今天的事瑪拉會說上一整年。」

「太超過了嗎？」塔莉問。

「好像有一點。」

塔莉對她燦爛一笑，但並非發自內心，凱蒂一眼就看出她在假裝。「怎麼了？」

塔莉還來不及回答，就見瑪拉蹦蹦跳跳回來，小臉綻放光彩。「塔莉阿姨，我們大家想和妳合照。」

凱蒂站在那兒，看著女兒對乾媽崇拜至極的模樣，雖然不想承認，但她感到一絲揪心的嫉妒。這個晚上原本應該屬於她和瑪拉。

塔莉坐在禮車裡，瑪拉躺在她腿上，她撫摸乾女兒絲緞般的黑髮。

凱蒂坐在對面，靠在強尼身上睡著了，他的眼睛也閉著，兩個兒子分別偎靠在爸媽身邊。如此完美的一家人，簡直像卡片上的圖案。

禮車轉向海岸道路。

塔莉親吻瑪拉柔嫩的臉頰。「小公主，快到家嘍。」

瑪拉緩緩眨著眼睛醒來。「我愛妳，塔莉阿姨。」

塔莉的心像拳頭般緊抓住這句話，湧出一股接近痛苦的情緒。她原本以爲成就像黃金一樣，值得在泥濘中辛勤尋覓，而愛則會永遠在河岸上守候，等著她撈夠之後上岸回頭，但現在的她不懂當初自己怎麼會那麼想，以她童年的經歷，她應該比任何人更清楚狀況。倘若成就是河水中的金砂，那麼愛就是鑽石，藏在數百公尺下的地底深處，天然原貌難以看出璀璨本質，難怪當瑪拉說出那句話時她竟如此感動，因為在她的生命中太少聽到。「我也愛妳，瑪拉・蘿絲。」

禮車開進車道，輪胎壓過礫石發出喀喀聲響，最後終於停了下來。全家人花了好長的時間下車、進屋，所有人一進門立刻上樓。

塔莉站在空蕩蕩的客廳，不知道該怎麼辦。樓上傳來腳步聲，以前她會去幫忙做就寢準備，但反而讓他們覺得礙手礙腳，於是最後她放棄了。

凱蒂先下樓來，抱著一堆織毯，疲倦地嘆了口氣。「快說，塔莉，到底怎麼回事？」

「什麼意思？」

凱蒂抓住她的手臂，拉著她穿過到處是玩具的房子；到了廚房，凱蒂暫時停下腳步倒了兩杯白酒，然後她們走出後門，來到擺著躺椅的草坪上。平靜的海潮聲讓塔莉覺得彷彿回到二十年前，當時她們經常半夜溜到河邊聊男生、偷抽菸。

塔莉坐在舊舊的躺椅上，攤開一條織毯蓋在身上。這些毯子用了很多年，肯定經過無數次清洗，但依然帶著穆勒齊伯母的涼菸與香水味。

凱蒂在毯子下屈起膝，下巴靠在上面轉頭看塔莉。「快說吧。」

「要說什麼？」

「我們當好姐妹多久了？」

「從大衛・卡西迪當紅的年代開始。」

「妳以為我看不出來妳有心事？」

塔莉往後靠，喝了一口酒。她其實很想說，聊這件事也是她大老飛來這裡的部分原因，但現在她坐在好友身邊，反而不曉得從何說起，不只如此，抱怨生命中的缺憾讓她覺得自己很白癡。她已經擁有這麼多了還不知足。

「妳放棄事業的時候我覺得妳瘋了。整整四年的時間，每次我打電話來都會聽見瑪拉哭鬧的聲音，我一直覺得要過那種日子不如殺了我算了，可是妳感覺起來疲憊、沮喪卻又無比幸福，我一直不明白。」

「有一天妳能體會的。」

「不，不可能。凱蒂，我已經快四十歲了。」她終於直視凱蒂。「看來瘋的人是我，竟然為了事業放棄一切。」

「可是妳的事業非常了不起。」

「對啦，可是有時候……還是不夠。我知道這樣說很貪心，但我不想每天工作十八個小時，回家只能面對空蕩蕩的屋子。」

「妳知道，妳可以改變生活，但必須真心想要改變。」

「多謝大師開示。」

凱蒂望著拍岸的波浪。「上個星期的八卦雜誌上說，有個六十歲的女人生了孩子。」

塔莉大笑。「妳很賤耶。」

「我知道。來吧，可憐的超級富婆，我帶妳去房間。」

「我一定會後悔抱怨這些，對吧？」

「噢，沒錯。」

她們摸黑穿過房子，到了客房門口，凱蒂對她說：「不准再那樣寵瑪拉了，知道嗎？她已經覺得月亮是妳掛上去的了。」

「拜託，凱蒂，我去年賺了超過兩百萬，妳要我用在哪裡？」

「捐給慈善機構。總之不准再搞粉紅禮車這一套，知道了嗎？」

「妳知道妳是個超級大悶蛋嗎？」

過了很久之後，塔莉躺在凹凸不平的沙發床上，聽著大海的聲音，這才想到她忘記關心凱蒂過得好不好。

凱蒂看著掛在冰箱旁的月曆，很難相信時間過得這麼快，但證據就在眼前。現在是二〇〇二年十一月，過去十四個月裡，世界發生了天翻地覆的變化。去年九月，恐怖份子駕機衝撞世貿大樓與五角大廈，數千人罹難；另一架被劫的飛機最後墜落，機上所有人無一倖免。每天的新聞都少不了汽車炸彈、自殺炸彈，軍方開始搜查大規模毀滅武器，蓋達、塔利班、巴基斯坦這些字眼經常出現在對話中，每節新聞都會提到好幾次。

恐懼讓所有人、所有事都變了，但日子還是一樣過下去。一個小時又一個小時，一天又一天，當政客與軍方忙著尋找炸彈與恐怖份子，司法部忙著拆解美國史上最大企業弊案——安隆的文件壁壘，一般家庭依然照常過著平凡的生活。凱蒂的生活還是一樣，忙不完的雜事、養兒育女、深愛丈夫，或許她更黏著家人，更希望他們待在家裡，但大家都能理解，因爲外面的世界不像從前那麼安全。

再過一個星期就是感恩節了，聖誕節緊隨在後。

每當佳節來臨，主婦就分裂成兩個人格。過節雖然歡樂，但隨之而來的工作卻令人焦頭爛額，凱蒂經常忙得忘記停下來品嘗珍貴時刻。她有一大堆烘焙工作——學校派對用的、給芭蕾教室義賣，還要捐贈給婦女之家，當然，還得購物。雖然島上的生活很便利，但是每當需要認眞買禮物的時候，居民就會深刻體會到他們的所住的地方四面都是海，購物中心與百貨公司都在遙遠的對岸。有時候她覺得自己很像在登山，沒帶氧氣筒就攀上垂直峭壁，而山頂則是諾斯莊百貨公司。家裡有三個孩子，選禮物是大工程，而時間永遠不夠。

此刻，凱蒂將車停在家長接送區最前面的位子，坐在駕駛座上列聖誕禮物清單。她才剛寫好幾樣，放學鐘聲便響起，大批中學生傾巢而出。

通常瑪拉會和一大群女同學一起出來，十來歲的女生就像殺人鯨一樣，喜歡成群結隊，但今天她獨自快步走過來，低著頭雙手緊抱胸口。

凱蒂知道苗頭不對，問題在於有多嚴重。她女兒今年十二歲，體內的賀爾蒙正經歷急遽變化，所以情緒像巫婆的大鼎一樣沸騰不休，最近所有的小事都是大事。

「嗨。」凱蒂小心翼翼地試探，她知道只要說錯一個字就會引發爭吵。

「嗨。」瑪拉上了前座，拉起安全帶扣好。「那兩個小鬼呢？」

「去參加伊凡的生日派對了，爸爸下班回家的時候會順便去接他們。」

「哦。」

凱蒂將車駛出停車格，進入走走停停的車陣中。一路上她想盡辦法搭話，但所有努力都白費，瑪拉心情好的時候回她一個字，心情不好的時候就翻個白眼或誇張嘆息。回到家，進了車庫，凱蒂決定再試一次。「弟弟的學校明天要辦感恩節派對，我要幫忙烤餅乾，妳想幫忙嗎？」

瑪拉終於正眼看她了。「南瓜形狀、有橘色糖霜和綠色巧克力米的那種？」

一瞬間，她女兒彷彿變回了小孩，深色眼眸滿是期盼，嘴角揚起遲疑的笑。她們一同想起這麼多年來辦過的派對，共同擁有的回憶編織成網。

「當然嘍。」凱蒂說。

「我好喜歡那種餅乾。」

凱蒂算準了她喜歡。「妳還記得嗎？有一年諾曼太太帶了一模一樣的餅乾來，妳很生氣，爲了證明我們家的比較好吃，妳硬要大家試吃兩種。」

瑪拉終於笑了。「那次我惹火了老師，被罰派對結束之後留下來打掃。」

「那次愛蜜莉也留下來幫忙。」

瑪拉的笑容消失了。「嗯。」

「那麼……妳要幫忙嗎？」

「當然要。」

凱蒂謹慎克制，不做出太興奮的反應。雖然她很想笑著說她有多開心，但她只是點點頭，跟著女兒進屋，然後去廚房。過去一年衝突不斷，她學到了一些訣竅，知道該如何應付即將進入青春期的瑪拉——當女兒的情緒如雲霄飛車般大起大落，媽媽就必須不動如山。

接下來三小時，她們在寬敞的鄉村風廚房裡並肩忙碌。凱蒂提醒女兒如何將乾粉過篩混合，教她怎麼用古早的方法在烤盤上抹油，她們聊些瑣碎小事，東拉西扯，全是些無關緊要的話題。凱蒂像獵人一樣步步為營，憑本能判斷出正確的時機，在她們將最後一盤餅乾沾上糖霜，把髒碗盤放進水槽裡時，凱蒂開口說：「想不想再烤一盤送給艾胥麗？」

瑪拉瞬間僵住。「不要。」她的聲音小得幾乎聽不見。

「可是艾胥麗很喜歡這種餅乾，我記得上次——」

「她討厭我。」瑪拉一說出這句話，彷彿水庫閘門開啓，淚水立刻湧進眼眶。

「妳們吵架了？」

「我不知道。」

「怎麼會不知道？」

「就是不知道啦！」瑪拉大哭起來，轉過身欲離開。

凱蒂連忙撲過去抓住她的袖子，緊緊抱住她。「瑪拉，有我在。」她低語。

瑪拉用力抱著她。「我不知道做錯了什麼。」她啜泣哭喊。

「噓。」凱蒂喃喃安慰，撫摸女兒的頭髮，彷彿她還是個小孩。瑪拉的哭聲終於平息了，凱蒂後退一些低頭看她。「有時候人生——」

她們身後的門砰一聲打開，雙胞胎衝進來，互相大吼大叫，拿著恐龍打來打去，強尼在後面追，威廉撞到桌子，打翻了一杯不該放在那裡的水，玻璃破碎的聲音響徹整個家。

「啊喔。」威廉抬頭看著凱蒂。

路卡大笑。「威廉完蛋了。」他幸災樂禍地歡呼。

瑪拉掙脫她的懷抱衝上樓，進房間，甩上門。

「路卡，」強尼說，「不要欺負威廉。小心別碰到地上的碎玻璃。」

凱蒂嘆口氣，拿起抹布。

第二天，凱蒂開車到學校，距離午休時間還有三分鐘。她違規臨時停車，快步去辦公室幫瑪拉請假，然後到教室找她。昨天的談心交流被打斷之後，整個晚上瑪拉再次將凱蒂封鎖在外，無論她如何循循善誘始終無法重新讓瑪拉開口，於是凱蒂只好啓動備用計畫，來個攻其不備。

她在長方形的玻璃窗外探頭探腦，然後敲了一下門，看到老師揮手之後開門進去。

大部分的學生都微笑對她打招呼，這就是經常當義工的好處：所有人都認識她。所有學生都很高興見到她，至少很高興可以暫時不用上課。

除了她女兒。

瑪拉擺出尷尬的臭臉，好像在質問她跑來學校做什麼，凱蒂早就習慣了。她知道中學生的規矩：絕不能讓同學看見爸媽。

午休鈴聲響了，所有學生吵吵鬧鬧衝出教室。

終於只剩下瑪拉一個人，她過去找女兒。

「妳來做什麼？」

「等一下妳就知道了。收拾書包，我們要走了。」

瑪拉抬頭看向她，顯然正以所有社交角度考量這個狀況。「好吧，妳先走，我去車上找妳。」

通常凱蒂會訓瑪拉一頓，強迫她一起走，但現在女兒的心情很低落，凱蒂就是爲了解決這個問題而來的。「好。」

瑪拉吃了一驚，沒想到凱蒂會如此輕易讓步，凱蒂對她微笑，拍一下她的肩膀。「車上見。」

凱蒂先回車上，沒有等太久，瑪拉很快便上了前座，扣好安全帶。「我們要去哪裡？」

「先去吃飯。」

「妳幫我請假只爲了帶我去吃飯？」

「還有別的，我準備了驚喜。」凱蒂開車去一家舊式小館風格的餐廳，旁邊就是島上新開的大型電影院。

入座之後，凱蒂說：「我要起司漢堡、薯條和草莓奶昔。」

「我也是。」

服務生點完菜後離開，凱蒂看著女兒。她彎腰駝背坐在藍色人造皮座位上，顯得單薄瘦削，還是個小女孩的模樣，但即將綻放青春。她的黑髮現在看來凌亂邋遢，但有一天將會變得柔順亮麗，那雙棕眸顯露出她所有的心情，此刻的她一臉悵然若失。

服務生送來奶昔，凱蒂喝了一口。自從生下雙胞胎，她一直怕胖不敢吃冰淇淋，這一口的滋味讓她感覺上了天堂。「艾胥麗還是對妳很不好？」她終於開口問。

「她討厭我，但我根本不知道自己對她做了什麼。」

凱蒂想了很久，琢磨著該如何安慰女兒第一次心碎的痛苦。天下的媽媽都願意不計一切代價保護孩子，她也不例外，但有些危險無從預防，只能讓孩子去經歷，學習理解。今年整個國家都學到了這一課，即使有些事情再難恢復以往，但也有些事情始終不會改變。

「我在五年級的時候失去了兩個好朋友。我們原本做什麼都在一起，一起參加園遊會的馬術比賽，一起辦睡衣派對，夏天一起去湖邊玩，很多年都這樣，妳外婆說我們是三劍客。後來在我快滿十四歲那年的夏天，她們忽然不喜歡我了，到現在我還是不知道原因。她們開始和男生鬼混、參加派對，再也不打電話給我，每天我都一個人坐校車、吃午餐，每天晚上哭到睡著。」

「眞的？」

凱蒂點頭。「我還記得那時候有多傷心。」

「後來呢？」

「在我最悲慘的時候，那時候眞的很慘，妳該看看我戴著牙套和老土大眼鏡的樣子——」

瑪拉格格笑了。

「有一天，我去上學。」

「然後呢？」

「塔莉阿姨在等校車。她是我見過最酷的女生，我以爲她絕不可能和我交朋友，猜猜看後來我發現什麼？」

「什麼？」

「在內心眞正重要的地方，她像我一樣畏縮又孤單。那一年我們變成好朋友，眞正的朋友，不會故意害妳傷心，也不會莫名其妙討厭妳的那種。」

「怎樣才能交到那種朋友？」

「這才是最難的部分，瑪拉。要交到眞正的朋友，妳必須先交出自己的心。有時候難免會遭遇失望，尤其女生會對其他女生非常壞，但是妳不可以因此放棄，萬一受傷了，只要重新站起來，拍掉心靈上的灰塵，重新再試一次。妳的班上肯定有一個女生可以變成妳的好朋友，到高中感情都不會變，我保證絕對有，妳只需要找出來。」

瑪拉蹙眉思索。

服務生送餐過來，放下帳單之後走開。

她拿起漢堡正要咬，瑪拉說：「愛蜜莉還不錯。」

凱蒂正希望瑪拉會想起愛蜜莉。她們兩個小學的時候形影不離，但最近幾年漸漸疏遠了。

「的確。」

看到女兒終於展露笑容，這小小的變化讓凱蒂的心明亮起來。午餐時，她們聊些瑣事，大部分是時尚話題，在這方面瑪拉已經非常沉迷了，而凱蒂卻近乎一無所知。付完帳準備離開時，凱蒂說：「還有一件事。」她由皮包中拿出一份小禮物。「送妳。」

瑪拉拆開亮晶晶的包裝紙，裡面是一本小說。

「《哈比人》。」瑪拉抬頭看她。

「那一年我雖然沒有朋友，但也不是完全孤單。我有書本作伴，第一次讀到我最喜歡的一本書《魔戒》，我這輩子至少看過十次。妳的年紀可能還不適合看《哈比人》，但說不定幾年後又發生讓妳傷心的事，也許妳會覺得世界上只有悲傷與妳為伴，也不想告訴我或爹地，當那一天來到，妳要想起放在床頭櫃的這本書。拿出來讀，讓它帶妳離開現實，我知道感覺很傻，但我十三歲那年確實得到很大的幫助。」

收到一份現在無法使用的禮物，瑪拉似乎有些不解，但她還是道謝收下。

凱蒂凝視著女兒，心頭一陣刺痛。時間過得好快，女兒的童年已經到了尾聲。

「我愛妳，媽咪。」瑪拉說。

對世人而言，這只是平凡一天中的平凡時刻，但對凱蒂而言卻意義非凡，這就是她放棄事業選擇當全職媽媽的原因。她也許太過放大人生中的微渺片段，但這一刻在她心中永遠無法被取代。「我也愛妳。所以今天我們一起蹺課，去看下午場的『哈利波特與消失的密室』。」

瑪拉笑嘻嘻離開座位。「妳是全天下最棒的媽媽。」

凱蒂大笑。「希望妳進入青春期之後還記得這句話。」

25

塔莉以她報導過的新聞計算年份。二〇〇二年，她去過很多地方度假，包括歐洲、加勒比海小島以及泰國；她出席奧斯卡頒獎典禮，贏了一座艾美獎，登上《時人》雜誌封面，重新裝修公寓，但這些都沒有在她腦中留下印象。她報導過不少大新聞，例如掃蕩塔利班的「森蚺行動」，該地區的暴力情勢攀升，還有南斯拉夫前總統米洛塞維其因種族屠殺違反人道罪而接受審判，以及對伊拉克開戰的報導。

二〇〇三年春天，她覺得精疲力竭，太多暴力讓她心靈耗弱，即使回家也無法感到平靜。無論走到哪裡她都被人群包圍，但她卻更感孤寂，因爲這些人奉承她、討好她，卻不是眞正瞭解她。

雖然電視機前的觀眾無法察覺，但她的內心正在漸漸崩潰。葛蘭將近四個月沒有打電話給她，他們最後一次見面鬧得相當不愉快。

我只是不想要妳要的東西，親愛的。他這麼說，連假裝傷感的工夫都省了。

我想要什麼？她大吼，沒想到淚水竟刺痛眼睛。

妳要的東西始終都一樣：更多。

她不該感到錯愕，天知道，這句話她一生中聽過無數次，甚至連她自己也承認。最近她確實想得到更多，她想要眞正的人生，而不是這個完美璀璨的棉花糖，儘管這是她爲自己一手打造的。

她想從頭來過，但又覺得自己一把年紀了，不知道該從何做起。她太熱愛這份工作所以無法放棄，更何況，她長久以來一直享受著名聲與財富，她無法想像重回平凡人生的日子。

這一天，陽光出奇溫暖，她走在繁忙的曼哈頓街頭，看著腳步飛快的當地人閃過衣著鮮豔的觀光客。經過大雪茫茫的漫長冬季，這是第一個放晴的日子，沒有什麼比陽光更能改變紐約的氣氛，人們離開狹小的公寓，穿上舒適的鞋子出門。在她的右手邊，中央公園有如青翠綠洲，她望著公園，一瞬間彷彿看見自己的過去：華盛頓大學的四方院，學生跑來跑去丟飛盤、踢沙包。她離開校園已經二十年了，雖然這些年她的人生發生許多變化，在這一刻往事卻如影隨形。

帶著微笑，她搖搖頭清理思緒。她竟然像老人一樣傷春悲秋，晚上一定要打電話告訴凱蒂。

她正打算重新邁步時，忽然看見了那個人。

在一片低矮的綠色小丘下，那個人站在石板小徑上看著兩個少女溜直排輪。

「查德。」

過了這麼多年，她第一次說出他的名字，那滋味如杏仁酒般甜蜜。光是看見他就彷彿剝去了層層光陰，她覺得自己又找回青春。

她踏上小徑朝他走去，大樹的枝葉像傘一樣張開，遮住了陽光，讓她霎時覺得有些冷。這麼久沒見，她該對他說什麼？他又會對她說什麼？最後一次相聚時他開口求婚，之後他們便再也沒見過面。當時他非常瞭解她，甚至沒有留下來聽她拒絕。他們曾經相愛過，流逝的時光帶給她智慧，現在的她清楚知道這件事，她也明瞭愛情不會瞬間蒸發，而是慢慢褪色，像曝曬在豔陽下的骨頭一樣漸漸失去份量，但不會徹底消失。

靈光乍然閃現——原來她想要的是愛情，就像強尼和凱蒂那樣。她希望在這世上可以不要那麼孤單。

她走向他，腳步只亂了一次，離開樹蔭進入陽光下。

他在那兒，站在她面前，這個從不曾由夢中消失的男人。她喊他的名字，但聲音太小他沒聽見。

他抬起頭看見她，笑容緩緩退去。「塔莉？」

她看到他的嘴形、感覺到他說出她的名字，但剛好有隻狗叫了起來，兩個溜直排輪的人經過她旁邊。

他走過來，就像她看過的電影、夢中的情節，他將她攬入懷中抱住。不過他太快放手後退。「我就知道有一天會再見到妳。」

「你向來比我有信心。」

「誰都比妳有信心。」他微笑著說。「妳過得好嗎？」

「我在CBS。我——」

他輕聲說：「相信我，我知道。妳讓我感到非常光榮，塔莉，我一直都知道妳能爬到最頂峰。」他端詳她片刻，接著問：「凱蒂的近況如何？」

「她和強尼結婚了，最近我很少見到他們。」

「啊。」他點點頭，彷彿心中的某個疑問得到解答。

在他眼前，她感到無所遁形。「啊什麼？」

「妳覺得寂寞。看來到了最後，擁有世界還是不夠。」

她蹙眉抬頭看他，他們的距離很近，只要稍微再近一些便會嘴唇相貼，但她不敢跨越那短短的距離。他比塔莉印象中的模樣更年輕，也變得更英俊了。「你怎麼做到的？」

「做到什麼？」

「爸，快看！」

塔莉聽見那個女孩的聲音，感覺很遙遠。她緩緩轉身，看到兩個年輕女子踩著直排輪滑過來。她之前看錯了，她們不是少女而是成人，其中一個和查德長得非常相似，也有突出的五官與黑髮，一笑眼角便皺在一起。

她更在意的是另外那個女人，她大約三十或三十五歲，笑容燦爛，感覺很開朗。她的打扮像觀光客，全新的牛仔褲、粉紅色厚毛衣、水藍色的帽子與手套。

「這是我的女兒，她在紐約大學念研究所。」查德說，「那位是克蕾莉莎，我們住在一起。」

「你還住在田納西州的納什維爾？」說出這句話非常艱難，有如推著大樹幹上山，她一點也不想和他聊這些無關痛癢的家常。「還在教育那些眼睛發亮的信徒，傳授新聞的教義？」

他抓住她的肩膀，將她轉過去面對他。「塔莉，是妳不要我。」他說，她聽出他粗嗄的聲音中藏著很深的情感。「那時候我準備好要永遠愛妳，但是——」

「別說了，拜託。」

他摸摸她的臉頰，動作匆促，幾乎有種慌亂的感覺。

「我應該和你去田納西。」她說。

他搖頭。「妳有遠大的夢想，這也是我當初愛妳的原因之一。」

「當初。」她知道非常愚蠢，但還是不禁感傷。

「有些事情注定不會發生。」

她點頭。「尤其當我們因爲害怕而不敢放手嘗試的時候。」

他再次擁抱她，他在這瞬間表現的激情勝過葛蘭這些年來的累積。她等著他的吻，但始終沒有來臨。他放開她，勾著她的手臂送她回到原處。

忽然來到涼涼的樹蔭下，她打了個寒顫，往他身上靠過去。「懷利，告訴我該怎麼做？我好像搞砸了我的人生。」

他站在晴朗的人行道上，再次正面看著她。「妳的成就超乎想像，但妳依然不滿足。」

他的眼神令她的心揪緊。「看來我該停下來聞聞花香，唉，我連花都沒看到。」

「塔莉，妳並不孤單。每個人的生命中都有特殊的人，家人。」

「看來你忘記了白雲。」

「是妳忘記了吧？」

「什麼意思？」

他往公園望去，他的女兒和女友手牽著手，其中一個在教另一個倒退滑行。「我錯過女兒成長的時光，有一天我忽然決定不能繼續下去，於是跑去找她。」

「你總是這麼樂觀。」

「雖然有些不可思議，但其實妳也一樣。」他彎腰親吻她的臉頰，又退開。「塔莉，繼續點燃世界吧。」說完，他便邁步離開。

當初分手時，他在信裡寫過幾乎一模一樣的話。寫在紙上的時候，她感覺不出這句話有多麼無奈，現在她才明白，這句話既是鼓勵也是譴責。即使她能點燃世界，獨自看著火光又有什麼樂趣？

塔莉有一個很特別的專長，就是忽視不愉快。一生中，她總是能夠將不好的記憶與失望的感受裝箱封存，埋在內心最深處、暗得看不到的地方。雖然她有時會在夢中回到那些不好的時候，醒來時滿身冷汗，記憶如油污浮在意識的表面，但一旦天色亮起，她又會將這些念頭塞回埋藏處，輕輕鬆鬆再度遺忘。

現在她第一次發覺，有件事情她無法埋藏或遺忘。

查德。在她生活的城市見到他，她打從心底感到震撼。她似乎無法清除那段記憶，她還有太多話來不及說、太多事來不及問。

那次巧遇之後，整整三個月的時間裡，她不停回想每一個細節，如同鑑識科學家般反覆檢視，試圖找出線索，明白背後的意義。他成了顯眼的記號，標示出她爲了事業所放棄的一切——她當初沒有選的那條路。

而他說起白雲的那部分更是令她不停回想。妳並不孤單。每個人都有家人。雖然並非和他所說的字字相同，但重點差不多是這樣。

這個念頭如同癌細胞在她心中複製、擴散。她發現自己經常想到白雲，想得很認真，而且專注在媽媽回來的時候，而不是離去的時候。塔莉知道這樣很危險，明明有那麼多不堪的回憶，她卻死命攀附著些微美好，然而現在，她忽然開始懷疑說不定是她的錯，因爲她一心一意憎恨母親，忙著埋藏並遺忘失落的痛苦，以至於沒看出白雲一再回頭的意義。

這個想法、這份希望塞不進箱子裡，也不肯乖乖待在黑暗中。

最後，她決定不再逃避，而是坐下來仔細研究，因而展開了這段奇怪又詭異的旅程。她向公司請了兩週的假，收拾好行李，登機往西飛去。

離開曼哈頓將近八個小時之後，她坐在光亮的黑色禮車中抵達班布理奇島，來到雷恩家門前。

塔莉站在車道上，聽著禮車駛離時輪胎碾過礫石的聲響，房屋後方傳來潮水拍打碎石海灘的聲音，那表示開始漲潮了。在這個美麗晴朗的初夏午後，這棟農莊風格的老式房屋有如家居雜誌的照片，新染上的灰塵爲屋瓦添上焦糖色調，閃亮的窗框反耀著驕陽，庭院中花朵恣意盛放，無論哪個方向都是一片萬紫千紅。地上散置著玩具與腳踏車，她深深緬懷起年少時光，當時她們被稱爲螢火蟲巷姐妹花，腳踏車是通往另一個世界的魔毯。

快啊，凱蒂，快放手。

塔莉微笑。她很多年沒想起一九七四年的夏天了，那是一切的開端，認識凱蒂改變了她的一生，全都是因爲她們鼓起勇氣接近對方，大膽說出：我想和妳做朋友。

她走上冒出雜草的水泥小徑來到正門前，還沒踏上門階已經聽到裡面熱鬧的聲響。那一點也不奇怪，凱蒂說過二〇〇三上半年非常狂亂忙碌，瑪拉進入了青春期，但過程非常不順；雙胞胎學步時就已經吵鬧又愛闖禍，現在他們五歲了，比以前更加吵鬧、破壞力更強。每次塔莉打電話找凱蒂，她幾乎永遠在車上，忙著載孩子趕場。

塔莉按下門鈴。通常她會自己開門進去，但一般她來之前會事先通知，這趟來訪只是一時衝動，沒有事先聯絡。老實說，她原本以爲自己會改變主意，一路上一直等著自己打退堂鼓，沒想到她終究抵達了這裡。

腳步聲撼動整棟老屋，門開了，瑪拉站在門口。「塔莉阿姨！」她興奮尖叫著往前撲。

塔莉接住乾女兒緊緊抱著，放開後，她望著眼前的少女，心中有些不知所措。她才七、八個月沒見到瑪拉，才一轉眼的工夫而已，她已經快認不得了。瑪拉幾乎已經是成熟的女人了，個子比塔莉高，肌膚潔白如牛奶，棕眸明亮有神，豐盈黑色長髮如瀑布洩落背上，顴骨令人又妒又羨。「瑪拉‧蘿絲，」她說，「妳長大了，而且好漂亮，妳應該當模特兒才對。」

瑪拉笑了起來，更是美得令人屏息。「眞的？我媽總覺得我還是小寶寶。」

塔莉大笑。「親愛的，妳才不是小寶寶呢。」她本來還想繼續說，但強尼下樓來了，一手抓著一個扭來扭去的小男孩，走到一半看見她，他停下腳步，微笑著說：「瑪拉，別放她進來，她帶著行李箱。」

塔莉大笑著走進去，關上了門。

強尼對著樓上大聲說：「凱蒂，快點下來，妳絕對猜不到誰來了。」他將雙胞胎放在樓梯底端，走過去擁抱塔莉。她忍不住感嘆，單純的擁抱是這麼舒服，她很久沒體會過了。

「塔莉！」凱蒂的聲音壓過所有人，她快步下樓來緊緊抱住塔莉，放開時凱蒂滿臉笑容。

「快說，妳跑來做什麼？妳難道不曉得應該先通知我嗎？我好久沒去剪頭髮、染頭髮了，這下鐵定會被妳嫌到死。」

「別忘了妳也沒化妝。我來幫妳大改造吧，我很厲害喔，這是天賦。」

回憶湧上心頭，她們一起大笑出聲。

凱蒂勾著塔莉的手臂走向沙發，而行李箱像保鑣一樣守在門邊。她們聊了將近一個小時，瞭解彼此的近況；三點時，她們到後院續攤，瑪拉和雙胞胎都來和凱蒂搶塔莉。天色漸漸暗了，強尼在烤肉爐中生火，草坪上架起野餐桌，在滿天繁星下、靜謐海灣旁，塔莉開懷享用睽違數月的家常菜。晚餐後，他們陪雙胞胎玩了一場緊湊刺激的紙上尋寶遊戲，接著凱蒂和強尼帶兩個小的上樓去睡，塔莉和瑪拉坐在後院，各自裹著穆勒齊伯母遠近馳名的織毯禦寒。

「成爲名人是什麼感覺？」

塔莉很多年沒想過這個問題，因爲她早就習慣了。「老實說，挺不錯的。你總是能得到最好的座位、進入一流的好地方，經常有人送免費的東西，大家都會等妳。因爲我是記者不是電影明星，所以狗仔隊大致上不會來煩我。」

「派對呢？」

塔莉微笑。「我現在已經很少出席派對了，不過我確實收到很多邀請函。別忘了還有漂亮衣服，經常有設計師送我衣服，我只要穿出去亮相就好。」

「哇，」瑪拉說，「酷斃了。」

身後傳來紗門打開的嘰喀聲，又砰一聲關上，接著露臺傳來移動家具的聲音，好像在搬桌子。最後音樂響起，是吉米·巴菲的派對名曲〈瑪格莉特樂園〉①。

凱蒂端著兩杯瑪格莉特出現。「妳知道這代表什麼意思。」

瑪拉立刻開始發牢騷。「我已經夠大了，可以熬夜，更何況明天是教師簽約日，不用上學。」

「快去睡覺，小丫頭。」凱蒂彎腰將一杯酒遞給塔莉。

瑪拉望著塔莉，表情彷彿在說：看吧，就跟妳說我媽總覺得我是小寶寶。塔莉忍俊不禁。

「妳媽和我以前也曾經急著想長大，我們會溜出去玩，還偷我媽的……」

「塔莉！」凱蒂急忙制止。「她不想聽那些陳年往事。」

「我媽偷溜出去玩？外婆有沒有處罰她？」

「她罰妳媽一輩子禁足，而且只能穿大賣場特價的衣服。」塔莉回答。

瑪拉打個哆嗦。

「全是人造纖維，」凱蒂幫腔。「整個夏天我都不敢接近火源。」

「妳們只是唬我。」瑪拉雙手交叉環臂說。

「我們？唬妳？怎麼可能？」塔莉喝了一口酒。

瑪拉離開座位，發出一聲彷彿受盡凌虐的長嘆，終於回屋裡去了。門一關上，塔莉和凱蒂立刻大笑出聲。

「我們以前應該不像她那樣吧？」塔莉說。

「我媽發誓說我跟瑪拉一模一樣。妳在我媽面前總是裝乖，直到那次妳害我們被逮捕才破功。」

「我的形象第一次出現瑕疵。」

凱蒂笑著在她旁邊的躺椅坐下，裹著媽媽織的毯子取暖。

塔莉終於放鬆之後，這才意識到她的頸子和肩膀是多麼僵硬。一如以往，凱蒂是她的安全網、防護罩，此刻好友在身邊，她終於能夠信任自己。她往後躺下望著夜空，有些人仰望天空時會自覺渺小，她不是那種人，但她忽然間明白為何會有那種感受，這完全是觀點的問題。她大半輩子都在衝刺搶第一，導致現在快喘不過氣來，如果她多看看路旁的風景，而不是全心只看著終點，說不定不至於落到這步田地，都四十二歲了還在尋覓家庭殘餘的碎片。

「快說吧，難道還要我猜？」凱蒂終於說。

①吉米・巴菲（Jimmy Buffet）：美國作曲家、作家、演員，〈瑪格莉特樂園〉（Margaritaville）為其一九七七年發行的作品。歌曲內容在說到瑪格莉特樂園度了一夏天的假，也和墨西哥女子有了一段情，但最後還是要回到現實，打包回家。

雖然她本能地想隱瞞，但這麼做完全沒意義。音樂變成阿巴合唱團的〈知我知你〉，「我見到查德了。」她輕聲說。

「幾個月前的事吧？在中央公園？」

「嗯。」

「因為那時候見到他，所以現在妳跳上飛機跑來找我，非常合理，一點也不莫名其妙。」

塔莉還沒回答，門又開了，強尼端著啤酒出來。他拉來一張椅子坐下，三個人在草地上大致圍成半圓形面向海灣，波浪在月光下拍打沙灘。「她跟妳說了嗎？」

「你們兩個是怎樣？有心電感應？」塔莉說，「我才剛開始講而已。」

「事實上，」凱蒂說，「她剛剛提醒我，幾個月前她見到查德。」

「啊。」強尼點點頭，好像這樣就足以解釋塔莉為何突然從東岸跑來。

「啊是什麼意思？」有股火在她心頭燃起。查德之前也是這樣。

「他是妳畢生追逐的白鯨①。」強尼回答。

塔莉瞟他一眼。「我從來沒說過什麼白鯨。」

凱蒂按住丈夫的手。「好了，塔莉，到底是怎麼回事？」

她看著靠近坐在一起的那兩個人，結婚多年的老夫老妻，依然能一同歡笑，不時互相觸摸，她因為羨慕而胸口揪緊。「我不想繼續一個人。」這句話她藏在心裡太久，終於說出口時感覺很蒼涼，如同被潮水反覆洗刷的石頭般光裸。

「妳不是有葛蘭嗎？」強尼問。

「我記得妳說過查德有個同居女友。」凱蒂往前靠。

「其實與查德無關，也可以說跟他有關，但不是你們想的那種。他提醒我還有家人。」塔莉說。

凱蒂倒坐回去。「妳是說白雲？」

「她是我媽。」

「在生物學上確實沒錯，但是連爬蟲類都比她稱職，至少牠們離開前會把蛋埋好。」

「凱蒂，我知道妳想保護我，妳或許覺得和她切割並不難，但那是因爲妳有家人。」

「妳們每次見面她都害妳傷心。」

「可是她一再回來找我，或許並不是全然沒有意義。」

「她也一再拋棄妳，」凱蒂溫柔地說，「而且每一次都讓妳心碎。」

「我現在很堅強了。」

「妳們兩個究竟在說什麼？好像暗號一樣。」強尼說。

「我想去找她。我知道她最新的地址，因爲我每個月寄錢給她。我在想，假使能讓她接受治療，說不定有機會找回親情。」

「她接受過很多次治療。」凱蒂指出。

「我知道，但從來沒有人給她支持，說不定她只是需要支持的力量。」

「妳說了很多次『說不定』。」凱蒂說。

塔莉看看凱蒂又看看強尼，最後回到凱蒂身上。「我知道很瘋狂，也不一定有好結果，可以肯定最後我一定會落得痛哭、酗酒或邊哭邊喝的下場，可是我累了，不想繼續這麼孤單，連個情人或小孩都沒有。雖然我媽缺點一大堆，但我只有她，凱蒂，我希望妳能陪我一起去找她，應該只需要幾天。」

凱蒂的表情驚愕無比。「什麼？」

---

①白鯨（Moby-Dick）：出自赫爾曼・梅爾維爾（Herman Melville，一八一九～一八九一年）小說名著《白鯨記》。一隻名為莫比・迪克（Moby Dick）的白色抹香鯨，咬斷漁夫亞哈的一條腿，他從此誓言捕殺之，但多年追逐不果，最後落得翻船身亡，鯨魚逃逸無蹤。後引伸為恐懼卻又亟欲征服之對象。

「我想找她，但沒辦法一個人去。」

「可是……我不能說走就走，還一去好幾天。明天小學要舉辦嘉年華會，我是競賽委員會主席，我得去主持和頒獎。」

塔莉失望地吁一口氣。「哦，好吧。這個週末呢？」

「塔莉，眞的很對不起。週六、週日我和媽要幫教堂籌募濟貧糧食，要是我沒去，一定會亂成一團；星期一和星期二我要去公園休閒管理處當義工，不過下個週末我應該可以陪妳去幾天。」

「要等那麼久我就不會去了。」塔莉努力鼓起勇氣一個人去。「看來我只好自己去了。我只是擔心——」

「妳應該帶一組攝影人員去。」強尼說。

塔莉看著他。「什麼意思？」

「妳知道，拍攝下來。妳是個身世堪憐的大明星，我知道這樣說好像很沒良心，但我認爲觀眾肯定想陪妳一同踏上這段旅程，我的上司絕對會搶著播出。」

塔莉反覆斟酌這個突如其來的點子。當然，對她而言不無風險，媽媽很可能會給她難看，不過話說回來，她也可能得到極大的榮耀。母女團圓是觀眾最愛的戲碼，老實說，她有點驚訝自己竟然沒想到，這樣的故事一定能讓她的知名度一飛沖天——值得冒這個險嗎？

她需要一個關心她的製作人。

她看著強尼。「陪我去。」她靠向他。「當我的製作人。」

凱蒂瞬間坐直。「什麼？」

「拜託，強尼。」塔莉哀求。「如果眞的要拍，那麼我需要你，我不信任其他人。這個節目能讓全國看見你的作品，我負責聯絡你的上司，弗瑞德和我是老交情了，而且就像你說的，他一定會拚命搶著要獨家。」

強尼看著妻子。「凱蒂？」

塔莉屏住呼吸，等候好友回答。

「你說好就好，強尼。」凱蒂雖然這麼說，但表情看來並不高興。

強尼往後靠。「弗瑞德那邊由我去說，假使他答應，我們明天就出發。我請鮑伯・戴維斯來負責拍攝。」他咧嘴而笑，「離開電視臺偷懶幾天也不錯。」

塔莉大笑。「太好了。」

紗門砰一聲被打開，瑪拉衝進後院。「我可以一起去嗎，爹地？明天不用上學，你也說過想讓我看看你工作的情況。」

塔莉握住瑪拉的手，將乾女兒拉到腿上。「真是絕妙的好主意。妳可以見識一下妳爸爸是多厲害的製作人，而妳媽媽去學校當義工的時候也不必擔心妳。」

凱蒂唉聲嘆氣。

塔莉轉向好友問：「沒問題吧，凱蒂？才幾天而已。這是個好機會，可以讓瑪拉知道她有多好命，能有妳這麼棒的媽媽，我保證不會耽誤她星期一上學。」

強尼站起來拿出手機，邊撥號邊往屋裡走，他的聲音一開始很清晰，隨著距離漸漸模糊。「弗瑞德？我是強尼，抱歉打擾了……」

「凱蒂？」塔莉靠向她。「告訴我沒問題。」

凱蒂過了片刻才露出笑容。「當然，塔莉。只要妳想，儘管把我所有的家人都帶去吧。」

26

「她每次都害妳傷心。」幾個小時後，凱蒂如此說。天上沒有星星，漆黑的海灣與天空之間閃爍著西雅圖的燈光，但此時也漸漸暗去。

塔莉嘆息，望著海水拍岸時造成的水泡，如帶狀延伸，非常細小，幾乎看不見。她喝光第三杯瑪格莉特，將杯子放在旁邊的草地上。「我知道。」

塔莉沉默下來。事實上，她覺得頭暈眼花，開始質疑自己的決定。

「爲什麼找強尼去？」凱蒂終於開口問，她的語氣很猶豫，彷彿原本不打算問。

「他會保護我。我喊卡他就會卡，我說把帶子扔進垃圾筒，他也會照做。」

「恐怕不會吧。」

「爲了我，他一定會。妳知道爲什麼嗎？」

「爲什麼？」

「因爲妳。」她搖搖晃晃地站起來，不想繼續分析這個決定。

凱蒂立刻過來扶她。

「凱蒂，沒有妳我該怎麼辦？」塔莉靠在好友身上。

「這個答案妳永遠不必知道。快來吧，我扶妳去房間，妳需要睡一覺。」

凱蒂攙著她回屋裡，經過走廊到客房。

塔莉倒在床上，恍惚地看著好友。她覺得整個房間在轉，此刻她終於明白拍攝紀錄片的主意有多蠢，根本是自討苦吃，她一定會……再一次受傷。假使她擁有凱蒂的人生，就不必冒這種險了。

「妳眞的很幸運。」她低低喃語，開始昏昏欲睡。「強尼……」她原本想接著說「和孩子都很愛妳」，但話在腦子裡糊成一片，來不及說完她就哭了出來，然後便沉沉睡去。

第二天起床時，她頭痛欲裂。梳頭、化妝所花的時間比平常更久，強尼一直大聲催促害她更慌張，不過她終於打點好可以出門了。

強尼將凱蒂拉過去擁抱親吻。「應該頂多兩天就會結束。」他的聲音壓得很低，塔莉知道她不該聽見。「妳的相思病還沒發作，我們就回來了。」

「一定很難熬，」凱蒂說，「我已經開始想你們了。」

「快點啦，媽咪，」瑪拉沒好氣地說，「我們該出發了。對吧，塔莉阿姨？」

「去親妳媽一下說再見。」強尼說。

瑪拉不甘願地過去吻凱蒂一下，凱蒂抱著女兒，直到她開始掙扎才放手。

這幅親暱的畫面讓塔莉因爲羨慕而心揪。他們是這麼美好的一家人。

強尼讓瑪拉先上車，然後將行李搬上後車廂。

塔莉看著凱蒂問：「萬一我需要打電話給妳，妳會在吧？」

「塔莉，我永遠都在，所謂家庭主婦就是永遠都在家。」

「眞會開玩笑。」塔莉低頭看看行李，最上層放著一疊筆記，那是她和律師聯絡之後取得的資料，他們將白雲最近住過的地方列成一張清單。「好，我走了。」她拎起包包上車。

車子即將開出車道時，她轉身回頭。

凱蒂依然站在門前揮手，雙胞胎黏在她身邊。

兩個小時後，他們抵達第一站，華盛頓佛爾市的一處組合屋村，這是白雲最近一次通知的地址。不過，她媽媽一個星期前搬走了，沒人知道她下一個落腳處的地址，管理員說她好像去了伊薩夸的一個露營區。

接下來六個小時他們追尋線索跑了很多地方，他們的成員包括塔莉、強尼、瑪拉，以及自稱胖鮑伯的攝影師——他這個綽號其來有自。每次停車，塔莉便去找露營區或公社裡的人打聽，其他人則跟隨拍攝。很多人知道白雲這個人，但不曉得她去了哪裡。他們從伊薩夸去了克雷蘭，然後又去到艾倫斯堡①。瑪拉認眞聽著塔莉說的每句話。

他們在北班德休息並享用遲來的晚餐，快吃完時，弗瑞德打電話來，通知他們白雲的生活費支票在法雄島上的一家銀行兌現了。

「只要一個小時就能趕到。」強尼低聲說。

「你覺得能找到她？」塔莉往咖啡裡加糖，一整天下來，他們第一次有機會獨處。胖鮑伯在車上，瑪拉去廁所了。

強尼看著她。「我覺得愛不能強求。」

「包括父母？」

「尤其是父母。」

她感覺從前的默契又回來了。他們有相同的缺憾，童年時父母都不在身邊。「強尼，被愛是什麼感覺？」

「妳想問的不是這個，妳想知道愛人是什麼感覺。」笑嘻嘻的模樣讓他顯得孩子氣。「除了妳自己之外的人。」

她往後靠。「我要換朋友。」

「我不會留情面，妳應該知道吧？妳最好接受這個事實。既然妳要我負責製作，那麼攝影機就會緊跟著妳拍下所有經過，假使妳想打退堂鼓，現在就要說。」

「你可以保護我。」

「塔莉，我剛才不是說過了？我不會保護妳。我會以報導爲重，就像在德國時妳所做的那樣。」

她明白他的意思。事關報導時，必須將友誼放一邊，這是新聞界的鐵則。「記得拍我的左臉，那邊比較漂亮。」

強尼笑著付帳。「去找瑪拉吧。如果動作夠快，應該能趕上最後一班渡輪。」

結果他們沒趕上，只好投宿碼頭附近的破舊旅社。

第二天早上，塔莉起床時頭痛欲裂，再多阿斯匹靈也止不住，不過她還是換好衣服、化好妝，去胖鮑伯推薦的廉價小餐館吃早餐。九點時，他們登上渡輪，前往法雄島上一家種植莓果的公社。

無論是走路或坐車，攝影機始終對準塔莉。她找到兌現支票的銀行，拿出僅有的一張又皺又舊的照片向行員打聽，過程中不忘保持微笑。

車子停在「陽光農場」的招牌前，時間將近十點，她開始撐不住了。

這個公社和先前去過的那些差不多，都有一大片農地，一群蓬頭垢面的人穿著現代版的苦修服，一排排流動廁所，主要的差別在住宿，這裡的人住在稱爲「悠特」的印地安帳棚裡，形狀類似蒙古包，河邊至少立著三十座。

車子停好，強尼下車，胖鮑伯跟著下去，將廂型車的滑門用力關上。

瑪拉關切地詢問：「塔莉阿姨，妳還好嗎？」

「別吵，瑪拉，」強尼說，「來爹地這裡。」

塔莉知道他們在等她，但她依然沒有下車。她習慣被等，這是當名人的好處。

「妳一定做得到。」她對著後視鏡中一臉驚恐的人說。她花了一輩子的時間爲心靈築起堡

①這些城市皆在華盛頓州內。

壘，用銅牆鐵壁包得滴水不漏，現在她卻得拆掉保護罩，暴露出不堪一擊的部位，可是她沒有選擇，假使想修補母女親情，勢必要踏出第一步。

她忐忑不安地開門下車。

胖鮑伯已經啓動攝影機了。

塔莉深吸一口氣，端出微笑。「這裡是陽光農場公社，聽說我母親在這裡待了將近一個星期，不過她還沒有通知我的律師，所以不確定她是否打算長住。」

旁邊簡陋的木棚下擺著一排長桌，幾個神情萎靡的女人在販售自製產品，有莓果、果醬、糖漿、莓果奶油，以及鄉村風情的手工藝品。

似乎沒人察覺攝影機接近，也沒人發現名流蒞臨。

「我是塔露拉・哈特，我要找這個人。」她拿出照片。

胖鮑伯移向她的左邊，攝影機靠得很近——一般人無法想像攝影機必須貼多近才能捕捉到細微情緒。

「白雲。」那個女人毫無笑容。

塔莉的心跳漏了一拍。「對。」

「她已經不在這裡了，她嫌工作太累，之前我聽說她去了桑椹園。她幹了什麼壞事？」

「沒有。她是我媽。」

「她說沒有小孩。」

塔莉因爲心痛而瑟縮了下，她知道攝影機拍到了。「一點也不奇怪。那個桑椹園在哪裡？」

那個女人告訴他們該怎麼去，塔莉感到一陣焦慮。她想一個人靜一靜，於是走到一旁的籬笆前，強尼過來找她，靠在她耳邊問：「妳還好吧？」他不想被攝影機錄到，所以聲音壓得很低。

「我很害怕。」她輕聲說，抬頭看著他。

「不會有事的，她再也無法傷害妳。別忘了，妳可是堂堂塔露拉・哈特呢！」她需要的就是這個。她拾回笑容，重新振奮起來，往後退開身，直視著攝影機，不顧臉上的淚水。「看來我還是希望她愛我。」她平靜地說出感受。「走吧。」

他們重新上車，開上高速公路。車子到了米爾路之後左轉，駛入一條坑坑巴巴的礫石路，前方出現一間老舊的米色組合屋，它矗立在一片青草地上，周圍有許多生鏽報廢的車輛，前院有一臺側躺的冰箱，旁邊則放著一張破破爛爛的安樂椅。籬笆上拴著三隻凶惡的大型比特犬，箱型車在停在前院時牠們瘋狂吠叫，低吼著往前撲。

「簡直像電影『激流四勇士』①裡的場景。」塔莉無力地笑笑，伸手拉門把。

他們一起下車列隊前進，塔莉帶著逞強的自信昂首闊步；胖飽伯緊跟在她旁邊或前面，捕捉每一瞬間；強尼牽著瑪拉的手走在後面，叮嚀她保持安靜。

塔莉過去敲門。

沒有回應。

她仔細聽是否有腳步聲，但狗吠聲太吵了聽不清楚。

她再次敲門，正鬆了一口氣，準備說「看來運氣不好」時，門被打開了，裡面站著一個蓬頭垢面的大塊頭，身上只穿著一件四角褲，草裙舞女郎圖案的紋身佔據了毛茸茸啤酒肚的整片左側。

「啥事?」他搔著腋下。

「我找白雲。」

---

① 激流四勇士（Deliverance）：故事敘述四個都市人出遊泛舟，卻遇上偏僻鄉野的古怪居民，遭遇一連串危險。此電影於一九七三年獲奧斯卡獎多項提名。

他往右邊一撇頭，接著走出門，經過她身邊走向三條狗。屋裡飄出的臭味熏得塔莉直冒淚，她很想轉頭對攝影機說句俏皮話，卻連吞口水都辦不到，她竟然緊張到這種程度。進去後，她看到一堆堆垃圾與外帶餐盒，蒼蠅到處飛，披薩盒裝滿吃剩的餅皮邊，但她看得最清楚的是無數空酒瓶與一支大麻菸斗，廚房餐桌上堆著小山般的大麻。

塔莉沒有指出來，也沒有表示意見。

她在地獄般的組合屋中走著，胖鮑伯亦步亦趨。

她來到廚房後面緊閉的門前，敲了敲，打開它——那是間史上最噁心的廁所，她連忙關上門走向下一個房間。她敲了兩次門之後轉動門把，這是間很小的臥室，因為四處堆滿衣物而更顯狹小，床頭櫃上排排站著三個半加侖容量的廉價琴酒空瓶。

她母親躺在凌亂的床上，像胎兒般蜷縮的姿勢，身上裹著一條破舊的藍色毯子。

塔莉走過去，發現媽媽的皮膚變得非常灰暗鬆弛。「白雲？」她叫了三、四次，但媽媽完全沒反應，最後，她伸手推推媽媽的肩膀，一開始很輕，漸漸越來越用力。「白雲？」

胖鮑伯就位，鏡頭對準床上的人。

她媽媽緩緩睜開雙眼，過了很久視線焦點才集中，模樣像失了魂。「塔露拉？」

「嗨，白雲。」

「塔莉。」她好像忽然想起女兒偏好的小名。「妳怎麼會在這裡？那個拿著攝影機的人是誰？」

「我來找妳。」

白雲慢吞吞坐起來，由骯髒的口袋中拿出一根菸。她點火時，塔莉發現媽媽的手抖得很厲害，她試了三次才終於讓香菸碰到火。「妳不是在紐約賣命，努力想出名發財？」她緊張地瞥了攝影機一眼。

「兩樣我都做到了。」塔莉無法克制語氣中的得意。經過這麼多次的失望打擊，她竟然依舊渴望媽媽的讚美，她討厭這樣。「妳住在這裡多久了？」

「妳幹嘛問？妳住豪宅過爽日子，從來不管我的死活。」

塔莉看著媽媽，那頭狂野不羈的長髮夾雜許多灰白，寬鬆邋遢的休閒褲縫線綻開，老舊的法蘭絨襯衫扣錯鈕釦；她的臉髒兮兮，滿是皺紋，因爲菸酒過量加上生活放蕩，膚色黯淡呈現死灰色。白雲還不滿六十歲，但外型像七十五歲，年輕時嬌媚的美貌不復存在，早已被各種濫用的癮頭磨光了。「白雲，妳不想繼續這樣下去吧？即使是妳……」

「即使是我，對吧？塔莉，妳幹嘛來找我？」

「妳是我媽媽。」

「妳我都很清楚，我根本算不上是妳媽。」白雲清清嗓子，轉開視線。「我要離開這個鬼地方，或許我可以去妳那裡住幾天，洗個澡，吃點東西。」

這句話挑起塔莉心中的一絲情感，但她明曉得不應該。她期待了一輩子，等著有一天媽媽會想跟她回家，但她知道這樣的時刻有多危險。「好。」

「眞的？」白雲一臉質疑，徹底表明她們之間多麼缺乏信任。

「眞的。」一瞬間，塔莉忘記了攝影機，放膽想像不可能的美夢：她們可以挽回母女親情，不再形同陌路。「來吧，白雲，我扶妳去車上。」

塔莉知道不該相信可以和媽媽重建關係，但這個想法如同以希望調製的濃烈雞尾酒，一入口便讓她暈頭轉向。也許這次她終於能擁有自己的家庭。

塔莉的希望、憂慮與需求全被攝影機記錄下來。回家的迢迢路途中，白雲窩在角落沉睡，塔莉對鏡頭傾訴心事，她以前所未有的誠實態度回答強尼的問題，終於說出母女疏離對她造成的傷害。

不過現在塔莉多加了一個詞：成癮症。

打從她對母親有印象以來，白雲一直有吸毒或酗酒的問題，有時候兩者一起。

塔莉越思考這件事情，越覺得這就是問題的癥結。

只要能讓媽媽接受勒戒，協助她完成療程，說不定她們有機會從頭來過。她是如此篤定，甚至打電話回CBS電視臺請上司多放她幾天假，因爲她想當個乖女兒，幫助受盡折磨的母親。

她掛斷電話後，強尼問：「妳確定這是個好主意？」

他們投宿西雅圖最豪華的「費蒙特奧林匹克大飯店」，入住頂級套房。胖鮑伯坐在窗邊鬆軟的椅子上，記錄他們的每一句對話，地上堆滿攝影機與器材，沙發旁點起大燈製造出拍攝區。瑪拉像貓一樣窩在扶手椅上讀書。

「她需要我。」塔莉簡單地說。

強尼聳肩不再勸說，只是看著她。

「好了。」她站起來伸個懶腰。「我要去睡了。」又對胖鮑伯說：「今天先拍到這裡吧，去好好睡一覺，明天早上八點再繼續。」

胖鮑伯點點頭，收拾好器材回房去。

「我可以和塔莉阿姨睡嗎？」瑪拉的書掉在地上。

「我無所謂，」強尼說，「塔莉阿姨說好就好。」

「開玩笑，和心愛的乾女兒開睡衣派對，這是一天最完美的句點。」

強尼回房後，塔莉扮演起媽媽的角色，叮嚀瑪拉刷牙、洗臉、換衣服，準備上床睡覺覺。

「我長大了，不要用『睡覺覺』這種娃娃腔。」瑪拉鄭重宣告，但當她爬上床時，依然像個小孩般依偎在塔莉身邊，短短幾年前她還那麼小。

「塔莉阿姨，今天好好玩喔。」她睏倦地說。「長大以後我也要當明星。」

「妳一定可以。」

「可是要我媽答應才行，她八成不會准。」

「什麼意思？」

「我想做什麼我媽都不會准。」

「妳應該知道妳媽是我的好朋友吧？」

「嗯。」她不甘願地回答。

「妳覺得為什麼？」

瑪拉扭過上身看她。「為什麼？」

「因為妳媽超酷。」

瑪拉做個怪臉。「我媽？她從來不做酷的事情。」

塔莉搖頭。「瑪拉，無論發生什麼事妳媽都愛妳、以妳為榮，相信我，小公主，這是全世界最酷的事情。」

第二天，塔莉起個大早到對面房間察看。她在門前猶豫了一下，才鼓起勇氣敲門——沒有回應，於是她悄悄開門進去。

媽媽還在睡。

她微笑著走出房間，小聲關上門。她來到強尼的門前，遲疑片刻才敲門。

他很快就來應門，身上穿著飯店的浴袍，頭髮在滴水。「不是八點才開工嗎？」

「沒錯。我要去買幾件衣服給白雲帶去勒戒中心，順便幫大家買早餐。瑪拉還在睡。」

強尼蹙眉。「塔莉，妳未免太心急了，服飾店應該還沒開門吧？」

「強尼，你也知道我是急性子。我可是塔露拉．哈特，我去光顧，店門自然會開，這是我人生最大的好處之一。你有我房間的鑰匙吧？」

「有，我馬上過去。妳自己多當心。」

她不理會他的憂心叮囑，到派克市場買了一堆牛角麵包、法式甜甜圈和肉桂捲——白雲太瘦了，要多吃一點。接著，她去名牌服飾店幫媽媽買了牛仔褲、上衣、內衣褲，以及她所能找到最厚的夾克。九點時，她回到飯店。

「我回來了。」她高聲說，進了房間，用腳關上門。「看看我買了什麼好東西。」她將裝在防塵袋裡的衣物掛在沙發上，其他袋子則放在地上。

她拿出各種麵包與法式甜甜圈堆在起居室的小茶几上。

胖鮑伯在角落，從她進門起便開始拍攝。

她對鏡頭露出最漂亮的笑容。「我媽需要長點肉，這些應該有幫助。我不曉得她喜歡哪種咖啡，所以星巴克的每一種我都買了。」

強尼坐在沙發上，一臉疲憊。

「這裡的氣氛怎麼像太平間一樣？」塔莉走到媽媽的房間敲門。「白雲？」沒有反應。

她再敲一次。「白雲？妳在洗澡嗎？我要進去了。」

她打開門，首先注意到的是濃濃菸味，窗戶開著，床上沒人。

「白雲？」她走向浴室，裡面濕答答，蒸氣還沒散。厚軟的埃及棉浴巾堆在地上，沾滿污泥的沐浴巾與擦手毛巾扔在洗臉槽裡。

塔莉以慢動作後退離開氤氳的浴室，轉頭看著強尼與攝影機。「她走了？」

「半個鐘頭前，」他說，「我有試著留住她。」

塔莉沒想到自己竟然感到深深被背叛，有如十歲時被拋棄在西雅圖街頭那次，覺得自己沒價值、沒人要。

強尼走過來將她攬入懷中抱住。她很想問「爲什麼」，她究竟有什麼問題，爲何所有人都不肯留在她身邊？但她發不出聲音。她攀附著他久久不放，汲取他所給予的安慰，他摸著她的頭，在她耳邊輕輕噓聲安慰，彷彿在哄小孩。

不過她及時想起攝影機還在拍，於是退開身，對著鏡頭擠出笑容。「就這樣，紀錄片大結局。鮑伯，我不拍了。」她閃過強尼身邊回房間，一進去就聽見瑪拉邊洗澡邊唱歌，淚水刺痛眼睛，但她不肯哭出來，她不要再次因爲媽媽而傷心。她早該想到是這種結局，是她太傻才會有所期待。

接著，她發現身邊的床頭櫃上空空如也。「那個臭婆娘偷了我的首飾。」她閉上眼睛，坐在床尾，由口袋中拿出手機打給凱蒂，聽著鈴聲響了又響，凱蒂終於接了，塔莉連招呼都沒打，直接劈頭就說：「凱蒂，我一定有毛病。」她輕聲說，聲音在發抖。

「她丟下妳？」

「像賊一樣偷溜走。」

「塔露拉・蘿絲・哈特，給我聽好了，掛斷電話立刻上渡輪來這裡，我會照顧妳，聽懂了嗎？記得把我的老公、小孩一起帶回來。」

「幹嘛這麼大聲？知道了啦，我們會一起回去。不過妳要先把酒準備好，我一到就要開喝，不要用妳家小鬼喝的噁心果汁調酒。」

凱蒂大笑。「現在是早晨，塔莉，我幫妳弄早餐。」

「謝謝，凱蒂，」塔莉輕聲說，「我欠妳一次。」

她一抬頭就看到胖鮑伯站在門口，強尼站在他身邊，剛才的經過全被拍攝下來了。她的眼淚潰堤，但並非因爲攝影機的紅燈，也不是因爲擔心自己即將在全國觀眾面前丟臉，甚至不是因爲無所不在的鏡頭。

是強尼看著她的眼神，那惆悵而理解的眼神讓她哭了出來。

27

兩週後，紀錄片播出，即使凱蒂早已習慣塔莉的驚人成就，這次所得到的熱烈迴響依然令她吃驚，媒體都爲之瘋狂。多年來，塔莉在鏡頭前一直維持沉著、機智又專業的形象，以記者特有的疏離感追蹤新聞並進行報導。

現在觀眾知道她遭受過怎樣的失望打擊與背叛遺棄，他們看到藏在記者專業下眞實的一面，她成了最受關注的話題，觀眾最常說的一句話是：「和我一模一樣。」

紀錄片播出之前，觀眾只是敬重塔莉．哈特，現在他們愛死她了。她在同一週登上《時人》與《我們》雜誌的封面，娛樂新聞不斷重播這部紀錄片與其中的片段，似乎整個國家都爲塔莉．哈特瘋狂，無法自拔且百看不厭。

當其他人看著塔莉尋找闊別多年的母親，看著兩人之間的悲哀故事，凱蒂看到的重點截然不同，而她也同樣著魔似地每播必看。

她無法不留意結局時強尼看塔莉的眼神，以及發現白雲不告而別時，他過去將她攬入懷中的動作。

不只這些，還有在陽光農場外面的那一幕，塔莉和強尼低聲說悄悄話。對話內容被後製消音了，鏡頭迅速拉遠拍攝農場，凱蒂忍不住猜想他們說了什麼。

她像靈長類專家一樣仔細研究他們的肢體語言，但最後得到的結論跟第一次看時相同：兩個老朋友合作拍攝一部動人的紀錄片。只是身爲妻子的她長久以來一直太擔心這兩個人互有愛意，以致疑心生暗鬼。

如果沒有後來發生的事，凱蒂應該可以就此釋懷，她會將陳年醋意重新裝箱收藏，過去這些年她重複做了至少十多次。

然而發生了那件事。

世界第二大的節目分銷公司看到紀錄片，提議爲塔莉製作長度一小時的帶狀節目，由她持有最大股份。

這個提議撼動了塔莉的世界，給她機會在鏡頭前呈現自己，讓世人知道她眞實的性格與感受，而且再也不需要凌晨三點起床了。一聽到這個點子，她立刻表明正合她的心意，儘管如此，她依然開了兩個條件：第一，節目必須在西雅圖拍攝；第二，由強尼．雷恩擔任製作人。這兩件事她都沒有事先和朋友商量。

接到電話那天，凱蒂與強尼辛苦了一天，正坐在後院的門廊上喝酒聊天。

聽塔莉說完之後，強尼大笑起來，叫她去找專門伺候大明星的製作人。

接著，塔莉說出高達七位數的年薪。

兩天後，凱蒂再也笑不出來。她和強尼在客廳壓低聲音爭執，因爲孩子已經睡了，而塔莉八成在紐約家中，坐在電話旁邊等著看這次是否依然能遂她的意。

「凱蒂，我不懂妳爲什麼要跟我吵。」強尼踱步至窗前。「這個機會能改善我們的生活。」

「現在的生活有什麼不好？」

「妳知道他們開的薪水有多高嗎？我們可以還清房貸、送三個孩子念哈佛醫學院。我還可以製作一些有意義的節目，塔莉說我可以關注世界上的問題地區，妳明白那對我而言有多重要嗎？」

「以後你的事業都要這樣？對塔莉言聽計從？」

「妳想問我是否能夠爲她工作？答案是當然可以。我和很多人合作過，比塔莉．哈特更難搞的人我也遇過。」

「我想問的是，你是否應該爲她工作。」凱蒂輕聲說。

他停下腳步，轉過身看著她。「有沒有搞錯？原來妳不高興的原因是這個？因爲幾百萬年前的一夜情？」

「她非常美，我只是覺得……」她說不下去，無法將多年來的恐懼與不安化作言語。

他的眼裡燃著熊熊烈焰，她覺得自己融化、消失了。「妳不可以這樣對我。」

她看著他衝上樓，聽見臥房門被用力甩上。

她坐在客廳裡，低頭望著婚戒。爲什麼有些記憶永遠無法抹滅？她慢慢站起來，關掉燈，鎖好門窗，上樓。

她停在緊閉的臥房門前，深吸一口氣，她清楚知道該做什麼、該說什麼。她傷了他的感情，也污辱了他。他們都很清楚這是一生難逢的好機會，不能因爲她沒安全感、胡亂吃醋而放棄。

她必須去找他，跟他道歉，說她太傻了才會瞎操心，她信任他的愛，就像信任太陽、雨水一般。她不是說說而已，她眞的相信。

因爲以上種種，她應該爲強尼的成就感到光榮，因爲有這次機會而欣喜，他可以藉此實現理想。婚姻是團隊運動，這次輪到她當啦啦隊了。然而，即使心裡清楚這是好事，她還是高興不起來。

她只覺得擔心。

沒錯，他們會有錢，甚至有權。

但代價是什麼？

塔莉合約期滿，最後一次登上主播臺，來賓陣容星光熠熠，氣氛非常感人，她正式告別了紐約。她在西雅圖找到新的高級頂樓公寓，接下來一整個月不斷進行密室會議規畫新節目，名稱已經決定了，就叫「塔莉．哈特的私房話時間」，靈感來自於穆勒齊家的佳節傳統。她和強尼彷彿回到過去，長時間一起工作，一起雇用員工、設計場景和開發新概念。

二○○三年八月，前置作業大抵完工，她察覺自己重蹈覆轍，再次忙於工作而忘記生活。雖然與凱蒂才一水之隔，但塔莉很少見到她，於是此刻，她拿起電話，邀請好友與乾女兒一起逍遙一天。

「對不起，」凱蒂說，「我不能去西雅圖。」

「來嘛，」塔莉懇求，「我知道今年夏天我很少打電話，可是強尼和我每天都得忙上十二個小時。」

「這還用妳說？我見到他的次數幾乎和見到妳一樣少。」

「我很想妳。」

另一頭停頓了下，才接著說：「我也想妳，可是今天眞的不方便，雙胞胎的朋友要來家裡玩。」

「不然我帶瑪拉出去，妳就可以少一個負擔。」塔拉越說越熱中。「我可以帶她去美容院修指甲、學化妝，說不定可以順便做臉。兩個女生出去玩，一定很有意思。」

「塔莉，她還太小，不能去美容。」凱蒂大笑，但笑聲有些勉強。「而且妳也別想幫她大改造，她上國三之前不准化妝。」

「凱蒂，美容沒有年齡限制，妳竟然不准她化妝，眞是瘋了。記得嗎？妳媽以前也不准，我們還不是偷偷在公車站化妝，妳難道不想讓她學正確的方法？」

「現在還太早。」

「別這樣嘛，」塔莉使出渾身解數。「送她去搭十一點十五分的船，我去麥當勞接她。妳不是說妳們兩個動不動就吵架？」

「這個嘛……我想應該可以吧。可是不准帶她去看限制級電影，不管她怎麼求都不可以答應。」

「好。」

「這樣說不定她會心情好一點。明天我們要去買新學期要穿的衣服和用具，每次都比不麻醉直接做根管治療更痛苦，希望這次能順利一點。」

「不然我帶她去諾斯莊百貨，幫她買點特別的東西。」

「四十元。」

「什麼？」

「妳只准花四十元美金，一毛都不可以超過。還有，塔莉，假使妳敢買露肚子的衣服給她——」

「知道啦、知道啦，小甜甜布蘭妮是惡魔，我懂。」

「很好。我去告訴瑪拉。」

一小時又十二分鐘後，塔莉命令司機停在阿拉斯加路的麥當勞門前。不停有人對他們按喇叭，可見這裡應該不能停車，但她完全不當一回事。

她搖下車窗，看見瑪拉跑來。「在這裡。」她下車叫她。

瑪拉緊緊抱住她。「非常謝謝妳，讓我可以離開家，我媽整天嘮叨個不停。我們要去哪裡？」

「先去美容院來個大改造，如何？」

「太棒了。」

「然後看妳想做什麼都行。」

「妳眞是超酷。」瑪拉望著塔莉，臉上滿是極度純粹的崇拜。

塔莉大笑。「我們兩個都超酷，所以才是好搭檔啊。」

28

「私房話時間」播出第一集便大獲好評。塔莉不再只是記者或晨間主播，而是貨眞價實的明星。節目的所有設計都是爲了凸顯她的長處，強調她的才華。

她善於和人說話，從來都是如此。

她不只會捕捉鏡頭，更會捕捉人心，來賓、現場觀眾、電視機前的觀眾都與她產生共鳴。開播兩週後，她成爲流行現象，登上各大雜誌的封面，包括《時人》、《娛樂週刊》、《好理家》及《風尚》。太多電視臺要求購買版權，分銷公司應接不暇，她的節目在新市場成長之快由此可見一斑。

最棒的是，這個節目屬於她。沒錯，公司也有股份，雷恩家也有一小部分，但她是最大股東。大家都知道，只要有「歐普拉脫口秀」一半成功，就已經非常了不起了。

此刻，她在辦公室裡研究節目流程，抬頭看了看時鐘，再過二十分鐘就要開始拍攝了。這一集的來賓是大明星，只要微笑、互相吹捧就能錄完。老實說，塔莉心中屬於記者的部分對這種內容嗤之以鼻，但身爲生意人的部分知道這樣才能賺錢，觀眾熱愛近距離接近明星。爲了換取關懷世界的內容，強尼不得不妥協。

有人敲門，接著畢恭畢敬地說：「哈特小姐。」

她轉過身。「什麼事？」

「妳的乾女兒來了。今天要錄帶女兒上班的片段。」

「太好了！」塔莉迅速站起來。「請她進來。」

門開大了一些，強尼站在外面，穿著褪色牛仔褲搭配深藍喀什米爾毛衣。「嗨。」他打招呼。

「嗨。」

瑪拉站在他旁邊，因爲太興奮而毛毛躁躁。「嗨，塔莉阿姨，爹地說我可以整天跟妳在一起。」

塔莉走過去。「天下沒有比妳更好的女兒。想看看電視節目是怎麼拍攝的嗎？」

「我等不及了。」

塔莉轉向強尼，這才發現她站得太近，甚至可以看到他耳朵旁邊漏刮的鬍碴。

「如果有事就來辦公室找我。不要買車或馬送她。」

「小東西可以嗎？」

「如果是一般人我應該會答應，可是妳所謂的小東西很可能是鑽石。」

「我想送她『私房話時間』的托特包。」

「非常棒。」

塔莉抬頭對他微笑。「你是我的製作人，當然得說我非常棒。」

他低頭看她。「全世界都覺得妳非常棒。」

多年來的時光突然回到兩人之間，說過的話、發生過的事情，以及她放棄的機會——至少她是這麼想，他們兩個已經沒那麼親了，她無法解讀他的表情。即使他們每天一起工作，但旁邊總是有很多人，而且一心只想著公事。週末時她去他家玩，在那裡他是凱蒂的丈夫，塔莉小心保持距離。

他沒有移動，也沒有微笑。

塔莉笑著後退，希望笑容不會太假。「來吧，瑪拉，我們來扮演母女檔。琳賽・羅涵在休息室，妳可以問問她是如何起步的。」

九月的第二個星期三，天氣晴朗燦爛，凱蒂站在奧德威小學外的人行道上。不久前停車場還擠滿車輛，校車停在街邊，家長接送區大排長龍，休旅車與箱型車龜速前進，現在變得空蕩蕩，只留一片寂靜。上課鈴聲響過了，校長回到矮矮的四方形紅磚校舍中開始一天的工作，頭頂上，兩面旗子在早秋微風中獵獵舞動。

「妳該不會還在哭吧？」塔莉努力裝出安慰的語氣，但她的聲音太誠實，再裝也不像，依然能聽出一絲笑意。

「咬我啊，我可不是哭好玩的。」

「好了，我送妳回家。」

「可是……」凱蒂望著校舍遠端的窗戶。「萬一他們其中一個需要我呢？」

「他們只是去上幼稚園，不是接受開心手術，而且妳還有很多事情要做。」

凱蒂嘆氣抹去眼淚。「我知道這樣很蠢。」

塔莉捏捏她的手。「一點也不蠢。我還記得第一天上學的時候，我好羨慕那些媽媽在哭的同學。」

「真的很感謝妳特地來陪我，我知道要妳離開攝影棚有多難。」

「製作人放我一天假，」她微笑著說。「他好像暗戀我的好朋友。」

人行道上種著整排樹木，她們並肩往停車的地方前進。凱蒂坐上新的藍色休旅車，發動引擎。

塔莉立刻彎腰向前，將一片CD放進音響，喇叭送出瑞克．史普林菲的歌聲，歌曲是〈傑西的馬子〉①。

凱蒂大笑。車子駛出學校停車場，接著在咖啡店的得來速稍停買拿鐵，回到家時，她的心

①瑞克．史普林菲（Rick Springfield）：澳洲搖滾歌手，〈傑西的馬子〉（Jessie's Girl）為其一九八一年作品，除了榮登美、澳兩地的單曲榜冠軍，其更以這首歌獲頒葛萊美最佳男搖滾歌手的殊榮。

情已經好多了。

進入亂糟糟滿是玩具的客廳，她倒在強尼最愛的鬆軟懶人椅上，腿架上腳凳。「大無畏的領袖，現在我們要做什麼？去逛街？」

「我們只有短短三個小時，哪夠去逛街？妳應該讓他們上全天班。」

這種話凱蒂聽過很多次了。「我知道妳的想法，可是我喜歡孩子在身邊。」

「無所謂，反正我有更好的計畫。」塔莉躺在沙發上。「我們來談談妳的寫作事業。」

凱蒂手中的拿鐵險些掉在地上。「寫……寫作？」

「妳每次都說等雙胞胎上學之後要重新動筆。」

「別這麼急好嗎？他們才剛入學。來聊聊節目吧，強尼說——」

「我看破了妳的爛招。妳以爲只要聊我的事，我就會把其他事全拋在腦後。」

「通常很有效。」

「對極了。好啦，妳打算寫什麼？」

凱蒂忽然覺得像做了壞事被揭發。「那是很久以前的老夢想，塔莉。」

「夢想老了，妳也老了，這樣不是剛好？」

「有沒有人說過妳是個冷血的討厭鬼？」

「只有和我交往過的男人。來嘛，凱蒂，說給我聽，我看得出來妳一直很累，我知道妳的人生需要更多成就。」

凱蒂作夢也想不到，身在世界頂端的塔莉竟然會察覺到她的低潮，因爲感動，所有心事頓時傾洩而出。老實說，她最近累了，不想繼續逞強。「不只那樣，我覺得……失落。我擁有這麼多，應該要滿足才對，但我還是覺得不夠。瑪拉也讓我很無力，我怎麼做都不對，我非常愛她，她卻把我當舊鞋般不屑一顧。」

「這是年紀的問題。」

「這個理由已經不太夠了。她一直吵著要去上模特兒訓練班，或許我該讓她去，可是我實在不願意讓她走進那種世界。」

「喂喂，我們在談妳的事欸。」塔莉說，「聽著，凱蒂，我無法體會妳現在的困境，但我很清楚想要更多的感覺。有時候，妳必須奮力拚搏才能得到圓滿。」

「妳需要家人的時候還得跟我借，哪有資格訓我？」

塔莉微笑。「我們眞是同病相憐。」

凱蒂大笑，她太久沒笑過了，感覺像這輩子第一次這樣。「從來都是。這樣好了，如果妳考慮談戀愛，我就考慮重拾寫作。」

塔莉看著她。「不如考慮去海灘消磨一整天，那樣輕鬆多了。」她略停頓。「自從搬來西雅圖，葛蘭就沒有和我聯絡了。」

「我知道，」凱蒂說，「眞是遺憾。不過我覺得他並不是妳的眞命天子，如果你們彼此適合，應該早就相愛了。」

「妳這樣的人才會有這樣的想法。」塔莉低聲說，又重新振奮起來。「來吧，我們去調瑪格莉特。」

「這才對嘛。兒子上幼稚園的第一天我就開始喝酒，還是一大早呢，眞不賴。」

奧德威小學下個星期即將舉辦萬聖節嘉年華，凱蒂非常傻，竟然自告奮勇負責設計拍照用的布景，她得買材料、畫景板、搭建鬼屋，事情多到忙不完。現在瑪拉開始上模特兒訓練班，她又多了接送的工作，大部分的時間她都覺得情緒緊繃到快崩潰。

但是她應該要動筆寫作，強尼、塔莉和媽都抱著很大的期望，她自己也是。她原本認定只要雙胞胎開始上學就會有時間。

可惜她忘了幼稚園只上半天，剛送他們去學校，沒多久又得去接了。強尼原本能幫不少忙，但現在他整天忙攝影棚的工作，幾乎只有睡覺時間才回家。

於是凱蒂只好以一貫的方式應對：她竭盡全力，希望不會有人發現她越來越少笑，晚上也睡不好。

電話響了。「喂？」她接起來，同時伸手打開後門的鎖。

「媽？」是瑪拉。

「什麼事？」

瑪拉笑了，但一聽就知道有鬼。「沒事啦。我不希望妳嚇一跳，所以先通知妳，今天晚上七點我安排了家庭會議。」

「什麼？」

「家庭會議，呃，大致上算是啦。我不希望路卡和威廉參加。」

「我沒聽錯吧？今天晚上七點，妳想和我跟妳爸開會？」

「還有塔莉。」

「妳闖了什麼禍？」

「不要老是以為我做錯事。我只是有事跟你們商量。」

十三歲的少女怎麼會想和父母商量事情？更別說是瑪拉，她幾乎不跟凱蒂說話，簡直是太陽打西邊出來了。「好吧。」凱蒂緩慢地說，「妳真的沒有闖禍？」

「真的啦。回頭見，拜。」

凱蒂望著手中的電話。「到底怎麼回事？」她納悶地自言自語，但她還沒想出答案，身後的車門打開了，雙胞胎爬上後座，凱蒂再次被日常雜務的大浪捲走。

她買東西、煮飯，三點時再次來到學校接送區等瑪拉。

「妳真的不打算先告訴我是什麼事？」她問。

瑪拉彎腰駝背靠在前座的窗戶上，黑色長髮遮住低垂的臉。她的打扮和平常一樣，低腰牛仔褲、人字拖（即使下雨天也一樣）、超小件的粉紅T恤，擺著一張臭臉。臭臉是她最愛的配件，出門絕不會忘記。

「如果我想現在說，何必特地安排會議？拜託妳清醒一點，媽。」

凱蒂知道不該縱容女兒用這種語氣對她說話，平常她一定會糾正，但今天她不想吵架，所以決定不追究。

回到家，凱蒂直奔浴室，呑了兩顆阿司匹靈，換上運動服。雖然頭很痛，她還是將雙胞胎安頓在餐桌旁玩貼紙，才開始準備晚餐。

不知不覺已經六點了，強尼開門讓塔莉先進來。「快看啊，因爲晚上的重大會議，大明星跟我回家了。」

凱蒂正忙著做墨西哥捲餅，抬起頭來說：「嗨，你們回來啦。」她蓋上鍋蓋、將爐火轉小，才過去迎接。「妳該不會知道內情吧？」

「我？我什麼都不知道。」塔莉說。

接下來的時間感覺過得忽快忽慢。晚餐時凱蒂一直仔細觀察女兒，想要看出蛛絲馬跡，但一餐飯吃完，她還是像下午一樣毫無頭緒。

碗盤洗好，雙胞胎上樓看錄影帶，七點一到，瑪拉幾乎分毫不差地開始說話。「好，」她站在壁爐邊，感覺緊張又稚氣。「塔莉阿姨認爲我應該——」

「塔莉知道妳要說什麼事？」凱蒂問。

「呃，不算知道。」瑪拉急忙說。「她只知道大概，她認爲我不該突然丟出這件事，而是要以莊重的態度，讓妳明白我有多麼重視。」

凱蒂瞥了強尼一眼，他翻個白眼作爲回應。

「好，我要說嘍。」瑪拉扭著雙手。「十一月的時候，紐約有一場大型選秀會，我說什麼都要去。很多經紀公司和攝影師會去找模特兒，塔莉認為愛琳・福特①一定會看上我，模特兒訓練班的老師也親自提出邀請。」

凱蒂呆坐著，因為太過震驚而說不出話。紐約，塔莉認為……親自提出邀請，一口氣挨了這麼多冷箭，她該先拔出哪一枝？

「應該要錢吧？」強尼問。

「噢，對。」瑪拉點頭。「三千美金，但真的很划算，業界的大人物都會到場。」

「日期呢？」

「十一月十四日到二十一日。」

「要上學的時候？」凱蒂厲聲問。

「才一個星期——」瑪拉開始爭辯，但凱蒂斷然制止。

「才一個星期？妳有沒有搞錯？」

瑪拉緊張地瞥塔莉一眼。「我可以帶作業去，晚上回飯店和搭機的時候寫，不過假使我被發掘了，那就根本不需要念完中學，公司會幫我請家教。」

「模特兒訓練班的同學有多少人得到邀請？」強尼的語氣沉著講理。

「所有人。」瑪拉回答。

「所有人？」凱蒂站起來。「所有人？也就是說根本沒什麼特別的，只是想榨家長的錢。妳真的以為——」

「凱蒂。」強尼拋來那個眼神。

她極力克制火氣，做個深呼吸。「我不是那個意思，瑪拉。只是……妳不能請假一個星期，而且三千元不是小數目。」

「我出。」塔莉說。

凱蒂從來沒有這麼想揍她。「她不能請假。」

「我可以——」

凱蒂舉起一隻手制止，接著對塔莉說：「不用說了。」

瑪拉哭了出來「看吧？」她對塔莉大喊，「她覺得我是小寶寶，什麼都不讓我做。」

強尼站起來。「瑪拉，別這樣，妳才十三歲。」

「布魯克・雪德絲和凱特・摩斯十四歲就賺進好幾百萬，因爲她們的媽媽愛她們，對不對，塔莉？」她抹抹眼淚，看著強尼。「拜託，爹地？」

他搖頭。「對不起，寶貝。」

瑪拉轉身衝上樓，一路哭個不停，就連甩上房門之後都還能聽見哭聲。

「我去跟她談。」強尼嘆著氣上樓。

凱蒂轉向好友。「妳腦子壞了嗎？」

「那只是模特兒選秀會，又不是龍潭虎穴。」

「可惡，塔莉，她不需要進入那個亂七八糟的世界。我之前就跟妳說過了，那個圈子太危險。」

「我會幫她，我會陪她去。」

凱蒂氣到幾乎無法呼吸。塔莉再次讓凱蒂在女兒面前變成壞人，坦白說，她們母女的關係已經夠惡劣了，不需要她再來攪和。「妳不是她媽媽，我才是。妳可以跟她一起鬧，開開心心活在妳那個長不大的世界，但我有責任保護她。」

「人生不是安全就好。」塔莉說，「有時候就是要冒險。不去賭怎麼會贏？」

「塔莉，妳眞的知道自己在說什麼嗎？我的女兒才十三歲，她不能去紐約參加騙錢的選秀

---

①愛琳・福特（Eileen Ford）：福特模特兒經紀公司（Ford Models）創辦人，被奉為超模教母，發掘許多知名模特兒，如「黑珍珠」娜歐蜜等。

會，妳也不可以陪她去，沒得商量。」

「好吧，」塔莉說，「我只是想幫忙。」

凱蒂聽得出來塔莉心裡很受傷，但她實在沒力氣哄她，事態嚴重，她絕不能讓步。「好。下次我女兒又想蹺課一星期去做什麼事，或想跑去遙遠的地方當模特兒，她去找妳的時候，麻煩妳通知我一聲，由我來跟她討論。」

「可是妳們根本沒辦法討論，妳們只是互相吼叫，就連強尼也說──」

「妳和強尼說過這件事？」

「他很擔心妳和瑪拉，他說有時候家裡簡直像第二次世界大戰。」

這是今晚的第三記悶棍，她太過痛心，於是說：「塔莉，妳該走了，這是我們的家事。」

「可是……我以爲我也是這個家的一份子。」

「晚安。」凱蒂輕聲說完便離開了客廳。

29

塔莉應該直接回家，努力忘記這件事，但是當渡輪在西雅圖靠岸時，她一肚子忿忿不平。她應該左轉開上阿拉斯加路，結果卻臨時起意右轉，猛踩油門。

她以破紀錄的時間抵達斯諾霍米什。少年時的地標很多都變了樣，現在這個小鎮是熱門觀光景點，到處是時髦咖啡館與高級古董店。

她不在乎哪些東西變了、哪些東西沒變，對她而言……都沒差。即使心情好的時候她也很少緬懷過去，更別說今晚她的心情糟透了，然而，當車子開進螢火蟲巷，感覺依然有如駕駛火箭回到舊時光。

她開上車道，來到有著光亮黑色門窗的白色小農莊前。穆勒齊伯母花了幾年的工夫，將原本不起眼的前院變成英式花園，在這個晚秋時節，整個花園彷彿鍍上一層金，花圃與懸掛式花盆開滿豔紅的天竹葵，在門廊的橘色燈光下爭奇鬥豔。

塔莉將車停好，上前按門鈴。

穆勒齊伯父來開門，塔莉站在門廊上抬頭看他，剎那間，人生閃過她眼前。他雖然老了，髮線後退，腰圍增加，但那身白T恤配舊牛仔褲的裝扮和當年如出一轍，塔莉覺得自己也回到了從前。「嗨，伯父。」

「妳這麼晚跑來，該不會出事了吧？」

「我只是想找伯母聊聊，不會耽擱太久。」

「妳想待多久都沒問題。」他後退，讓她進去，接著走到樓梯底對著上面大喊：「瑪姬，快下來，麻煩人物來了。」他對塔莉俏皮一笑，逗得她也跟著笑出來。

沒多久，穆勒齊伯母下樓來，邊走邊拉起睡袍的拉鍊，打從塔莉認識她起，這件紅絲絨睡袍便一直都在。塔莉這些年送了不少高級睡衣、睡袍，穆勒齊伯母卻始終最愛這一件。「塔莉。」她摘下米白框的雙焦距大眼鏡。「妳沒事吧？」

沒必要撒謊。「其實有點事。」

穆勒齊伯母直接走向客廳的小酒吧倒了兩杯紅酒，這是八〇年代末期增添的小花樣。她將一杯遞給塔莉，帶頭走向客廳，坐在豹紋新沙發上。她們身後的牆上掛滿了家族照片，耶穌與貓王依然佔據中心位置，但旁邊圍繞著數十張照片：瑪拉和雙胞胎、強尼與凱蒂的婚禮、尚恩的研究所畢業照，還有幾張塔莉的照片穿插其中。「好了，究竟怎麼回事？」

穆勒齊伯父心愛的懶人椅換了很多次，塔莉坐在新買的那張上面。「凱蒂在生我的氣。」

「為什麼？」

「上星期瑪拉打電話給我，她說想去紐約參加模特兒選秀活動——」

「噢，老天。」

「我答應幫她遊說父母，可是凱蒂一聽到就大抓狂，根本不肯聽瑪拉解釋。」

「瑪拉才十三歲。」

「已經夠大了——」

「不。」穆勒齊伯母斬釘截鐵地說，而後露出溫柔笑容。「塔莉，我知道妳只是想幫忙，可是凱蒂做得很對，她要保護瑪拉。」

「瑪拉討厭她。」

「十三歲的小女生總是和媽媽不合。妳大概不知道，因為白雲太特別，不過女兒和媽媽經常發生摩擦，不能因為想改善關係就凡事順著孩子。」

「我不是說要凡事順著她，而是她真的很有天分，我認為她能成為超級模特兒。」

「假使她真的成了超級模特兒，接下來會怎樣？」

「她能得到財富與名聲，十七歲就賺進百萬。」

穆勒齊伯母靠向前。「妳超級有錢，對吧？」

「對。」

「妳有因此感到美滿嗎？那些成就眞的值得讓瑪拉放棄童年、純眞與家庭？我在電視上看過，模特兒的世界很亂，毒品、性行爲，一大堆惡習。」

「我會照顧她。重點是她找到了興趣所在，應該加以培養，而不是忽視。我擔心瑪拉和凱蒂的關係無法恢復了，妳眞該聽聽瑪拉怎麼說她的。」

穆勒齊伯母由眼鏡上緣打量塔莉。「妳擔心瑪拉。我覺得妳這個啦啦隊站錯邊了，現在凱蒂才最需要妳。」

「凱蒂？」

「和瑪拉不合的問題快把她折磨死了。她們兩個得想辦法溝通，不能每次都吼叫、哭泣。」她看著塔莉。「妳應該做凱蒂的好朋友。」

「難道是我的錯？」

「當然不是。我的意思是凱蒂需要好友的支持，妳們兩個一直是對方的盔甲與利劍。我知道瑪拉有多麼崇拜妳，我也知道妳多喜歡受人崇拜。」她露出瞭然的笑容。「可是這件事妳不能選邊站，要選也只能選凱蒂那邊。」

「我只是想——」

「她不是妳的女兒。」

之前她沒看透，這一瞬間她才終於醒悟，她如此積極介入原來是因爲這個。當然，她很愛瑪拉，不過不只如此，對吧？穆勒齊伯母看得很清楚。瑪拉是塔莉心中的理想女兒，有容貌、有抱負，有一點自私，而且她認爲塔莉完美無瑕。「我該怎麼對瑪拉說？」

「就說她還小，未來的路很長。如果她眞的像妳所說的那麼出色、那麼有才華，等她長大足以應付時再起步一樣能成功。」

塔莉往後靠，嘆了口氣。「妳覺得凱蒂會氣多久？」

穆勒齊伯母大笑。「妳們之間吵架和好的次數比網路股的股價暴漲暴跌更頻繁。不會有事的，妳只要記住，妳不該搶著做瑪拉的好朋友，而是要做凱蒂的好朋友。」

自家後門廊的景色令凱蒂百看不厭。在這個秋高氣爽的十月傍晚，西雅圖上空的無垠夜空滿是點點星光；在燦亮月光下，每棟摩天高樓都顯得無比清晰，甚至讓人覺得能看見每一扇窗戶、每一塊大理石與鋼鐵。

連海的聲音也格外清晰。楓葉轉黃落在泥濘地上，發出如同匆匆腳步的聲響；松鼠在枝枒間奔竄，顯然是察覺冬季將近，所以忙著儲存糧食；此外還有永不止息的浪潮聲，波濤來回拍岸，節奏呼應著遙遠天邊的月亮。這裡，在她家的門廊上，只有季節流轉，賦予景色不同的精彩美麗。

然而，在她身後那扇古董木門後，變化來得迅速猛烈，令人無法喘息。女兒進入青春期之後像樹一樣抽長，每天都綻放出新面貌，預示著她未來的模樣；情緒的來去都太過激烈，有時她彷彿溺水被衝上岸的人，不記得自己是誰，也不記得未來的夢想。

凱蒂的雙胞胎寶寶也長得很快。現在上了幼稚園，他們開始交自己的朋友、選自己的衣服，有時候也會拒絕回答她的問題。一轉眼他們也會進入青春期，在臥房牆上貼雜誌圖片，要求個人隱私。

太快了……

她在門廊多待了一下，遠方城市上方的天空變成深灰色，星星一一冒出，這時她才回到屋裡，鎖上了門。

家裡很安靜，一樓完全沒人。她穿過客廳，撿起亂丟在電視機前的幾隻恐龍。

上樓之後，她輕輕轉動門把，打開雙胞胎的臥房門，心中希望他們已經睡著了，然而她看到威廉的被單像帳棚一樣立起，手電筒的光線照亮紅藍相間的星際大戰圖案。

「有兩個小朋友應該睡覺了卻還在玩喔。」

簡易帳棚裡傳出格格笑聲。

路卡先鑽出來，他的黑髮根根豎立，咧嘴笑著露出齒縫很大的一口牙，宛如被溫蒂逮到的彼得潘。「嗨，媽咪。」

威廉在裡面嘶聲說：「路卡，快點裝睡。」

凱蒂走到床邊掀起被單。

威廉往上看，一手拿著手電筒，另一手抓著灰色塑膠暴龍。「慘了。」他說完便大笑起來。

凱蒂張開雙臂。「來給媽咪抱抱。」

他們撲上來，總是這麼熱情洋溢，她緊緊抱住他們，嗅著他們頭上嬰兒洗髮精的熟悉甜美香氣。「你們想再聽一個故事嗎？」

「說麥克斯的故事，媽咪。」路卡說。

凱蒂拿起那本書，以平常的姿勢坐下——背靠著床頭板，雙腿往前伸直，雙胞胎一人一邊偎靠著她。她打開童書《野獸國》開始讀，麥克斯的冒險才進行到一半，雙胞胎已經睡著了。

她幫威廉蓋好被子，親一下臉頰，接著抱起路卡放到他的床上，他喃喃道：「晚安，媽咪。」

「晚安。」她關掉手電筒，離開房間，關上門。

瑪拉的房間就在對面，門關著，門縫透出燈光。

她停下腳步，雖然很想進去，但她知道又會和女兒吵起來。最近無論凱蒂說什麼、做什麼都不對，自從幾週前的模特兒選秀會事件之後，更是每況愈下，於是她只敲了敲門說：「瑪拉，關燈睡覺。」等燈光確實暗了，她才離開。

她回到自己的房間。

強尼已經上床了，正在看資料，她一進房，他便抬起頭說：「妳好像很累。」

「瑪拉。」她簡單地說，不需要多解釋。

「我覺得應該沒這麼單純。」

「什麼意思？」

他摘掉眼鏡放在床頭櫃上，收拾好散佈四周的紙張，低著頭說：「塔莉說妳還在生她的氣。」

他的語調很謹慎，加上刻意小心不看她，凱蒂感覺得出來這件事悶在他心裡很久了。男人就是這樣，她想著，非得像人類學家一樣仔細觀察才能知道他們在想什麼。「她也沒有打電話給我。」

「生氣的人是妳。」

凱蒂無法否認。「不是眞的氣到抓狂或不爽，只是有點不高興。瑪拉吵著當模特兒，她竟然暗中推波助瀾……她至少應該承認她做錯了。」

「妳期待塔莉道歉？」

凱蒂不禁莞爾。「我知道、我知道，可是爲什麼永遠是我讓步？爲什麼每次都是我先打電話求和？」

「因爲一直是這樣。」

的確，一直都是如此。在這方面，友誼很類似婚姻，習慣與模式從早期就固定下來，像水泥一樣難以打破。

凱蒂進浴室刷牙，上床躺在他身邊。

他關了燈，翻身面向她，透過窗戶灑落的月光照亮他的側臉，他伸出一隻手臂，等著她窩進懷中。她心中湧出一股強烈的愛意，連她自己都吃了一驚，畢竟他們是老夫老妻了。他是如此瞭解她，那種慰藉的感覺有如柔軟的喀什米爾羊毛，包裹著她、溫暖著她。

難怪塔莉總是那麼銳利多刺，被愛擁抱才會變得柔軟，但她從不坦然接受愛。缺乏孩子、丈夫和母親的愛，她才會變得越來越自私，因爲如此，即使塔莉沒道歉，凱蒂決定再一次放下憤怒。她不該嘔氣這麼久，時間過得令人心驚的快，有時她覺得那場爭執彷彿才剛發生。無論她們說了什麼、沒說什麼，現在都無所謂了，多年的友誼才重要。

「謝謝。」她低語。明天她要打電話邀塔莉來家裡吃飯，一如往常，兩人之間的摩擦到此落幕，她們會再次順利回到友誼的道路上。

「爲什麼？」

她溫柔地親吻他，摸摸他的臉頰。她喜歡的風景很多，但這個男人的臉是她的最愛。「所有事情。」

十一月中，一個細雨紛紛的灰暗早晨，凱蒂轉彎駛進中學停車場，加入大排長龍的休旅車與箱型車。走走停停的過程中，她轉頭看向女兒。

瑪拉懶懶地坐在前座，表情很陰沉。自從上次不准她去紐約參加模特兒選拔，她到現在還在鬧情緒、擺臉色。

以前她們母女之間或許只有一些磚塊擋路，但最近豎起了一面高牆。

每當家人的關係出現摩擦，通常都由凱蒂出面緩頰。她扮演和平部隊、裁判與中間人，但無論她對女兒說什麼都沒用。瑪拉嘔氣好幾個星期了，凱蒂飽受折磨，睡也睡不好，這種冷戰招數也讓她很火大，她知道瑪拉的盤算，是想藉此消耗她的決心。

「妳很期待宴會吧？」她強迫自己開口，至少現在有話題可說。國二的所有學生都爲了冬季宴會而興奮不已，這是理所當然的，包括凱蒂在內的所有家長都投入大量心力，希望給孩子們一個最神奇的夜晚。

「隨便啦。」瑪拉望著窗外，顯然想從擠在校門口的人群中找到她的朋友。「妳該不會也要去吧？」

這句話很傷人，但凱蒂不想因此感到難過，她告訴自己這樣很正常，最近這句話重複的機率越來越高。「妳也知道，我是場地布置委員會的主席，我爲了這次的活動忙了兩個月，當然想親眼看到成果。」

「也就是說妳會去。」瑪拉木然地說。

「我和爸爸都會去，但妳還是可以盡情地玩。」

「隨便啦。」

到了接送區，凱蒂停車。「穆勒齊家庭校車到站嘍。」這個老笑話逗得後座的雙胞胎一陣格格笑。

「遜斃了。」瑪拉翻個白眼。

凱蒂轉向女兒。「拜，親愛的，祝妳今天一切順利。社會科的考試加油喔。」

「拜。」瑪拉用力甩門。

凱蒂嘆口氣，抬頭看後視鏡。雙胞胎在後座玩得不亦樂乎，恐龍滿天飛。「女生眞麻煩。」她低聲說，納悶爲何青春期的女孩總是對媽媽特別壞。這顯然是普遍的行爲，她和女兒的朋友與同學相處的時間夠多，所以知道大家都有這種問題，如此普遍，甚至可視爲進化的過程。或許爲了某種詭異神祕的原因，人類這個種族需要十三歲的少女自以爲是大人。

幾分鐘後，她送雙胞胎到幼稚園（當眾跟他們吻別），然後開始一天的忙碌生活。第一站先去麵包店買杯拿鐵，接著去圖書館還書，之後去超市，十點半回到家，進廚房收拾剛才買的東西。

關上冰箱門時，客廳的電視傳來「私房話時間」熟悉的主題曲，她走進客廳。因爲事情太多，她很少有機會看完一整集，但她一定會按時打開電視，知道一下播出內容是什麼，強尼和塔莉有時候會抽考。

凱蒂跨過沙發扶手坐下。

節目的布景走家居風，營造一種好姐妹在家中起居室閒嗑牙的氣氛。塔莉走上舞臺，還是一樣漂亮。去年她決定將頭髮留長，髮型換成長度及肩的柔順鮑伯頭，顏色也恢復自然的紅棕色調，這髮型有種鄰家女孩的調調卻又不失韻味，突顯顴骨的高聳線條，也強調眼眸的巧克力色調。在恰到好處的位置打上幾針膠原蛋白，製造出完美唇形，再搽上幾乎沒有顏色的唇蜜增添光澤。

「歡迎收看『私房話時間』。」她提高音量，努力壓過如雷的掌聲。粉絲暱稱這個節目爲「私房話」，現在媒體也這樣用了。凱蒂知道有些觀眾爲了入場不惜排隊六個小時，那一點也不奇怪，因爲節目內容輕鬆有趣，偶爾也能發人省思。塔莉總是出人意表，沒人猜得到她接下來要說什麼、做什麼，這是吸引觀眾每天收看的因素之一。在強尼的努力下，節目運作如同上足了油的機器般順暢。塔莉說過會讓所有人發財，她確實做到了，而強尼的回報則是永遠讓塔莉光鮮亮麗。

塔莉坐在專屬的米色扶手椅上，在淺色調的襯托下，她顯得更加活力四射、令人愛慕。她傾身向前，以親熱的姿勢對現場及電視機前的觀眾說話。

凱蒂立刻看得入迷。她一邊聽塔莉向全國觀眾分享化妝與髮型祕訣，一邊支付帳單、撣百葉窗的灰塵、將洗乾淨的衣物摺好。節目結束後，她關掉電視，開始列聖誕禮物清單，因爲太投入，以至於電話鈴響時她沒有立刻察覺。她四處尋找，終於在一堆樂高積木下面找到無線話機，她按下通話鍵。「喂？」

「妳是凱蒂嗎？」

「對。」

「感謝老天。我是伍華德中學的艾倫，我打電話來通知妳瑪拉第四節課缺席，如果是妳帶走，只是忘記幫她請假，那就沒問題——」

「不是我帶走的。」凱蒂知道自己的語氣有多衝。「抱歉，艾倫。瑪拉應該要在學校才對，我猜猜，愛蜜莉・亞蘭和雪柔・波頓也缺席了。」

「噢，老天。」艾倫說，「妳知道她們會去哪裡嗎？」

「我大概猜得出來，等我找到她們再聯絡妳。謝謝，艾倫。」

「抱歉，凱蒂。」

她掛斷電話時看了一下時間，十二點四十二分。

不必是天才也能猜到那三個丫頭去哪裡了。今天是星期四，電影院上新片的日子，熱門少女偶像的新片今天上映，凱蒂不記得她叫什麼名字。

凱蒂抓起皮包往外衝，抵達電影院停車場時還不到一點。她花了很大的力氣控制脾氣，找經理說明狀況，走過一間間黑暗的放映廳找人，將她們趕到大廳，這時她再也無法忍耐了。

但是比起女兒的火氣，她只是小巫見大巫。

到了停車場，瑪拉說：「眞不敢相信妳竟然這樣。」

凱蒂不理會她惡劣的語氣，只是緊繃地說：「我說過妳可以和朋友來看週末下午場。」

「條件是要打掃房間。」

凱蒂懶得回答。「妳們兩個，快點上車，妳們的父母在學校等。」

另外兩個女生默默上了後座，吶吶說著道歉的話。

「我不覺得有什麼不對。」瑪拉用力關上門，扯過安全帶扣好。「反正只是無聊的代數課。」

凱蒂發動引擎，離開停車場，駛上馬路。「妳們應該在學校，就這麼簡單。」

「噢，妳以前還不是讓我請假去看電影？」瑪拉說，「我記得曾經在上課日去看哈利・波特，看來是夢裡發生的。」

「這就叫好心沒好報。」凱蒂努力不大吼。

瑪拉雙手交叉環在胸前。「塔莉一定會理解。」

凱蒂開進學校前的弧形車道，將車停好。「好了，妳們兩個快去辦公室，妳們的父母在等。」

愛蜜莉咕噥：「我媽一定氣炸了。」

她們下車之後，凱蒂轉頭看著女兒。

「爸一定會理解。」瑪拉說，「他知道看電影和當模特兒對我有多重要。」

「妳這麼覺得？」凱蒂拿出手機，按下速播鍵後遞給她。「妳跟他說。」

「妳……妳跟他說。」

「蹺課去看電影的人不是我。」她將手機塞過去。

瑪拉拿過去放在耳邊。「爹地？」瑪拉的聲音立刻變得溫柔，淚水盈眶。

凱蒂感到一陣嫉妒。爲什麼強尼有辦法和女兒維持如此溫馨的關係，而她卻像這丫頭的奴隸？

「跟你說喔，爹地，你記得我之前提過的那部電影吧？就是有個女生發現她阿姨其實是她媽媽的那部？我今天去看了，眞的好……什麼？噢。」她的聲音低到幾乎聽不見。「第四節課的時候，可是……我知道。」她聽了幾分鐘，接著嘆氣。「好啦，拜。」瑪拉掛斷電話，將手機還給凱蒂，一瞬間她彷彿變回了小孩。「這個週末我不能去看電影了。」

凱蒂多麼想把握這一刻的機會將瑪拉擁入懷中，多抱一下她的小女兒，跟她說我愛妳，可是她不敢。媽媽的責任就是在這種時候硬起心腸不讓步，或者該說，所有時候。「或許妳會學到做事之前先想想後果。」

「有一天我會成爲知名演員，到時候我會在電視上說妳沒有半點貢獻，完全沒有。我會說都要感謝塔莉阿姨，因爲她對我有信心。」她下車，頭也不回地往前走。

凱蒂追上去，跟在她身邊。「我對妳有信心。」

瑪拉嗤之以鼻。「哼，妳什麼都不讓我做。等我可以搬出去，我就要去跟塔莉阿姨住。」

「等地獄結冰吧。」她低聲嘀咕。幸好接下來她和女兒沒有機會說話了，一進學校，校長就在門口等她們。

瑪拉上高中之前的那個暑假是凱蒂一生中最痛苦的夏天。女兒十三歲念國中時雖然很難搞，但過了一段時間再回頭看，她才發現那些都不算什麼。女兒十四歲準備上高中時才眞的夠嗆。

過去一年，強尼每週工作六十個小時，使得她更孤立無援。

「不准穿露股溝的牛仔褲去上學。」凱蒂拚命保持語氣冷靜。暑假快結束了，她忙得團團轉，好不容易擠出四個小時帶瑪拉去買上高中穿的新衣服，但她們在購物中心耗了兩個鐘頭，什麼都沒買到，只積了一肚子怨氣。

「高中生都穿這種褲子。」

「那妳只好當異類了。」凱蒂按住抽痛的太陽穴。她隱約知道雙胞胎像野人一樣在店裡亂跑，但她現在沒空管他們。如果她走運，保全或許會來抓走她，以放任孩子的罪名將她關起來。現在的她覺得獨自被監禁是一種享受。

瑪拉將牛仔褲扔在旋轉架上，跺著腳離開店裡。

「妳不會好好走路嗎？」凱蒂嘀咕著跟上。

採購結束之後，凱蒂感覺有如電影「神鬼戰士」的男主角，慘兮兮，血淋淋，但沒死。所有人都不高興，雙胞胎想要「魔戒」的公仔，她不肯買，所以他們在鬧脾氣；瑪拉則因爲不能買那條牛仔褲和一件半透明上衣而氣呼呼；凱蒂也在生氣，開學採購竟讓她如此精疲力盡。至少還有一件事可堪告慰：她表明底線並堅守到底，凱蒂沒有大獲全勝，但瑪拉也一樣。

自購物商場回家的路上，車子裡劃分成涇渭分明的兩個陣地，後座喧鬧吵雜，前座則冰冷沉默。凱蒂不斷找話跟女兒說，但她一概不理不睬，車子開上家門前的礫石車道時，她覺得灰心至極。雖然她成功堅守底線，善盡母親的職責而不是扮演女兒的朋友，但連這一點點勝利也失去了光彩。

後座的雙胞胎解開安全帶，因爲搶著下車而擠成一團。凱蒂知道他們的規矩，先進客廳的人可以拿遙控器。

她從後視鏡看他們一眼。「別急。」

他們纏在一塊兒，活像努力爬出洞穴的小獅子。

她轉向瑪拉。「今天買到不少漂亮衣服。」

瑪拉聳肩。「嗯。」

「妳知道，瑪拉，人生充滿——」她說到一半停住，差點笑出來。這是媽媽以前愛說的人生大道理。

「什麼啦？」

「妥協。妳可以學著欣賞得到的東西，也可以爲沒有得到的東西懊惱不已，妳所做的選擇將決定妳長大後的性格。」

「我只是想和別人一樣。」瑪拉的聲音意外細微。凱蒂想起女兒其實還很小，開始上高中是多麼令人不安。

凱蒂伸出手，溫柔地將瑪拉的頭髮塞到耳後。「相信我，我體會過那種感覺。我在妳這個年紀的時候，上學穿的衣服都是便宜貨或別人不要的，所以常被同學笑。」

「那妳應該懂我的意思。」

「我懂妳的意思，可是妳想要的東西不一定能得到，人生就是這樣。」

「媽，那只是一條牛仔褲，又不是世界和平。」

凱蒂看著女兒，難得一次她沒有擺臭臉或轉過身。「最近我們動不動就吵架，我眞的很難過。」

「嗯。」

「我考慮讓妳參加新的模特兒訓練班，西雅圖那個。」

這個小惠讓瑪拉興奮不已，好比看到廚餘的飢犬。「妳終於肯讓我去市區了？我查過了，下個梯次星期二開課，塔莉說她會去渡輪碼頭接我。」瑪拉露出心虛的笑容。「我們一直在討論這件事。」

「是喔？」

「爹地說只要我保持好成績就沒問題。」

「他也知道？爲什麼沒人告訴我？難道我會吃人嗎？」

「最近妳很容易抓狂。」

「那是誰的錯？」

「我可以去嗎？」

凱蒂其實沒有選擇。「好吧，可是萬一成績下滑——」

瑪拉撲進凱蒂懷中，她緊緊抱住女兒，細細品味這一刻。瑪拉很久沒有主動擁抱她，她已經不記得上次是什麼時候了。

瑪拉奔進屋裡，凱蒂依舊坐在車上望著女兒離去的方向，質疑讓她參加模特兒訓練班究竟有沒有做錯。媽媽的心裡都有一種狡猾的破壞力量，讓人因爲內疚而過意不去，以致改變心意或降低標準——投降比較輕鬆。

其實她並不反對瑪拉去上訓練班，她只是覺得女兒還很小，不想讓她這麼早踏上那條崎嶇道路。被拒絕、被帶壞、僅只於外在的美麗、毒品、厭食症，模特兒世界光鮮亮麗的表面下藏著太多不堪，而青春少女的自尊與身體意識都還太脆弱，很容易誤入岐途，被人不斷挑剔批評容貌只會加重心理負擔。

簡單地說，凱蒂知道女兒很漂亮，在那個以膠帶固定衣物走伸展臺的世界，她一定能發光發熱，她擔心的是女兒太早爆紅，因而失去童年。

終於，她下車走進屋裡，嘀咕著：「我應該堅守立場才對。」

做媽的悲哀。雖然已經太遲了，但她絞盡腦汁設法反悔，電話在這時響起，凱蒂根本懶得去接。暑假最後這幾個星期，她體認到青春期的少女離不開電話。

「媽！外婆找妳。」瑪拉在樓上大喊。「不要說太久喔，我在等嘉碧的電話。」

她拿起話筒，聽到另一頭呼煙的聲音。她原本正在整理剛買回來的東西，此時放下工作，拿著電話倒在沙發上，蜷起身體，用依然有媽媽香味的織毯蓋住。「嗨，媽。」

「妳感覺不太好。」

「妳光從我的呼吸就能聽出來？」

「妳有個青春期的女兒，不是嗎？」

「相信我，我從來沒有這麼悲慘過。」

媽媽大笑，笑聲沙啞帶著嗆咳。「妳以前還不是經常叫我別管妳，當著我的面甩上門，妳都不記得了嗎？」

回憶雖然模糊，但並非全然想不起來。「對不起，媽。」

電話那頭沉默了片刻，接著媽說：「三十年。」

「什麼三十年？」

「妳也要等上三十年才能聽到女兒道歉，不過至少還有一件好事，妳知道是什麼嗎？」

凱蒂唉聲嘆氣地說：「我可能活不到那時候？」

「她還不曉得該道歉的時候，妳就明白她知錯了。」媽媽大笑。「還有，等她需要妳幫忙帶孩子的時候，她眞的會愛死妳。」

凱蒂敲敲瑪拉的房門，聽到悶悶的一聲：「進來。」

她進去，盡可能不去看四處散落的衣服、書本與垃圾，她小心不踩到東西，走向白色四柱大床，瑪拉抱膝坐在床上講電話。「我可以跟妳說幾句話嗎？」

瑪拉翻個白眼。「嘉碧，我要掛電話了，我媽有話跟我說，晚點再聊。」接著她對凱蒂說：「幹嘛？」

凱蒂坐在床邊，忽然想起自己十幾歲時這一幕上演過無數次。媽媽每次求和都會先來段人生大道理。

回憶令她微笑。

「幹嘛？」

「我知道最近我們經常吵架，我眞的很難過。大部分的時候是因爲我愛妳，我的出發點是爲妳好。」

「其他時候呢？」

「因爲妳讓我很抓狂。」

瑪拉露出淺淺笑容，往左讓出空間給凱蒂，就像凱蒂以前讓位給媽媽那樣。

她往裡面坐一些，小心翼翼握住女兒的手。此時此刻她有很多話可說，也可以試著和女兒對話，但她只是握著女兒的手。這些年來她們第一次有機會靜靜交心，她內心充滿了希望。「我愛妳，瑪拉，」她終於開口說，「是妳讓我見識到愛能有多深刻，不是其他任何人。當醫師第一次將妳放在我懷中……」她停頓，感覺喉嚨縮緊。她對這孩子的愛是如此巨大強烈，在日復一日的青春期戰場上，有時候她會忘記。她微笑道：「總之，我在想，我們可以一起去做些特別的事。」

「例如？」

「例如爸爸節目的週年派對。」

「眞的？」瑪拉爲了參加派對哀求了好幾個星期，但凱蒂總是說她還太小。

「我們可以一起去逛街、做頭髮、買漂亮禮服——」

「我愛妳。」瑪拉抱住她。

她抱著女兒享受這一刻。

「我可以告訴愛蜜莉嗎？」

凱蒂還沒答應，瑪拉已經拿起電話撥號了。她走出房間，關門時聽到瑪拉說：「小愛，妳一定不會相信，猜猜我這個星期六要去做什麼——」

凱蒂關上門之後回到自己的房間，想著孩子眞是說變就變，前一刻她還是個坐在冰塊上越飄越遠的愛斯基摩老太婆，下一刻她便登上高峰在雪地插上勝利旗幟。有時候這樣的變化會讓人暈眩，而克服的祕訣則是享受美好的時刻，切莫執著於不好的時刻。

一進房間，強尼看到她就說：「妳在笑。」他坐在床上，戴著老花眼鏡，他可是抗拒了好久才勉強去藥房買了一副。

「很稀奇嗎？」

「老實說，沒錯。」

她大笑。「我想也是。這個星期瑪拉和我鬧得很不愉快。有朋友邀請她參加派對，要在那裡過夜，但是竟然有男生參加，我到現在還是覺得很難以置信，所以我不准她去。」

「那妳爲什麼笑？」

「我答應帶她去週年慶派對。我們要來段母女時光，逛街、修指甲、剪頭髮與全套保養。我們得在會場的飯店租間套房，不然就要弄輛保母車。」

「我絕對會是全場最幸運的男人。」強尼說。

凱蒂對他微笑，心中滿懷希望，她不知道多久沒有這種感覺了。她和瑪拉可以有個完美的母女之夜，或許終於可以拆除兩人之間的那道牆。

塔莉應該感覺身在雲端。今晚將舉辦節目的週年慶祝派對，幾十個人籌備了好幾個月，打算讓這場活動成為西雅圖今年最受矚目的社交盛事，不只當地名流搶著參加，許多巨星也已經回函接受邀請，現場絕對是大牌雲集。簡單地說，有頭有臉的人都會出席，他們特地來為她祝賀，歡慶她無與倫比的成就。

她環顧四周，奧林匹克飯店的宴會廳老派而璀璨，飯店最近好像改名字了，但她記不得新名稱，這些連鎖飯店買賣太頻繁，反正對西雅圖居民而言，這裡永遠是奧林匹克飯店。

宴會廳中滿是她的同行、同事與夥伴，許多上過節目的一線巨星，幾個重要的員工。無論她往哪裡看，所有人全都在舉杯慶祝，大家都愛她。

卻沒有一個人眞正瞭解她。

事實如此。愛德娜沒空，葛蘭根本不回電話。八卦雜誌最近報導他即將迎娶一個小明星，塔莉知道不該在意，但她做不到，這件事讓她覺得自己衰老寂寞，尤其是在這個夜晚。她怎麼會活到這把歲數還孤獨一人？怎麼會身邊沒有半個人可以分享生活？

服務生經過時，她點點他的肩膀，由他的托盤中拿了一杯香檳。「謝謝。」她秀出塔露拉．哈特的招牌笑容，四處尋找雷恩一家——他們還沒到，她在如汪洋般的點頭之交中漂流。

她喝光香檳，繼續找下一杯。

和女兒一起去美容果然像凱蒂所希望的一樣快樂。長久以來，這是她們第一次沒有吵架，瑪拉甚至願意聽凱蒂的意見。她們選好了禮服，凱蒂的是黑色絲質斜肩款式，瑪拉的則是粉紅雪紡平口款式，接下來她們去了吉恩．華雷茲美容中心，進行手腳指甲保養、剪頭髮與化妝。

她們入住奧林匹克飯店的套房，此刻母女倆在瑪拉的房間裡，一起擠在浴室照鏡子。

凱蒂知道她永遠忘不了和女兒站在一起的模樣：高䠷苗條女兒的漂亮臉蛋上滿是燦笑，連眼睛都笑成了一條斜線，纖瘦手臂摟著凱蒂的裸肩。

「我們超酷。」瑪拉說。

凱蒂微笑。「超酷。」

瑪拉臨時起意親了一下她的臉頰。「媽，謝謝妳。」她往外面走去，經過床鋪時拎起珠珠晚宴包。「爹地，我來了。」她打開門，走進起居室。

她聽到他吹了聲口哨，說：「瑪拉，妳眞美。」

凱蒂跟著女兒過去。她知道自己的身材不如當年，容貌也不復青春，但是穿上這襲禮服，搭配強尼送的鑲鑽心形項鍊，她覺得自己很美，當她看見老公的笑容時，她也覺得自己很性感。

「哇。」他走過來彎腰吻她。「雷恩太太，妳眞性感。」

「彼此彼此，雷恩先生。」

一家三口笑著走出房間，下樓到宴會聽，好幾百位賓客已經開始慶祝了。

「快看啊，媽，」瑪拉湊過來低聲說，「布萊德和珍妮佛耶，那邊那個是歌手克莉絲汀。哇，我等不及要打電話告訴愛蜜莉了。」

強尼牽著凱蒂的手，帶她穿過人群找到吧檯，他們點了兩杯酒，瑪拉則喝可樂。

他們靠在吧檯上，喝著酒看人。

塔莉穿著緬甸翡翠色調的飄逸絲質禮服，即使在如此眾星雲集的盛會中，她依舊獨具魅力。她從容走來，禮服在身後飛揚。「妳美呆了。」她驚呼道。

凱蒂察覺塔莉的腳步似乎有些不穩。「妳還好吧？」

「好得不得了。強尼，晚餐之後我們要上臺說幾句話，然後你陪我開舞好嗎？」

「妳沒有男伴嗎？」強尼問。

塔莉的笑容淡去。「今天晚上瑪拉就是我的伴。凱蒂，妳應該不介意我借用妳女兒吧？」

「這個嘛……」

「她怎麼會介意？」瑪拉以崇拜的眼神望著塔莉。「她每天都看到我。」

塔莉靠向瑪拉。「艾希頓・庫奇在那裡，妳想見見他嗎？」

瑪拉差點昏倒。「怎麼會不想？」

凱蒂看著她們走開，手牽著手、頭靠在一起，像兩個啦啦隊女孩交頭接耳說足球隊長有多帥。

對凱蒂而言，這一夜頓失光彩。她啜著香檳，跟隨丈夫四處走動，應該微笑的時候微笑，可以大笑的時候大笑，有人問起她的職業時，她便回答：「我是家庭主婦。」這個讓她萬分自豪的頭銜往往使場面立刻冷下來。

整個晚上，她看著塔莉假裝瑪拉是她的女兒，帶她認識一個又一個名人，讓她嘗幾口香檳。

用餐時間終於到了，凱蒂坐在首桌，左右兩邊分別坐著強尼與分銷公司的總裁。塔莉主控全場，沒有其他方式可以形容，她活潑、慧黠、風趣，同桌的所有人似乎都非常崇拜她，瑪拉更是如此。

凱蒂盡可能不讓心情受影響。有幾次她甚至努力挽回女兒的注意，但她實在沒本事和塔莉競爭。

終於，她的忍耐到達極限，她跟強尼說了一聲之後逃往洗手間。女廁裡有很多人排隊，每個人都在說塔莉的事，稱讚她是多麼美麗。

「妳有沒有看到和她在一起的小女生——」

「那好像是她女兒。」

「難怪她們這麼親。」

「真希望我的女兒也像那樣對我。」

「我也是。」凱蒂低喃，聲音低到幾乎聽不見。她望著鏡中的自己，她爲了老公和女兒努力打扮，卻在好友的光輝下變得如壁紙般不起眼，她感到受傷、被排擠，她知道這種感覺很可笑，畢竟她並非今晚的主角，不過……她原本抱著那麼大的期望。

是她不好。

她竟然將歡樂寄託在十來歲的少女身上，*大白癡*。她想著，幾乎笑了出來。她清楚知道不該這樣，於是振作起來，控制住傻氣的情緒，重新回到會場。

30

塔莉不該喝這麼多。她站在舞臺上，抓著強尼的手以免摔倒。「謝謝大家。」她對所有來賓嫣然一笑。「『私房話時間』因爲有你們才能成功。」她舉杯向所有人致意，台下掌聲如雷。她忽然發覺自己說的話好像顛三倒四，似乎毫無意義，但她不記得自己說了什麼，所以很難判斷。

她轉向強尼，一手摟住他。「我們該去跳舞了。」

樂團開始演奏，這是首慢歌。塔莉牽著他的手領他進舞池，她笑得很開心，過了許久才察覺這首曲子是瑪丹娜的〈爲你瘋狂〉。

只要一次接觸，你就會明白此言不虛。

這是他們在婚宴上開舞的曲子。

塔莉歪著頭，抬起視線看他，霎時，不該憶起的回憶竄進腦海：她最後一次在他懷中跳舞的感受。那時的曲子是惠妮・休士頓的〈我們不是近乎完美嗎？〉，那支舞跳完之後，他吻了她。假使當初她做了不同的決定，選擇愛情而非名聲，或許他會愛上她，給她瑪拉和一個家。

老式水晶燈的淺金色燈光下，他顯得無比英俊，那種愛爾蘭人的深沉俊美隨著時間變得更有韻味。他看著她的眼神很認眞，讓她想起當年他因爲人生不順遂而憂鬱頹廢，她給了他一夜的浪漫歡笑。

「你的舞技一直很不錯。」話一說出口，她立刻察覺不對。她喝醉了，她應該拉開距離，但是在這男人懷中的感覺好舒服，何況他們之間不可能發生什麼事。

他輕鬆讓她轉個圈，然後又拉回懷中。

賓客報以掌聲。

「我不該喝那麼多香檳，我快跟不上你的舞步了。」

「跟隨向來不是妳的強項。」

這句話再次勾起她的回憶，所有細節清晰無比。她原本建了一道牆阻隔那些記憶，但現在瞬間潰堤，她停下腳步，抬頭看他。「我們當年為什麼分開？」

「塔莉，當年我們眞的在一起過嗎？」他輕聲問。他回答得太快、太自然，她不禁懷疑這個問題是否藏在他心中很多年了。她無法判斷他的笑容是惆悵或縱容，她只知道舞步停了，但他沒有放開。

「是我沒有給你機會。」

「凱蒂認為我一直對妳餘情未了。」

塔莉知道，一直都很清楚。塔莉與強尼過去的那段韻事，她和凱蒂從不提起，為了維護友誼而深深埋藏。這段往事應該永遠留在黑暗中，但塔莉酒醉又寂寞時總是特別軟弱，於是儘管知道不應該，她還是問了：「不是嗎？」

凱蒂回到會場時，樂隊已經開始演奏了。

「為你瘋狂。」

每次聽到這首歌她都會微笑。進入宴會廳後，她停下腳步，環顧四周。宴席已經散了，賓客聚集在酒吧邊排隊，她看到瑪拉站在角落和一個年輕女生說話，她瘦得可怕，身上的布料比手帕還小。

「這下可好。」

她壓抑怒火繼續往前走，這時，她瞥見一抹翡翠綠的身影，整個世界彷彿瞬間崩塌。

塔莉在舞池中，整個人黏在強尼身上，他抱著她的動作很輕鬆自在，彷彿他們在一起過了一輩子。他們應該要跳舞，但他們只是站在那裡，靜靜矗立在形形色色迴旋舞動的人海中。塔莉抬起頭看他，那眼神彷彿要求他帶她上床。

凱蒂吸不到氣。在那駭然的瞬間，她以為自己會嘔吐。

妳永遠是他退而求其次的選擇。

她知道，這些年來也漸漸接受了，但接受並無法改變事實。

一曲奏罷，強尼放開塔莉後退，一轉身正好看見凱蒂。隔著珠光寶氣的衣香鬢影，他們四目交會，她當場哭了出來，不顧會被多少人看見。她覺得很丟臉，於是走出會場。

好吧，其實是用跑的。

她站在電梯前急躁地按鈕。「快啊……快啊……」她不希望被人看到哭泣的醜態。叮一聲，門開了，她走進去靠在牆上，雙手交叉環抱在胸前。她不耐煩地等了好幾秒，接著才發現忘了按鈕。

門正要關上時，一隻手伸了進來。

「走開。」她對老公說。

「我們只是在跳舞。」

「哈！」凱蒂按下套房的樓層鈕，抹了抹眼睛。

他走進來。「妳在亂發神經。」

電梯轉眼就到了他們的樓層，門打開，她丟下他走出去，回頭大喊一聲：「去你的！」然後找出鑰匙打開房門，進去後，她用力甩上門。

然後她開始等。

等了又等。

他會不會跑去找塔莉——

不。

她不相信他會做那種事。她老公或許對塔莉無法忘情，但他秉性正直，而且塔莉是她的好朋友。

醋意發作時她偶爾會忘記。

她打開門，看到他坐在走廊上，一條腿伸直，領結鬆鬆掛在領子上。「你還在這裡？」

「鑰匙在妳手上。我希望妳會出來道歉。」

她走過去跪在他身邊。「對不起。」

「我不敢相信妳竟然以為——」

「我沒有。」

她握住他的手，拉他站起來。「陪我跳舞。」她討厭自己特別加重我這個字。

「沒有音樂。」

她雙手摟著他的頸子，開始晃動臀部慢慢貼近他，最後他靠在牆上，而她貼在他身上。

她解開拉鍊，禮服落在地上。

強尼急忙左右察看走廊。「凱蒂！」他打開她的皮包拿出鑰匙開門。他們匆匆進房，跌在沙發上，激吻的熱情感覺既熟悉又新鮮。

「我愛妳。」他的一隻手摸進她的底褲。「不要忘記，好嗎？」

她喘到無法回答，於是她點頭，解開他的長褲拉鍊，將褲襠敞開。她發誓絕不會再因為缺乏安全感而亂吃醋，也絕不會忘記他的愛。

兩個星期後，塔莉站在辦公室的大窗戶前往外看。她一直知道人生有所缺憾，她原本希望搬回西雅圖擁有自己的節目之後，內心的空洞多少能填滿，但她沒那麼好運。現在她只是變得更有名、錢多到數不清，但內心依舊隱隱感到不滿足。

每當她心情不好時，總會從事業上尋求出路。她尋找能夠挑戰她、帶給她滿足感的方向，雖然花了不少時間，但她終於找到了。

「妳瘋了。」強尼踱步到窗前望著艾略特灣。「妳也知道，型態是電視節目的靈魂。我們的收視率僅次於『歐普拉脫口秀』，去年妳還獲得艾美獎提名，一堆廠商搶著排隊提供禮物和優惠給我們的觀眾，有這些就表示妳成功了。」

「我知道，」她看著窗戶上的映影一時分了神，她在玻璃上顯得枯瘦憔悴。「可是你也知道我天生不守規矩。我需要做點改變、來點刺激，現場直播一定能達到我要的效果。」

「爲什麼妳需要這麼做？妳還想要什麼？」

這是最關鍵的問題。爲什麼她永遠不滿足？就連強尼也感到不解，她要怎麼才能讓他明白？

凱蒂一定會懂，雖然她可能不會贊同，不過她的好姐妹總是很忙，沒時間跟她聊天。她覺得和凱蒂……漸行漸遠。最近她們的人生彷彿走上了相距遙遠的兩條路，週年慶派對之後她們幾乎說不到幾句話。「強尼，你要對我有信心。」

「一個不小心我們就會變成譁眾取寵的節目，信譽瞬間掃地。」他走向她，眉頭微蹙。

「把妳的想法說給我聽，塔莉。」

「你不會懂。」只有這個她確定是眞的。

「說說看。」

「我需要留下一點什麼。」

「兩千萬觀眾每天收看妳的節目，這樣難道不算成就？」

「你有凱蒂和孩子。」

她看出他瞬間領悟了。他用憐憫的眼神看她，無論她走得多遠、爬得多高，始終有人用那種眼神看她。「噢。」

「強尼，我一定要試試。你願意幫我嗎？」

「我什麼時候讓妳失望過？」

「只有你娶走我的好姐妹那次。」

他大笑著走向門口。「塔莉，先試一集，評估之後再決定，夠合理了吧？」

「很合理。」

說好之後，接下來幾個星期她一直爲這件事忙個不停。她拚盡全力，像瘋子一樣埋首工作，甚至不再假裝有社交生活。

見眞章的時刻終於到來，她非常擔心。萬一強尼說得沒錯呢？會不會是她自作聰明，結果害節目水準降低，變成灑狗血的八卦秀？

有人敲辦公室的門。

「請進。」她說。

她的助理海倫探頭進來，她是最近剛從名校史丹佛大學畢業的職場新鮮人。「提爾曼醫生來了，在準備室。我請麥凱登一家在員工用餐室等，克莉絲蒂則在泰德的辦公室。」

背水一戰的感覺恐怖又刺激，她幾乎快忘記了。過去幾年的成就讓她與失敗無緣，現在她彷彿又從頭來過，爲了只有她相信的目標而努力。

她最後一次對鏡整裝，摘下化妝時戴上的白色圍兜，向攝影棚出發。強尼在舞臺上忙得團團轉，不斷大聲發號施令。

「準備好了嗎？」他問。

「老實說嗎？我不知道。」

他走過來，不停對著耳麥說話。他將麥克風移開，只讓她一個人聽見地小聲說：「妳一定會表現得很好，妳知道，我對妳有信心。」

「謝謝，我需要聽你這麼說。」

「展現妳的本色就好，大家都愛妳。」

他下了指示，觀眾魚貫入場，塔莉在後臺等候出場。紅燈亮了，她走上舞臺。

她保持一貫的做法，先站在臺上微笑，讓陌生人的掌聲湧過她，將她的心灌到滿溢。

「今天的內容非常特別。這集的來賓是衛斯理・堤爾曼醫生，他是知名心理學家，專精於戒除成癮症與家庭諮商……」

她身後的螢幕開始播放影片，一位頭髮稀疏的超重男子強忍著哭泣，但眼淚還是奪眶而出。「塔露拉，我太太是個好人。我們結婚二十年了，生了兩個好孩子，問題在於……」他停頓，擦擦眼淚。「酒精。一開始只是和朋友喝幾杯雞尾酒，但最近……」

影片以畫面與旁白述說這個家庭分崩離析的過程。

結束之後，塔莉重新轉向觀眾。她看得出來這個影片讓他們深受感動，好幾位女性觀眾幾乎哭了出來。「很多人像麥凱登先生一樣，所愛的人受成癮症荼毒，他卻只能默默承受絕望折磨。爲了勸妻子接受戒酒治療，他盡了一切努力，但都沒用，今天在堤爾曼醫生的協助下，我們要嘗試激烈手段。現在麥凱登太太獨自在後臺等候，她以爲中了前往巴哈馬旅遊的大獎而前來領取，事實上，她的家人將藉助醫生的專業，當面說出她的酒癮所造成的傷害，我們希望能藉外在的力量讓她看清眞相並尋求治療。」

觀眾沉默片刻。

塔莉屏住呼吸。快啊，加入我。

掌聲響起。

塔莉努力忍住笑，她偷瞄強尼一眼，他站在一號攝影機的影子裡，豎起大拇指給她一個孩子氣的笑容。

這個一定能幫助她得到滿足。她可以帶給這家人實質的幫助，而全國觀眾會因此愛死她。

她後退幾步介紹來賓，接下來節目進行得非常平順，有如行駛在鐵軌上的火車，攝影棚裡的每個人都登上列車，享受這趟旅程。他們拍手、嘆息、歡呼、哭泣，塔莉好比老練的馬戲團長，一手掌控整個場面，毫無疑問，這是屬於她的天地，這是她做過最好的節目。

十一月時，冬天一下子來臨，整座小島籠罩在灰濛濛的陰雨中。光禿禿的樹木在寒風中瑟瑟顫抖，死命留住最後幾片乾枯變黑的葉子，彷彿放手就輸了。日復一日，海灣飄起的晨霧阻礙了視線，最平凡的聲音也變得模糊，好似由遙遠之處傳來，渡輪進出海港時發出的氣笛聲，有如迷霧中的送葬輓歌。

這種氣氛非常適合寫作哥德風的驚悚小說，至少凱蒂以這個理由說服自己重新動筆。

可惜寫作沒有印象中那麼容易。

她重讀剛才寫下的內容，嘆口氣按下清除鍵，一個個字隨著閃動的游標消失，最後螢幕上只剩一片空白。她想換個方式描述，但想到的都是些陳腔濫調，小小的游標等候著，嘲笑她自不量力。

最後，她推開椅子站起來。現在她太累了，沒精神想像虛構的世界、人物與戲劇性發展，反正她也該去準備晚餐了。

最近她總是覺得精疲力竭，上了床卻又無法入睡。

她關掉強尼工作室的燈，闔上她的筆記型電腦，下樓。

強尼在看《紐約時報》，他抬起頭說：「又看eBay拍賣網站入迷了？」

她大笑。「可不是。兩個小鬼乖嗎？」

他彎腰摸摸他們的頭。「只要我跟著唱〈可憐的靈魂〉，他們就會乖乖安靜。」

她不禁莞爾。「小美人魚」是他們的本週熱愛影片，這表示只要有機會，他們絕對會每天看。

大門砰一聲被打開，瑪拉回來了，一臉興奮的模樣。「你們絕對猜不到今天發生了什麼好事。」

強尼放下報紙。「說吧。」

「我和克利斯多福、珍妮、喬許要去塔科馬巨蛋看九吋釘搖滾樂團的演唱會。不可思議吧？喬許約我耶！」

凱蒂深吸一口氣。她學會與瑪拉應對時不可太急躁。

「演唱會？」強尼問，「一起去的那些人是誰？他們幾歲？」

「喬許和克利斯高二。別擔心，我們會繫安全帶。」

「演唱會是哪天？」他接著問。

「星期二。」

「隔天要上學。妳想去約會，對方念高二，而且第二天還要上學。」凱蒂望著強尼。「違反的規定不只一兩條。」

「幾點開始？」強尼問。

「九點。我們應該兩點就會到家。」

凱蒂不禁大笑出聲，她不懂老公怎麼有辦法心平氣和。「應該兩點就會到家？瑪拉，妳在開玩笑吧？妳才十四歲。」

「珍妮也十四歲，她就可以去。爹地？」瑪拉轉向強尼。「你一定要讓我去。」

「妳太小了。」他說，「對不起。」

「我才不小。別人都可以做這些事情，只有我不行。」

凱蒂非常同情瑪拉。她記得急著長大的感覺，知道對十幾歲的少女而言那是多麼迫切的需求。「瑪拉，我知道妳覺得我們太嚴格，可是有時候人生——」

「噢，拜託，別又來那套超遜的人生大道理。」她冷哼一聲，跑上樓，用力甩上門。

凱蒂忽然感到身心俱疲，幾乎站不住，但她沒有坐下，只是對老公說：「我下樓來真是做對了。」

強尼微笑，感覺並不勉強。他們夫妻倆同時和瑪拉對戰，卻只有他能毫髮無傷，女兒甚至很愛他，他是怎麼做到的？「妳最會選時間了，每次女兒上演好戲的時候妳都不會錯過。」他站起來吻她。「我愛妳。」他簡潔地說。

她知道這句話就像ＯＫ繃一樣，但她很感激。

「我先去準備晚餐，再去找她談，給她一點時間冷靜下來。」

他重新坐下，拿起了報紙。「打電話給珍妮的媽媽說她是白癡。」

「這個任務就交給你了。」她進廚房煮飯。她切菜準備快炒、調製瑪拉最喜歡的照燒醬，在忙碌中忘記了壞心情，就這樣過了將近一個小時。六點整，她拌好沙拉，將比司吉放進烤箱，開始擺放餐具。通常這是瑪拉的工作，但今晚去叫她也只是白費工夫。

她回到客廳，強尼和雙胞胎趴在地上組樂高積木。「好，我要上陣了。」

強尼抬起頭。「防彈背心在掛外套的櫃子裡。」

他的笑聲帶給她一些安慰，凱蒂鼓起勇氣上樓。女兒緊閉的房門上貼著黃色的「禁止進入」標誌，她停下腳步，堅定意志後舉手敲門。

沒有反應。

「瑪拉？」等候片刻後她喊道，「我知道妳不高興，可是讓我進去談談。」

她繼續等候，再次敲門，最後自行開門。

到處都是亂七八糟的衣服、書籍、影碟，凱蒂片刻後才驚覺不對。

房裡沒人。

窗戶開著。

爲了確認，她找遍所有地方，衣櫥、床底下、椅子後面，還有浴室、雙胞胎的房間，甚至她自己的房間，能找的地方全找過了。找完整個二樓之後，她因爲心跳太過急促差點昏倒，她站在樓梯頂端，靠著扶手以免跌倒。「她不見了。」她聽到自己語帶哽咽。

強尼抬頭。「什麼？」

「她不見了，好像是從窗戶沿著外牆花架爬出去了。」

他立刻跳起來。「混蛋。」

他衝出去，凱蒂跟上。

他們站在她的窗戶下面，看到她踩斷了一根白色木條，長春藤留下明顯痕跡。「混蛋。」強尼重複。「我們得打電話給她認識的每個人。」

即使在這種濕冷的夜晚，塔莉依舊喜歡待在陽臺上，這裡空間寬敞，地上鋪著石板，模仿義大利鄉村風格。陶土盆中養著巨大茂盛的樹木，枝頭掛著白色小燈。

她走到陽臺邊眺望。在這裡可以聽見下方城市的種種喧擾，也能嗅到海灣濕鹹的氣息，隔著灰暗海灣，她隱約能看見班布理奇島的輪廓。

雷恩一家人在做什麼呢？她猜想著。圍著老式的木餐桌玩桌上遊戲？瑪拉和凱蒂一起窩在沙發上跟雙胞胎聊天？或許她會和強尼偷空來個熱吻——

屋裡的電話響了。來得正好，想著凱蒂的家人讓塔莉覺得更寂寞。

她進屋，關上滑門，走過去接聽。「喂？」

「塔莉？」是強尼，他的語氣緊繃，感覺很陌生。

她立刻警覺起來。「怎麼了嗎？」

「瑪拉逃家了。我們不確定她什麼時候跑走的，但大約已經過了一小時十五分鐘。她有沒有聯絡妳？」

「沒有，她沒打來。她爲什麼逃家？」強尼還來不及回答，便聽見門房呼叫她。「強尼，等我一下，別掛斷。」她跑向對講機按下通話鈕。「什麼事，艾德蒙？」

「有位瑪拉・雷恩小姐來找您。」

「請她上來。」塔莉放開通話鈕。「強尼，她來了。」

「感謝老天，」他說。「老婆，她在那裡，沒事了。塔莉，我們馬上過去，別讓她離開。」

「交給我。」塔莉掛斷電話，走到門邊。她住在頂樓，整層只有這一戶，所以她打開門站在門口等，瑪拉走出電梯時，她裝出驚喜的模樣。

「嗨，塔莉阿姨，抱歉這麼晚跑來。」

「一點也不晚，快進來吧。」她後退讓瑪拉先進去。乾女兒總是令她驚爲天人，現在也不例外。這個年紀的少女大多過瘦，全身都是明顯的凸起與凹陷，瑪拉也一樣，但無損她的美貌。她是那種在三十歲之前都會被稱爲俏麗的女生，過了那個年紀就會適應自己的身體，流露出王族般的氣質。

塔莉走過去。「怎麼了？」

瑪拉倒在沙發上，誇張地重重嘆息。「有人約我去看演唱會。」

塔莉在她旁邊坐下。「嗯哼。」

「場地在塔科馬巨蛋。」

「嗯哼。」

「隔天要上學。」瑪拉斜斜瞥她一眼。「約我的男生念高二。」

「那是幾歲？十六？十七？」

「十七。」

塔莉點頭。「我在妳這個年紀也跑去國王巨蛋看保羅・麥卡尼主導的羽翼合唱團，有什麼問題嗎？」

「我爸媽認爲我還太小。」

「他們這麼說？」

「超遜吧？別人都可以做這些事情，只有我不行，我媽甚至不准我坐男生開的車，即使對方有駕照也一樣。她還是每天接送我上下學。」

「唉，大家都知道十六歲的男生駕駛技術很差，而且有時候和他們獨處不太……安全。」她想起許多年前那一夜，在樹林中發生的事情。「妳媽只是想保護妳。」

「可是我們是一群人一起去。」

「一群人？那就不一樣了，只要不脫隊就不會有問題。」

「對吧？我猜我媽大概是不放心他們開車。」

「哦。唔，我可以陪你們去，派禮車去接你們。」

「眞的？」

「當然。這下就沒問題啦，有大人陪、有司機，我們可以痛快地玩。有我看著，不會出事。」

瑪拉嘆氣。「沒用啦。」

「爲什麼？」

「因爲我媽是個討厭鬼，我恨她。」

塔莉沒想到她會說出這種話，因爲太過震驚一時不知道該說什麼。「瑪拉……」

「我是說眞的。她老是把我當小孩，不尊重我的隱私，挑剔我的朋友，限制我的行動，不准化妝、不准穿丁字褲、不准戴肚臍環、不准超過十一點回家、不准紋身。我等不及要離開她了，相信我，等我一畢業就跟她說再見，我要直奔好萊塢，像妳一樣當大明星。」

最後那句話讓塔莉心花怒放，差點忘記前面那些話，她強迫自己回到正題。「妳這樣想對妳媽很不公平。妳這個年紀的女生很容易出事，我在十四歲的時候以為自己天不怕地不怕，我——」

「如果妳是我媽，一定會讓我去演唱會。」

「對，可是——」

「我好希望妳是我媽。」

塔莉沒想到會如此感動，她自己也嚇了一跳，這句話正中她內心的弱點。「瑪拉，妳們母女最後一定會和好，等著瞧吧。」

「不，不可能。」

接下來一個小時，塔莉努力突破瑪拉的憤怒，但她彷彿長了一層紮實的硬殼，怎樣都無法穿透。她很驚訝瑪拉竟然輕易說出她恨凱蒂，也很擔心這對母女的感情再也無法修復，塔莉非常清楚沒有母愛的孩子會變得多扭曲。

終於，對講機鈴聲響起，接著傳出艾德蒙的聲音：「雷恩先生和夫人來了，哈特小姐。」

「他們知道我在這裡？」瑪拉跳起來。

「要猜到並不難。」塔莉走向對講機。「艾德蒙，請讓他們上來，謝謝。」

「他們會宰了我。」瑪拉扭著雙手來回踱步，忽然間又像個孩子，雖然高䠷苗條又美麗，但她只是個孩子，因為怕被父母懲罰而憂心不已。

強尼先進門來。「可惡，瑪拉，」他說，「妳把我們嚇死了。我們不確定妳是逃家還是被綁架——」他停住，似乎不敢繼續想下去。

凱蒂從他身後走出來。

好友的模樣讓塔莉嚇一跳，她顯得很疲倦，形容枯槁，整個人似乎縮小了一圈，感覺彷彿挨了一頓揍。

「凱蒂？」塔莉十分擔心。

「謝謝妳，塔莉。」她露出虛弱的笑容。

「塔莉阿姨說要派禮車載我們去看演唱會。」瑪拉說，「而且她會陪我們去。」

「妳阿姨是白癡。」強尼怒斥。「她的精神病媽媽把她摔在地上，所以她腦袋壞掉了。去拿妳的東西，我們要回家了。」

「可是—」

「沒有可是，瑪拉。」凱蒂說，「快去拿東西。」

瑪拉演了場大秀，嘆氣、跺腳、嘀咕與抱怨，最後她緊緊抱住塔莉低聲耳語：「謝謝，妳盡力了。」然後和強尼一起離開。

塔莉等凱蒂說話。

「答應她任何事情之前都要先問過我們，好嗎？」凱蒂的語調很木然，甚至沒有憤怒。

「這樣會讓我們更難做。」她轉身離開。

「凱蒂，等一下——」

「塔莉，今晚先別說了，我沒力氣。」

31

塔莉很擔心凱蒂和瑪拉。她花了整個星期的時間思考該如何修補她們之間的關係，但半點主意都想不到。此刻她坐在辦公桌前，看著今天的稿子。

電話響了，是她的助理。「塔莉，麥凱登夫婦找妳，戒酒那一集的。」

「請他們進來。」

在這個天寒地凍的十一月上午，走進她辦公室的這對男女和之前判若兩人，與第一集現場節目時的感覺截然不同。麥凱登先生瘦了至少十公斤，走路不再彎腰駝背，也不再垂頭喪氣，麥凱登太太換了髮型、化了妝，滿臉笑容。「哇，」塔莉說，「你們兩個氣色眞好。快請坐。」

麥凱登先生牽著太太的手，夫妻並肩坐在面向窗戶的昂貴眞皮黑沙發上。「抱歉打擾妳了，我們知道妳很忙。」

「再忙我也有時間和朋友見面啊。」塔莉賞他們一個公關專用笑容，半坐在辦公桌邊緣往下看著他們。

「我們只是想來道謝，」麥凱登太太說，「不知道妳是否認識對毒品或酒精上癮的人——」

塔莉的笑容消失。「事實上，我認識。」

「我們這種人往往很壞、很自私，亂發脾氣又不聽勸。我一直想改變，老天知道，我每天都想戒酒，但一直沒決心，直到妳用聚光燈照亮我，讓我看清自己的人生。」

塔莉太過感動，以致片刻之後才回答：「這就是我將節目改爲直播型態的目的，我希望爲其他人的生活帶來轉機。我很高興知道有幫助，這對我的意義十分重大。」

電話響了。

「抱歉。」她接聽。「什麼事？」

「塔莉，強尼在一線。」

「謝謝，接過來。」接通之後，她說：「我們的辦公室距離那麼近，你連這幾步路都懶得走，看來你老嘍，強尼。」

「我有事想跟妳商量，不方便在電話上說。請妳喝一杯好嗎？」

「哪裡？幾點？」

「維吉尼亞酒館？」

她大笑。「老天，我幾百年沒去過了。」

「少騙人。三點半來我辦公室。」

她掛斷電話，重新轉向麥凱登夫婦，他們已經站起來了。

「那個，」麥凱登先生說，「我們想說的話已經說完了。希望妳能繼續幫助其他人，就像妳爲我們做的這樣。」

她走過去和他們握手。「謝謝你們。兩位願意明年做一集後續追蹤節目嗎？讓全國觀眾知道你們的進展。」

「當然好。」

她送他們到門口，道別後，回到辦公桌坐下。接下來幾個小時，雖然她忙著準備明天的節目，但臉上掛著笑容。

她的節目做了好事。她改變了麥凱登夫婦的人生。

三點半，她闔上文件夾，抓起大衣，往強尼的辦公室走去。他們聊著節目能用的點子，一起往派克市場的方向走去，進入街角那家煙霧瀰漫的陰暗酒吧。

他帶她走向後面牆邊，選了靠窗的小木桌。她還沒就座，他已經招來服務生點酒，他自己喝啤酒，幫她點的則是加了橄欖汁的馬丁尼。等到酒送來後，她才問：「好了，到底怎麼回事？」

「妳最近有沒有和凱蒂說話？」

「沒有。她好像還在爲上次演唱會的事情嘔氣，不然就是更久遠之前的選秀會事件。怎麼了？」

他的手爬梳過凌亂的黑髮。「眞不敢相信我會這樣說自己的女兒，但瑪拉的態度可惡至極。甩門、對弟弟咆哮、過了門禁時間還不回家、不肯幫忙做家事，她和凱蒂整天針鋒相對，每天都這樣。凱蒂快被折磨死了，她急速暴瘦，也睡不著。」

「你有沒有考慮過送她去寄宿學校？」

「凱蒂不肯去。」他開了個玩笑，露出倦怠的笑容。「老實說，塔莉，我很擔心她，妳可以跟她談談嗎？」

「當然好，不過感覺起來她需要的不只談心而已。她有沒有尋求諮詢？」

「心理醫生？我不曉得。」

「家庭主婦很容易罹患憂鬱症，記得嗎？我之前做過一集相關節目。」

「所以我才這麼煩惱。拜託妳去看看，讓我知道需不需要擔心，妳最瞭解她了。」

塔莉伸手拿酒。「交給我保證沒問題。」

他雖然微笑，但感覺沒精神。「我知道。」

星期六一大早，塔莉打電話給強尼，他一接起電話，她立刻說：「我有主意了。」

「妳打算怎麼做？」

「帶她去『賽莉絲溫泉酒店』，讓她放鬆身心之類的，然後我再跟她談。」

「她會說很忙不肯去。」

「那我只好綁架她了。」

「妳覺得能行得通？」

「你看過我失敗嗎？」

「好吧，我先打包好行李放在門口，再帶孩子出門，這樣她就沒藉口了。」他停頓一下，「謝謝妳，塔莉，她很幸運能有妳這樣的朋友。」

塔莉掛斷電話，繼續一通接一通撥打。

早上九點，她的計謀已經安排妥當了。她迅速收拾行李，將需要用到的東西扔進車上，然後開車前往首都丘採購道具，最後搭上渡輪。等船加上渡海的時間，感覺彷彿永無止境，不過她還是順利抵達凱蒂家門前的車道。

前院有種荒蕪蔓生的氣氛，彷彿多年前有個年輕媽媽在春季時辛勤整理，種下球莖與多年生植物，裹著毯子的寶寶乖乖躺在草地上；隨著光陰流逝，孩子長大了，暑假一到便各自去忙自己的事情，花園中的幸福時光一去不復返。不過那些植物依舊生機蓬勃，在西北岸短暫酷熱的夏季中成長茁壯，年復一年綻放，有如過往所留下的紀念品，往上抽高，往外發展，入侵彼此的地盤，一如屋裡住的那家人。在這個陰冷灰暗的十一月早晨，所以植物都只剩下枯枝，一片棕黃，落葉四散，五彩繽紛點綴著垂死的玫瑰。

塔莉將賓士車停在車庫前，礫石路上四散著腳踏車、滑板與公仔，她不禁羨慕起這個家幸福的氣息，即使在寒冬中依舊顯得溫暖。這棟瓦頂小屋建於一九二〇年代，原本是林業大亨的度假小屋，現在屋瓦添上一層爽朗的焦糖色塵土，直立式窗框閃耀潔白光澤，下方的花架裡開滿這個季節最後的天竺葵。

門廊被一個隨意豎立的小丑模樣充氣沙包擋住，她硬擠過去敲門。

凱蒂來應門，穿著一件老舊的黑色緊身褲與寬鬆T恤，一頭金髮急需修剪、染色，她的模樣顯得凌亂憔悴。「噢。」她將一綹頭髮塞到右耳後。「眞是驚喜。」

「趁我還客氣的時候，快點跟我走。」

「什麼意思？跟妳走？我正在忙。雙胞胎的棒球隊即將舉行百納被義賣，縫完之後我還得——」

塔莉從口袋中拿出鮮黃色水槍指著凱蒂。「別逼我開槍。」

「妳要對我開槍？」

「沒錯。」

「眞是的，我知道妳很愛演，可是我今天眞的沒空。我要縫好五十塊布片，然後——」

塔莉扣下扳機，一道冷水劃過半空，正中凱蒂的胸口，水往下流，留下一片濕漉。

「搞什麼鬼——」

「這是綁架。別逼我瞄準妳的臉，雖然妳看來確實需要洗個澡。」

「妳想惹我發火？」

她拿出一個眼罩交給凱蒂。「爲了這玩意，我特別跑去首都丘的怪怪情趣用品店，所以希望妳不要浪費我的苦心。」

凱蒂的表情極其困惑，似乎不曉得該笑還是生氣。「我不能說走就走。再過一個鐘頭強尼就會帶著孩子回來了，我要——」

「不，他們不會回來。」塔莉的視線越過她，望著亂七八糟的客廳。「妳的行李在那裡。」

凱蒂猛轉過身。「什麼——」

「強尼今天早上準備的。他是我的同謀，萬一妳發飆，他也是我撇清的藉口。快去拿行李吧。」

「妳突然要我跟妳出門，只帶著我老公認爲我需要的東西？行李箱裡很可能只有性感內衣、牙刷，以及我兩年前就穿不下的衣服。」

塔莉晃晃眼罩。「快戴上，不然我又要開槍嘍。」她作勢要扣扳機。

凱蒂終於舉手投降。「好吧，妳贏了。」她戴上眼罩，說：「妳應該知道吧？有大腦的罪犯會在綁架之前蒙上肉票的眼睛，我猜應該是爲了隱藏身分。」

塔莉忍住笑，走進客廳拿行李，以輕柔的動作帶凱蒂上車。

「不是每個肉票都像妳這麼好命，還有賓士可坐。」

塔莉將一片CD放進音響。不到幾分鐘，車子已經風馳電掣地駛過瑪瑙橋，蜿蜒穿過保留區，高速公路兩旁都是原住民經營的煙火攤。

「我們要去哪裡？」凱蒂問。

「這由我決定，妳不必問。」塔莉將音響的音量轉大，瑪丹娜唱著〈爸爸別說教〉，很快她們就跟著唱起來。接下來每首歌她們都會唱，音樂彷彿將她們帶回年少時光。瑪丹娜、芝加哥樂團、工人皇帝、老鷹合唱團、王子、皇后樂團，她們最愛跟著唱的歌是皇后樂團的〈波希米亞狂想曲〉，模仿搞笑電影「反斗智多星」的經典片段，跟著音樂甩頭。

時間剛過兩點，塔莉將車停在飯店的車道上。「到了。門房用奇怪的眼神看妳，所以快點拿掉眼罩吧。」

凱蒂剛拿下眼罩，門房已經過來開車門，並歡迎她光臨賽莉絲溫泉飯店。遠處傳來知名景點斯諾夸米瀑布的奔流聲，彷彿由四面八方將她們包圍，但是從這裡看不見。水流的力道讓地面爲之震動，濕氣非常重。

塔莉帶頭走向服務台，登記完畢後，她們隨著行李員去房間，那是個位在轉角的套房，有兩間臥室，客廳裡有壁爐，湍急的斯諾夸米河奔向瀑布的美景盡收眼底。

行李員送上她們的按摩時間表，塔莉打賞大筆小費，房裡終於只剩她們兩個人了。

「先來做最重要的事情。」塔莉說。她在電視圈打滾了這麼久，深知何時需要劇本。她們投宿的這段時間，她規畫好了所有活動行程。她打開行李箱，拿出兩顆青檸、一罐鹽，以及一瓶她看過價格最誇張的龍舌蘭酒。「直接乾。」

「妳瘋了，」凱蒂說，「我已經很多年沒直接喝過——」

「別逼我開槍，快沒水了。」

凱蒂大笑。「好吧，酒保，斟滿。」

她一喝完，塔莉立刻說：「再來一杯。」

凱蒂聳肩喝下。

「好了。去換泳裝，妳的房間裡有浴袍。」

凱蒂照她的話做，一如往常。

她們走在飯店大廳光滑的石板地上。「我們要去哪裡？」

「妳馬上就知道了。」

她們走進水療中心，依循指標前往按摩池。

她們來到後面的角落，那裡有座美觀的熱水池，蒸氣氤氳，四周有許多西北風格與亞洲情調的裝飾。空氣中飄著薰衣草與玫瑰的香氣，養在瓷盆與銅盆中的植栽茂盛青翠，讓人感覺彷彿置身戶外。

她們進入翻騰冒泡的熱水中。

凱蒂立刻嘆口氣往後靠。「感覺像上了天堂。」

塔莉望著好友，隔著朦朧蒸氣看出她有多累。「妳的氣色很差。」她輕聲說。

凱蒂緩緩睜開眼睛，塔莉看到怒火一閃而過，但又瞬間熄滅。「是瑪拉。有時候當她看著我，我可以從她的眼神中看出憎恨，我無法用言語讓妳明白我有多心痛。」

「她長大以後就好了。」

「大家都這麼說，但我不相信。眞希望有辦法強迫她跟我說話，也聽我說話，我們試過諮商，但她不肯配合。」

「小孩不開口，妳逼她也沒用。只有同儕壓力才能驅使他們，不是嗎？」

「噢，他們會開口，只是說出來的話全都不能信。根據瑪拉的說法，天下只有我一個媽媽會過度保護孩子到噁心的地步。」

塔莉看出好友的眼眸中藏著深深的愁悶，雖然她告訴自己那只是媽媽常見的壓力，但心中忽然冒出恐懼。難怪強尼會那麼煩惱。去年塔莉訪問過一個因育兒壓力而崩潰的年輕媽媽，幾個月之後她仰藥自盡了，想到這裡她覺得好害怕，她一定要設法幫助凱蒂。「或許妳該去看醫生。」

「心理醫生？」

塔莉點頭。

「我不需要談我的問題，我只要做事更有條理就行了。」

「妳的問題絕不是沒有條理。妳眞的不必每次校外教學都參加，也不必每次演戲都自願做服裝，更不必每次義賣都幫忙烤餅乾，還有，那些小鬼可以自己坐校車。」

「妳的說法跟強尼一模一樣。接下來妳應該會說只要我開始寫作，一切問題都會有起色。唉，我試過了，我一直努力嘗試。」凱蒂哽咽，眼淚湧出。「酒呢？」

「好主意，我們很多年沒有爛醉過了。」

「可不是。」凱蒂大笑。

「不過我們半個小時後要去按摩，所以現在不能喝。」

「按摩。」凱蒂看著她。「謝謝妳，塔莉，我眞的很需要放鬆一下。」

塔莉現在看清了，只是放鬆一下絕對不夠，凱蒂需要眞正的幫助，而不是幾杯烈酒和泥漿護膚，她希望好友能找到答案。「如果妳能改變人生中的一件事，妳會選什麼？」

「瑪拉。」她輕聲說，「我希望她肯跟我說話。」

靈光乍現，塔莉知道該怎麼辦了。「妳來參加我的節目吧？帶瑪拉一起來。我們做一集母女特輯，因爲是現場直播，她會知道一切都是眞的，沒有經過後製，她會知道妳有多麼愛她，她有多好命。」

因爲希望的光彩，凱蒂瞬間彷彿年輕了十歲。「妳認爲會有用？」

「妳也知道瑪拉多想上電視。她絕不會在攝影機前使性子出醜，所以只能好好聽妳說。」

凱蒂眼眸中的疲憊絕望終於消散了，換上燦爛的期盼。「塔莉，沒有妳我該怎麼辦？」

塔莉笑得合不攏嘴。她能夠幫助朋友脫離困境，甚至救她一命，就像多年前她們互相承諾的那樣。「我們永遠不必知道。」

「妳的化妝師能藏住我的皺紋嗎？」

塔莉大笑。「相信我，等他們弄完，妳會看起來比瑪拉還年輕。」

「太好了。」

由溫泉飯店回到家之後，凱蒂彷彿換了一個人。她一進門瑪拉就開始找碴，抱怨因爲門禁時間她不能去參加一個活動，但是這些傷人的話不像以往那樣正中她的心，而是頹然散落一地。快了，凱蒂想，*很快我們就能找到恢復感情的辦法。*

她將衣服拿出來整理好，花了很長的時間泡澡，然後將兩個寶貝兒子擁在懷裡說故事，強尼探頭進來時，他們正要入睡。

「噓。」她闔上故事書，親吻兩個小人兒的前額，最後幫他們蓋好被子，都弄完之後，她走向老公。

「妳們玩得開心嗎？」強尼將她攬進懷中。

「很開心。塔莉打算——」

樓下門鈴響了，瑪拉大聲說：「我去開！」

強尼和凱蒂蹙眉對望。「今天是星期天，」凱蒂說，「明天要上學，我不准她請朋友來家裡過夜。」

但他們下樓時，卻看見凱蒂的父母坐在客廳裡，身邊放著行李。

「媽？」凱蒂說，「怎麼回事？」

「塔莉派我們來這裡住一個星期，幫忙看孩子。外面那輛車會載你們去機場，塔莉說記得帶泳裝和防曬乳，其他都是祕密。」

「我不能丟下工作。」強尼說，「下一集的來賓是參議員麥坎①。」

「塔莉是你的老闆，對吧？」爸爸說，「既然她命令你去度假，你就非去不可。」

凱蒂和強尼對看一眼，他們從不曾拋下孩子去度假。

「感覺不錯。」他微笑著說。

接下來一個鐘頭，他們忙著在家裡跑來跑去，打包行李、列出清單、將所有可能用到的電話號碼寫下來，接著他們親吻孩子道別，甚至連瑪拉也在內，最後一次向爸媽道謝，然後出門坐上禮車。

「她做事從不半吊子。」強尼坐進奢華陰暗的車裡。

凱蒂貼偎在他身邊。「還沒離開我們家的車道，我已經覺得輕鬆多了。」

車子發動，引擎發出隆隆聲響。

強尼問司機：「你知道我們要去哪裡嗎？」

「機票在您前面的口袋裡。」

強尼拿出信封打開。「夏威夷可愛島。」

那是他們度蜜月的地方。凱蒂閉上雙眼，想像著搖曳的棕櫚樹與阿尼尼海灘上略帶粉紅色調的白沙。

「妳怎麼可以自己睡著?」強尼說。

「我沒有睡。」她轉身躺在他腿上。「謝謝你幫忙塔莉綁架我。」

「我一直很擔心妳。」

「我也很擔心我自己,可是現在好多了。」

「好到什麼程度?」

她瞥一眼後座與駕駛座之間的窗口。「關上那扇窗,我就讓你知道。」

「妳說的是性?」

「我說的是性。」她解開他的襯衫鈕釦。「如果你快點按鈕關上窗戶,就不會只是說而已了。」

他露出慵懶的笑容。「噢,馬上辦。」

①約翰・麥坎(John McCain):美國亞利桑納州資深參議員,共和黨重量級人物,曾於二〇〇八年參選總統。

32

凱蒂和強尼在上節目的前一天回到家，整個人神清氣爽，煥然一新。第二天早上，凱蒂五點醒來上廁所，便再也無法入睡。

屋裡很黑很安靜。她沒有開燈，摸黑走過一個個房間，撿拾玩具收好。她還是不太相信這一天眞的來了。她一直拚命祈禱能有機會修補她和瑪拉之間的關係，因爲等了太久，她幾乎快放棄希望了，但是塔莉和這個節目將希望送回給她，就連強尼也樂觀其成。依照塔莉的要求——其實是命令，這一集節目他交出主控權，單純做個觀眾，以父親的身分到場給家人打氣。

凱蒂進浴室洗澡、換衣服，然後望著鏡中的自己，盡可能不去看眼角叢生的皺紋，練習著她要說的話：「沒錯，塔莉，我放棄了事業，選擇做個全職主婦。老實說，上班還比較輕鬆。」觀眾一定會笑。

「我依舊希望有一天能成爲作家，但是工作與育兒之間很難取得平衡。瑪拉現在很需要我，甚至超過嬰兒時期，大家都說兩歲的孩子最難帶，但是在我家，十幾歲的少女才是大問題。我很懷念以前的日子，只要把她放在遊戲區裡，就不必擔心她會出事。」

這句話絕對能贏得觀眾低聲贊同。

她下樓準備好早餐放在桌上。雙胞胎難得這麼早下樓，爲了搶最好的座位而擠成一團。瑪拉下來了，顯然爲了錄影而非常興奮，凱蒂幾乎藏不住欣喜。

肯定會成功，她知道。

「媽，別笑了，妳的樣子讓我發毛。」瑪拉在裝燕麥粥的碗裡倒進牛奶，端上餐桌。

「別找妳媽的碴。」強尼從瑪拉身邊走過，停在凱蒂身後，捏捏她的肩膀，親吻她的後頭。「妳眞美。」

她轉身摟住他，凝視他的雙眼。「我很高興今天你不是她的製作人，而是我的老公，我需要你坐在觀眾席裡。」

「不用謝我，是塔莉將我徹底踢開。她禁止工作人員透露內容，也不准給我看腳本，塔莉希望給我個驚喜。」

從那一刻開始，這天過得飛快，如同進行超光速飛行的千年鷹號①，直到上了渡輪過海時，她才開始緊張。

觀眾會嘲笑她，說她的人生應該有更多成就。

她看起來一定很肥。

她深陷在負面想像中，導致抵達攝影棚時她無法下車。「我很害怕。」她對強尼說。

瑪拉翻個白眼走開。

強尼爲她解開安全帶，挽著她的手臂，以溫柔的動作帶她下車。

「妳一定會非常出色。」他領著她走進電梯。攝影棚裡到處是人，跑來跑去、大喊大叫，強尼彎腰在她耳邊說：「就像以前在新聞界那樣，記得嗎？」

「凱蒂！」

繁忙的走廊上有人高聲喊她的名字，她抬起頭，就見塔莉走過來，模樣纖瘦迷人，大大張開雙臂。

塔莉用力抱住她，凱蒂終於放鬆了。這不是一般的電視節目，而是塔莉的節目，她的好姐妹絕不會讓她出醜。

①千年鷹號（Millenium Falcon）：電影「星際大戰」中的宇宙飛船，由走私客韓索羅（Han Solo）指揮。

「我有一點緊張。」凱蒂坦承。

「一點？」瑪拉說，「她簡直像電影裡的『雨人』。」

塔莉大笑著勾住凱蒂的手臂。「沒什麼好擔心的，妳絕對會表現得很棒。妳和瑪拉能來上節目，大家都很興奮。」她帶她們去休息室，然後先行離開。

「眞刺激。」凱蒂坐在巨大的鏡子前，名叫朵拉的女化妝師立刻過來處理凱蒂的臉。

瑪拉坐在她旁邊的位子上，另一位化妝師替她打點。

凱蒂望著鏡子。不久，她旁邊出現一個陌生的女人，那是瑪拉長大以後的樣子。看著女兒上妝的臉，她看見未來，體認到至今一直藏在童年薄紗下的事實：很快瑪拉會開始交男朋友，學開車，接著離家上大學。

「我愛妳，小寶貝。」她刻意使用小時候的暱稱。自從小熊維尼午餐盒與芝麻街玩偶自女兒的生活中消失後，凱蒂再也沒有這樣稱呼過她。「記得嗎？以前我們曾跟著琳達・朗斯戴①的老歌一起跳舞。」

瑪拉看著她。一瞬間，她們變回了媽咪與小寶貝，雖然只是一瞬間，轉眼就消失在青春期的狂風暴雨中，但凱蒂依然感覺滿懷希望，今天之後，她們將恢復感情，像以前一樣親密無間。

瑪拉好像想說什麼，但最後只是微笑著說：「我記得。」

凱蒂好想擁抱女兒，但那樣只會造成反效果。她學到肢體接觸反而會增加母女之間的隔閡。

「凱絲琳和瑪拉・雷恩？」

她轉過身，一個拿著文件夾板的漂亮小姐站在她身後。「妳們可以出來了。」

凱蒂對女兒伸出手，瑪拉因爲太興奮竟然握住了。她們跟著那位小姐上樓到準備室。

「冰箱裡有水，那邊籃子裡的東西都可以吃，請不要客氣。」那位小姐說完後，交給凱蒂一個領夾式麥克風，將電池盒扣在她的褲腰上。「塔露拉說妳會用，應該沒問題吧？」

「雖然有點久了，但我應該還記得，我會教瑪拉。謝謝。」

「太好了。時間到的時候我會來接妳們，雖然今天是現場直播，不過不必擔心，自然表現就好。」

真的來了。這次的機會對她無比重要，她終於能夠重新和女兒心連心。

她們只等了一下子，很快就聽見敲門聲。

「凱絲琳，請妳先跟我來。」那位小姐說，「瑪拉，請妳在這裡稍等，我馬上回來接妳。」

凱蒂走向門口。

「媽！」瑪拉急忙叫住她，好似忽然想起了什麼。「我有話跟妳說。」

凱蒂回過頭微笑。「別擔心，親愛的，我們一定會很棒。」她跟著那位小姐進入繁忙的走廊，她聽到牆壁的另一頭傳來掌聲，甚至伴隨著零碎笑聲。

到了舞臺邊，那位小姐停下腳步。「聽到妳的名字就上臺。」

深呼吸。

收小腹，挺直背。

她聽見塔莉說：「現在，請大家一起歡迎我的好朋友凱絲琳・雷恩……」

凱蒂笨拙地繞過轉角，發現自己站在刺眼的舞臺燈下，她覺得暈頭轉向，過了幾秒才意識到周圍的狀況。

塔莉站在舞臺中央對她微笑。

她身後則是提爾曼醫生，專精於家庭諮商的心理醫生。

---

①琳達・朗斯戴（Linda Ronstadt）：美國知名女歌手，歌路寬廣變化多端，曾贏得葛萊美獎、艾美獎等諸多重大獎項。

塔莉快步走過來挽起她的手臂，在如雷的掌聲下，她說：「凱蒂，這是現場直播，跟著氣氛走就行了。」

凱蒂瞥一眼身後的螢幕，上面顯示兩個女人並肩站在一起的巨大影像，接著她望向觀眾席，強尼和她爸媽坐在第一排。

塔莉轉向觀眾。「今天，我們要談的話題是過度保護的母親，以及痛恨這種母親的青春期女兒。我們的目標是讓雙方對話，打破青春期築起的藩籬，讓這對母女重新開始溝通。」

凱蒂眞的感覺到血液由臉上退去。「什麼？」

在她身後，堤爾曼醫生走出暗處，在舞臺上就座。「有些母親會傷害子女脆弱的心靈卻不自知，尤其是控制慾強的專制型母親。兒童就像花朵，拚命想在狹小的空間中綻放，他們需要勇於突破、嘗試錯誤，以教條規矩和僵化期待限制他們並沒有好處，假裝我們能保護他們也沒有好處。」

凱特終於明白是怎麼回事，巨大的衝擊迎面而來。

他們指責她是壞媽媽，在全國播出的節目上，還當著她父母的面。

她掙脫被塔莉挽著的手臂。「妳這是做什麼？」

「妳需要幫助，」塔莉的語氣很理性，帶著一絲淡淡憂傷。「妳和瑪拉都需要。我很擔心妳，妳老公也是，他求我幫妳。瑪拉需要當面和妳說清楚，可是她很害怕。」

瑪拉走上臺，對觀眾燦爛微笑。

凱蒂感覺眼淚冒了出來，這樣的軟弱更助長憤怒。「我不敢相信妳竟然這樣對我。」

堤爾曼醫生走上前。「別這樣，凱絲琳，塔莉這樣做是爲妳好。妳壓抑了女兒嬌嫩的心靈，塔莉只是希望能導正妳的管教方式——」

「她想幫我成爲好媽媽？」她轉向塔莉。「妳？」接著她看著觀眾，「這個人對愛和家庭一無所知，也不明白女人所面對的諸多兩難困境，而你們竟然聽她的意見？塔莉．哈特只愛她自己。」

「凱蒂，」塔莉低聲警告，「這是現場直播。」

「妳只關心這個，對吧？收視率。很好，希望妳老了以後收視率能給妳溫暖，因為妳不會有其他人、其他東西。妳哪裡懂什麼是母愛？」凱蒂瞪著她，覺得厭惡至極，幾乎快吐出來。「就連親生母親都不愛妳。只要能出名，妳願意出賣靈魂，不對，妳剛剛已經賣了。」她轉向觀眾。「各位，這就是你們的偶像，你們以為她溫暖又有愛心，其實她不曾對任何人說過愛他們。」

凱蒂扯下麥克風和電池盒扔在地上。她衝下臺，抓住瑪拉的手拉著她一起走。

到了後臺，強尼衝過來緊緊抱住她，但就連他的體溫她都感受不到，她的父母與雙胞胎跟在他身後，團團圍住她們母女倆。「老婆，對不起，」他說，「我不知道……」

「我不敢相信塔莉竟然做出這種事，」媽媽說，「她八成以為——」

「別說了。」凱蒂尖聲說，伸手抹去眼淚。「我不在乎她想什麼、要什麼、相信什麼，我再也不想知道了。」

塔莉衝進走廊，但凱蒂已經不見了。

她站在那裡許久，才轉身回到舞臺上，望著一大片陌生的面孔。她努力擠出笑容，她真的很努力，但這次她的鋼鐵意志失去了作用。她聽見人群喃喃低語，一句句都是同情；在她身後，堤爾曼醫師高談闊論的聲音填滿了空洞，她沒在聽也聽不懂，最後她終於醒悟過來，因為是現場直播，他正努力維持節目的進行。

她打斷醫師的話，對觀眾說：「我只是想幫助她。」她在舞臺邊緣坐下。「我做錯了嗎？」

熱烈的掌聲持續不斷，他們無條件贊同、不求報酬參加，這樣的盛情應該能填滿她內心的空洞，這就是他們的角色，然而，現在連掌聲也毫無作用。

她硬撐著主持完，她也不知道自己怎麼辦到的。

終於，舞臺上只剩她一個人，觀眾已經出場，工作人員也離開了。他們出去時都不敢和她說話，她知道他們也很生氣，因為她竟然暗算強尼。

她聽見腳步聲，彷彿由遠處傳來。有人正走向她。

她木然抬起頭。

強尼站在她面前。「妳怎麼可以那樣對她？她信任妳，我們都信任妳。」

「我只是想幫助她，你說她快崩潰了。堤爾曼醫生告訴我，非常時期需要非常手段，他說她可能尋短——」

「我辭職。」他說。

「可是……叫她打電話給我，我會解釋。」

「她恐怕永遠不會打給妳了。」

「什麼意思？我們是結交三十年的好姐妹。」

強尼的眼神令她不寒而慄。「妳們的友誼今天畫下句點了。」

淡亮晨光灑進窗，照亮白色的窗臺；窗外，海鷗喧鬧俯衝，海浪洶湧拍岸，這兩種聲音加在一起，表示渡輪由他們家旁邊軋軋駛過。

通常凱蒂很愛早晨的聲音，雖然已經在這個海灘上住了很多年，她依然喜歡觀賞渡輪，尤其晚上點亮燈光時，有如同水面上的珠寶盒。

然而今天她連微笑都沒有。她坐在床上，腿上擺著一本書，這樣老公才不會來煩她。她望著書頁，文字在米白紙張上模糊晃動，有如一個個小黑點。昨天那場鬧劇在腦中反覆播放，她由各種不同的角度觀看，主題是：過度保護的母親，以及痛恨這種母親的青春期女兒。

痛恨。

妳壓抑了女兒嬌嫩的心靈。

提爾曼醫生走過來說她是惡質家長，坐在前排的媽媽開始哭泣，強尼跳起來對著攝影師大吼，但她聽不見。

她依然因爲太過震撼而麻木，然而在麻木之下，藏著劇烈凶猛的怒火，她從來沒有這麼憤慨過。她眞正生氣的經驗太少，所以有點害怕，很擔心萬一開始尖叫就會永遠停不下來，於是她壓抑情緒靜靜坐著。

她不斷看著電話，塔莉應該會打來。

「我會掛她電話。」她眞的會掛斷，她十分期待那一刻。這麼多年來，塔莉不只一次做出這麼過分的事（唉，再過分也沒有這次嚴重），無論是不是凱蒂的錯，最後都得由她先道歉。塔莉從不主動表示歉意，只會等凱蒂先行示好。

這次休想。

這次凱蒂是如此痛心憤怒，就算友誼告終她也不在乎。想要重修舊好，塔莉也必須付出努力。

我會掛她電話，很多次。

她嘆息，希望這個想法能讓她感覺痛快，但一點用也沒有。昨天那件事讓她……心碎。

有人敲門，可能是任何一個家人。昨天晚上他們團結一心保護她，將她當成嬌弱的公主。媽和爸留下來過夜，凱蒂知道媽媽擔心她會想不開，可見她的狀況有多差。「請進。」凱蒂稍微坐高一些，雖然心中還是很難過，但努力裝出堅強的模樣。

瑪拉進來，一身準備上學的裝扮，低腰牛仔褲、ＵＧＧ牌的粉紅色雪靴、灰色連帽上衣，她試著擠出笑容卻功虧一簣。「外婆說我該來跟妳談談。」

光是女兒願意來，凱蒂已經萬分欣慰了，她移動到床鋪中央，拍拍身邊的空位。

瑪拉沒有過去坐，而是坐在她對面，背靠著緞面床尾板，兩條腿屈起。她最愛的牛仔褲在膝蓋部位開了洞，露出骨節突出的膝頭。

凱蒂不禁懷念起從前的時光，她可以一把抱住女兒不放的時光，現在她也很需要。「妳知道節目的安排，對吧？」

「所以呢？」

「塔莉和我商量過，她說這樣能幫助我們。」

瑪拉聳肩。「我只是想去演唱會。」

演唱會。這個簡單又自私的答案讓凱蒂深感心痛。她已經忘記那場演唱會的事了，也忘記瑪拉因此逃家，去可愛島度假讓她徹底忘懷。

顯然塔莉早就算準了，如此一來強尼也不會阻礙她的計畫。

「妳怎麼不說話？」瑪拉問。

凱蒂不知道該說什麼、該如何處理。她希望瑪拉明白這種行爲有多麼自私，而這份自私讓凱蒂多麼傷心，但她不希望讓女兒背負罪惡感，於是所有的錯都落在塔莉頭上。「妳和塔莉密謀策畫的時候，難道沒想過我會有多傷心、多丟臉？」

「妳不准我去演唱會，我也一樣覺得傷心又丟臉。深夜保齡球那次也一樣，還有——」

凱蒂舉起一隻手。「說來說去妳還是只想到自己。」她的語氣很疲憊。「如果妳要說的只有這些，那就出去吧，現在我沒力氣跟妳吵。妳很自私，也傷了我的心，假使妳看不出自己的錯並勇於承擔，那麼我只能爲妳感到遺憾。出去，走。」

「隨便啦。」瑪拉下床，但動作拖拖拉拉，她在門口停下腳步，轉過身。「塔莉來的時候——」

「塔莉不會再來了。」

「什麼意思？」

「妳的偶像欠我一句對不起，而道歉並非她的長項，看來這也是妳們兩個的共通點。」

瑪拉第一次顯得緊張，卻是因爲害怕失去塔莉。

「瑪拉，妳最好反省一下妳對我的態度。」說到這裡凱蒂哽咽，但她奮力控制住。「我愛妳勝過整個世界，妳卻故意傷害我。」

「又不是我的錯。」

凱蒂嘆息。「妳怎麼可能犯錯？妳永遠不覺得自己有錯。」

這是最不該說的一句話，一出口凱蒂便察覺了，但已經覆水難收。

瑪拉忿忿開門，出去之後大力甩上。

房間裡瞬間安靜下來。外面有隻公雞在啼叫，兩條狗互相狂吠，她聽見樓下家人走動的聲音，老屋的木板地隨著動作嘰嘎作響。

凱蒂望著電話，等候鈴聲響起。

「孤獨是最不堪的貧窮，好像是德蕾莎修女說的。」塔莉啜飲著橄欖汁馬丁尼。

她身邊的男人一瞬間露出驚恐的神情，彷彿在黑暗的公路上開車時，正前方忽然出現一頭鹿，接著他大笑起來，那笑聲傳達出他們是同一國的，此外還有一絲優越感與暗藏的貴氣，肯定是在哈佛或史丹佛那種名校的挑高大廳中學會的。「我們這種人哪懂貧窮或孤獨？今天至少有一百個人來爲妳慶生，香檳和魚子醬的價格可不低。」

塔莉努力想這個人的名字，卻怎樣也想不起來。既然是她請來的賓客，她應該知道他是誰才對。

她怎麼會對陌生人說出這種荒唐的內心話？

她帶著自我嫌棄的心情喝乾杯中的酒，這已經是第二杯了。她走向位在公寓一角的臨時酒吧，穿著燕尾服的酒保身後可以看到西雅圖的燦爛天際線，絢麗燈光與漆黑夜空對比產生神奇的效果。

她焦躁地等候第三杯馬丁尼，和酒保有一搭沒一搭地聊著。酒一調好，她立刻往陽臺走去，經過堆滿禮物的桌子，每一件都裹著閃亮的包裝紙與緞帶。不用拆她也知道裡面是什麼，高級水晶香檳杯、蒂芬妮的純銀手鐲和相框、萬寶龍的高級鋼筆，可能還有喀什米爾羊毛披肩或琉璃蠟燭杯組，有一定經濟實力的人往往會送這種東西給陌生人或同事。

這些包裝精美的禮物沒有半點人情味。

她再喝一口馬丁尼，走上陽臺，靠在欄杆上，遠眺班布理奇島模糊的輪廓。森林蓊鬱的山丘被月光染成銀色，她想轉開視線卻做不到。節目播出後已經過了三個星期，二十一天，她的心依然滿是裂痕，無法修復。凱蒂所說的話不斷在她腦中重複，當她能暫時放下時，卻又被刊登在《時人》雜誌或網路上。*就連親生母親也不愛她……這就是你們的偶像，你們以爲她溫暖又有愛心，其實她不曾對任何人說過愛他們……*

凱蒂怎麼會說那種話？也沒有打電話來道歉或問好……甚至沒有祝她生日快樂。

她望著黑暗海面將酒一飲而盡，把空杯放在旁邊的桌上，而後聽見身後傳來電話鈴聲。她就知道！她跑回公寓裡，推開擠在客廳中的賓客，回到臥房用力關上門。

「喂。」她有些喘。

「嘿，塔莉，生日快樂。」

「嗨，穆勒齊伯母，我就知道妳會打來。我可以立刻出發去探望妳和伯父，我們可以——」

「妳要先和凱蒂道歉。」

她坐在床尾。「我只是想幫忙。」

「可是妳幫了倒忙，妳應該看得出來吧？」

「妳沒聽見她在節目上對我說的那些話嗎？我好心幫助她，她卻對全國觀眾說……」她說不出口，由此可見她依然非常傷心。「她該向我道歉才對。」

電話另一頭沉默許久，接著傳來一聲嘆息。「噢，塔莉。」

穆勒齊伯母的語氣中滿是失望，塔莉覺得自己變回了被抓進警察局的小鬼，難得一次無話可說。

「妳就像我的親生女兒，」穆伯母終於說，「我很愛妳，妳也知道，但是……」

就像親生女兒。簡單兩個字造成天差地遠的隔閡，有如橫亙的大海。

「妳應該明白妳傷她多深。」

「那她對我的傷害呢？」

「塔莉，妳媽媽對妳所做的事罪孽深重。」穆勒齊伯母發出惆悵的感慨，接著說：「巴德在叫我，我得掛電話了。很遺憾事情變成這樣，但我要先掛電話了。」

塔莉默默掛斷電話，甚至沒有說再見。她一直逃避的現實重重壓在胸口，讓她喘不過氣。她所愛的人都是凱蒂的家人，而不是她自己的家人，出事的時候他們會站在凱蒂那邊。

而她呢？

一如那首老歌的歌詞，再次孤單，可想而知。

她緩緩站起來回到派對上，她沒想到自己竟然這麼傻。活了大半輩子，她至少該學到所有人終將離開，無論是父母或情人。

朋友也一樣。

回到滿是點頭之交與同事的客廳裡，她燦爛微笑、開心交談，然後再次走向吧檯。

要表現出若無其事並不難，假裝開心也不難，她這輩子經常假裝。

只有和凱蒂在一起時她才能做自己。

到了秋天，凱蒂不再等候塔莉的電話。絕交的這幾個月裡，她躲進一個封閉的純淨世界，有如自己製造出的雪球，但是她並不覺得愉快。一開始她也因爲失去好友而哭泣，因爲懷念而痛苦，但同時她也接受現實——塔莉永遠不會道歉，如果要打破僵局，勢必得由凱蒂先低頭，向來如此。

她們人生的寫照。

凱蒂的自尊通常能屈能伸，此時卻變得堅若磐石。難得一次，她拒絕讓步。

隨著時間過去，雪球的圓形外殼逐漸變硬。她越來越少想起塔莉，偶爾想起時也不再哭泣，照常過她的日子。

這樣的逞強讓她精疲力竭，也耗盡她的心神。天氣漸漸轉涼，每天早上起床洗澡就用盡她所有的體力，到了十一月，洗頭變成想到就怕的苦差事，能免則免。煮飯、洗碗都太勞累，她甚至需要中途坐下來休息。

如果只是這樣還沒有問題，這種程度的憂鬱還能接受，可惜情勢每況愈下。上個星期，她早上連刷牙的力氣都沒有，甚至穿著睡衣開車送孩子上學。

老公回到以前的電視臺任職，因爲工作比較輕鬆，所以有太多閒時間觀察凱蒂的缺陷。當他表示關切時，凱蒂說：「有什麼好大驚小怪的？我只是在個人衛生方面稍微偷懶一點，又不是發瘋抓狂。」

「妳很憂鬱，」他坐在沙發上，將她拉靠在身旁。「而且老實說，妳的樣子不太好。」

她該覺得很受傷才對，但實際上卻只是有點不高興。「那就幫我找個整型醫生，我不需要健康檢查，我一直固定看醫生，你知道的。」

「寧願多此一舉也不要遺憾。」他這麼說，於是此刻她搭上渡輪準備前往西雅圖。雖然她不會對老公坦承，但她其實很樂意。她受夠了憂鬱的折磨，不想繼續整天無精打采，或許醫師的處方會有幫助，或許有藥物可以讓人忘記結交三十年卻難堪斷交的好友。

渡輪靠岸之後，她開車下到凹凸不平的坡道，進入早晨的車陣中。今天的天氣灰暗陰沉，很符合她的心情。她駛過市中心，爬上通往醫院的山坡，在醫院停車場找到空位，過馬路進入大廳，迅速掛號之後往電梯前進。

四十分鐘後，她看完了最新一期教養雜誌的所有文章，終於有人來帶她去診間，護士做了例行檢查，記下數據。

護士離開之後，凱蒂拿起新的《時人》雜誌翻開。

塔莉的照片躍入眼簾，她對著攝影機做鬼臉，手中舉著一個空香檳杯，她穿著香奈兒黑色禮服搭配綴滿亮片與珠子的短外套，顯得美豔動人。照片下方寫著：塔露拉．哈特與媒體大亨湯瑪斯．摩根聯袂出席於「瑪蒙特城堡飯店」舉行之慈善晚會。

門開了，瑪莎．希爾佛醫師進來。「嗨，凱蒂，很高興再次見到妳。」她坐在有輪子的凳子上往前滑，研究著凱蒂的病歷。「好了，有什麼狀況嗎？」

「我老公覺得我有憂鬱症。」

「妳有嗎？」

凱蒂聳肩。「或許心情有點差。」

瑪莎在病歷上註記。「距離妳上次來檢查差不多剛好一年，很準時。」

「妳也知道，天主教女孩總是循規蹈矩。」

瑪莎微笑著闔上病歷，伸手拿手套。「好了，凱蒂，先從抹片檢查開始。往下躺……」

接下來幾分鐘，凱蒂接受撐開、探入、刮取檢體，雖然有點沒尊嚴，但這是婦女保健必經的程序。檢查過程中，希爾佛醫師和凱蒂聊些漫無邊際的瑣事，像是氣候、第五大道劇場的新戲碼，以及即將來到的佳節。

直到三十分鐘後，開始檢查乳房時，瑪莎才停止閒聊。「妳胸部上這塊泛紅多久了？」

凱蒂低頭看著右側乳頭下方兩角五硬幣大小的紅斑，皮膚像橘子皮般皺皺的。「大概九個月了，仔細想想，好像有一年了。一開始像被蟲咬，我的家庭醫師認爲是感染，所以開了抗生素給我，雖然消失了一陣子，但是又冒出來了。有時候會發熱，所以我想應該是感染沒錯。」

瑪莎蹙眉接近研究凱蒂的胸部，凱蒂補充說：「我都有定期接受乳房攝影，沒有硬塊。」

「我知道。」瑪莎走向牆上的電話，撥通後說：「我想安排凱蒂接受乳房超音波檢查，現在就要，請他們讓她插隊，謝謝。」她掛斷電話，轉過身。

凱蒂坐起身。「瑪莎，妳嚇到我了。」

「希望是我多慮了，凱蒂，但還是謹愼爲上，好嗎？」

「可是爲什麼——」

「等確認狀況之後我再跟妳說，珍妮斯會帶妳去放射科。妳先生有沒有來？」

「需要叫他來嗎？」

「不用，應該沒事。哦，珍妮斯來了。」

凱蒂心亂如麻。她迷迷糊糊地換好衣服，在護士的陪同下往上三層樓，她等了很久，再一次忍受乳房檢查，聽到更多咂嘴的聲音，看到更多蹙眉的表情，最後則是超音波檢查。

「我每次都有做自我檢查。」她說，「從來沒摸到硬塊。」

她躺在暗暗的房間裡，旁邊的放射科醫生和護士對看一眼。

「怎麼了？」她聽出自己的語氣很害怕。

照完超音波後，她離開檢查室，再度回到等候室。小房間裡的所有婦女都在看雜誌，於是她也拿起一本，盡可能專心閱讀隨手翻到的文章與蛋糕食譜，設法分散心思，不去想超音波檢查的結果。

每當憂慮爬上心頭，她就告訴自己：一定沒問題，沒什麼好擔心的。癌症不會毫無徵兆，乳癌更是如此。乳癌有明顯的病徵，她一直非常小心觀察，因爲乳癌曾經纏上喬治雅阿姨，所以家族中的女性都不敢掉以輕心。那些婦女一個個離去，凱蒂依舊在等待。

終於，有位大眼睛的豐滿護士來叫她。「凱絲琳・雷恩？」

她站起來。「是我。」

「請跟我到對面的診間，克蘭茲醫生準備爲妳做切片檢查。」

「切片檢查？」

「只是爲了保險起見。來吧。」

凱蒂覺得動彈不得，連點頭都很勉強。她死命抓著皮包，蹣跚跟在護士身後。「我之前做過乳房攝影，沒有硬塊，我也有固定自我檢查。」

她忽然好希望強尼在身邊握著她的手，告訴她不會有問題。

或是塔莉。

她深呼吸控制恐懼。很多年前，一次抹片檢查的結果有問題，必須做切片檢查，一整個週末她都提心吊膽地等報告，但結果一切正常。想起那次的經驗，彷彿在冰冷急流中抓到救生圈，她跟著一言不發的護士走向診間。門旁邊的牌子寫著：古德諾基金會癌症治療中心。

33

塔莉被電話鈴聲吵醒，她嚇了一跳，轉頭四顧。時間是凌晨兩點零一分，她伸手接起電話。「喂？」

「請問是塔露拉·哈特嗎？」

她揉揉眼睛。「是，請問哪裡找？」

「我是『港景醫院』的護士，令堂桃樂西·哈特在本院治療。」

「怎麼回事？」

「現在還不確定，似乎是藥物過量，但她也受到嚴重毆打，警察在等候問訊。」

「她要求找我嗎？」

「她目前失去意識，我們在她的物品中找到妳的名字和聯絡電話。」

「我馬上過去。」

塔莉以破紀錄的速度換好衣服，在兩點二十分出門上路。到了醫院，她停好車直奔服務臺。「妳好，我來見我母親，白——呃，桃樂西·哈特。」

「哈特小姐，請上六樓向護理站查詢。」

「謝謝。」塔莉上樓，一個身穿粉橘色制服的嬌小護士帶她去病房。

陰暗的病房裡放著兩張病床，靠近門的那一張空著。

她進去，關上門，有些訝異地發現自己很害怕。這一生，她總是被母親傷害。小時候她莫名其妙熱愛媽媽，青春期恨她入骨，長大後則裝作她不存在。白雲讓她傷心的次數多到數不清，無論大小事都只會讓她失望，即使如此，塔莉依然對她有感情，她無法控制。

白雲睡得很熟，臉上滿是淤青，一邊的眼圈黑了，嘴唇裂傷滲血，一頭灰色亂髮黏膩糾結，一看就知道是用鈍刀隨便亂割的。

她感覺不像她自己，而是一個衰老的女人，不只受到拳頭重毆，更被人生打擊得遍體鱗傷。

「嘿，白雲。」塔莉愕然發現喉嚨有些緊縮。她輕撫媽媽的太陽穴，那是她臉上唯一沒有流血或瘀血的部位。那柔嫩的肌膚讓她想起，上一次觸摸媽媽已經是一九七〇年的事了，那時她們牽手走在擁擠的西雅圖街頭。

她多麼想知道該對眼前的人說什麼，她們之間只有過去沒有現在，於是她只好想到什麼就說什麼，她的節目、她的生活，以及她的成就。當這一切顯得空洞淒涼，她換個話題說凱蒂的事，描述她們起衝突的經過，絕交之後她感到多麼寂寞，當感受化作言語流出，塔莉聽出了其中的眞實。失去雷恩與穆勒齊兩家人之後，她孑然一身。現在她的親人只剩白雲一個了，還眞是可悲。

「人生在世本來就是孤獨的，妳到現在還沒想通？」

塔莉沒發現媽媽醒了，現在她意識清醒，疲憊的雙眼望著塔莉，她微笑著抹去淚水。

「嘿，發生了什麼事？」

「我被扁了。」

「我不是問妳怎麼會進醫院，而是怎麼會淪落成這樣？」

白雲的臉色一變，將頭轉過去。「噢，這個啊，看來妳偉大的外婆沒告訴妳，是吧？」她嘆息。「現在都無所謂了。」

塔莉倒抽一口氣。這是她們母女之間最有意義的一次對話，她感覺得到，一件她從來不知道的祕密即將揭露。「我覺得有所謂。」

「妳走吧，塔莉。」白雲將臉埋在枕頭裡。

「除非妳告訴我原因，否則我不會走。爲什麼妳不愛我？」這個問題讓她的聲音發抖，一點也不奇怪。

「忘了我吧。」

「老實說，我也很想忘記妳，但妳是我媽。」

白雲轉頭望著她，剎那間，塔莉看見媽媽的眼神流露出悲傷，但轉瞬即逝。「妳讓我很傷心。」她輕聲說。

「妳也讓我很傷心。」

白雲淺笑一下。「我希望……」

「什麼？」

「能成爲妳需要的那種媽媽，但我做不到，妳必須放手讓我走。」

「我不知道該怎麼放手。即使妳有再多不是，依然是我媽。」

「我從來不是妳媽，我們都很清楚。」

「我會一直找妳。」塔莉意識到她眞的會這麼做。雖然她們母女倆都帶著傷，但依然有著奇異而深刻的連結。她們之間的糾纏雖然痛苦，但還沒有結束。「有一天妳會準備好接受我。」

「妳怎麼能死命抓著那樣的夢想？」

「用雙手。」她很想接著說「無論發生什麼事」，但這句話讓她想起凱蒂，劇烈的心痛讓她說不出口。

媽媽嘆口氣，閉上眼睛。「走吧。」

塔莉站在原處很久，雙手握著病床欄杆。她知道媽媽只是裝睡，也知道她何時眞的睡著了。斷斷續續的鼾聲塡滿寂靜的病房，她走向病房裡的小衣櫃，找到一條摺好的毯子拿出來。這時，她發現櫃子底層放著一小堆整齊摺疊的衣物，旁邊則是一個牛皮紙袋，袋口捲起來封住。她幫媽媽蓋上毯子，在下巴處塞好，然後回到衣櫃前。

她也不曉得爲什麼要翻媽媽的東西，不知道自己想找什麼。一開始都是些意料中的東西，破舊的髒衣物、底部磨出洞的鞋子、裝在塑膠袋裡的幾樣盥洗用具、香菸和打火機。

然後她看到了，整齊捲好放在袋子最底層，一條磨損的細繩綁成一圈，上面掛著兩個乾掉的通心麵和一顆藍色珠子。

那是塔莉在聖經班做的項鍊，很多年前乘著福斯麵包車離開外婆家的那天，她送給了媽媽。這麼多年了，媽媽竟然還留著。

塔莉不敢碰，生怕只是幻覺。她回到病床旁。「妳還留著。」她感覺內心某種全新的感受被開啓了。一種希望，不是小時候那種無瑕璀璨的願望，而是陳舊滄桑的希望，更能反映出她們是怎樣的人、有過怎樣的經歷，即使人生鏽蝕褪色，在底層依然藏著一縷希望。「白雲，原來妳也知道如何抓住夢想，對吧？」

她坐在床邊的一體成形塑膠椅上，現在她有個眞正的問題，無論如何都要由媽媽口中聽到答案。

大約四點左右，她窩在椅子上睡著了。

電話震動吵醒了她。她慢慢直起痠痛的身子，揉揉僵硬的頸項，她花了一點時間才想到自己身在何處。

醫院。

港景。

她站起來，病床上沒有人。她打開衣櫃。

東西都不見了，只剩被揉成一團的紙袋。

「可惡。」

手機再次震動，她瞥一眼來電顯示。「嗨，愛德娜。」她沉沉坐下。

「妳怎麼無精打采的？」

「昨晚出了點事情。」她多麼希望之前有摸摸那條項鍊，此刻感覺已經像朦朧的夢境。「幾點了？」

「妳那邊應該是六點。妳現在坐著嗎？」

「剛好坐著。」

「妳上次說十一月一部分的時間和整個十二月要休假，計畫沒變嗎？」

「爲了讓員工和家人共享溫馨佳節？」她酸溜溜地說，「沒錯。」

「我知道妳每年都會去朋友家過節——」

「今年不去。」

「很好。那麼，妳想不想和我一起去南極？我打算拍一部探討全球暖化現象的紀錄片，塔莉，這次的報導很有意義，以妳的知名度一定能吸引觀眾收看。」

這簡直是上天送來的禮物。剛才她正想拋下一切，沒有比南極更遠的地方了吧？「要去多久？」

「六週，頂多七週，妳可以來回趕場，但路程會很要命。」

「完美極了，我需要散散心。多快可以出發？」

凱蒂全裸站在浴室鏡子前，端詳著自己的身體。從小到大，她一直和鏡中映影打游擊戰。無論瘦了幾公斤，她的大腿總是太粗，生了三個孩子之後肚子變得鬆鬆垮垮，她在健身房做了無數仰臥起坐，但肚皮依舊鬆弛。大概從三年前開始她就不再穿無袖上衣了，因爲蝴蝶袖太嚴重，她的胸部更是……自從生完雙胞胎後，她只穿支撐力最強的胸罩，當然不夠性感，她還得把肩帶調整到最緊才能將胸部拉回原位。

然而現在，當她看著自己，終於明白那一切都無關緊要，只是白費工夫。

她靠近鏡子，練習著她精心挑選、排演過的話語。這是她一生中最需要勇氣的時刻。

她拿起放在檯子上的衣物穿上。她選了一件漂亮的粉紅色V領喀什米爾羊毛衫，這是去年孩子們合送的聖誕禮物，搭配小羊皮般柔軟的舊牛仔褲；她梳好頭髮，整個往後綁成馬尾，她甚至上了淡妝。爲了即將進行的事，她必須看起來健健康康。能做的努力都完成之後，她離開浴室進入臥房。

強尼原本坐在床尾，此時立刻站起來轉向她。她看得出來他很努力想堅強起來，但眼睛已經閃著淚光。

眼淚證實了他的愛與恐懼，她應該也會想哭才對，但她反而更加堅強。「我得了癌症。」她說。

當然，他已經知道了。等候報告出爐的這幾天非常煎熬，昨晚醫生終於打電話來了，他們握著手聽醫生說明，互相打氣說絕對沒問題。可惜結果有問題，而且是大問題。

凱蒂，很遺憾……第四期……發炎性乳癌……侵略性腫瘤……已經擴散了……

一開始凱蒂非常憤怒，該做的事她都做了，自我檢查，乳房攝影，怎麼還會這樣？然後恐懼才開始滲入。

強尼所受的打擊更大，她很快就發現自己必須爲他振作起來。昨晚他們躺在床上徹夜未眠，擁抱、哭泣、祈禱，互相保證一定能順利度過，不過現在她不禁懷疑要怎樣才能度過。

她走向他，他緊擁著她不放，但還是不夠。

「我必須告訴他們。」

「我們一起說。」他稍微後退一些，略略鬆開手低頭看她。「記住，一切都不會變。」

「怎麼可能不變？他們要切除我的乳房。」她哽咽，恐懼有如路面的裂縫將她絆倒。「然後還要毒我、燒我，而這所有過程竟然是好事。」

他低頭望著她，他眼中的愛意無比美麗卻也令人心痛。「我們之間不會有任何改變。無論妳變成什麼樣子、有什麼感受或做什麼事，我都會永遠愛妳，就像現在一樣。」

她極力壓抑的情緒重新浮上表面，威脅著要將她吞噬。「走吧。」她輕聲說，「趁我的勇氣還沒有消失。」

他們牽著手離開臥房下樓，孩子應該在等。

客廳裡沒有人。

凱蒂聽見起居室傳來電視的聲音，音效非常喧鬧。她放開老公的手，走到走廊角落。「你們兩個，快過來。」

「噢，媽，」路卡連聲抱怨。「我們在看電影。」

她很想說「算了，繼續看吧」，但最後還是忍痛說：「快點過來，拜託。」

她聽見強尼走進廚房拿起電話。

「瑪拉，立刻下來，我不管妳在跟誰說話。」

接著喀一聲掛斷。

凱蒂沒有過去找他，只是走向沙發，僵硬地端坐在邊緣。她忽然後悔沒有穿更厚的毛衣，她覺得好冷。

雙胞胎一起衝進客廳，笑鬧著揮舞塑膠劍比武。

「虎克船長，吃我這招。」路卡說。

「我是彼得潘啦。」威廉抗議，假裝刺路卡。「看招。」

他們七歲了，正值變化時期。童年的雀斑淡去，也開始換牙了，最近每次看到他們，都會發現幼時的痕跡少了一些。

三年後他們就會和現在完全不同了。

想到這裡，她忽然害怕得難以自己，用力抓著沙發扶手閉上雙眼。萬一她無法看著他們長大呢？萬一——

別往壞處想。

過去四天她一再如此叮嚀自己。強尼來到她身邊坐下，握住她的手，兩人靠得很近。

「眞不敢相信，你竟然拿起電話，」瑪拉邊下樓邊說。「根本是侵犯隱私。那個人是布萊恩耶。」

凱蒂默數到十，讓自己稍微冷靜到至少能夠呼吸的程度，才睜開雙眼。

她的三個孩子都站在面前，雙胞胎一臉無聊，瑪拉則氣呼呼。

她用力呑嚥了一下。她一定能做到。

「妳有話要說嗎？」瑪拉沒好氣地問。「假使妳只想盯著我們看，那我要回樓上去了。」

強尼眼看就要跳起來。「可惡，瑪拉。」

凱蒂按住他的大腿制止。「坐下，瑪拉。」沒想到她的語氣竟然如此正常，她自己都吃了一驚。「路卡、威廉，你們也坐下。」

雙胞胎坐倒在地上，像繩子被割斷的人偶，肩並肩擠成一團。

「我站著就好。」瑪拉踩著三七步，雙手交叉環在胸前。她瞪了凱蒂一眼，用眼神傳達出妳休想控制我，就連她平素的叛逆也令凱蒂感到一絲眷戀。

「你們記得嗎？上星期五我去了市區一趟。」凱蒂感覺心跳加快，呼吸也跟著有點急。「其實那天我去看醫生了。」

路卡對威廉說了句悄悄話，威廉笑嘻嘻打他一拳。

瑪拉望著樓上，等不及想回去。

凱蒂捏著老公的手。「你們不必擔心，不過我……生病了。」

他們三個同時看著她。

「別怕。醫生會動手術，然後給我一堆藥，吃完就好了。我可能會有幾個星期體力比較差，但接下來應該就沒事了。」

「妳保證會好起來？」路卡的眼神堅定誠摯，只有一點點害怕。

凱蒂很想說「當然嘍」，但是這種承諾他絕不會忘記。

威廉翻個白眼，用手肘推路卡一下。「她剛才不是說會好嗎？我們可以請假去醫院嗎？」

「可以。」凱蒂露出一絲笑容。

路卡率先衝過來抱住她。「我愛妳，媽咪。」他小聲說。她抱著他久久不放，直到他掙扎著要走，威廉也一樣，之後他們兩個一起往樓梯走去。「你們不想看完電影嗎？」凱蒂問。

「不了，」路卡回答，「我們要上樓。」

凱蒂擔憂地看了丈夫一眼，他已經站起身。「要不要打籃球啊，兒子？」

他們高興極了，立刻往外面跑去。

終於，凱蒂看著瑪拉。

女兒沉默許久之後說：「是癌症吧？」

「對。」

「莫菲老師去年得過癌症，現在沒事了，喬治雅姨婆也是。」

「對極了。」

瑪拉的嘴唇顫抖。雖然她長得很高、愛裝大人還化了妝，但這瞬間彷彿變回了小女孩，要求凱蒂留盞小夜燈。她扭著雙手走向沙發。「妳不會有事吧？」

「對。醫生說我年輕又健康，所以應該不會有事。」第四期。已經擴散了。發現得太遲。她壓抑住這些無濟於事的念頭，現在需要樂觀。

瑪拉躺在沙發上偎靠著凱蒂，一手放在她的腿上。「媽咪，我會照顧妳。」

凱蒂閉上雙眼撫摸女兒的長髮。曾經她可以將瑪拉抱在懷裡搖晃哄睡，感覺像是昨天；曾經瑪拉因為金魚死掉而趴在她腿上痛哭，感覺像是昨天。

拜託，上帝，她祈求，讓我活到夠老，老到能成為她的朋友……

她用力嚥了一下。「我知道，親愛的。」

螢火蟲巷姐妹花……

凱蒂在夢中回到一九七四年的少女時光，半夜和好友一起騎腳踏車，在伸手不見五指的暗夜中，人彷彿隱形了。她清楚記得每一處細節：一條蜿蜒的柏油路，兩旁的溝渠中流著污水，山丘長滿亂草。認識她之前，這條路感覺哪兒都去不了，只是一條鄉間巷道，隱身於世上一個有著青山碧海的偏僻角落中，從來沒有半隻螢火蟲出沒，直到她們在彼此的眼中看見。

放手，凱蒂。上帝討厭膽小鬼。

她猛然驚醒，感覺淚濕臉頰。她完全醒了，躺在床上聽冬季暴風的呼嘯。這一個星期以來，她再也無法將回憶拒於千里之外，這也難怪她經常在夢中回到螢火蟲巷。

永遠的好朋友。

她們多年前曾經許下這樣的承諾，她們相信這份誓言能堅守到永遠，她們會一起變老，坐在老舊露臺的兩張搖椅上，回顧往事一起歡笑。

當然，現在她知道不可能成眞了。一年多以來她一直告訴自己沒關係，少了好朋友她也能活得很好，有時候她甚至眞的相信。

但每當她以爲已經釋懷時，就會聽見當年的音樂——她們的音樂。昨天她買東西的時候，賣場播放卡蘿．金的〈你有個好朋友〉，雖然是難聽的翻唱版本，依然惹得她當場在蘿蔔旁邊哭了出來。

她輕輕掀開被單下床，小心避免吵醒身邊熟睡的男人。她站在幽暗夜色中凝望他許久，即使在睡夢中他依然顯得憂心忡忡。

她由底座上拿起電話離開臥房，經過寂靜的走廊下樓前往露臺。她在露臺上望著暴風雨凝聚勇氣，按下熟悉的號碼時，她思索著該向過去的好友說什麼。她們好幾個月沒聯絡了，她第一句話該怎麼說？我這個星期過得很苦……我的人生眼看就要分崩離析……或者只是簡單的一句：我需要妳。

漆黑澎湃的海灣另一頭，電話鈴聲響起。

一聲又一聲。

答錄機啓動，她將深刻的需求化作渺小平凡的話語。「嗨，塔莉，是我，凱蒂。眞不敢相信妳竟然沒有打電話來道歉——」

轟然雷鳴在天空迴盪，閃電接連炸開，她聽見喀噠一聲。「塔莉？妳在旁邊聽嗎？塔莉？」

沒有回答。

凱蒂嘆口氣，繼續說下去：「我需要妳，塔莉，打我的手機。」

電力突然中斷，電話也隨之斷線，她耳邊響起忙線的嘟嘟聲。

凱蒂告訴自己這不是什麼壞預兆，她回到客廳點起蠟燭。今天就要動手術了，所以她特地爲每個家人做一件貼心小事，提醒他們她一直都在。她幫威廉找出「怪獸電力公司」的DVD，他之前亂放然後就找不到了；她爲路卡準備一袋他最愛的零食，讓他在等候室慢慢吃；她幫瑪拉的手機充飽電之後放在她床邊，她知道女兒今天一定需要打電話給朋友，否則她會覺得失魂落魄；最後她找出家裡的所有鑰匙，一一貼上標籤後放在流理檯上——強尼幾乎每天都弄丟鑰匙。

她再也想不到還能爲家人做什麼，於是走到窗前望著暴風雨轉趨平息。朦朧的天地漸漸亮起，黑炭般的雲朵變成漂亮的珠光粉紅色調，旭日東升，擁擠的西雅圖顯得煥然一新。

幾個小時後，家人開始聚集在她身邊。他們一起吃早餐，收拾東西搬上車，整個過程中，她不時瞥向電話，希望鈴聲響起。

六週後，她的雙乳被切除，血流中注入劇毒，皮膚因爲放射線而紅腫灼傷，她依然等待著塔莉來電。

一月二日，塔莉回到空無一人的冰冷公寓。

「我人生的寫照啊。」她苦澀自嘲，門房將她的名牌大行李箱搬進臥房，她打賞小費。門房離開後，她站在家裡，不曉得該做什麼。現在是星期一晚上九點，大部分的人都在家團聚。明天就要回去上班了，她可以忙著打理她一手建造的帝國，埋首在日常工作中忘記寂寞。每逢佳節回憶總是纏著她不放，上個月甚至跟到了世界盡頭，如假包換的天涯海角。感恩節、聖誕節與元旦她都在冰天雪地中度過，一群人圍在熱源旁唱歌喝酒。無論在一般人眼中或如影隨形的鏡頭前，這樣的畫面都可謂歡樂溫馨。

然而，每每當她戴著帽子與手套鑽進羽絨睡袋努力入睡時，都會聽見當年的歌曲在腦中喧囂，惹得她流下淚。不只一次，早上醒來時她發現臉頰上結了冰。

她將皮包扔在沙發上，看了一下時鐘，發現紅色數字閃著五點五十五，一定是在她出門時發生過斷電。

她倒了一杯酒，拿出紙筆在辦公桌前坐下。答錄機顯示的數字也在閃爍。

「這下可好。」斷電之後打來的電話都沒有紀錄。她按下播放鍵聽取留言，這是一份漫長又艱辛的工作，聽到一半時，她寫下要交代助理設一個語音信箱。

因爲心思渙散，凱蒂的聲音響起時她沒有反應過來。

「嗨，塔莉，是我，凱蒂。」

塔莉驟然坐正，按下倒帶鍵。「嗨，塔莉，是我，凱蒂。眞不敢相信妳竟然沒有打電話來道歉——」

接下來是響亮的喀噠一聲，然後是：「塔莉？妳在旁邊聽嗎？塔莉？」又一次喀達聲響之後，傳來忙線的嘟嘟聲。凱蒂掛斷了。

就這樣，沒有了，答錄機裡沒有其他留言。

塔莉感到強烈的失望，心甚至揪痛。她重複播放留言許多次，最後只聽到凱蒂的譴責。這不是她記憶中的凱蒂，不是多年前發誓要永遠做好朋友的人，那個凱蒂絕不會這樣，打電話來奚落、責罵塔莉，然後狠心掛斷。

眞不敢相信妳竟然沒有打電話來道歉。

這個聲音闖進她家，勾起一絲希望。塔莉站起來躲避，接著按下「全部刪除」的按鈕，洗掉所有留言。

「我才不敢相信妳竟然沒有打電話給我呢。」她對著空蕩蕩的屋子說，假裝沒發覺自己聲音哽咽。

她走向沙發，拿起皮包翻出手機，瀏覽人數眾多的聯絡清單，找出幾個月前才加入的一個人名，然後按下通話鍵。

湯瑪斯接起電話時，她原本想用挑逗輕快的語氣，但她沒辦法假裝，她的胸口彷彿壓著一塊大石，連呼吸都很困難。「嗨，湯姆，我剛從冰天雪地回來。今天晚上你有什麼計畫？沒有嗎？太好了，想不想見個面？」

她忽然覺得這麼積極的自己很可悲，但今晚她無法一個人過，甚至沒辦法在自己家裡入睡。

「在凱爾酒吧見，九點半好嗎？」

他還沒答應，她已經動身了。

34

二〇〇六年，「私房話時間」的收視率屢創新高。一週又一週，一個月又一個月，塔莉創造出奇蹟，來賓經過精心挑選，與觀眾的互動融洽和諧，她叱咤風雲，一手掌握主控權。她不再去想生命中的缺憾，就像六歲、十歲和十四歲時那樣，她將所有不好的事情裝進箱子裡，束之高閣。

她繼續過日子，每當遭受失望打擊時她總是如此。她昂起下巴，挺直背脊，設定新目標：今年她打算辦雜誌，明年則是女性專屬度假村，之後還有無限可能。

她換了一間辦公室，同樣兩面有窗，只是不面向班布理奇島。她坐在全新裝潢的新辦公室裡，拿著電話對祕書說：「妳在開玩笑吧？他竟然在錄影前四十分鐘退通告？攝影棚裡滿是等著看他的觀眾欸。」她用力放下聽筒，然後按下對講機，「請泰德進來。」

幾分鐘後，有人敲門，她的製作人走進辦公室，因爲奔跑而臉頰泛紅、呼吸急促。「妳找我？」

「傑克剛才退通告了。」

「現在？」泰德看看手錶。「王八蛋。希望妳有告訴他，下次新片上映時他休想上電視宣傳，去上廣播吧！」

塔莉打開行事曆。「現在已經六月了吧？聯絡諾斯莊百貨公司和吉恩・華雷茲美容中心，這一集的主題換成夏季媽媽新造型。準備一堆衣服和飾品，雖然很無聊，但至少不會開天窗。」

泰德一走出辦公室，整個團隊立刻開始高速運作。尋找新來賓、聯絡各大美容中心與百貨公司、招待棚內觀眾，腎上腺素急遽上升，包括塔莉在內的所有人都以超音速完成工作，錄影時間只延後了一個小時。由觀眾的掌聲判斷，這一集非常成功。

錄影完畢，塔莉習慣留在現場和觀眾交流。她擺姿勢拍照、簽名，聽他們述說人生因她而出現轉機的故事，這是一天中她最喜歡的時間。

她才剛回到辦公室，桌上的對講機響了。「塔露拉？有位凱蒂・雷恩女士找妳，一線。」

塔莉的心跳漏了一拍，湧現的希望令她惱火。她站在大辦公桌的角落旁，按下對講機。「問她有什麼事。」

不久後，再次傳來祕書的聲音：「雷恩女士不肯說，她要妳自己拿起電話問。」

「叫她去吃屎啦。」話一出口塔莉就想收回，可是現在她已經不知道該怎麼放下身段了。兩人絕交的這段時間，她靠著生凱蒂的氣支撐下來，否則寂寞早就將她壓垮了。

「雷恩女士這麼說，我引用原話：『叫那個臭三八把包在名牌衣物裡的大屁股從貴死人的皮椅上抬起來，快點過來接電話。』她還說這是有史以來最需要妳的一次，假使妳敢拿翹，她會把妳頭髮燙壞的照片寄給八卦雜誌。」

塔莉幾乎笑出來。短短兩句話竟然能帶她穿越這麼多年的時光，掃除許許多多錯誤留下的疙瘩。

她拿起話筒。「妳才三八咧，我還在生氣。」

「當然嘍，因爲妳是自戀狂，我不打算道歉，不過這些都無所謂了。」

「當然有所謂。妳早該打電話給我——」

「塔莉，我住院了，『聖心醫院』四樓。」凱蒂說完就掛斷了。

「快點。」雖然路程不太遠，但塔莉一路上至少催司機五次了。

車子終於停在醫院前，她下車奔向玻璃門，停下腳步等候感應。一進門，她立刻被大批群眾包圍。無論去到哪裡，通常她會安排三十分鐘空檔與觀眾會面寒暄，但現在她沒有時間，她推開那些人跑向服務臺。「我要找凱絲琳．雷恩。」

櫃臺小姐目瞪口呆地看著她。「妳是塔露拉．哈特。」

「沒錯，我是。麻煩告訴我凱絲琳．雷恩的病房是幾號。」

櫃臺小姐點頭。「噢，好。」她看著電腦螢幕輸入，接著說：「東側四一〇。」

「謝謝。」塔莉轉向電梯，但她發現觀眾追來了，他們鐵定會跟她進電梯，比較大膽的會趁機攀談，比較變態的會跟出電梯。

於是她改走樓梯，到三樓時，她非常慶幸自己每天跟私人教練做有氧運動，然而到四樓時她還是差點斷氣。

她在走廊上找到一間小型等候室，裡面的電視機正在播出她的節目，是兩年前的舊作重播。

一進去她立刻明白凱蒂的病情很嚴重。

強尼坐在醜不啦嘰的雙人椅上，路卡蜷著身子窩在他身邊。一個兒子躺在他腿上，另一個則聽他說故事。

瑪拉坐在威廉旁邊，戴著小小的耳機聽iPod，隨著只有她能聽見的音樂擺動。雙胞胎長大了好多，看著他們，塔莉一陣心痛，她離開這家人太久了。

瑪拉身邊坐著穆勒齊伯母，她專心在編織；尚恩坐在她旁邊講電話，喬治雅阿姨和姨丈在角落看電視。

從他們的模樣看來，他們在這裡待很久了。

她鼓起最大的勇氣上前。「嗨，強尼。」

聽到她的聲音，所有人不約而同抬起頭，但沒有人說話，塔莉猛然想起上次大家共聚一堂時發生的事情。

「凱蒂打電話給我。」她解釋。

強尼將熟睡的兒子輕輕挪開後站起身。他尷尬彆扭了一會兒，但隨即將她攬入懷中，由他擁抱的力道判斷，他安慰自己的用意大過於安慰她，她抱著不放，盡可能不感到害怕。他放開她後退時，她說：「告訴我吧。」她的語氣有些太粗魯。

他嘆氣點頭。「我們去家屬室聊吧。」

穆勒齊伯母緩緩站起身。

塔莉非常驚訝，因為穆勒齊伯母老了很多，身型單薄又有些駝背。她放棄染髮了，現在頂著一頭雪白。「凱蒂打電話給妳？」

「我一掛斷電話就立刻過來了。」疏遠了這麼久之後，現在急著趕來彷彿別具意義。

這時穆勒齊伯母做了一件最不可思議的事情：她抱住塔莉。她身上有著老牌香水與薄荷涼菸的氣味，髮膠為整體添上淡淡辛辣，塔莉重新體會到被熟悉氣味包圍的感動。

「走吧。」強尼催促她們分開，帶頭往另一個房間走去。裡面有張尺寸偏小的仿木質會議桌，旁邊有八張一體成形塑膠椅。

強尼和穆勒齊伯母坐下。

塔莉繼續站著，一時沒有人開口，沉默的每一秒都讓氣氛更緊繃。「快告訴我。」

「凱蒂得了癌症，」強尼說，「叫作發炎性乳癌。」

塔莉覺得快昏倒了，於是專注於控制呼吸。「她要接受乳房切除、放射治療和化療吧？我有幾個朋友抗癌成功——」

「那些都做過了。」他輕聲說。

「什麼？什麼時候？」

「幾個月前她打過電話給妳。」他的聲音多了種她沒聽過的情緒。「她希望妳能來醫院陪她，但是妳沒有回電。」

塔莉想起當時的留言，一字不漏。眞不敢相信妳竟然沒有打電話來道歉。塔莉？妳在旁邊聽嗎？塔莉？然後是喀噠一聲。難道接下來還有其他內容？爲什麼沒錄到？因爲停電？還是錄音帶用完了？

「她沒有說她生病了。」塔莉說。

「可是她主動打給妳。」穆勒齊伯母說。

塔莉感到強烈內疚，幾乎無法招架。她應該察覺不對勁，她爲什麼沒有回電？這麼多時間都白白浪費了。「噢，我的天，我應該——」

「現在這些都不重要了。」穆勒齊伯母說。

強尼點點頭，接著說：「癌症轉移了，昨天晚上她輕微中風，醫生盡快幫她動手術，但進了手術室才發現已經無能爲力了。」他哽咽。

穆勒齊伯母按住他的手。「癌症轉移到腦部。」

塔莉以爲自己已經很瞭解驚恐，例如十歲那年被遺棄在西雅圖街頭，或是目睹凱蒂流產，還有強尼在伊拉克受重傷那次，但全都比不上這一刻。「意思是……」

「她快死了。」穆勒齊伯母輕聲說。

塔莉搖頭，想不出該說什麼。「她、她在哪裡？」她的聲音沙啞哽咽。「我需要見她。」

強尼和穆勒齊伯母交換一個眼色。

「怎麼了？」塔莉問。

「醫生每次只准一個人進病房，」穆勒齊伯母說，「現在她爸爸在裡面。我去叫他。」

穆勒齊伯母一離開，強尼便靠過來說：「塔莉，她現在很虛弱。腦瘤影響了她的心智機能，她有時候狀況還不錯……但也有不太好的時候。」

「什麼意思？」塔莉問。

「她可能認不得妳。」

走向病房的這段路是塔莉一生中最漫長的路途，她感覺到身邊有許多人在低聲交談，但她從來沒有如此孤獨過。強尼帶她到門口，停下了腳步。

塔莉點點頭，努力鼓起勇氣走進病房。

她關上門，雖然狀況讓她很難笑得出來，但她還是勉強掛上微笑走向病床，她的好友正熟睡著。

病床調整到幾乎坐起來的角度，在雪白床單與大量枕頭的襯托下，凱蒂看起來像是壞掉的娃娃。她的頭髮和眉毛全掉光了，橢圓頭顱幾乎像枕頭套一樣白。

「凱蒂？」塔莉上前輕聲呼喚，她的聲音讓她自己瑟縮了下，因爲在這個房間裡顯得太過響亮，甚至可以說太有活力。

凱蒂睜開眼睛，塔莉看到了熟識的女人，也看到當年發誓要永遠做她好朋友的少女。

凱蒂，放開雙手，感覺像在飛。

她們的友誼維持了幾十年，怎麼會說斷就斷？「對不起，凱蒂。」她低語，原來這句話如此微不足道，這麼簡單的話她竟然一輩子都說不出口，緊緊鎖在心裡，彷彿說出口會對她造成多大的傷害。她應該從媽媽身上學到很多反面教訓，爲什麼她偏偏死守住這個最傷人的毛病？爲什麼她沒有一聽到凱蒂的留言就回電？

「對不起。」她重複，感覺淚水刺痛眼睛。

凱蒂沒有微笑，也沒有接受或驚訝的表情。雖然事隔多時才說出一句短短的對不起，對塔莉而言卻是極大的突破，但就連這樣也沒有效果。「拜託，快說妳認得我。」

凱蒂只是望著她。

塔莉伸手向下，指節拂過凱蒂溫暖的臉頰。「我是塔莉啊，曾經是妳好朋友的那個臭三八。凱蒂，對不起，我不該對妳做出那種事。我早就該道歉了。」她發出不知所措的低聲嗚咽。萬一凱蒂不記得她，不記得她們的友誼，她肯定無法承受。「凱蒂・穆勒齊・雷恩，我記得第一次見到妳的情景，妳是第一個眞正想認識我的人。當然，一開始我對妳很壞，可是當我被強暴的時候妳在我身邊安慰我。」她陷入回憶中，抹去淚水。「妳一定在想我每次都只會說自己的事，對吧？妳說過我就是這樣。可是我也記得很多關於妳的事，凱蒂，每一秒我都記得。例如妳看《愛的故事》那本小說，卻始終想不通罵人Sonovabitch（假仙）是什麼意思，因爲字典裡查不到……還有，妳發誓絕不會舌吻，因爲噁心斃了。」塔莉搖頭，拚命強忍情緒，她一生的回憶都來到這間病房。「凱蒂，那時候我們好年輕，可是現在我們都不年輕了。妳還記得嗎？我第一次離開斯諾霍米什之後，我們互相寫了幾百萬封信，每次署名都是永遠的好朋友……還是永遠的好姐妹？是哪個來著……」

塔莉細數著她們的故事，有時甚至大笑出聲，例如騎腳踏車衝下夏季丘，以及參加派對卻落得跑給警察追，最後還被逮的往事。「噢，這件事妳一定記得。我們以爲『巨龍家族』是動作片，跑去看了才發現是卡通，整個電影院裡面我們兩個年紀最大，散場之後我們一路唱著〈攜手挑戰全世界〉，還說我們永遠會像歌裡唱的那樣——」

「停。」

塔莉倒抽一口氣。

她的好友眼眶含淚，淚水滑落太陽穴，滴在枕頭上形成小小的灰色痕跡。「塔莉，」凱蒂帶著鼻音輕聲說，「妳眞的以爲我會忘記妳？」

塔莉大大鬆了口氣，覺得雙腿發軟。「嗨，想要我關心妳也不必做到這種程度吧？」她摸摸好友光禿禿的頭頂，手指在嬰兒般細嫩的肌膚上流連。「打通電話給我就可以了。」

「我打了。」

塔莉的臉垮下。「對不起，凱蒂，我——」

「妳是臭三八，」凱蒂露出疲憊的笑容。「我一直都知道，我也應該再多打幾次。既然是三十多年的朋友，心碎幾次在所難免。」

「我是臭三八。」塔莉淒楚地說，淚水湧上眼眶。「我應該打給妳，可是我……」她不知道該說什麼，該如何解釋一直藏在心中的黑暗傷痕。

「不要執著於過去了，好嗎？」

「可是那樣就只剩未來。」塔莉說，這句話感覺有如金屬碎片，鋒利又冰冷。

「不，」凱蒂說，「還有現在。」

「幾個月前我做過一集探討乳癌的節目，安大略市那裡有個醫生使用新藥得到很神奇的效果，我來聯絡他。」

「我不想繼續治療了，能做的我都做了，但一點效果也沒有，只要……陪著我就好。」

塔莉後退一步。「意思是要我眼睜睜看妳死？不可能，我說什麼都不要，我不要。」

凱蒂看著她，揚起一絲淺笑。「塔莉，只能這樣了。」

「可是——」

「妳以爲強尼會隨便放棄我？妳不是不瞭解我老公，他的個性和妳一模一樣，財力也差不多。整整六個月，我看遍了全世界所有專家，傳統醫療與非傳統醫療我都做了，就連自然療法也嘗試過，甚至跑去找住在雨林的信仰治療師。我有孩子，爲了他們，我願意不惜一切保有健康，但所有療法都沒用。」

「那我該怎麼辦？」

凱蒂的笑容彷彿又回到過去。「這才是我的塔莉。我得癌症快死了，妳卻問妳該怎麼辦。」她大笑。

「不好笑啦。」

「我不知道該怎麼面對。」

塔莉抹去眼淚。雖然嬉笑怒罵，但現實沉沉壓在她身上。「凱蒂，就用我們做所有事情的方法吧，攜手一起面對。」

塔莉離開病房時很激動，她發出像是抽噎的低低聲音，又用一手摀住嘴。

「別憋著。」穆勒齊伯母來到她身邊。

「我不能哭出來。」

「我知道。」穆勒齊伯母的聲音哽咽沙啞。「只要愛她、陪著她就好，只能這樣了。相信我，我哭過、鬧過，也和上帝談過條件，我苦苦哀求醫生給她一線希望，然而這些都過去了。比起自己的病，她更擔心孩子，尤其是瑪拉，她們之前鬧得非常僵——唉，妳也很清楚，但瑪拉現在似乎將自己封閉起來，沒有哭也沒有誇張的反應，只是整天聽音樂。」

她們回到等候室，其他人都不在了。

穆勒齊伯母看看錶。「他們應該去餐廳吃飯了，妳要一起來嗎？」

「不，謝了，我需要透透氣。」

穆勒齊伯母點頭。「塔莉，眞高興妳回來了，我很想念妳。」

「我應該聽妳的勸打電話給她。」

「妳現在不是來了嗎？這才最重要。」她拍拍塔莉的手臂，轉身走開。

塔莉走出醫院，愕然發現外面陽光普照，溫暖怡人。凱蒂躺在那張小床上等死，而太陽竟然這麼燦爛，感覺不太對。她走上街道，戴上深色大墨鏡遮住淚汪汪的雙眼，以免被路人認出，現在她完全不想被攔下來。

她經過一家咖啡店，剛好有人出來，她聽見裡面播放著〈美國派〉：再見，我的人生。

她雙腿發軟，往下重重跪倒，水泥人行道擦傷了她的膝蓋，但她沒感覺也不在乎，只顧著放聲大哭。她從來沒有感覺情緒如此澎湃，彷彿無法一次承受，裡頭包含恐懼、憂傷、內疚與後悔。

「爲什麼我沒有打電話給她？」她喃喃自問。「對不起，凱蒂。」她聽見聲音中空洞的絕望，她討厭自己，現在道歉變得這麼容易，卻已經太遲了。

她不曉得自己跪在地上多久，她低著頭不住啜泣，回想她們共同度過的時光。這裡剛好是首都丘很亂的一區，遊民隨處可見，所以沒有人停下來扶她。終於，她感覺眼淚哭乾了，於是搖搖晃晃爬起來呆站在街頭，感覺彷彿挨了一頓狠揍。那首歌帶她回到過去，讓她想起太多兩人之間的往事。發誓我們永遠要做好朋友……

「噢，凱蒂……」

她又哭了起來，只是沒那麼大聲。

她呆楞地走過一條又一條街道，直到一家店舖的櫥窗展示品吸引了她的目光。

在那家位於街角的店面裡，她找到了想要的東西，雖然她之前沒有意識到自己一直在找。

她請店家包裝好禮物，一路奔回凱蒂的病房。

她開門進去時喘得很厲害。

凱蒂疲憊微笑。「我猜猜，妳帶了攝影人員來。」

「眞幽默。」她繞過床邊的布簾。「妳媽說妳和瑪拉之間依然有問題。」

「不是妳的錯。這件事情讓她很害怕，而且她不知道其實道歉並不難。」

「我以前也一樣。」

「她一直拿妳當榜樣。」凱蒂閉上雙眼。「我累了，塔莉……」

「我要送妳一份禮物。」

凱蒂睜開眼睛。「我需要的東西用錢買不到。」

塔莉努力不受影響，只是將包裝精美的禮物遞給凱蒂，然後幫她拆開。

裡面是一本眞皮封面的手工筆記本，塔莉在第一頁寫上：凱蒂的故事。

凱蒂低頭看著空白的紙張許久，一言不發。

「凱蒂？」

「我的寫作才華其實沒那麼出色。」她終於說，「妳、強尼和媽都希望我成爲作家，但我始終寫不出作品，現在太遲了。」

塔莉摸摸好友的手腕，感覺到她是多麼病弱枯槁，只要稍微用點力就會留下瘀青。她低聲說：「爲瑪拉和雙胞胎寫。他們長大以後可以看，他們一定想知道妳是怎樣的人。」

「我怎麼知道該寫什麼？」

塔莉也不知道答案。「寫妳記得的事情就好。」

凱蒂閉上雙眼，彷彿光是思考便耗盡了體力。「謝謝妳，塔莉。」

「凱蒂，我不會再離開妳了。」

凱蒂沒有睜開眼睛，但露出淺淺微笑。「我知道。」

凱蒂不記得自己睡著了。前一刻她還在跟塔莉說話，醒來時卻獨自身在漆黑的病房中，嗅著新鮮花朵與消毒水的氣味。

她在這間病房住了這麼久，感覺幾乎像家一樣，有時候，當家人的希望令她無法負擔，這個米色小房間裡的寂靜能給她一些安慰。在這四面空白的牆中，只要沒有其他人在，她就可以不必假裝堅強。

然而現在她不想待在這裡，她想回家睡在老公懷中，而不是看著他睡在病房另一頭的床上。

她也想和塔莉坐在皮查克河泥濘的岸上，聊著大衛·卡西迪最新的專輯，一起吃跳跳糖。

回憶引出她的笑容，減輕了讓她驚醒的恐懼。

她知道除非有藥物幫助，否則無法再度入睡，但她不想吵醒夜班護士。更何況，她就快死了，何必睡覺？

這種陰鬱的念頭是這幾個星期才開始的。確認罹癌的那一天在她心中有如宣戰日，接下來幾個月她盡了一切努力，也爲了病房裡的家人微笑以對。

手術——沒問題，儘管割掉我的胸部。

放療——來吧，別客氣。

化療——毒素越多越好。

豆腐味增湯——好喝，再來一碗。

水晶，冥想，觀想，中藥。

她全部接受，而且無比熱中。更重要的是，她深信不疑，相信絕對能治癒。

她付出努力卻毫無成果，滿懷信心卻心碎收場。

她嘆口氣，揉揉眼睛，側身打開床頭燈。強尼早就習慣她時睡時醒的毛病，只是翻個身，低喃道：「妳沒事吧，老婆？」

「我很好。繼續睡。」

他含糊說了一句話，再次翻過身，很快她就聽見低低的鼾聲。

凱蒂伸手拿起塔莉送的筆記本，撫著眞皮封面與鍍金邊的紙張。

她知道會很痛苦。拿起筆來寫下她的人生，就表示她得回想所有往事，回憶她是怎樣的人、曾經想成爲怎樣的人。回憶將會很痛苦，無論好壞都令她傷心。

但她的孩子可以藉此忘記她的病，看見她這個人，他們永遠記得卻來不及眞正瞭解的人。

塔莉說得對，現在她能給孩子最好的禮物，就是讓他們知道眞正的她是怎樣的人。

她翻開筆記本，因爲不清楚該從何寫起，只好信筆而寫。

恐慌總是以相同的方式來襲。首先，我感到胃部上方糾結，接著變成噁心，然後是急促喘息，做再多次深呼吸也無法舒緩。但是讓我害怕的原因卻每天不同，無法預知什麼會讓我發作，或許是老公的一個吻，也可能是他後退時眼中徘徊不去的哀傷。有時候我感覺得出來，雖然我還在，但他已經開始哀悼、想念。更讓我難過的是，無論我說什麼，瑪拉都默默聽從，我好希望能找回從前針鋒相對的爭吵，就算只有一次也好。瑪拉，這是我想告訴妳的第一件事：那些爭吵才是眞正的人生。妳努力掙脫我女兒的身分，卻還不清楚怎麼做自己，而我則因爲擔心而無法放手。這是愛的循環，眞希望我在當時就能懂。妳外婆說過，有一天妳會因叛逆期的行爲感到抱歉，而我會比妳先知道。我曉得有些話妳後悔不該說出口，我也一樣，不過現在都不重要了，我希望妳知道。我愛妳，我知道妳也愛我。

不過這些也只是空言罷了，對吧？我希望能夠更深入，所以，請妳忍受我年久失修的鈍筆，聽我說一個故事。這是我的故事，也是妳的。故事的開端是一九六〇年，地點在北部的一個小農村，一片牧草地後方的小丘上座落著一棟木板屋。不過眞正精彩的部分是從一九七四年開始，天下最酷的女生搬進了對街的房子……

35

塔莉坐在化妝椅上，看著鏡中的自己。她在這位子度過許多歲月，但此時第一次察覺鏡子有多大，難怪名人很容易沉溺於自我。

她說：「查理，我不需要化妝。」說完便離開座位。

他目瞪口呆地望著她，染燙過度的長髮垂落臉上。「開玩笑的吧？再過十五分鐘就要上臺了。」

「讓他們看看我眞實的模樣。」

她在攝影棚繞一圈，巡視她的領土，看著她的員工來回奔忙，確認一切能順利運作，這可不容易，因爲今天要現場直播，而且她昨天凌晨三點才打電話通知大家要換主題。她知道好幾位製作人與工作人員加班到深夜，她自己也爲了研究資料而熬夜到將近兩點。她以傳眞與郵件的方式聯絡了數十位世界頂尖的腫瘤專家，花了無數個小時在電話上描述凱蒂的病情，但所有專家的答案都一樣。

塔莉束手無策。縱然她擁有名聲、成就與金錢，但現在都毫無用處，多年來她第一次感覺到自己平凡渺小。

不過，難得一次，她要說的事情意義深遠。

「歡迎收看『私房話時間』。」她像平常一樣說出開場白，但她忽然停下來，因爲感覺不太對勁。她望著觀眾，眼中卻只看到一群陌生人，這是個令人心慌的詭異時刻。她大半輩子一直在追求眾人的讚賞，而他們的無條件支持是她前進的動力。

他們察覺異樣，頓時安靜下來。

她在舞臺邊緣坐下。「你們一定都在想，我本人比電視上更瘦也更老，也不如你們想像中那麼漂亮。」

觀眾發出緊張的笑聲。

「我沒有化妝。」

他們報以熱烈掌聲。

「我不是想得到讚美，我只是……累了。」她環顧四周。「長久以來你們一直是我的朋友，你們寫信和郵件給我，當我去你們的城市辦活動，你們總會熱情參與，我非常感激。作爲回報，我盡可能呈現出自己最眞誠的一面，大概只有自白劑能讓我更誠實。你們還記得嗎？幾年前我最好的朋友凱蒂・雷恩受到突襲，就在這個舞臺上，始作俑者就是我。」

台下一片不安的低語，有人點頭也有人搖頭。

「唉，凱蒂得了乳癌。」

觀眾低聲表示同情。

「那種癌症非常罕見，開始的時候不會出現硬塊，只是起疹子或發紅，凱蒂的家庭醫生以爲只是蟲咬，所以開了抗生素給她。很不幸，許多女性都有同樣的遭遇，尤其是年輕女性。這種疾病叫作發炎性乳癌，可能具有侵略性，致死率相當高，凱蒂確認罹癌時已經太遲了。」

觀眾席鴉雀無聲。

塔莉抬起婆娑淚眼。「我們今天請到希拉蕊・卡勒登醫生來談談發炎性乳癌，讓各位知道有哪些症狀，比如出疹子、局部發熱、泛紅、皮膚橘皮化、乳頭凹陷，這些只是其中一部分，她會告訴我們除了硬塊還必須注意哪些異常。醫生帶了一位患者一起來上節目，這位是來自愛荷華州狄蒙市的梅瑞麗・康博，剛開始時，她發現左側乳頭邊有一塊皮屑剝落……」

塔莉的魅力有如承載的車輪，使得節目一如往常順利運行。她訪問來賓、播放照片，提醒百萬名觀眾光是定期接受乳房攝影還不夠，也要仔細觀察乳房的變化。一般節目到了尾聲時，都會以招牌金句「我們明天繼續聊」作爲結語，但今天她直視著鏡頭說：「凱蒂，妳是我最好的朋友，也是我見過最好的媽媽，只有穆勒齊伯母能和妳一較高下。」她對著觀眾微笑，簡潔地說：「接下來我會離開螢光幕很長一段時間，我要請假陪凱蒂，相信你們也會這麼做。」

此話一出，她立刻聽到一陣譁然，這次來自後臺。

「這個節目畢竟只是一個節目。現實生活屬於朋友和家人，不久之前，一位老朋友點醒了我，我確實有家人，而她現在需要我。」她拆下麥克風扔在地上，瀟灑地走下舞臺。

凱蒂住院的最後一夜，塔莉說服強尼先帶孩子回家，她佔據病房裡的另一張床。她將病床推過合成地板，和凱蒂的床靠在一塊兒。「我帶了最新一集節目的錄影帶給妳看。」

「只有妳才會覺得快死的人想看那個。」

「哈哈。」塔莉將錄影帶放進機器，按下播放鍵，她們有如兩個開睡衣派對的國二女生窩在一起看電視。

結束之後，凱蒂轉向她說：「眞不錯，看來妳還是不吝於利用我刺激收視率。」

「我保證內容很有意義且極具震撼力，也非常重要。」

「無論妳做什麼都這麼想。」

「才怪咧。」

「眞沒創意的回答。」

「就算好節目咬妳的屁股一口，妳也不知道那是什麼。」

凱蒂微笑，但笑容有些蒼白無力，就像她的膚色一樣。她沒了頭髮、雙眼凹陷，模樣顯得極度年輕虛弱。

「妳累了嗎？」塔莉坐起來。「不然我們睡覺好了。」

「我注意到了，妳在節目上對我道歉，雖然是用妳自己的方式。」她笑得更開懷了。「也就是說妳沒有承認自己很賤，也沒有實際說出對不起，不過我感覺得到妳的歉意。」

「是啊，唔，妳打了嗎啡，現在八成看到我在飛吧？」

凱蒂大笑，但笑聲很快變成嗆咳。

塔莉急忙坐直。「妳還好吧？」

「能好到哪裡去？」她伸手拿床頭櫃上的塑膠杯，塔莉探身過去將吸管放進她口中。「我開始寫我的故事了。」

「太好了。」

「我需要妳幫忙回憶。」她將杯子放回原位。「我人生中的大小事很多都和妳在一起。」

「感覺起來好像我們一輩子都在一起。老天，凱蒂，剛認識的時候我們好小喔。」

「我們現在也沒幾歲。」凱蒂輕聲說。

塔莉聽出好友的悲傷，呼應著她自己的心情。現在她不願意去想她們是多麼年輕，雖然這些年來她們一直打趣說對方老了。「妳寫了多少？」

「大概十頁。」塔莉沒有說話，凱蒂蹙眉。「妳怎麼沒有吵著要看？」

「我不想干擾妳。」

「別這樣，塔莉。」凱蒂說。

「哪樣？」

「把我當作快死的人。我需要妳……做妳自己，這樣我才能記得我自己，好嗎？」

「好，」她低聲說，承諾獻上她唯一擁有的東西：她自己。「我答應妳。」她的笑容很勉強，凱蒂也知道，接下來的日子顯然免不了將有更多謊言。「當然妳會需要我幫忙。我親眼目睹妳人生中所有重要的時刻，還過目不忘，這是種天分，就像我化妝和挑染的功力一樣，是天生的啦。」

凱蒂大笑。「這才是我的塔莉。」

即使有了可以自行調節用量的止痛藥，出院對凱蒂而言依然是艱辛的大工程。首先，驚動太多人，她的父母、小孩、老公、阿姨、姨丈、弟弟和塔莉全員出動；第二，移動太多次，下床、上輪椅、下輪椅、上車、下車、被強尼抱起來。

他抱著她走過小島上溫馨宜人的家，像往常一樣，這裡有著芳香蠟燭與昨天晚餐的氣味。她聞得出來，他煮了義大利麵，這代表明天的晚餐是墨西哥捲餅，因爲他只會做這兩道菜。她將臉頰靠在他柔軟的羊毛衣上。

我不在了以後，他要煮什麼給孩子吃？

這個問題讓她不由得倒抽一口氣，她強迫自己慢慢吁出。回到家有時會像這樣讓她心痛，和家人相處也是。說來或許有點奇怪，但最後的日子待在醫院裡反而比較輕鬆，身邊不會有這麼多東西讓她想到死亡。

不過，現在顧不得輕鬆了，陪伴家人才最重要。

現在所有人都在屋裡，像士兵一樣忙著各自的任務。瑪拉將雙胞胎趕回房間看電視，媽在準備焗烤，爸八成正幫忙修草坪，強尼、塔莉和凱蒂走向一樓客房，這裡已經改裝成她的病房了。

「醫生說妳需要醫院用的床，」強尼說，「我自己也買了一張，看到沒？我們可以像喜劇影集『我愛露西』的主角一樣，一人睡一張床。」

「當然嘍。」她原本想用就事論事的語氣，簡單承認她很快就會無法自行坐起身，但聲音背叛了她。「你……你重新油漆過了。」她對老公說。之前這個房間的牆壁是深紅色，搭配白窗框與紅藍色家具，營造一種海灘般的休閒氣氛，櫥櫃都是重新上色的古董，幾個玻璃碗裡放著貝殼作為裝飾，現在牆壁變成淺綠色，有點像芹菜的顏色，搭配粉紅色調做重點裝飾，到處放滿了裝在白瓷框裡的家庭照。

塔莉走上前。「其實是我弄的。」

「好像跟氣象有關。」強尼說。

「是氣輪才對。」塔莉糾正他。「妳八成覺得很蠢，但是……」她聳肩。「我做過一集相關的節目，反正沒壞處。」

強尼將凱蒂放在床上，幫她蓋好被子。「浴室完全改裝過了，妳需要的東西都備齊了，扶手、淋浴椅，還有他們推薦的一堆東西。醫院的護士會來……」

她不確定什麼時候閉上了眼睛，她只知道自己睡著了。某個地方的收音機播放著〈美夢（就是這麼做的）〉，她聽見遠處的交談聲，然後強尼親吻她，說她很美，聊起以後要去度假的地方。

她猛然驚醒，房間裡伸手不見五指，顯然她一路睡到了天黑，一旁點著一個尤加利香味的蠟燭。黑暗讓她暫時產生錯覺，以為沒有別人在。

房間另一頭有動靜，有呼吸聲傳來。

凱蒂按鈕將床立成坐姿。「嗨。」她說。

「嗨，媽。」

她的眼睛適應了黑暗，看到女兒坐在角落的椅子上。瑪拉雖然一臉倦容但還是很美，凱蒂的心不由得揪緊。重新回到家讓她徹底看清每個人，即使在黑暗中也一樣清晰。她看著青春期的女兒，一頭長黑髮，為了不讓瀏海弄到眼睛所以夾著孩子氣的髮夾，她彷彿可以看到女兒的人生歷程，小時候的樣子，現在的樣子，以及成年後的樣子。

「嗨，寶貝女兒。」她微笑著側身打開床頭燈。「可是妳已經不是我的小寶貝了，對吧？」

瑪拉離開座位走過來，雙手擰在一起。雖然她的美貌不輸成人，但眼中的恐懼讓她感覺像回到十歲。

凱蒂努力思索該說什麼。她明白瑪拉有多麼希望一切恢復正常，但是不可能了，從今以後她們之間說過的每句話都將別具意義，也成爲回憶。這是生命的簡單現實，或者該說死亡。

「以前我對妳很壞。」瑪拉說。

爲了這一刻，凱蒂等了好多年，和瑪拉鏖戰的那段時間，她甚至會夢到這一刻。現在從遙遠的角度重新去看，她才知道那些爭吵只是日常生活的一部分，少女拚命想長大，而媽媽則極力想留住她。老實說，她願意用一切換取再次和她吵架，因爲那代表她們還有時間。

「以前我對外婆也很壞。青春期的女生都是這樣，老愛找媽媽的麻煩，更別說妳的塔莉阿姨了，她對每個人都惡劣得要命。」

瑪拉發出一個聲音，半是鼻哼半是笑聲，還有滿滿的安心。「我不會告訴她妳說她壞話。」

「寶貝，相信我，她就算知道也不會覺得奇怪。我希望妳明白一件事，我欣賞妳耀眼的人格與精神，那是我的榮耀，妳會因此在人生中得到無比成就。」說到這裡，她看到女兒眼眶含淚，凱蒂張開懷抱，瑪拉俯身投入她懷中緊緊抱住。

因爲感覺太美妙，凱蒂可以就這麼抱著永遠不放。這些年來，瑪拉的擁抱總是很敷衍，不然就是在得償所願時作爲獎賞，不過這次是眞心的。瑪拉退開身時滿臉的淚。「記得嗎？妳以前會和我一起跳舞。」

「那時候妳還很小，我會抓著妳的手一直轉圈圈，逗得妳笑不停。有一次轉得太過頭，妳還吐了我滿身呢。」

「我們應該繼續跳舞，」瑪拉說，「不對，是我應該繼續跟妳跳舞。」

「別這麼說。」凱蒂說，「放下欄杆，過來坐在我旁邊。」

瑪拉費了一些工夫，但最後成功放開欄杆。她爬上床，屈起雙膝。

「妳跟詹姆士還順利嗎？」凱蒂問。

「現在換泰勒了。」

「他是好孩子嗎？」

瑪拉大笑。「我只能說他有夠性感。他邀請我去參加高三的舞會，我可以去嗎？」

「當然可以，但是要遵守門禁時間。」

瑪拉嘆氣。有些習慣來自於青春期的基因，看來就連癌症也無法不讓少女失望嘆息。「好啦。」

凱蒂摸摸女兒的頭髮，知道應該說些睿智的話讓女兒好好記住，但她想不出特別的大道理。「妳申請劇場的暑期工作了嗎？」

「今年我不想打工，我打算待在家裡。」

「親愛的，妳不可以讓人生停擺。」凱蒂輕聲說，「妳不是說暑期實習可以加分，有助於讓妳申請到南加州大學？」

瑪拉聳肩，轉過頭。「我決定念華盛頓大學，像妳跟塔莉阿姨一樣。」

凱蒂努力保持語氣平和，假裝這只是單純的母女閒聊，而不是可能導致坎坷人生的決定。「南加州大學有最好的戲劇系。」

「妳不希望我去那麼遠的地方。」

這倒是真的。當初凱蒂費了許多口舌力勸叛逆的女兒，說加州離家很遠，還有念戲劇系沒有前途。

「我不想談大學的事了。」既然瑪拉這麼說，凱蒂也只好暫時放下。

她們的話題不斷改變，接下來一個小時的時間，她們就這麼聊個不停。無話不說，除了「那件事」，近在眼前且即將改變所有人的那件事。她們聊男生、寫作，以及新上映的電影。

聊了一陣之後，瑪拉說：「今年暑假的話劇我要演女主角。因爲妳生病了，我本來不打算去試鏡，但是爹地說我應該去。」

「我很高興妳去了，我知道妳一定會表現得非常出色。」

瑪拉歡天喜地說個不停，劇情、服裝以及她的角色。「眞等不及想讓妳看。」她瞪大眼睛，忽然意識到這句話牽涉到她極力避免的話題。「對不起。」

凱蒂伸手摸摸她的臉頰。「沒關係，我會去。」

瑪拉低頭看著她。母女倆都心知肚明，這個承諾可能不會實現。「記得嗎？國中的時候艾胥麗跟我絕交，我一直不知道爲什麼。」

「當然記得。」

「妳帶我去吃飯，好像把我當朋友一樣。」

凱蒂用力嚥了一下，喉嚨後方嘗到眼淚的苦澀。「瑪拉，即使我們可能不曉得，但其實我們一直都是朋友。」

「媽，我愛妳。」

「我也愛妳。」

瑪拉擦乾眼淚，衝出房間，順手輕聲帶上門。

門很快又開了，因爲時間太短，凱蒂還沒擦乾眼淚就聽到塔莉說：「我有個計畫。」

凱蒂笑了，很慶幸塔莉讓她想起生命中還有趣味與驚喜，即使是在這種時候。「妳總是這樣。」

「妳信任我嗎？」

「當然，就算會導致我萬劫不復也不後悔。」

塔莉幫凱蒂坐上輪椅，爲她裹上好幾條毯子。

「我們要去北極嗎？」

「我們要到外面去。」塔莉打開通往露臺的落地窗。「妳夠暖嗎？」

「我都在流汗了。幫我拿床頭櫃上那個小包包好嗎？」

塔莉拿起包包放在凱蒂的腿上，然後過去推輪椅。

這是個清涼的六月夜晚，院子裡的景色美不勝收，令人驚喜。天空綴滿繁星，點點星光灑在漆黑的海灣上；遠處城市的燈光閃爍，一輪明月高掛天際；青草坡斜向大海，通往沙灘的泥土小徑上滿是玩具和腳踏車。

塔莉推她到露臺，走下最近才新增的木板無障礙坡道，然後停下腳步。「閉上眼睛。」

「外面很黑，塔莉，哪裡需要閉眼睛——」

「要我等多久啦！」

凱蒂大笑。「好啦，我閉就是了，免得妳亂發脾氣。」

「我才不會亂發脾氣呢。快閉上眼睛，然後伸出雙手，像機翼那樣。」

凱蒂閉上眼睛，伸出雙手。

塔莉推著輪椅經過凹凸不平的草坪，抵達通往海岸的緩坡時，她停下腳步。「我們又變回小孩了。」她在凱蒂耳邊低語。「現在是七〇年代，我們偷溜出門騎腳踏車。」她將輪椅向前推，輪椅在高低參差的草地上緩緩前進，壓過一個凹洞，塔莉繼續說著：「我們在夏季丘騎車，雙手放開，像瘋子一樣狂笑，以爲自己天下無敵。」

凱蒂感覺微風吹拂過光禿頭頂，吹過耳朵旁，不由令她雙眼泛淚。她嗅到長青樹木與肥沃黑土的氣味，她仰頭大笑，霎時間，只有一下心跳的瞬間，她回到了青春時光，與好友一同徜徉在螢火蟲巷，相信自己會飛。

她們到了坡道盡頭的海灘上，她睜開眼睛看著塔莉，那一刻，看著她意味深長的微笑，她憶起兩人之間發生過的大小事。星星有如螢火蟲，紛紛落在她們四周。

塔莉扶她坐在沙灘椅上，接著在她身邊坐下。

她們並肩坐著，就像以前那樣，聊著無關緊要的瑣事。

凱蒂回頭望著房子，確認露臺上沒有人後，她靠向塔莉低聲說：「妳眞的想回到小時候？」

「不，謝了。說什麼我也不要和瑪拉交換，那麼焦慮不安，總是小題大作。」

「可不是，妳從來不會小題大作。」凱蒂被自己的話逗笑了，從放在腿上的小包包裡拿出一根粗粗的白色大麻菸，塔莉目瞪口呆，凱蒂笑著點燃。「我有醫師處方。」

大麻的香氣甜膩又莫名懷舊，與鹹鹹的海風交融。一朵煙霧在兩人間升起又消失。

「妳怎麼可以一個人哈光所有草？」塔莉說，她們再次一起大笑。「哈草」這個詞讓她們飛回七〇年代。

她們來回傳遞，不停聊天傻笑，她們沉浸在往事中，沒聽見有人從後面過來。

「兩個壞丫頭，我才離開十分鐘，妳們就抽起大麻來了。」穆勒齊伯母站在那兒，穿著褪色牛仔褲和九〇年代買的T恤——搞不好是八〇年代，一頭白髮用大腸圈綁成歪歪的馬尾。「妳們應該知道一旦碰了那玩意就會越陷越深，最後沾上快克或迷幻藥。」

塔莉死命忍住笑，也眞的成功了。「對快克說不。」

「瑪拉挑褲子的時候我也說過類似的話，對股溝說不。」凱蒂格格笑著。

穆勒齊伯母拉過一張沙灘椅放在凱蒂旁邊，坐下之後靠過去。

一時間她們只是坐在那兒對看，煙霧兀自冉冉上升。

穆勒齊伯母終於開口了：「我不是教過妳要分享嗎？」

「媽！」

穆勒齊伯母揮揮手。「妳們這些七〇年代的丫頭自以爲很酷，聽清楚了，我可是混過六〇年代的，妳們那些花樣我全玩過。」她搶走大麻菸，放進嘴裡，深深吸了一大口，憋住，然後一口氣呼出。「眞是的，凱蒂，妳以爲我是怎麼熬過妳們的青春期？我的兩個丫頭每天晚上溜出去摸黑騎腳踏車。」

「妳知道？」塔莉問。

凱蒂大笑。「妳不是說靠酒精嗎？」

「噢，」穆勒齊伯母說，「那個也有。」

凌晨一點，她們進廚房翻冰箱，強尼進來，發現桌上堆滿垃圾食物。「有人偷抽大麻喔。」

「別告訴我媽。」凱蒂說。

媽媽和塔莉同時大笑出聲。

凱蒂靠在輪椅上，傻呵呵對老公笑。他戴著雙焦眼鏡，身穿滾石樂團T恤，遠處的昏黃走廊燈一照，他顯得像個有個性的老教授。「你應該是來跟我們一起開派對的吧？」

他走向她，彎下腰低語：「我們去開私人派對吧？」

她勾住他的頸子。「正合我意。」

他將凱蒂橫抱起來，對其他人道晚安，帶她回到兩人的新臥房。她緊緊偎靠著，臉埋在他的頸彎，他早上刮鬍子時抹上的古龍水到現在還殘留著一絲香氣，那是每年聖誕節孩子送的便宜貨。

進了浴室，他協助她上廁所，她刷牙洗臉時他在旁邊讓她靠著，到穿上睡衣時，她已經耗盡了體力。她扶著強尼的手臂蹣跚走向床，走到一半時，他再次抱起她，將她放在床上並蓋好被子。「沒有你躺在身邊，我會睡不著。」她說。

「我就在旁邊，距離頂多十呎。如果妳晚上需要什麼東西，喊一聲就好。」

她摸摸他的臉。「我需要你，你知道的。」

這句話讓他的表情垮下，她看出她罹癌對他造成多大的折磨，他的樣子老了很多。「我也需要妳。」他彎腰親吻她的前額。

沒想到這個吻會令她如此心驚，只有老人和陌生人才會吻前額，她抓住他的手，焦急地說：「我不會碎掉。」

他凝望她的雙眼，緩緩親吻她的嘴唇，在那無比璀璨的一刻，時間與明天都被拋在腦後，只有單純的他們倆。他退開時，她感覺有些冷。

眞希望有什麼話可以說，幫助他們走過這段艱辛的道路。

「晚安，凱蒂。」他終於說，然後轉身離開她。

「晚安。」她低聲回答，目送他走向另一張床。

36

接下來一個星期，凱蒂暢享初夏陽光，白天都窩在海灘躺椅上，裹著心愛的織毯拚命寫回憶錄，不然就是和孩子、老公或塔莉聊天；晚上則所有人團聚一堂，路卡和威廉說著世上最長、最沒完沒了的故事，大家都笑得很開心。大人會圍坐在壁爐前，他們越來越常聊起往事，當時的他們都太年輕，以至於不知道自己很年輕，世界對他們敞開，夢想像雛菊一樣隨手即可摘取。最好笑的則是看塔莉做家事，她燒焦晚餐，還抱怨小島生活太不方便，竟然沒有外送服務；她也把衣服洗壞，問了好幾次還是不會用吸塵器。她聽到好友嘀咕說：「家庭主婦眞不是人做的，妳怎麼沒告訴我？難怪十五年來妳都累得像狗一樣。」凱蒂簡直樂歪了。

換個狀況，或許凱蒂會認爲這是人生中最美好的時光，所有人都這麼關注她。

但無論他們多麼努力假裝正常，他們的人生依然如同擦不乾淨的窗戶，每件事、每個時刻都籠罩著病魔的陰影。一如往常，凱蒂必須帶領大家，必須滿面笑容、樂觀以對，只要她有體力、有精神，他們就能安心，也就可以繼續談笑，假裝一切正常地繼續過日子。

爲了他們的心情而硬撐其實讓她很累，但她又能怎麼辦呢？有時候，當負擔太過沉重，她就會增加止痛藥的劑量，在沙發上窩在強尼身邊入睡，醒來時她永遠都能再擺出笑容。

星期天早上特別辛苦。今天大家都來了，爸、媽、尙恩、他的女朋友、塔莉、強尼、瑪拉和雙胞胎，他們輪流說著生活點滴，對話幾乎沒有停止的時候。

凱蒂聆聽、點頭、微笑，假裝吃喝，其實她頭暈噁心且劇痛難耐。

第一個察覺她不對勁的人是塔莉。大家正享用著媽媽做的法式鹹派，塔莉忽然抬頭看著她。「妳的氣色好差。」

全體一致同意。

凱蒂原本想打趣蒙混，卻因爲嘴巴太乾而發不出聲音。

強尼將她一把抱起送回房間。

她回到床上再次施打藥物，她抬頭看著老公。

「她還好嗎？」塔莉進來，站在強尼身邊。

凱蒂看著這兩個人並肩站在一起，對他們的愛強烈到使她心痛。她依舊感覺到一絲醋意，但她早就習慣了，感覺像心跳一樣平常。

「我原本希望如果狀況好一點，可以和妳一起去逛街。」凱蒂說，「我想幫瑪拉挑選舞會穿的禮服，現在只好由妳來了，塔莉。」她盡可能擠出微笑。「不要挑太暴露的款式，好嗎？選鞋子的時候也要注意，瑪拉以爲她已經能穿高跟鞋了，但我擔心……」凱蒂蹙眉。「你們兩個有沒有在聽？」

強尼對塔莉一笑。「妳有說話嗎？」

塔莉模仿郝思嘉的動作，一手按著胸口假裝無辜。「我？你也知道我有多麼寡言，大家都說我太文靜呢。」

凱蒂控制病床立起，「你們兩個不要再搞笑了，我在說很正經的事情。」

門鈴響了。「會是誰呢？」塔莉說，「我去看。」

瑪拉探頭進病房。「他們來了。她準備好了嗎？」

「誰來了？我要準備做什麼？」凱蒂的話才剛說完，好戲就開始上演了。首先是一個穿連身工作服的男人推著一座掛衣架進來，上面掛滿及地長禮服，接著瑪拉、塔莉和媽媽全部擠進小房間。

「好了，爸，」瑪拉說，「男性止步。」

強尼吻一下凱蒂的臉頰，離開了房間。

「有錢又有名唯一的好處呢，」塔莉說，「嗯，好處其實很多啦，不過其中最棒的是，只要打電話跟諾斯莊百貨公司說一聲，他們就會送來四到六號尺碼的所有舞會禮服。」

瑪拉走到床邊。「媽，我第一次參加舞會，要挑禮服怎麼可以少了妳？」

凱蒂不確定該哭還是該笑，最後變成又哭又笑。

「別擔心。」塔莉說，「我特別交代業務小姐不要送太暴露的款式來。」

這句話逗得三個人一起笑了起來。

一週週過去，凱蒂感覺自己越來越衰弱。儘管她努力硬撐，並刻意保持樂觀的態度，但她的身體有許多小地方開始失能。她會想不起字詞，無法說完一個句子，手指虛弱抖個不停，噁心反胃的感覺經常強烈到無法忍受，而且很冷，她經常覺得冷到骨子裡。

此外還有疼痛。到了七月下旬，當夜晚越來越長，空氣中瀰漫著過熟桃子般甜膩悶熱的氣味，她的嗎啡用量已經增加將近一倍，完全沒有人制止她。正如醫生所說：「比起妳身體的狀況，藥癮只是小問題。」

她的演技很不錯，所以沒人察覺她變得多麼虛弱。噢，他們知道她必須坐輪椅才能去海灘，往往晚上的影片還沒播放她就睡著了，而在夏季的日子裡，這個家經常處於變動狀態。塔莉盡可能接手凱蒂白天的雜務，於是凱蒂有很多時間可以寫回憶錄，最近她開始擔心可能來不及寫完，這個想法讓她很害怕。

奇怪的是她並不怕死，至少沒有以前那麼害怕了。噢，有時候當她想到「那一天」時，依然會感到恐慌，但這種情況越來越少了，大部分的時候她都只想著：讓我休息吧。

不過，她不能說出口。雖然塔莉每天都花好幾個鐘頭陪她說話，但她也無法對塔莉說。只要凱蒂提起以後的事，她就會做個苦瓜臉，然後胡亂說笑。

死亡是很孤單的一件事。

「媽？」瑪拉打開門，輕聲呼喚。

凱蒂強迫自己微笑。「嗨，親愛的，妳不是要和朋友去立托海灘嗎？」

「原本是。」

「爲什麼不去了？」

瑪拉走過來，恍惚間凱蒂有點認不出女兒，她又抽長了一些，身高將近六呎，身材開始變得曼妙，在凱蒂眼前漸漸變成了成熟女人。「我有事要做。」

「好吧，什麼事？」

瑪拉轉身回到走廊張望一下，再回到凱蒂身邊。「妳可以去客廳嗎？」

凱蒂非常想說「沒辦法」，幾乎就要說出口了，但最後還是說：「當然可以。」她穿上睡袍、戴上連指手套和毛線帽，奮力抵抗反胃與疲憊，以很慢的動作下床。

瑪拉攙著她的手臂幫她站穩，一時間彷彿她才是媽媽；她領著凱蒂到客廳，雖然天氣很熱但壁爐裡依然生了火，路卡和威廉並肩坐在沙發上，身上還穿著睡衣。

「嗨，媽咪。」他們同聲打招呼，開心笑著，露出明顯的牙縫。

瑪拉扶凱蒂到雙胞胎旁邊坐好，幫她拉好睡袍蓋住雙腿，然後在另一邊的位子坐下。

凱蒂微笑。「感覺很像妳小時候玩演戲。」

瑪拉點頭，靠在她身上，但是她看凱蒂時並沒有笑。「很久以前，」她用有些哽咽的聲音說，「妳給了我一本很特別的書。」

「我給過妳很多書。」

「妳說有一天當我感到傷心迷惘，我會需要這本書。」

凱蒂忽然很想抽身離開，但孩子從兩邊夾住她。「對。」她只能這麼說。

「過去幾個星期，有好幾次我試著去讀，但都沒辦法。」

「沒關係——」

「後來我想通原因了，我們大家都需要這本書。」她伸手從沙發旁的小茶几上拿起《哈比人》，就是凱蒂從前送她的那一本。感覺像是無比久遠以前的事了，她將自己最喜歡的小說傳承給女兒，既像是上輩子，也像是上一秒。

「萬歲！」威廉喊，「瑪拉要說故事給我們聽。」

路卡用手肘推他一下。「別吵。」

凱蒂一手摟著雙胞胎，望著女兒誠摯的美麗臉龐。「好。」

瑪拉往後靠，窩在凱蒂身邊翻開書。開始時她的聲音感覺快哭了，但隨著故事進展，她找回了勇氣。「地上的一個洞穴裡，住著一位哈比人……」

八月結束得太快，轉眼間便融入慵懶的九月。凱蒂努力體會每一天的每一刻，但即使心態再樂觀，依然無法改變醜惡的現實：她的身體每況愈下。

她攀著強尼的手臂集中精神走路，穿著睡鞋的一腳放在另一腳前，保持著呼吸。她不喜歡去哪裡都得坐輪椅，也不喜歡像小孩一樣被抱來抱去，然而行走越來越困難。她的頭也很痛，火燒般的痛，有時候痛起來她會無法呼吸，也認不得身邊的人事物。

「妳需要氧氣筒嗎？」強尼彎腰在她耳邊問，以免被孩子聽見。

「我喘得像參加環法自行車大賽的蘭斯．阿姆斯壯。」她擠出笑容。「不用了，謝謝。」

他扶她在露臺上她最喜歡的椅子上坐好，用一條羊毛毯將她緊緊裹住。「我們都出門去，妳一個人眞的沒問題？」

「當然。瑪拉需要排演，雙胞胎也不想錯過小聯盟比賽，更何況，塔莉很快就回來了。」

強尼大笑。「很難說喔。就算只是買一餐要用的菜，她耗在超市的時間之久，我都可以製作出一整部紀錄片了。」

凱蒂也笑了。「她正在學習很多新技能。」

他出門後，身後的屋子陷入陌生的寂靜。她望著波光瀲灩的碧藍海灣，以及對岸城市如王冠般的天際線，忽然想起當年住在那裡的往事。派克市場附近的公寓，她是個穿著墊肩上衣、腰封和抓皺皮靴的年輕上班族；她對強尼一見鍾情，她依然記得他們之間許多重要的時刻，第一次接吻後他喚她的名字，然後說不想傷害她。

她伸手由旁邊的袋子裡拿出筆記本低頭望著，撫摸封面上的皮革紋路。就快完成了，她已經全部寫下來了，至少她能記得的事情都寫了。這本回憶錄給了她很大的幫助，她希望有一天能也能幫助她的孩子。

她翻到先前停筆的那一頁寫下：

> 寫自己的人生故事就是這麼奇妙。一開始會試著回想日期、時間與人名，以爲細節最重要，以爲回顧時應該會記起種種成功與失敗、青年與中年的時間脈絡，但結果並非如此。
>
> 愛、家人與歡笑，當一切說完做盡之後，我記得的只有這些。這一生中大部分的時間，我都嫌棄自己做得不夠多、企圖不夠大，看來我可以原諒自己的愚昧，因爲當時的我太年輕。我希望子女明白他們是我的榮耀，我也深深以自己爲榮。我所需要的就是我們一家人，你們、爹地、我，我所嚮往的一切都成眞了。
>
> 愛。
>
> 這就是我所記得的一切。

她闔上筆記本。她想說的話都寫下來了。

塔莉從超市回到家時，彷彿完成了豐功偉業。她將袋子放在流理檯上，一一整理好後，開了一罐啤酒往外走。

「凱蒂，超市根本是叢林。我好像在該往前走的地方往回走，可能把出口誤認爲入口，我到現在都還搞不清楚。大家把我當成頭號公敵，我從來沒有聽過那麼多車同時按喇叭。」

「家庭主婦買菜的時間很有限。」

「眞不懂妳怎麼能辦到，我每天早上不到十點就累癱了。」

凱蒂大笑。「坐下。」

「如果我躺下來翻轉、裝死，妳會賞我餅乾嗎？」

凱蒂遞上筆記本。「拿去吧，妳是第一個看的人。」

塔莉猛吸一口氣。整個夏天她都看到凱蒂努力寫，一開始很快、很輕鬆，漸漸變得越來越吃力，最近幾個星期，她做任何事都只能用慢動作。

她慢慢坐下——其實是倒在沙發上，喉嚨哽塞無法言語。她知道裡面的內容會讓她哭，也會讓她樂上天。她伸手握住凱蒂的手，翻開回憶錄的第一頁。

一個句子跳到她眼前。

第一次見到塔莉・哈特時，我心裡想：哇塞！眞壯觀的海咪咪！

塔莉大笑著繼續讀下去，一頁接著一頁。

我們要偷溜出去？

還用說嗎？去牽妳的腳踏車。

我只是幫妳修出眉形……噢……不妙……

妳掉頭髮了……我還是再看一次使用說明好了……

塔莉大笑著轉向她。那些話、那些回憶，在這璀璨的瞬間，讓一切恢復正常。「妳怎麼有辦法和我做朋友？」

凱蒂報以微笑。「我怎麼有辦法不和妳做朋友？」

塔莉躺上凱蒂和強尼的床，感覺像做賊。她知道讓她睡這個房間是很合理的安排，但今晚感覺起來比平常更怪。那本回憶錄讓塔莉想起她與凱蒂所擁有的一切，以及她們失去的一切。

凌晨三點，她終於入睡了，但睡得很不安穩。她夢見螢火蟲巷，兩個少女半夜騎腳踏車衝下夏季丘，風中傳來新割牧草的香氣，繁星燦爛耀眼。

看啊，凱蒂，不握把手。

可是凱蒂不在。她的腳踏車倒在路邊，塑膠把手上的白色彩帶翻飛。

塔莉喘著氣坐起來。

她渾身發抖，下床穿上睡袍。在走廊上，她經過無數紀念品、她們結識幾十年來的照片，以及兩扇關著的門，裡面熟睡的孩子很可能也做了同樣的惡夢。

她到樓下泡了一杯茶，走出露臺，天色還很黑，清涼的空氣讓她的呼吸恢復正常。

「做惡夢了？」

強尼的聲音嚇了她一跳。他坐在露臺躺椅上望著她，眼中藏著悲傷，同樣的悲傷充滿了她全身的毛孔與細胞。

「嗨。」她坐在旁邊的椅子上。

海灣吹來冷風，詭異呼嘯壓過熟悉的海浪聲。

「我不知道該怎麼面對。」他輕聲說。

「凱蒂也說過同樣的話。」此話一出，她醒悟到他們是多麼相似，塔莉不禁心痛起來。

「你們兩個的愛情故事很感人。」

他轉頭看她，在瑩亮月光下，她看出他下顎的線條多麼緊繃，眼睛周圍也看得出勉強。他將哀傷全數壓抑在心底，爲了所有人拚命堅強起來。

「你知道，在我面前你不必這樣。」她輕聲說。

「哪樣？」

「裝堅強。」

這句話似乎讓他的心得到解放，他的眼眸閃著淚光，身體頹然往前倒，肩膀默默顫抖。她牽起他的手緊緊握住，讓他盡情哭泣。

「二十年來，每次我一轉身，你們兩個就湊在一起。」

塔莉和強尼同時回頭。

凱蒂站在他們身後敞開的門口，裹著一件尺寸超大的毛巾布睡袍。她頂著光頭、瘦骨嶙峋，彷彿偷穿媽媽衣服的小孩。之前她對他們兩個說過這種話，他們都知道，但這次她帶著笑容，表情惆悵又平和。

「凱蒂，」強尼的聲音沙啞、眼眶含淚。「不要……」

「我愛你們兩個。」她沒有走過來。「你們可以彼此安慰……互相照顧，一起照顧孩子……我走了以後……」

「別說了。」塔莉哭出來。

強尼站起來，溫柔地抱起老婆親吻，持續了很久很久。

「強尼，帶她去你們的床上。」塔莉努力擠出笑容。「我去睡客房。」

強尼抱她上樓，動作如此小心，她想忘記自己生病了都沒辦法。他將她放在床邊。「把火生起來。」

「妳會冷？」

冷到了骨子裡。她點頭，謹慎地試著坐起來，他走到另一頭去啓動瓦斯壁爐，呼咻一聲，假柴薪冒出藍色與橘色的火焰，爲黑暗的房間添上柔和金黃。

他回來躺在她身邊，她緩緩伸手用指尖描繪他嘴唇的線條。「你第一次挑逗我的時候也是在壁爐前，記得嗎？」

他微笑，她像盲人一樣用敏感的指尖探索他嘴唇的弧度。「我怎麼記得是妳挑逗我？」

「假使現在我想挑逗你呢？」

他的表情如此驚恐，她很想笑，可是這件事並不好笑。「可以嗎？」

他將她擁入懷中。他一定覺得她變得太瘦，人都快不見了，她也這麼想。

人都快不見了。

她閉上雙眼，緊緊摟住他的頸子。

床忽然間變得好大，比起樓下的病床，這張床有如白色純棉的大海。

凱蒂緩緩解開睡袍，脫掉睡衣，盡可能不介意自己蒼白枯瘦的雙腿，更慘的是她的胸部，那裡早已淪爲抗癌戰場。她的外表殘破不堪，胸前如小男生平坦，差別在於她有一大堆疤。

強尼脫掉衣服踢開，回到床上躺在她身邊，拉起被子蓋住兩人的下半身。

她看著他，心跳加速。

「妳好美。」他靠過來親吻她的疤。

安心與愛意打開了她的內心。她親吻他，呼吸已經變得又重又急。結婚二十年來，他們親熱的次數成千上百，每次都非常美好，但這次很特別，雙方的動作都必須非常輕柔，她知道他很怕會弄斷她的骨頭。後來她不太記得過程如何，不確定她何時爬到他身上，只知道她需要他全身的每個部位。她的所有存在，從以前到現在，都與這個男人密不可分。當他終於進入，以緩慢柔和的動作充滿她，她降下身體迎接，在那無比美妙的瞬間，她重新圓滿了。她彎腰親吻他，嘗到了他的淚水。

他喊她的名字，因爲聲音太大，她不得不摀住他的嘴，可惜她喘不過氣了，否則一定會取笑他的失控，低聲說：「孩子會聽見啦！」

幾秒後，高潮讓她忘卻一切，只剩下感官的歡愉。

終於，她微笑著偎在他懷中，感覺自己變年輕了，他摟著她，將她拉近。他們很久沒動，半靠半躺在枕頭堆上，沒有開口，只是望著爐火。

然後，凱蒂低聲說出藏在心裡很久的話：「想到以後你會孤孤單單，我就難過得受不了。」

「我永遠不會孤單，我們有三個孩子呢。」

「你知道我不是說那個。我可以接受你和塔莉——」

「別說了。」他終於看著她，那雙熟悉的眼眸中滿是深刻的悲傷，不亞於她心中的感受，她好想哭。

「我愛的人一直都是妳，只有妳一個，凱蒂。塔莉只是很多年前的一夜情，當時我並不愛她，從來沒有愛過她，一秒都沒有。妳是我的心、我的靈魂、我的世界，妳怎麼會不知道？」

他沒有說謊，她從他的臉上看得出來，由他顫抖的聲音聽得出來，她覺得自己很可恥，一直以來她都應該明白。「我知道。我只是擔心你和孩子，我不希望……」

談這個話題就像在強酸中游泳，全身的肌肉、骨骼都受到腐蝕。「我知道，寶貝。」他終於說，「我知道。」

37

暑期話劇演出當日，天氣晴朗，萬里無雲，西北地區典型的美麗秋日午後。這是瑪拉的大日子，凱蒂很想幫忙，但實在沒力氣多做什麼，光是微笑就很費力了。現在她雙眼後方的疼痛幾乎沒有平息的時候，有如無法按停的喧囂鬧鐘。

於是凱蒂將工作交給塔莉，她的表現十分稱職。

凱蒂幾乎整天都在睡。夜色降臨時，她勉強算養足了精神，準備好面對接下來的大挑戰。

六點四十五分，塔莉問：「妳確定真的可以？」

「我準備好了。妳可以幫我化妝嗎？我不想嚇到小孩子。」

「我以爲妳不會開口呢。我帶了假髮來，不知道妳想不想戴。」

「太好了。我自己早該想到，可是我的腦細胞死光了。」她拿起氧氣罩吸了幾口。

塔莉去拿化妝箱。

凱蒂控制病床坐起身，然後閉上眼睛。「感覺像回到從前。」

塔莉施展魔法，畫上眉毛，貼上睫毛，同時不停說話，凱蒂讓自己隨好友的聲浪起伏。

「妳知道，這是種天賦。妳有剃刀嗎？」

凱蒂很想笑，可能真的笑出來了。

「好了。」塔莉終於說，「來試試假髮吧。」

凱蒂取下絨線帽與連指手套。她總是覺得很冷。

塔莉幫她戴上假髮調整好，再幫凱蒂換上黑色羊毛洋裝、褲襪與靴子。坐上輪椅之後，兩人合力裹上毯子，塔莉將她推到鏡子前。「不錯吧？」

她望著鏡中人，蒼白消瘦的臉，人工畫出的眉毛使眼睛顯得更大，長度披肩的金髮耀眼，朱唇完美。「很漂亮。」她希望自己聲音夠眞誠。

「很好。」塔莉說，「我們去叫大家集合準備出發了。」

半個小時後，車子停在演藝廳前。他們到得太早，停車場裡沒有其他車。

好極了。

強尼抱凱蒂坐上輪椅，幫她蓋好毯子，率先往前門走去。

進去後，他們幾乎佔了第一排所有位置，替還沒到的家人預留座位。凱蒂的輪椅停在走道盡頭。

「我去接妳爸媽和雙胞胎，大約三十分鐘就會回來。」強尼對凱蒂說，「妳還需要什麼嗎？」

「沒有了。」

他離開後，她與塔莉坐在空蕩蕩的陰暗演藝廳中，凱蒂打個冷顫，將毯子拉緊。她的頭陣陣抽痛，覺得噁心反胃。「塔莉，跟我說說話，什麼都好。」

塔莉立刻照辦，聊起昨天彩排的經過，抱怨她永遠弄不懂學校接送區的潛規則。

凱蒂閉上雙眼，她們忽然像又回到小時候，坐在皮查克河畔幻想未來。

我們會成爲電視記者。有一天我會對麥克・華萊士說，因爲有妳我才能成功。

夢想。當時的她們擁有那麼多夢想，多麼不可思議，其中大部分都實現了。奇怪的是，當她有機會的時候卻不夠重視。

她靠在輪椅上，低聲說：「我記得妳認識南加州大學戲劇課程的負責人，現在還有聯絡嗎？」

「有。」塔莉看著她，「什麼事？」

凱蒂感覺到塔莉在端詳她的側臉，她沒有看她的眼睛，只是調整一下假髮。「打個電話給他，瑪拉一定很想進那所學校。」這句話勾起一個念頭：到時候我就不在了，沒辦法幫她。瑪拉上大學的時候，她無法陪在她身邊……

「妳不是不希望她念藝術嗎？」

「我的小寶貝會落入好萊塢，想到我就怕得要命，然而，妳是電視明星，她老爸是新聞製作人，可憐的孩子，從小身邊都是些愛作夢的人，她哪有平凡的機會？」她伸手捏捏塔莉的手，其實她很想看著塔莉，但她做不到，也沒有勇氣。「妳會照顧她和雙胞胎吧？」

「永遠。」

凱蒂感覺微笑浮現，短短兩個字便稍微減輕了她的悲傷。塔莉的好處就是言出必行。「說不定妳可以再去找白雲。」

「太神奇了，妳竟然會提到這件事。我正打算去找她，有一天一定會去。」

「很好。」凱蒂的語氣溫柔但堅定。「查德說得對，我的想法才有錯。人生走到……盡頭，才會發現愛和家人最重要，其他都無所謂。」

「凱蒂，妳就是我的家人。」

「我知道。妳以後會需要更多家人，等我——」

「拜託別說出來。」

凱蒂看著好友，總是勇往直前、無所顧忌、超凡出眾的塔莉，這些年來她所向披靡，有如叢林中的雄獅，永遠居於王者地位，現在她卻變得安靜畏縮。光是想到凱蒂會死，她便整個人洩了氣，有如喪家之犬。「塔莉，我一定會死，就算不說也不會改變。」

「我知道。」

「我希望妳明白一件事：我愛我的人生。一直以來我等候著精彩劇情展開，期待著更多成就，感覺起來我的人生都在接送小孩、買菜與等待中度過，可是妳知道嗎？家人的大小事我全都沒錯過，時時刻刻我都在他們身邊，我會記得這一切，而且他們有彼此可以依靠。」

「嗯。」

「不過，我很擔心妳。」凱蒂說。

「妳就是愛操心。」

「妳害怕愛，可是又有很多愛可以給予。」

「我知道很多年來我一直吵著說一個人很寂寞，還經常勾搭上壞男人或有婦之夫，但老實說，事業才是我的眞愛，大部分的時候只要有工作就夠了。我一直過得很快樂，我希望妳知道這件事，這對我很重要。」

凱蒂露出疲憊的笑容。「妳也知道，妳讓我感到很光榮，我告訴妳的次數好像不太夠。」

「我也以妳爲榮。」塔莉望著好友，在那一眼中，三十多年的歲月紛至沓來，讓她們想起小時候的自己，曾經一起做過的夢，以及長大後的模樣。「我們這一生過得還不賴，對吧？」

凱蒂還來不及回答，便聽到演藝廳的門砰一聲被打開，觀眾開始入場。

強尼、爸、媽和雙胞胎坐下後沒多久，劇場燈光就開始閃。

接著舞臺燈亮起，沉重的紅絲絨簾幕緩緩開啓，尾端在木質舞臺上拖過，小鎭布景出現，畫工水準相當低。

瑪拉上臺，穿著高中話劇版的十九世紀服裝。

瑪拉一開口，感覺像施了魔法。

沒有其他方式可以形容。

凱蒂感覺塔莉握住她的手輕輕一捏。瑪拉下臺時全場起立鼓掌，凱蒂心中漲滿了榮耀，她靠向塔莉低聲說：「現在我知道爲什麼我會幫她取跟妳一樣的中間名了。」

塔莉轉頭問：「爲什麼？」

凱蒂試著微笑，但沒有成功，她幾乎花了整整一分鐘才有辦法說出答案。「因爲她擁有我們各自的優點。」

十月裡一個陰冷下雨的夜晚，最後一刻終於來臨。她所愛的人都守在病床邊，她一一道別，對每個人低聲說一句特別的話。雨打窗櫺，夜色降臨，她最後一次闔上雙眼。

凱蒂的最後一張代辦事項清單列出了葬禮的所有安排，塔莉一一恪守。島上的天主教堂擺滿了照片、花朵，親朋好友齊聚一堂，凱蒂選了塔莉最愛的花，而不是自己喜歡的那種，這就是她。

這幾天以來，塔莉心無旁鶩。她打理所有程序，負責每件大小事，讓雷恩與穆勒齊兩家人能牽著手坐在海灘上，偶爾想起來時說個幾句話。

爲了這一天，塔莉做足心理準備，提醒自己她是專業人士，無論任何狀況，她都能擺出微笑順利克服。

然而，眞的到了這一刻，當車子停在教堂門前，她徹底陷入恐慌。「我辦不到。」她說。

強尼握住她的手，她等候他說安慰的話，但他沒有開口。

他們默默坐在車上，三個孩子在後座，五個人一起望著教堂，這時穆勒齊一家的車過來停在旁邊。

時候到了。他們像烏鴉般集體行動，希望能藉人數增加勇氣。他們牽著手從大批悼客旁走過，踏上巨大的石階進入教堂。

「我們的位置在左邊第一排。」穆勒齊伯母靠過來低聲說。

塔莉看看瑪拉，她靜靜哭泣的模樣令塔莉心疼。

她很想過去安慰乾女兒，告訴她不會有事，但她們都知道那只是空言。「她非常愛妳。」在那奇異的瞬間，她忽然能夠想見她們未來的模樣。她和瑪拉有一天將成爲朋友，有一天塔莉會將凱蒂的回憶錄交給她，和她一起回憶她媽媽的點點滴滴，那些往事會將兩人聯繫在一起，凱蒂會在那些珍貴的時刻回到她們身邊。

「走吧。」強尼說。

塔莉無法動彈。「你們先去吧，我想在這裡站一下。」

「眞的？」

「眞的。」

強尼捏捏她的肩膀，帶著兒女往前走。穆勒齊伯父和伯母、尚恩、喬治雅阿姨與其他家屬跟著進去，彎腰走進第一排坐下。

上方的管風琴開始以哀傷的慢版演奏〈攜手挑戰全世界〉。

塔莉不想在這裡，不想參加這種儀式。她不想聽催人熱淚的感傷音樂，也不想聽神父講述他所認識的凱蒂，比起塔莉對她的瞭解，神父所說的那個人只是影子，她更不想看到棺木上方的大螢幕播放凱蒂一生的照片集錦。

她想都沒想便轉身走了出去。

她呼吸著甜美清新的空氣，貪婪地大口吞吐，拚命想鎭定下來。她聽見教堂裡的音樂變成瑪麗亞・凱莉的〈甜蜜的一天〉。

她閉上雙眼，靠在門上。

「哈特小姐？」

她驚跳了下，睜開眼睛，就見葬儀社老闆站在最底層的石階上。他們之前見過，她送殮衣和製作集錦的照片過去給他。「是。」

「雷恩夫人託我轉交這個。」他遞上一個黑色大盒子。

「我不懂。」

「她生前將這個盒子交給我保管，並請我在葬禮當天交給妳。她說儀式一開始妳就會跑出來外面。」

雖然心痛得要命，塔莉依舊不禁莞爾。凱蒂當然會知道。「謝謝。」

她接過盒子，走下階梯，穿越停車場，過了馬路，在公園的鑄鐵長凳上坐下。她做個深呼吸，才打開盒子。最上面放著一封信，粗黑偏左的字體一看就知道是凱蒂寫的。

親愛的塔莉，

我知道妳一定無法忍受我的葬禮，因爲最耀眼的明星不是妳。希望妳至少有把我的照片送去修片。有很多事情應該跟妳說，但在這輩子的時間裡，該說的我們都說完了。

幫我照顧強尼和孩子，好嗎？讓雙胞胎學會紳士風度，讓瑪拉學會堅強。等他們長大了，將我的回憶錄交給他們，當他們問起我的事情，儘管告訴他們，不要只說好話，我希望他們認識眞正的我。

現在妳想必很難過，這是我最大的遺憾，所以在我身後留下的這封信裡（很有戲劇效果吧？），我想對妳說——

我知道妳一定覺得被我拋棄了，但是妳錯了，妳只要想起螢火蟲巷，就能找到我。

塔莉與凱蒂永遠在那裡。

最後的署名則是——

永遠的好朋友♥

凱蒂

她將信按在胸口。

她低頭看盒子，裡面還有三樣東西。

一包維珍妮涼菸，貼在上面的黃色便條紙寫著「抽我」。

一張大衛・卡西迪的簽名照，上面寫著「親我」，最後則是一個iPod，留言是：播放我，然後跳舞。

塔莉破涕爲笑，點起香菸抽了一口，呼出時嗆得咳不停。涼菸的氣味瞬間帶她回到夜晚的皮查克河畔，她們靠著傾倒的樹幹仰望銀河。

她閉上雙眼仰起頭，不帶暖意的秋陽曬在臉上，微風輕觸她的臉龐、撥亂她的頭髮，她在心裡呼喚：凱蒂。

忽然間，她感覺好友就在身邊，在四周，也在她的內心。她聽見凱蒂的輕聲細語，在風聲的呼嘯裡，在金黃落葉掃過人行道的窸窣中。

「嗨，凱蒂。」她輕輕說，戴上耳機按下播放鍵。

阿巴合唱團的〈舞后〉響起，帶她穿越時光。

年輕甜美，年方十七。

她站起來，不知道該哭還是該笑。她只知道自己並不孤獨，凱蒂沒有走。她們擁有超過三十年的感情，經歷過起起落落，什麼也無法奪走。她們擁有音樂與回憶，在那裡，她們永遠永遠在一起。

永遠的好朋友。

在空無一人的街頭，她開始跳舞。

作者的話

親愛的讀者，

從事寫作二十載，我從不曾附上與小說相關的作者跋或信件，這是第一次破例，老實說，連這次我也極力想避免。您應該可以清楚看出，我的努力一敗塗地，失敗的原因便是您剛讀完的這本書。

不曉得您是否看出來了，對我而言，寫這本書是一段非常個人的旅程。我生長於一九七〇年代的華盛頓州西部，那個時代與地點當時感覺起來風起雲湧、危險四伏，然而對照現今的世界，卻顯得可愛單純。我就讀華盛頓大學並加入姐妹會，故事中提到的所有歌曲都讓我憶起那段逝去的歲月。「再見黃磚路」是我用自己的錢買下的第一張專輯。

乳癌奪走了我的母親。許多女性一生都小心留意病徵，我也不例外。我進行自我檢查、每年接受乳房攝影，所有該做的事我都做了。

正因爲如此，發炎性乳癌（Inflammatory breast cancer，簡稱IBC）才如此恐怖。這種疾病常以意想不到的方式偷襲，家庭醫師經常會忽視早期病徵甚至誤診，相信大家都知道，癌症治療的關鍵在於早期發現，所以我希望敦促所有女性，將發炎性乳癌的病徵列入檢查項目，此外，感覺不對勁的時候千萬要勇於詢問，或者尋求其他醫師的診斷。我們女人最瞭解自己的身體，感覺有異或外觀改變時我們自己最清楚，我們必須相信自己的感受，即使被拒絕也要追根究底。

我知道這麼做很可怕也很艱難，但不能因爲恐懼便置之不理。萬一您發現自己有所遲疑或因恐懼而退縮，請向朋友求助，以得到您需要的力量。這是身爲女性最大的好處，我們永遠彼此相挺，就像塔莉和凱蒂所說的：無論發生什麼事。

謝謝您閱讀本書。

克莉絲汀

【附錄】

讀者俱樂部精選輯

| 作者介紹 |

- 作者自述

| 小說花絮 |

- 記憶之旅
- 凱蒂與塔莉的書信
- 答讀者

| 其他 |

- 推薦書單

更多精彩內容，請上www.readinggroupgold.com

【作者介紹】

作者自述

我出生於南加州，在海灘上成長，小時候經常堆沙堡、在波浪間嬉戲。我的父母非常富有冒險精神，在我快滿八歲時，他們決定聽從荒野的呼喚，踏上前往西北太平洋地區的旅程，投奔青山碧海的壯闊天地。我們全家開著福斯麵包車在海岸公路上奔馳，三個小孩在後座唱歌、打鬧，所有家庭出遊時應該都像這樣吧？雖然當時我還很小，但參天大樹與無比湛藍的天空令我十分感動。

我過著西北部女孩典型的青春歲月，就讀華盛頓大學大傳系，之後進入法學院。潛心鑽研法律的同時，我的人生發生了急遽變化。我的母親被診斷出罹患乳癌，我每天都去醫院探望她，她說的一句話改變了我的人生：「我知道妳以為自己熱愛法律，但其實妳應該寫作才對。」

寫作？我熬了七年好不容易快讀完法學院了，眼看即將成為律師，我媽卻在這個節骨眼上說寫作才是我的未來之路？我無法理解，更無法相信，但是因為她深信不疑，也因為那是一段很痛苦的時光，我還太年輕，許多問題我不想面對，於是我們一起著手準備寫小說。我到現在還記得，那是我人生中最美好的一段時光，甚至是母女關係中最好的一段。結果我沒有眞正寫出那本書（拜託，我可是要當律師的人呢，別鬧了），因為我忙著K書準備律師資格考試。我媽過世之後，我將那堆研究資料塞進箱子，堆放在衣櫥中。

顯然命運嫌我反應太遲鈍，幾年後，我結婚懷孕，孕期並不輕鬆。大約十四週時，醫生囑咐我要臥床休息，雖然我數學不太好，但我可以告訴各位，那可是很長一段時間，而且我只能躺著。

沒有多久，家裡的書我全看完了，甚至到了叫老公拿玉米片盒子給我看的地步，簡單地說，我快瘋了。這時親愛的老公提起我和媽媽合力創作的那本小說。

我需要的東西都備齊了，就躺在我的衣櫥裡，媽媽給我的最後一份禮物。我搬出一箱箱研究資料，拂去灰塵，開始動筆，到了兒子出生時，我已經完成了初稿，也一頭栽進寫作的世界欲罷不能。

許多年後，當我到了母親當年被診斷罹癌的年紀，我終於明白她的神奇預言從何而來。我知道她為何看出我有寫作的潛力，為什麼她那麼瞭解，我希望有一天也能給兒子那麼好的建議（而且只說一次）。

寫作雖然是媽媽給我的禮物，但我相信也是她的夢想，很多時候，我覺得我連她的份一起寫了。我所有的作品中，《最好的妳》應該會是她最喜歡的一本。

這本小說絕對是我寫過最貼近個人的一本，讀過這本書的人應該都看得出來，當我寫作時，媽媽的精神總是常伴左右。我寫的小說通常除了故事本身之外不會有其他意涵，一般而言，我只想盡力娛樂讀者，希望能帶來一些歡笑，甚至一些淚水，但是《最好的妳》不同以往，我背負著更重大的使命。我發覺許多與我同輩的女性不熟悉發炎性乳癌這種疾病，也不知道患病後致死率極高，我自認有責任利用作家的身分喚起注意。無數讀者告訴我，這本書讓她們意識到這種疾病的威脅，部分讀者甚至因此前往醫院接受檢查。我可以說，對抗癌症人人都可以有所貢獻，不只要意識到疾病的存在，也要投入力量給予協助，因此我設立了「螢火蟲基金會」，這是我的小小努力，希望藉此能為他人帶來轉機。這筆基金將用於為偏遠地區婦女提供發炎性乳癌的相關教育與援，女性互相援助、教育，還有什麼比這個更好？如果您願意與我一同努力，請造訪我的網頁KristinHannah.com，進一步瞭解螢火蟲基金會。倘若本書的所有讀者都捐出一美元，那麼我們將能夠做出眞正實質的貢獻。

【小說花絮】

記憶之旅

親愛的讀者，

我之前提到過，在我所寫的書中，《最好的妳》絕對會是我母親最喜歡的一本，現在我來告訴各位原因：比起其他小說，這本書更貼近我自身的經歷。這本小說的核心是一段與我個人息息相關的故事，與我的人生有諸多關聯。首先是最重要的元素——服裝，沒錯，那些衣服我全都穿過，包括闊腿大喇叭褲、綁染T恤、地球鞋、墊肩上衣、踩腳褲、泡泡襪，還有，別忘了人造纖維。髮型更是不在話下，每種髮型都以明星命名，不但造成潮流，甚至從此永垂不朽。我們會帶著照片去小鎮的美髮廳，以最虔誠的心加以複製，諸如：影集「妙家庭」女主角的中分長直髮，法拉頭，奧運花式滑冰冠軍桃樂西・漢米爾的瀏海短髮（我的高中畢業照就頂著這個髮型，我低頭看著一朵玫瑰，還做了柔焦效果），恐怖的不對稱髮型（該不會只有我記得吧？），女演員琳達・伊凡斯在影集「朝代」裡的中長髮造型，還有「六人行」的瑞秋，雖然排在最後但一樣熱門。

我是華盛頓大學的校友，書中提及的地方很多我都記得，想要來趟《最好的妳》懷舊之旅的讀者可以造訪下列地點：最後出口咖啡店（現在還存在嗎？），先鋒廣場上的凱爾酒館至今依然是個好去處，派克市場的星巴克創始店，由西雅圖搭渡輪前往班布理奇島，大學區的歌蒂酒館，華盛頓大學的希臘區（星期六晚上依然有開不完的派對），以及從班布理奇島的洛卡威海灘遠眺西雅圖夜景。

作爲小禮物，我附上了幾頁與《最好的妳》有關的補充內容。以下是塔莉與凱蒂七〇年代就讀高中時寄給對方的書信，這裡只有少數幾封，其他則放在我的網站上，也有本書相關的播放清單。看完網站內容之後，也請多停留一下，在我的部落格留言，我非常喜歡聆聽讀者的聲音。

【小說花絮】

凱蒂與塔莉的書信

親愛的凱蒂，

妳的上一封信讓我非常感動。我本來想打電話給妳，可惜我又被禁足了。我被逮到在女廁抽大麻（別告訴妳媽喔，我知道妳不會說的啦）。這次和高一那次不一樣，這次我根本沒抽，只是剛好在場。天主教女子學校就是這麼討厭，總愛把人當壞蛋。回到家，我外婆**氣炸了**，總之，我被處罰不准出門也不准打電話，雖然爛透了，但我也沒辦法。所以，多寫幾封信給我，說些值得報導的大新聞，當作是練習，對我們未來的電視新聞事業有幫助。

永遠的好朋友
塔莉♥

附注：妳覺得我當上記者後，該用塔露拉這個名字嗎？還是該想個感覺比較睿智的藝名？

親愛的塔莉，

至少妳還有事情可做。斯諾霍米什是全天下最無聊的地方，**完全**沒有新意，所以到現在大家還拿妳當話題。我的門禁時間是十點，就連暑假也一樣，爸媽甚至不准我熬夜看建國兩百週年特別節目，很討厭吧？我一直跟我媽說，她害我錯過歷史的重大時刻，可是她只是笑。老天，明年一定慘斃了。眞希望妳在這裡。我等不及和妳一起搬進宿舍，肯定很讚，我們可以每天晚上去狂歡。

媽叫我下樓吃飯了。又是即食鮪魚麵，我寧願啃鞋子。

永遠的好朋友
凱蒂

附注：妳覺得我眞的能在電視新聞界闖出一番事業嗎？

親愛的凱蒂，

昨天晚上我偷溜出去，和歐迪亞的幾個高三男生一起去國王巨蛋看羽翼樂團的演唱會，眞希望妳也在，我知道保羅・麥卡尼很老了，但他還是酷到沒話說。唱〈樂團上路〉的時候，泰德・傅倫約我出去，他是足球隊長，我該怎麼辦？

我很快會再寫信，好夥伴。10－4①。

永遠的好朋友

塔莉♥

附注：妳當然能在新聞界闖出一番事業，我們是好搭檔，對吧？妳很好命，有那麼照顧妳的媽媽。有些男生眞的很壞。建國兩百週年特別節目不看也罷，反正遜斃了。

想看更多嗎？請上www.KristinHannah.com

①10－4：此為美國警方為簡化通訊內容而慣用的代碼，代表「收到」。

【小說花絮】

答讀者

我十分有幸得以參加全國數十場的讀書會，我誠心覺得每次都獲益良多。以下是一些常見的問題。

＊是什麼讓妳想寫一本關於女性情誼的小說？

實際上，多年來我一直很想閱讀內容豐富、情節精彩、情感充沛的友誼小說。我希望主角是從小到大友情長存的兩個好友，透過她們講述我這個世代的故事。我等了又等，期待有人寫出這樣的一本書，最後我等不下去了，看來我得親自動筆才能看到這本書。

隨著年齡漸長，我開始眞正明白女性對彼此有多麼重要。一如我在書中所說，男人、事業甚至子女在我們的人生中都只是過客，但友誼卻永遠長存。這話可能有些偏激，但其中有一絲眞理。尤其當我陷入與青春期孩子無休止的戰鬥，更是需要朋友逗我笑。我想爲這些朋友寫出我的愛，就像情書一樣。

＊為何選擇西雅圖作為故事背景？

之所以選西雅圖，因爲那是我生命中重要的一部分。我大半輩子都住在這裡，看著這個小小角落變化、成長。西雅圖原本只是一個平靜的登山小鎮，最後變成網路公司聚集的繁榮城市。我年輕時常去的地方很多已經不在了，我希望有實質的東西能讓我回想逝去的時光。寫作這本書最美好的部分，便是回憶西雅圖舊日的模樣。雖然凱蒂與塔莉是百分之百的西北女孩，但全國都有讀者表示能夠產生共鳴。最後，我相信每個人都有著同樣的人生，只是版本不同。

＊《最好的妳》除了描寫友誼之外，也對母女關係多所著墨，妳如何以女性之間不同的關係讓故事延伸？

事實上，我認為母女關係非常神奇、複雜，變化萬千、隱藏危機，而且影響深遠。所有女性都受母女關係影響，甚至可說母女關係塑造了我們。只有當了媽媽我們才會反省自己是怎樣的女兒。在本書中這是很重要的部分，雖然凱蒂與塔莉互相有很深的影響，但是在最深層的內在，母親教養的方式決定了她們的性格。

這本小說中我最喜歡的部分，便是凱蒂在母女關係中的輪迴。一開始我們看到一個憤慨的少女，當著媽媽的面甩門，然後又看到她為人母之後，被女兒當面甩門，有如對稱的倒影，真實反映出我們人生的發展。過去幾年，我經常希望我媽還在世上，幫助我教養青春期的兒子。小時候我以為自己什麼都懂，現在我知道自己懂得不多。無論我媽在哪裡，她一定笑得很開懷。

＊本書中用很多篇幅探討現代女性面臨的兩難選擇。請問妳如何在工作與繁忙的母職間取得平衡？

我非常幸運得以從事寫作這個行業。這份工作最大的好處就是，讓我有機會同時身為家庭主婦與職業婦女。在兒子人格發展最關鍵的那些年，我能夠陪伴他，所有學校派對我都會幫忙，每次校外教學和體育活動我都參與。我隨時可以放下寫作，以兒子為優先。當然，他長大之後發現我讓他很丟臉，所以求我不要凡事以他為重，我清楚記得以前也對我媽說過同樣的話。

這種富有彈性的生活雖然好，但我依然必須付出代價。我寫作的速度比大部分作家慢，我不能巡迴打書，也經常錯過朋友間的社交活動，即使如此，我依然甘之如飴。我很幸運，能夠每天接送他上學、回家，同時經營一份讓我感到充實的工作，我認為自己極有福氣。而這種可說是腳踏兩條船的生活，讓我明白了一件事：無論多努力，我們女人總覺得自己不夠面面俱到。在學校幫忙時，我覺得應該寫作才對，而當我寫作時，又經常自責為家人的付出不夠，在《最好的妳》中，這是個很重要的主題，我們必須接受自己已經夠好了，凡事只能盡力而為。所謂超級媽媽、超級女性的觀念早該被淘汰了。我們只是人，雖然超厲害，但畢竟沒有超能力。

＊妳是凱蒂還是塔莉？

雖然我自認有一部分塔莉的性格，但我絕對比較像凱蒂，我從一開始就覺得和她很有共鳴。像我一樣，她是個小鎮女孩，天沒亮就得起床餵馬，每次全家露營都靠《魔戒》打發時間，在華盛頓大學一望無際的校園中感到迷失……很多都是我的經歷，因此，寫作這本書時最大的難題就是與凱蒂保持距離，設法以客觀的角度描寫她。

塔莉這個角色比較難寫。試著瞭解她的過程中，我遇到了很大的考驗，我花了很長的時間摸索童年遭到遺棄對她的性格所產生的影響。事實上，我很愛塔莉，我愛她的企圖心、愛心、過度旺盛的欲望，以及宏大的夢想；我也覺得她很可憐。她受母親傷害太深，以至於即使滿懷偉大的理想，她始終無法愛自己，也無法接受任何人的愛——除了凱蒂，她看穿了塔莉的誇大與防備，無論如何都愛她。一段維繫多年的友誼不就是這樣嗎？

＊請介紹妳的下一本書。

我接下來要出的書叫作《True Color》，那是個複雜辛酸的故事，描寫處在危機中的一家人，主要探討姐妹關係、背叛、復仇、手足競爭、榮譽、誠實，而最終的議題則是家庭的意義。葛瑞三姐妹生長在西北地區一個養馬的小農場，感情十分親密，維諾娜多年來一直與體重奮戰，渴望得到父親的認同；薇薇·安容貌美麗、生性天眞浪漫，一切都能輕易到手，尤其是父親的愛；奧若拉排行第二，成熟穩重，將所有事情都看得太過透徹。多年來，三姐妹攜手對抗冷酷疏遠的父親，他要求很多，卻從不給予回報，當莽撞的薇薇·安決意跟著内心的感覺走，隨之引發的一連串事件撼動了這個家最根本的基礎。故事中充滿欺騙、心碎，事件走向甚至影響到一個人的生死。

我很喜歡這本書中的角色。這是個規模龐大、高潮迭起的故事，融合了家族故事、法律驚悚與浪漫愛情，每個部分都十分引人入勝，一旦拿起來之後就很難放下，希望大家喜歡！

最後還有一件事。

我承認，我很晚才加入網路盛會。邁入新世紀時我非常不甘願，但儘管又哭又鬧還是被拖了進去，我極力抗拒（而且抱怨不休），但還是學著經營網站，並開始撰寫部落格。

誰想得到我竟然會樂在其中？連我自己都嚇了一大跳。

架設網站之後，我開始有機會可以和各地的讀書會視訊交談，多麼令人興奮！我見到來自全國各地的女性，她們許多人都曾隨著阿巴合唱團的歌曲熱舞，愛死了大衛·卡西迪，也都喝過布恩酒莊出品的廉價酒。我們談論各種話題，包括寫作、閱讀、書籍本身，以及身爲作家的點滴。如果您也是讀書會的成員，並且選擇《最好的妳》作爲討論書目，請造訪我的網站預約讀書會視訊通話時間，雖然我可能無法全部參與，但絕對會盡力而爲。

謝謝大家！

【其他】

推薦書單

這是最有趣的部分，推薦我喜歡的書籍，並告訴大家爲何應該閱讀這些書。最大的難題當然是有太多好書，但時間有限，總之……以下是我的書單：

《梅崗城故事》，哈波．李著：好啦、好啦，我知道選這本書太了無新意。但我眞心認爲這是世上最棒的一本小說。我熱愛這本書的敘事風格、人物，以及所傳達的訊息。最重要的是，這是一本讓人捨不得放下的小說。

《潮浪王子》，派特．康若伊著：這本書已經享有眾多好評，我還能多補充什麼呢？康若伊確實是美國最偉大的作家。我喜歡他優美的筆觸以及詩意的思緒。

《風之影》，卡洛斯．魯依斯．薩豐著：我超愛、超愛、超愛這個故事。畫面絕美，語言出色，人物描寫令人著迷，故事情節打從第一頁便深深吸引我。很難寫得更好了。

《牠》、《末日逼近》、《鬼店》，史蒂芬．金著：我是史蒂芬．金的超級書迷。還有很多本我想推薦，但我認爲對於從沒有讀過他作品的人，這三本是入門的好選擇，絕對會從此上癮。這位大師震撼了整個寫作世界。

《我彌留之際》，威廉．福克納著：這是福克納的作品中我最愛的一本，由此可見我有多麼喜歡。優美的語言與黑暗悲慘的故事形成強烈對比，我非常欣賞。順便一提，我也很愛《聲音與憤怒》。

《龜月》（Turtle Moon），愛麗斯．霍夫曼（Alice Hoffman）著：這本書引起我很大的共鳴，這也霍夫曼的作品中我最早讀到的一本。她的筆觸極爲優美，非常有特色。

《米德鎮的春天》（Middlemarch），喬治．艾略特著：最近我才看完這本書，不知道爲什麼念大學的時候沒看過，雖然要一段時間才能進入情節，但這個故事深深感動了我。就像托爾斯泰的《安娜卡列妮娜》一樣，這本書要花很多時間才能看完，但絕對值得。

《哈利・波特與死神的聖物》，J・K・羅琳著：很顯然，我選的並非只有這一本，而是整個系列。哈利的冒險故事每一篇我都很愛，但最後一集更是讓我無比震撼。身爲讀者，我被情節深深感動，隨之哭泣、欣喜；身爲作家，我感到無比敬佩、自慚形穢。這套書值得大力推薦。

《魔戒》，J・R・R・托爾金著：我少年時代的愛書，就這麼簡單。這本書出現在《最好的妳》的情節中，因爲這本書對我的影響極大。

《百年孤寂》，馬奎斯著：這是一本美麗、醉人、創新的小說，就這麼簡單，但這個故事可一點也不簡單。

《巫異時刻》（The Witching Hour）、《夜訪吸血鬼》，安・萊斯著：情節精彩、筆法優美，極爲引人入勝，這是安・萊斯作品中我最喜歡的兩本。

《羅蜜歐與茱麗葉》，莎士比亞著：推薦書單怎麼可以漏掉最偉大的作家？這是我最喜歡的一本。

國家圖書館出版品預行編目資料

最好的妳 / 克莉絲汀・漢娜（Kristin Hannah）著；康學慧譯. -- 初版 .-- 臺北市：春光出版：家庭傳媒城邦分公司發行, 2014（民103.08）
面；　公分
ISBN 978-986-5922-50-4（平裝）
譯自：Firefly Lane
874.57　　　103012948

最好的妳

原書名 / Firefly Lane
作者 / 克莉絲汀・漢娜（Kristin Hannah）
譯者 / 康學慧
企劃選書人 / 李曉芳
責任編輯 / 李曉芳

版權行政暨數位業務專員 / 陳玉鈴
資深版權專員 / 許儀盈
行銷企劃 / 陳姿億
行銷業務經理 / 李振東
副總編輯 / 王雪莉
發行人 / 何飛鵬
法律顧問 / 元禾法律事務所　王子文律師
出版 / 春光出版
台北市104中山區民生東路二段 141 號 8 樓
電話：(02) 2500-7008　傳眞：(02) 2502-7676
部落格：http://stareast.pixnet.net/blog
E-mail：stareast_service@cite.com.tw
發行 / 英屬蓋曼群島商家庭傳媒股份有限公司城邦分公司
台北市中山區民生東路二段 141 號11 樓
書虫客服服務專線：(02) 2500-7718 / (02) 2500-7719
24小時傳眞服務：(02) 2500-1990 / (02) 2500-1991
讀者服務信箱E-mail: service@readingclub.com.tw
服務時間：週一至週五上午9:30～12:00，下午13:30～17:00
劃撥帳號：19863813　戶名：書虫股份有限公司
城邦讀書花園網址：www.cite.com.tw
香港發行所 / 城邦（香港）出版集團有限公司
香港灣仔駱克道 193 號東超商業中心 1 樓
電話：(852) 2508-6231　傳眞：(852) 2578-9337
E-mail : hkcite@biznetvigator.com
馬新發行所 / 城邦（馬新）出版集團　Cité (M) Sdn. Bhd.
41, Jalan Radin Anum, Bandar Baru Sri Petaling,
57000 Kuala Lumpur, Malaysia.
電話：(603) 90578822　傳眞：(603)90576622
E-mail：cite@cite.com.my

封面設計 / 朱陳毅
内頁排版 / 浩瀚電腦排版股份有限公司
印刷 / 高典印刷有限公司

■ 2014 年（民 103）8月 28 日初版
■ 2020 年（民 109）1月 2 日二版

Printed in Taiwan
城邦讀書花園
www.cite.com.tw

售價 / 380元

ISBN　978-986-5922-50-4

廣	告	回	函
北區郵政管理登記證			
台北廣字第000791號			
郵資已付，免貼郵票			

104台北市民生東路二段141號11樓

英屬蓋曼群島商家庭傳媒股份有限公司
城邦分公司

請沿虛線對折，謝謝！

遇見春光．生命從此神采飛揚

春光出版

書號： OT1015X 書名： 最好的妳（暢銷珍愛版）

請於此處用膠水黏貼

讀者回函卡

謝謝您購買我們出版的書籍！請費心填寫此回函卡，我們將不定期寄上城邦集團最新的出版訊息。

姓名：________________________

性別：□男　□女

生日：西元________年________月________日

地址：________________________

聯絡電話：________________ 傳真：________________

E-mail：________________________

職業：□1.學生 □2.軍公教 □3.服務 □4.金融 □5.製造 □6.資訊

□7.傳播 □8.自由業 □9.農漁牧 □10.家管 □11.退休

□12.其他 ________________

您從何種方式得知本書消息？

□1.書店 □2.網路 □3.報紙 □4.雜誌 □5.廣播 □6.電視

□7.親友推薦 □8.其他 ________________

您通常以何種方式購書？

□1.書店 □2.網路 □3.傳真訂購 □4.郵局劃撥 □5.其他 ________

您喜歡閱讀哪些類別的書籍？

□1.財經商業 □2.自然科學 □3.歷史 □4.法律 □5.文學

□6.休閒旅遊 □7.小說 □8.人物傳記 □9.生活、勵志

□10.其他 ________________

請於此處用膠水黏貼